すべての日本人に贈る――「話すため」の英文法

一億人の英文法

ENGLISH GRAMMAR FOR 100 MILLION JAPANESE

東洋学園大学 教授
大西泰斗
Hiroto Onishi

麗澤大学 教授
ポール・マクベイ
Paul Chris McVay

英文法の歩き方	0
主語・動詞・基本文型	1
名詞	2
形容詞	3
副詞	4
比較	5
否定	6
助動詞	7
前置詞	8
WH修飾	9
動詞-ING形	10
TO 不定詞	11
過去分詞形	12
節	13
疑問文	14
さまざまな配置転換	15
時表現	16
接続詞	17
流れを整える	18
巻末付録	付録

東進ブックス

魁斗へ
又はとりあえずやることやった
次は地前の番だ！

To Claude
For her unwavering
support and encouragement.

はじめに

INTRODUCTION

　本書「一億人の英文法」は，英語を必要とする日本人すべてのために作られた新しい英文法体系です。中学生から大学受験生，さらに仕事で英語を必要とされる方々まで，どなたでも楽しみながら英語の実践力を身につけることができる内容になっています。

　「英語の実践力」とは，受験生にとっては大学受験を乗り越える力を指しています。ビジネスパーソンにとっては英語を話すことができる力を指しています。従来の英語学習では，受験は受験スペシャルの特別な──そして実用に供さない──文法が基礎となっていました。そして話すことを目的にしたとき初めて，その知識がまるで役に立たないことに気がつかされてきたのです。なんという非効率。

　英語は英語。大学受験英語も実用英語もありません。一冊ですべてをまかなうことができるのですよ。この文法書が，英語を志す方すべてに途切れのない一本の道を示すことができれば，それに勝る喜びはありません。

本書の特徴・使い方

SPECIAL FEATURES & HOW TO USE

　本書は，これまでの文法書とは異なった目的と特徴をもっています。「異なった目的」とは「英語を話す」ということです。従来の文法書は，英語を読み，聴き取ることに重点が置かれてきました。だからこそ，「it は『形式主語』であり，真主語は to 不定詞以下である」などといった「ゆるい」説明が羅列されてきたのです。

　こうした「説明」も，英文を理解する助けにはなるのかもしれません。ですが，「話す」ことにはまるで役に立ちません。母国語話者（ネイティブスピーカー）は誰１人としてそうした知識に基づいて英語を話しているわけではないからです。——そうやって，現在の「英語を話せない日本人」は生み出されてきました。

　英語を話すために必要なのは，ネイティブの意識です。彼らが単語を使うとき，文を作るときどういった意識でそれを行っているのか，それを知りコピーする。それが英語を話し，そして彼らと同じ簡便なやり方で読み，聴きとるための要諦なのです。

　英語を話す——この目的を実現するために，私は本書に，従来の文法書にはないいくつかの特徴を与えました。

本書の特徴

① 文法用語からの解放

　文法用語は体系と共に変わります。話すための新しい文法である本書には，多くの古い用語は不要です。その結果，この本では日常語の域を出る特殊な文法用語はほとんど出てきません。みなさんは使えない文法用語を学ぶための不毛な時間を使うことなく，安心して英語理解に邁進することができます。

② 文を作るための簡単な原則を解説

英語は「配置のことば」です。文のどこに要素を配置するかが大変重要なことばです。簡単な配置原則を知ることによって，容易に英語文を口にすることができるようになります。本書の文法体系はこの配置原則に貫かれています。いくつかの簡単な原則をつかむことによって，さまざまな文法事項を自然に・深く・効率的に理解し，使いこなすことができるようになります。

③ 項目の順序性

従来の文法書は，「英語百科辞典」を意図しています。その結果すべての項目は特に学習順序を意図することなくバラバラに並んでいます。それに対し本書は，英語を理解する為に最適な順に項目を並べています。Chapter 1が最も本質的で重要な章。この箇所だけでも読み終われば，英語がグッと身近に感じられるはずです。

④ すべての形に意識を通わせました

従来の文法書で紹介されてきたさまざまな文には，それが使われる特有の意識があります。その意識を学ばずに「it...for...to」「使役構文」「SVOO」などと形だけを学んでも，それほど実践の役には立ちません。文は常に心を起点として形作られるのですから。本書は，代表的な文の形すべてに「こういう気持ちでこの文は作られているんだよ」という意識を与えています。そうやって話せる英語を目指すのです。

⑤ すべての表現に意識を通わせました

日本語と全く同じように，英単語など英語表現にもそれを使う意識が常に伴っています。some, several, a number of は「いくつかの」と訳すことが可能ですが，訳を覚えるだけでは会話で使うことなどできません。どういった意識で発せられる「いくつかの」なのかを知る必要があります。本書では紙数の許す限り，会話で自信をもって使えるように意識・ニュアンスまで踏み込んだ解説をほどこしました。また特に習得が難しい「基礎語」とよばれるものについては，セクションを設けまとめて説明をしています。おなじみの英単語の本当の意味にきっと驚かれるはずです。

⑥「なぜ」に答えました

　従来の文法書では，単に文法現象が羅列され，どうしてそんなことが起こるのか，ネイティブはどう意識しているのかがおざなりにされるケースが目立ちます。本書では可能な限り，学習者が抱く「なぜ」にお答えしています。本書を読み終わる頃には「英語には理不尽な規則などない」と思って戴けるのではないでしょうか。

⑦ 実用に役立つ例文

　話せる英語を目指す本としてはあたりまえのことですが，本書の例文はほぼすべて（意図的に古いあるいは不自然な使い方を提示する場合を除き）完全に実用に足る自然な文です。文法書によっては現在ほぼ使われない古い形式にページを費やしていることもあります。どう考えても「誰が言うんだよ」などという文が並んでいることすらあります。それに対し本書には「明日会話で使える」文が並んでいます。また，今回はクリス（共著者）に，大学受験でよく使われる単語を多用するようにリクエストしました。もちろん市販の大学受験単語集では，「いつ使うんだよ」というような単語もたくさん並んでおり，そうした単語は避けておきましたが。

⑧ イラストの多用

　外国語学習では，しばしばネイティブに絵を描いて貰うだけでスッと意味が納得できることがあります。「百聞は一見に如かず」ということです。本書でも絵はてんこ盛りに多用されています。プロに任せるとなかなか意図が伝わらないことがあるので，全部自分で描きました。うーーむ。つかれた。

本書の使い方

　本書は，特別な文法用語を排除しているため，中学校卒業程度の英語力があれば誰でも始めることができますが，以下のことにご注意ください。

❶ 最初から順に読むことを基本とします

　本書は通常の文法書とは異なり，英語を最大限に効率よく吸収する章立てを考慮しています。できる限り順序よくお読みください。以前の章の内容が

基礎となり展開している場合があるからです。

　ふつうの文法書は，退屈でとても最初から読み通す気にはなりません。私だって読めません。ですが，この本なら順序よく面白く読み進めることができますよ。「そうだったのか」の発見が随所にあるはずですから。

❷ 序章「英文法の歩き方」は必ずお読みください

　本書の内容は，大変重要ないくつかの配置原則に基づいています。読者の方々が英語の森で悩まないように，配置原則をまずすべて説明したのが，「CHAPTER 0：英文法の歩き方」です。必ずお読みくださいね。

❸ さまざまな種類のコラム

　本書の解説は，本論と――かなりの数を配した――コラムで成り立っています。コラムにはさまざまな種類がありますが，P.43 の説明を目安に取捨選択しながら読み進めてください。最初から細かなコラムをすべて読むことはありませんよ。ま，面白いとは思うんだけど。

❹ 繰り返し音読

　英語を話すためには，文の形と意識の運び方，リズムに習熟する必要があります。その為，しばしば例文の音読を勧めている場合があります。そうした箇所では必ず「声に出して」指示に従いながら音読を重ねてください。時間があれば，暗唱してもいいでしょう。遠回りなようでも，声に出して読む。頭だけで理解しようとしない。それが，話す英語への最短距離です。

❺ 高校生なら1週間から10日

　外国語学習は理屈ではありません。頭の中に十分な語彙力と，使いこなせる文の形を刻み込むことが重要です。英語を話したいなら，文法はなるべく短期間に終わらせる必要があるということです。高校生なら10日以内に本書を読破し，英語の輪郭をつかみとるぐらいの知性と勢いが必要です。大丈夫だよ，カンタンだから。

もくじ
CONTENTS

CHAPTER 0
英文法の歩き方

- 初めての「話すための英文法」 16
- Ⓐ まずは4つの基本文型を知る 20
- Ⓑ 修飾方向を身につける 23
  - ❶ 限定ルール（前から限定） 25
  - ❷ 説明ルール（後ろから説明） 27
  - ❸ 穴埋め修飾 29
- Ⓒ 配置を崩してみる 32
- Ⓓ 時表現をマスターする 35

PART 1
英語文の骨格

CHAPTER 1
主語・動詞・基本文型

- SECTION 1：主語
  - Ⓐ 「主語」とは？ 50
  - Ⓑ 主語のつかまえ方 51
  - Ⓒ 主語の「資格」は特にない 52
  - Ⓓ 無生物主語 55
- SECTION 2：動詞
  - Ⓐ 動詞の基礎知識（2種類の動詞） 56
  - Ⓑ 動詞の変化形 57
  - Ⓒ 基本動詞のイメージ 65
- SECTION 3：基本文型① 他動型
  - Ⓐ 他動型 66
- SECTION 4：基本文型② 自動型
  - Ⓐ 自動型 69
  - Ⓑ 前置詞とのコンビネーション 69
- SECTION 5：基本文型③ 説明型
  - Ⓐ 説明型（be動詞） 71
  - Ⓑ 説明語句の自由 73
  - Ⓒ 説明型（一般動詞） 74

- SECTION 6：基本文型④ 授与型
  - Ⓐ 授与型 77
  - Ⓑ 授与をあらわす，もう1つの形 78
- SECTION 7：目的語説明文
  - Ⓐ 目的語説明文（基礎） 86
  - Ⓑ 知覚をあらわす動詞と共に 88
  - Ⓒ make, have, let と共に 89
  - Ⓓ to 不定詞を説明語句に 93
- SECTION 8：レポート文
  - Ⓐ レポート文基礎：that節 95
  - Ⓑ whether/if 節・wh節での展開 98
  - Ⓒ 遠回し疑問文 100
  - Ⓓ コミュニケーション動詞のクセ 102
- SECTION 9：命令文
  - Ⓐ 命令文の形・意識 103
  - Ⓑ 禁止の命令・勧誘 104
- SECTION 10：There文
  - Ⓐ there文の形・意識 108
  - Ⓑ 2とおりの「～がある・いる」 109
- ◆基本動詞 111

CHAPTER 2
名詞

- SECTION 1：可算名詞・不可算名詞
  - Ⓐ 可算・不可算の判断 135
  - Ⓑ 可算名詞・不可算名詞の特徴 137
  - Ⓒ 不可算名詞の「数え方」 140
  - Ⓓ 可算・不可算は臨機応変 142
- SECTION 2：単数名詞・複数名詞
  - Ⓐ 単数形・複数形の作り方（規則変化） 151
  - Ⓑ 単数ととらえる・複数ととらえる 154
  - Ⓒ 単数・複数の上手な選択 157
- SECTION 3：限定詞
  - Ⓐ 限定詞なしの名詞 160
  - Ⓑ the 162
  - Ⓒ a [an] 172
  - Ⓓ some 178
  - Ⓔ any 181
  - Ⓕ all, every, each 183
  - Ⓖ no 187

CONTENTS

- **Ⓗ** both, either, neither …… 188
- **Ⓘ** 数量表現 …… 190
- **Ⓙ** 指示の this, that …… 196
- **Ⓚ** 単独で使える限定詞 …… 198

SECTION 4：代名詞
- **Ⓐ** 代名詞の基本 …… 201
- **Ⓑ** 主格の使い方 …… 203
- **Ⓒ** 所有格の使い方 …… 203
- **Ⓓ** 目的格の使い方 …… 207
- **Ⓔ** 所有代名詞の使い方 …… 207
- **Ⓕ** -self 形の使い方 …… 208
- **Ⓖ** it …… 209
- **Ⓗ** 人々一般をあらわす代名詞 …… 217
- **Ⓘ** 前に出てきた単語の代わりをする one …… 218
- **Ⓙ** 固有名詞 …… 220

PART 2
修飾

CHAPTER 3
形容詞

SECTION 1：前から限定
- **Ⓐ** 限定する …… 234
- **Ⓑ** 重ねて修飾 …… 234

SECTION 2：後ろから説明
- **Ⓐ** 説明を加える …… 237
- **Ⓑ** 説明を加えるその他の例 …… 238

SECTION 3：何でも形容詞
- **Ⓐ** 名詞による修飾 …… 242
- **Ⓑ** 動詞 -ing 形で修飾 …… 242
- **Ⓒ** 過去分詞形で修飾 …… 243
- **Ⓓ** -ing形 vs 過去分詞形（感情をあらわす）…… 244

CHAPTER 4
副詞

SECTION 1：説明の副詞
- **Ⓐ** 時をあらわす副詞 …… 250
- **Ⓑ** 場所をあらわす副詞 …… 251
- **Ⓒ** 「どのように」「どれくらい」

——様態をあらわす副詞 …… 253
- **Ⓓ** 副詞の重ね方 …… 254

SECTION 2：限定の副詞
- **Ⓐ** 限定一般 …… 257
- **Ⓑ** 程度副詞 …… 259
- **Ⓒ** 頻度副詞 …… 261
- **Ⓓ** 確信の度合いをあらわす副詞 …… 264
- **Ⓔ** 評価・態度をあらわす副詞 …… 266

◆ 基本副詞 …… 269

CHAPTER 5
比較

SECTION 1：同等レベルをあらわす
- **Ⓐ** as-as の基本 …… 283
- **Ⓑ** 限定語句と共に as-as を使う …… 285
- **Ⓒ** as-as を使い切る …… 287

SECTION 2：比較級表現：「より〜」
- **Ⓐ** 比較級の基本 …… 299
- **Ⓑ** 限定語句と共に比較級を使う …… 301
- **Ⓒ** 比較級を使い切る …… 303

SECTION 3：最上級表現：「最も〜」
- **Ⓐ** 最上級を使った基本型 …… 310
- **Ⓑ** 最上級を限定語句と共に使う …… 312
- **Ⓒ** 最上級の応用型：
  「これまで」とのコンビネーション …… 313

CHAPTER 6
否定

SECTION 1：not は前から
- **Ⓐ** 否定文の作り方 …… 317
- **Ⓑ** 語句を否定する …… 320

SECTION 2：「強い単語」とのコンビネーション

SECTION 3：not のクセ
- **Ⓐ** 「思う」文で前倒し …… 324
- **Ⓑ** not を含んだ文に対する受け答え：
  not は勘定に入れない …… 325
- **Ⓒ** not を含んだ文に対する受け答え：
  not を明示する …… 326
- **Ⓓ** 文の代わりに not …… 327

CHAPTER 7
助動詞

SECTION 1：助動詞基礎
- Ⓐ 疑問文と否定文 334
- Ⓑ 助動詞の変化形 335

SECTION 2：主要助動詞の意味① MUST
- Ⓐ 〜しなければならない（義務） 336
- Ⓑ 〜しちゃダメ（禁止） 337
- Ⓒ 〜しなくちゃいけないよ（強いおすすめ）... 337
- Ⓓ 〜にちがいない（強い確信） 337

SECTION 3：主要助動詞の意味② MAY
- Ⓐ 〜してよい（許可） 339
- Ⓑ 〜してはいけません（禁止） 340
- Ⓒ 〜しますように（祈願） 340
- Ⓓ 〜かもしれない（推量） 341

SECTION 4：主要助動詞の意味③ WILL
- Ⓐ 〜だろう（予測） 343
- Ⓑ 〜するものだ（法則・習慣） 344
- Ⓒ 〜するよ（意志） 345

SECTION 5：主要助動詞の意味④ CAN
- Ⓐ 〜できる（能力） 346
- Ⓑ 〜していい（許可） 347
- Ⓒ 〜しうる・ときに〜することもある（潜在的な性質） 348

SECTION 6：主要助動詞の意味⑤ SHALL
- Ⓐ 法律 350
- Ⓑ 必ず〜になる（確信） 351
- Ⓒ Shall I 〜？・Shall we 〜？（〜しましょう）... 351

SECTION 7：主要助動詞の意味⑥ SHOULD
- Ⓐ 〜すべき（義務・アドバイス） 353
- Ⓑ 〜はず（確信） 354

SECTION 8：助動詞相当のフレーズ
- Ⓐ have to 360
- Ⓑ be able to 363
- Ⓒ had better / had best + 動詞原形 365
- Ⓓ used to 366

CHAPTER 8
前置詞

SECTION 1：前置詞基礎
- Ⓐ 前置詞の位置と働き 369

SECTION 2：前置詞の選択
- ◆ 基本前置詞 379

CHAPTER 9
WH修飾

SECTION 1：人指定の who
- Ⓐ 主語の穴に組み合わせる 416
- Ⓑ 目的語の穴に組み合わせる 417
- Ⓒ 「whose + 名詞」の形 418

SECTION 2：モノ指定の which
- Ⓐ 主語の穴に組み合わせる 421
- Ⓑ 目的語の穴に組み合わせる 422
- Ⓒ 「whose + 名詞」の形 422

SECTION 3：wh語を使わないケース・that を使うケースなど
- Ⓐ wh語を使わないケース 424
- Ⓑ that を使うケース 425

SECTION 4：where, when, why の wh修飾
- Ⓐ 「場所」の where 429
- Ⓑ 「時間」の when 430
- Ⓒ 「理由」の why 431

SECTION 5：ハイレベル wh修飾
- Ⓐ 深く埋め込まれた穴 433

SECTION 6：カンマ付 wh修飾
- Ⓐ カンマ付 wh修飾は注釈を加える 435
- Ⓑ カンマ付 wh修飾の実践 436

PART 3
自由な要素

CHAPTER 10
動詞 -ING形

SECTION 1：名詞位置での動詞 -ing形
- Ⓐ 主語として 445
- Ⓑ 目的語として 445
- Ⓒ 前置詞の目的語として 446

SECTION 2：修飾位置での動詞 -ing形
- Ⓐ 説明型の -ing形（進行形） 447
- Ⓑ 名詞句の説明 448
- Ⓒ 目的語説明 448
- Ⓓ 動詞句の説明 449
- Ⓔ 文の説明 450

CHAPTER 11
TO 不定詞

SECTION 1：名詞位置での to 不定詞
- Ⓐ 主語として ……………………… 455
- Ⓑ 目的語として ……………………… 457

SECTION 2：修飾位置での to 不定詞①
- Ⓐ come/get + to 不定詞 ……………………… 460
- Ⓑ 説明型の to 不定詞 ……………………… 461
- Ⓒ 目的語説明 ……………………… 463

SECTION 3：修飾位置での to 不定詞②
- Ⓐ 動詞句の説明と「足りないを補う」 ……………………… 464
- Ⓑ 名詞句の説明 ……………………… 467
- Ⓒ 形容詞の説明 ……………………… 468
- Ⓓ wh語 + to 不定詞 ……………………… 469

SECTION 4：to 不定詞が使われるその他の形
- Ⓐ 「it + to 不定詞」のコンビネーション ……………………… 471
- Ⓑ too ～ to ...（～すぎて…できない）……………………… 472
- Ⓒ to +完了形 ……………………… 473
- Ⓓ to 不定詞の否定 ……………………… 474

CHAPTER 12
過去分詞形

SECTION 1：受動文とは？
- Ⓐ 受動文という「視点」……………………… 477
- Ⓑ 受動文が好んで使われるケース ……………………… 477

SECTION 2：受動文基礎
- Ⓐ 受動文の基本型 ……………………… 481
- Ⓑ 受動文のあらわす「時」・疑問文・否定文 ……………………… 482

SECTION 3：受動文のバリエーション
- Ⓐ 授与をあらわす受動文 ……………………… 486
- Ⓑ 目的語説明の受動文 ……………………… 487
- Ⓒ to 不定詞と受動文のコンビネーション ……………………… 488
- Ⓓ 句動詞の受動文 ……………………… 491

SECTION 4：過去分詞で修飾
- Ⓐ be動詞以外の説明型で用いる過去分詞 ……………………… 492
- Ⓑ 目的語修飾 ……………………… 493
- Ⓒ 過去分詞，その他の修飾 ……………………… 494

CHAPTER 13
節

SECTION 1：主語位置での節
- Ⓐ タダの節 ……………………… 499
- Ⓑ 二択の whether 節 ……………………… 500
- Ⓒ wh節 ……………………… 500

SECTION 2：修飾語位置での節
- Ⓐ 説明型の節 ……………………… 502
- Ⓑ 動詞(句)を説明（レポート文）……………………… 502
- Ⓒ 名詞句の説明 ……………………… 504

PART 4
配置転換

CHAPTER 14
疑問文

SECTION 1：基本疑問文
- Ⓐ 助動詞あり ……………………… 513
- Ⓑ 助動詞なし ……………………… 514
- Ⓒ be動詞 ……………………… 514
- Ⓓ 疑問文への応答 ……………………… 515

SECTION 2：否定疑問文
- Ⓐ 否定疑問文の作り方 ……………………… 517

SECTION 3：付加疑問文
- Ⓐ 付加疑問文の基本 ……………………… 518
- Ⓑ ちょこっとくっつけるテクニック ……………………… 519

SECTION 4：あいづち疑問文
- Ⓐ 発言を受ける疑問文 ……………………… 522

SECTION 5：wh疑問文① しくみ
- Ⓐ wh疑問文 ……………………… 523

SECTION 6：wh疑問文② 基礎
- Ⓐ wh疑問文の基礎 ……………………… 525
- Ⓑ 「時・場所・方法・理由」を尋ねる場合 ……………………… 526
- Ⓒ 前置詞の目的語を尋ねる ……………………… 527
- Ⓓ 主語を尋ねる ……………………… 528
- Ⓔ 「大きな」wh語 ……………………… 528

SECTION 7：wh疑問文③ 応用
- Ⓐ レポート文内を尋ねる ……………………… 530
- Ⓑ その他の複雑な wh疑問文 ……………………… 531
- Ⓒ wh語を使った聞き返し ……………………… 532

SECTION 8：疑問ではない疑問文
- Ⓐ 依頼の疑問文 ……………………… 533
- Ⓑ 疑問の意味ではない疑問文 ……………………… 534

11

CHAPTER 15
さまざまな配置転換

SECTION 1：主語―助動詞倒置
- Ⓐ（主語―助動詞）倒置形の活用：基本 ……… 536
- Ⓑ 否定的語句＋倒置 ……… 537
- Ⓒ 仮定法 Ⅰ 倒置 ……… 539
- Ⓓ Should＋倒置 ……… 540

SECTION 2：感嘆文・その他
- Ⓐ 感嘆文 ……… 541
- Ⓑ その他の配置転換 ……… 542

PART 5
時表現

CHAPTER 16
時表現

SECTION 1：時のない文
- Ⓐ 命令文 ……… 545
- Ⓑ 願望・要求・提案などをあらわす節 ……… 545

SECTION 2：現在形
- Ⓐ 現在を含め広く成り立つ状況 ……… 547
- Ⓑ 現在の習慣 ……… 548
- Ⓒ 思考・感情 ……… 549
- Ⓓ 宣言 ……… 549
- Ⓔ 実演（今まさに展開していく状況）……… 550
- Ⓕ 現在形，その他のポイント ……… 551

SECTION 3：過去形
- Ⓐ 丁寧表現 ……… 555
- Ⓑ 控えめな過去の助動詞 ……… 556
- Ⓒ 仮定法 ……… 557

SECTION 4：進行形（be＋-ing）
- Ⓐ 躍動的な状況の描写 ……… 559
- Ⓑ 短期間 ……… 559
- Ⓒ 動詞との相性 ……… 563
- Ⓓ 進行形・その他の表現効果：
  〜してばっかりいる ……… 564

SECTION 5：現在完了形（have＋過去分詞）
- Ⓐ 間近に起こったできごとをあらわす ……… 566
- Ⓑ 経験（〜したことがある）……… 567
- Ⓒ 継続（ずっと〜している）……… 569
- Ⓓ 結果（「だから今…だ」という含み）……… 571

SECTION 6：完了形バリエーション
- Ⓐ 過去完了形 ……… 575
- Ⓑ 助動詞＋完了形 ……… 577
- Ⓒ 現在完了進行形 ……… 579

SECTION 7：未来
- Ⓐ will の描く未来 ……… 581
- Ⓑ be going to（＋動詞原形）の描く未来 ……… 582
- Ⓒ 進行形が描く未来 ……… 585
- Ⓓ 現在形のあらわす未来 ……… 586
- Ⓔ will＋進行形（will be -ing）を使った未来 ……… 587
- Ⓕ be to の描く未来 ……… 588

SECTION 8：仮定法
- Ⓐ 時を述べる3モード ……… 590
- Ⓑ 仮定法の心理 ……… 591
- Ⓒ 仮定法の作り方① : 基礎 ……… 592
- Ⓓ 仮定法の作り方② : if を用いた仮定法文 ……… 595

SECTION 9：時制の一致
- Ⓐ 時制の一致：基礎 ……… 600
- Ⓑ 時制の一致と助動詞・仮定法 ……… 603
- Ⓒ 時制の一致が起こらないケース ……… 606

PART 6
文の流れ

CHAPTER 17
接続詞

SECTION 1：等位接続
- Ⓐ 順行の接続 ……… 614
- Ⓑ 逆行の接続 ……… 617
- Ⓒ 選択の接続 ……… 620

SECTION 2：従位接続
- Ⓐ 条件 ……… 622
- Ⓑ 理由（原因）……… 628
- Ⓒ 目的 ……… 632
- Ⓓ 譲歩 ……… 633
- Ⓔ コントラスト ……… 636
- Ⓕ 時間への位置づけ ……… 637
- Ⓖ 多様な接続詞 as ……… 640

CHAPTER 18
流れを整える
——代用・省略・注釈・レポート文テクニック

SECTION 1：重なりを省く・注釈を加える
- Ⓐ 代用 ·· 647
- Ⓑ 省略 ·· 649
- Ⓒ 注釈を加える（同格・挿入） ············ 651

SECTION 2：レポートする
- Ⓐ 2とおりのレポート（直接話法と間接話法） ··· 654
- Ⓑ 再構成のテクニック ······················· 657

巻末付録

- 付録1：不規則動詞変化表 ················· 664
- 付録2：数の表現 ···························· 666
- 付録3：文内で用いられる記号 ············ 670
- 付録4：参考文献 ···························· 672
- 付録5：索引 ··························· 674〜683

CHAPTER 0

英文法の歩き方

A GUIDED WALK THROUGH ENGLISH GRAMMAR

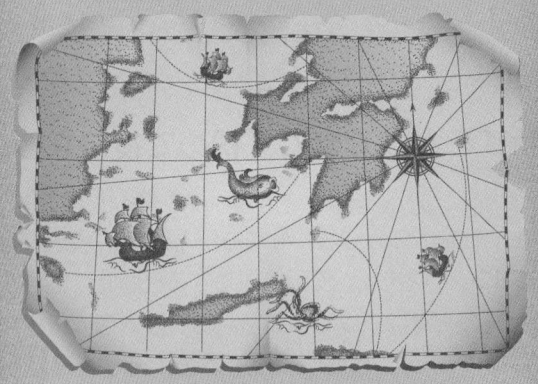

　英語はとても単純なことばです。だけどその単純さに気がつかなければ大変な回り道をしてしまうことばでもあります。この章でまず，英語がどんなことばなのか，おおざっぱにつかんでしまいましょう。ここで「歩き方」を学べば，PART 1 以下の細かな文法解説もすぐに理解できるはずですよ。

初めての「話すための英文法」

　みなさんこんにちは。みなさんが手に取られたこの文法書には，書き手である私にとって非常に高いハードルが設定されています。それは，

話せる英語を最速で達成するための文法書

というハードルです。従来の受験参考書は，大学受験の突破が目標でした。それは「英文和訳ができればいい」程度の目標と言ってもいいでしょう。その結果，大学生になっても，ビジネスマンになってすら「英語が話せない」という事態を招来してきました。でも，英文和訳ができればいい——そんな英語力は誰も求めていないでしょう？

英語は話すことができて，初めて役に立つのです。

　本書は大学生や社会人のみなさんはもちろん，大学受験をひかえた高校生（受験生）も対象にしています。受験に成功すると同時に，英語を書き，英語を話す，高い英語力を身につけてもらう。それが本書の目標なのです。「受験英語なんて目標にするな」「受験を乗り越えたぐらいで満足するな」ということです。

　さて，英文法の目標を，英文和訳から「最速」で「話す力」へとハードルを上げたとき，ハッキリ見えることがあります。それは，

システムを理解しなければならない

という事実です。「to 不定詞の名詞的用法」だの「動名詞」だの，いくら詳しく覚えたとしても，それはせいぜい英文和訳に役立つ程度の理解です。話す

力にはなりません。ネイティブ（英語母国語話者：ネイティブスピーカー）のもつシンプルなシステムを理解する。それだけで英語力は時間をかけずとも飛躍的に上がります。

そして――おそらくみなさん驚かれることと思いますが――ネイティブのシステムを理解できれば，今までみなさんを苦しめてきた難解な文法事項も，簡単に，感覚的に，あたりまえの現象として理解することができます。それが話す文法を身につけるということなのです。

話すための文法がマスターできたなら，もちろん，**リスニング・読解の実力も飛躍的に上がります。**話し手，書き手のネイティブと同じ見方で，英文を聞き・読むことがリスニング・読解の要諦だからです。

本書は従来の学校英文法全体を組みかえ，「最速」で「話す力」を達成するための順序を採用しています。その最も重要なスタートがこの序章「英文法の歩き方」です。

詳細はさておき，単語学習はさておき，英語のもつシンプルなシステムを英語全域にわたって解説する――それが「英文法の歩き方」です。広大な英語という世界を貫く，話すために必要な必須のシステム解説。必ず読んでください。**2時間で英語がわかるようになる。話せる気がきっとする**はずですよ。細かな話は後回し，あとまーし。

実は，英語で話すための必須文法事項は，次の４つしかありません。

Ⓐ **基本文型** … すべての英語文を形作る４つの型
Ⓑ **修飾方向** … 各部の修飾を行う２つの修飾方向
Ⓒ **配置転換** … 特殊な意図：感情を込めるための，表現の配置転換
Ⓓ **時表現**（とき） … 文内容がいつのことであるのかを示す時表現

この４つのポイントさえおさえておけば，どんな英語文でも作ることができます。あとは表現力の勝負，それが英語ということばなのです。

さあ，それではさっそくそれぞれの項目を眺めていくことにしましょう。

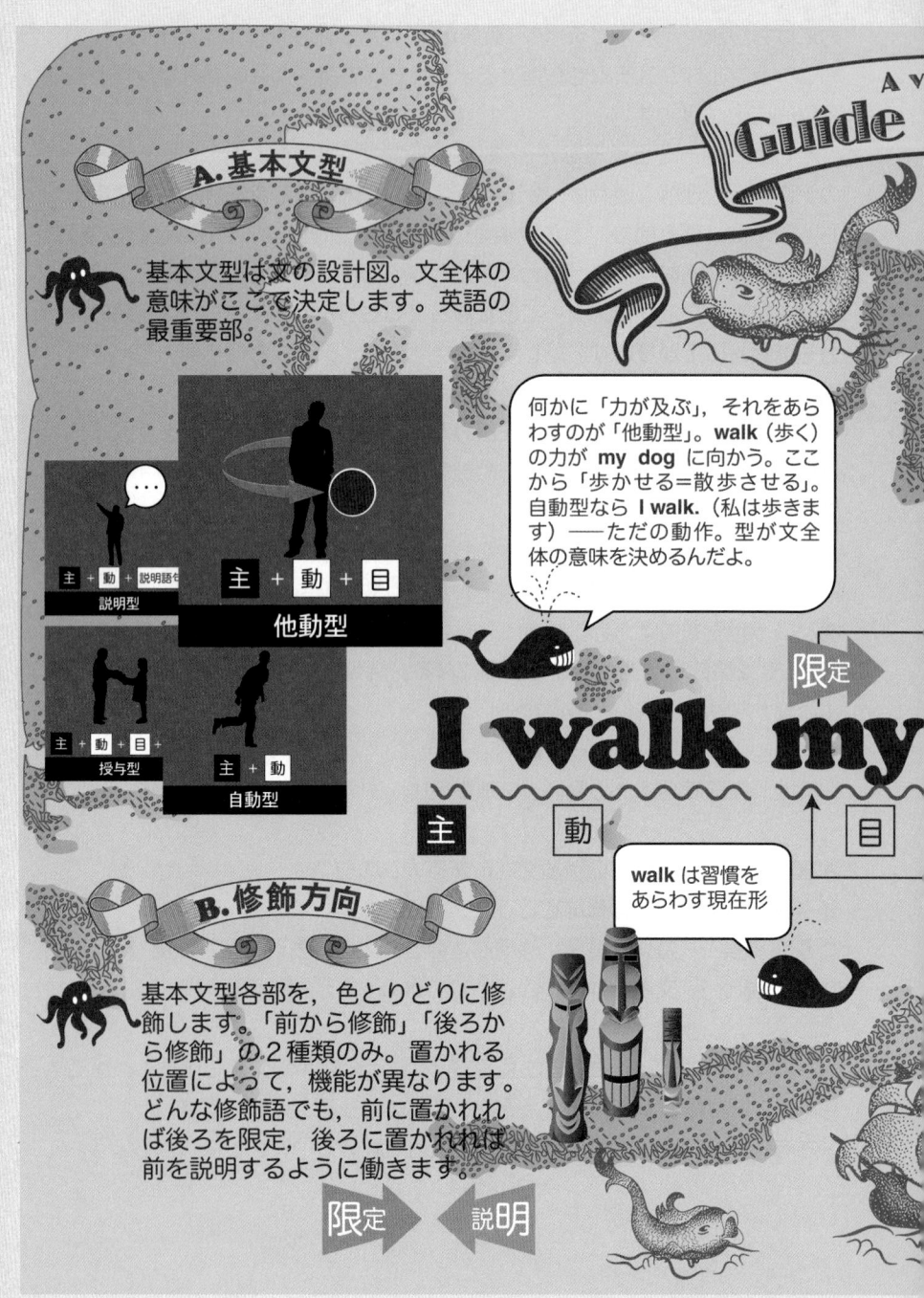

PART 0 - CHAPTER 0：英文法の歩き方

Ⓐ まずは4つの基本文型を知る
―― 英語は配置のことば ――

英語をすぐに話せるようになりたい？ それならまず身につけなければならないのは，4つの「基本文型」です。基本文型は英文の設計図。すべての英文はこの設計図に基づいて作られています。この設計図さえ手に入れれば――多少のぎこちなさはあったとしても――伝わる英語を話すことができます。

英語の基本文型

英語にこうした基本文型があるのは，**英語が配置のことばだから**です。他動型を例にとりましょう。この型は「主語＋動詞＋目的語」という配置でできています。

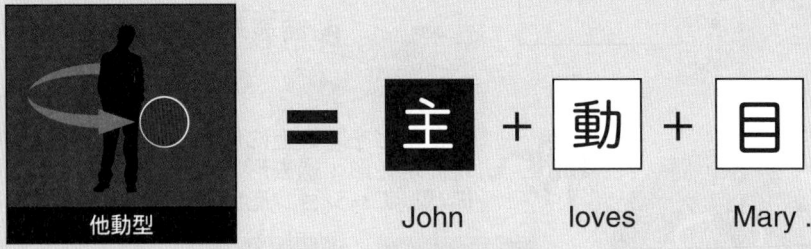

主語は――文の中心・主題。目的語は，動詞のあらわす動作がどこに向かっているのかを示す要素。**主語・目的語には，John**（ジョン）**, the dog**（その犬）などモノをあらわす表現（名詞）が使われます。さて，この John loves Mary. とその日本語訳を比べてみましょう。

(英) **John** loves **Mary**.
(日) **ジョン**は**メアリー**を愛しています。

英語と日本語に，大きな違いがあることがわかりますか？　日本語では「は」や「を」が，文中で名詞がどんな働きをしているのかを示しています。文中で場所を入れかえても——だから——文の意味は変わりません。

　　メアリーを**ジョン**は愛しています。
　　愛しているんだよ，**ジョン**は**メアリー**を。

ほら，意味は通じるでしょう？
一方，「〜は・〜を」のない英語は，**場所によって意味を判断します**。

　　Mary loves **John**.　（メアリーはジョンを愛しています）
　　Loves **Mary John**.　　（意味不明）

このように，**配置を変えると意味が変わってしまう**のです。
　場所と意味がガッチリ結び付いた配置のことば。それが英語です。だからこそ，主語や目的語など文の要素がどこに・いくつつくるのかを示す基本文型が，英文の絶対の基礎となっているのです。**基本文型は文の設計図**なのです。

　基本文型は文全体の意味を決定します。なにしろ設計図ですからね。他動型は「力を及ぼす」。動詞による動作が目的語に力を及ぼす形です。自動型は「単なる動作」，説明型は「主語の説明」，授与型は「手渡し」。基本文型とそのあらわす意味は，一対一対応。キッチリ結び付いています。次のペアを見てみましょう。

　　I walk my dog every day.　（僕は毎日犬を散歩させるよ）【他動型】
　　I walk every day.　　　　　（僕は毎日散歩するんだよ）【自動型】

他動型なら walk（歩く）の力が my dog に及び「犬を歩かせる＝散歩させる」となります。

自動型なら単なる動きですから、「私は歩きます」となるわけです。

walk my dog

walk

ⓐ I got a fantastic present.（すごいプレゼントをもらったよ）【他動型】
　主 動　　　目

ⓑ I got there at 3 o'clock.（私は3時にそこに着いたよ）【自動型】
　主 動

ⓒ I'll get you a nice T-shirt.（君にすてきなTシャツをあげる）【授与型】
　主　動　目　　　目

　同じ動詞を使っていても、他動型のⓐは「プレゼントを手に入れる」。ほら、a fantastic present に「力が及んで」いますね。ⓑは単なる動作。授与型のⓒは「君にTシャツをあげるよ」——「手渡し」の意味となっています（get の意味については ☞P.118）。文の意味は、表現の配置を記した設計図——基本文型——が決める。だからこそ「話せる英語」へのファーストステップは、基本文型なのです。

　設計図なしで、複雑なプラモデルを組み立てることはまずできません。文も同じ。基本文型を知らずに文を組み立てることはできないのです。基本文型は PART 1 で徹底的にマスターすることにしましょう。お楽しみに！

●基本文型で文の意味を判断する

次の文を見てみましょう。

John xxxx her a necklace.

さあ、意味はわかりましたか？　ははは。「xxxx なんて単語ないからわからない」？　ネイティブには見当がつくんですよ。それはこの文に her と a necklace という2つの目的語があるから。「授与型だな」とわかるから、「ははあ、ジョンは彼女にネックレスを『買ってあげた』『見つけてあげた』とかだろうな」と類推できるのです。ネイティブは基本文型から文の意味を判断する。基本文型の重要性、もう納得できましたね。

Ⓑ 修飾方向を身につける
―― 修飾の2方向 ――

基本文型がマスターできたなら,次のステップは「修飾」。「少年」という代わりに「かわいい少年」。「歩く」の代わりに「ゆっくりと歩く」。「学校に行きました」を「昨日学校に行きました」と詳しく説明する。基本文型の各要素にとりつき詳しく述べる,それが「修飾」です。

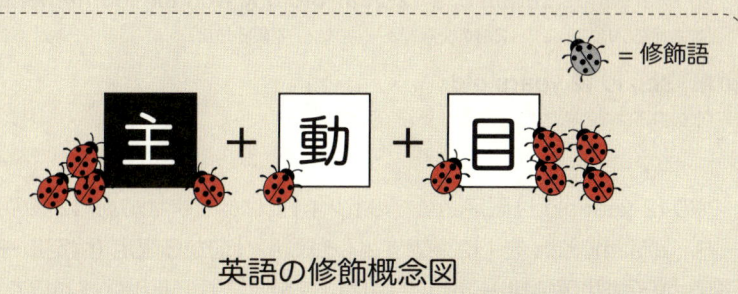

英語の修飾概念図

　おおざっぱな内容だけなら,基本文型の知識があれば話すことができます。ですが,詳しく・繊細に文を紡ぎたいのなら,修飾のテクニックは欠かせません。**基本はたったの2分**。さっそくやってみよっか。
　修飾のテクニックは,「前」に置くかそれとも「後」に置くか,配置のテクニックです。英語は配置のことば。文の要素の配置によって文全体の意味が作られるのでしたね(基本文型)。修飾も同じです。修飾要素をどこに置くか――配置がとても重要なのです。
　次の例を見てみましょう。名詞(修飾のターゲット)を修飾する形容詞 red (赤い)に注目していてください。

ⓐ That is a **red** sweater.　(あれは赤いセーターです)
ⓑ That sweater is **red**.　(あのセーターは赤い)

　ⓐでは修飾のターゲット(修飾される語句)を前から,ⓑでは後ろから修

飾しています。前と後ろで red の働きが違うことに気がつきましたか？

前に置く修飾語は**限定**の働き。ⓐは「青でも白でもない赤いセーター」。ある種類のセーターに意味を限定しています。一方，後ろに置いた修飾語は**説明**の働き。ⓑは「あのセーターは赤いよね」と，単に that sweater を説明しています。

ⓒ To everyone's surprise, a **12-year-old** boy won the tournament.
（誰もが驚いたことに，12歳の少年がトーナメントで優勝した）

ⓓ My son is **12 years old**.
（僕の息子は12歳です）

ⓒの 12-year-old は限定。ただの「少年」ではありません。「**12歳**の少年」。一方，ⓓは my son を「12歳ですよ」と説明。「**前から限定（限定ルール）**・**後ろから説明（説明ルール）**」——**はい，2分**。これで基礎は終わりです。配置のことば，英語の修飾テクニックはとってもカンタンなんですよ。

実は，この2つのルールは形容詞が名詞を修飾する場合に限らず，**どんな修飾にも成り立つ無敵の汎用規則です。**the, a などの限定詞が名詞を修飾するときにも，副詞が文を修飾するときにも——修飾であるならありとあらゆるケースにあてはまる規則なのです。この2分間は，みなさんの話す能力を飛躍的に増大させる，記念すべき2分間だったのですよ。

限定ルール・説明ルールは PART 2 で徹底的に解説します。でもその前に使用例をいくつか眺めていきましょう。そのポイントをしっかりつかんでくださいね。

❶ 限定ルール（前から限定）

限定ルールは，**前からの修飾はターゲットを限定**するように働くというルール。このルールは，形容詞―名詞以外の修飾関係にも，常に成り立ちます。英語にはさまざまな修飾がありますが，限定の働きをもった修飾語は常にターゲットの前に置かれるのです。

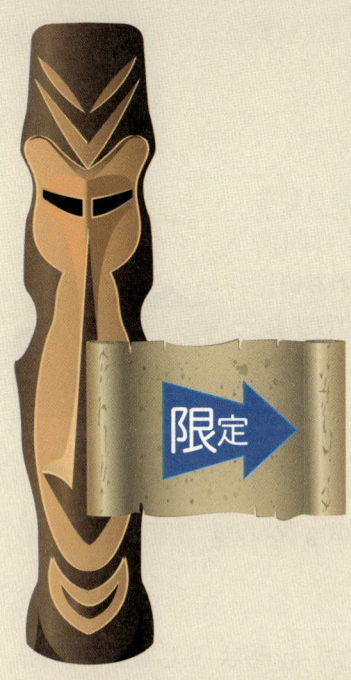

ⓐ Nancy is **very** tall.
　　　　程度をあらわす副詞　☞ P.259
　（ナンシーはとても背が高い）

very，so，really など「程度」をあらわす副詞は，前に置かれる典型的な語句です。なぜだかわかりますか？ それはこれらの語句が**限定**の働きをもつからです。**very** tall は，単に背が高いわけではなく「**とても背が高い**」。そうした種類の背の高さに限定するからこそ，very は tall の前に置かれるのです。

ⓑ I found **the** dog.　　限定詞　☞ P.160
　（僕がその犬を見つけたよ）

a(n)，the，some など，限定詞も名詞の前に置きます。限定詞は，その名詞が文脈上どういった意味をもつのかを限定する語句。**the** dog（その犬）において the は，「（文脈上）ただ 1 つに決まる犬」と，dog を限定しています。限定する修飾はいつも前置きなのです。

ⓒ She **may be** ill. 助動詞 ☞P.330
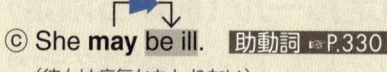
（彼女は病気かもしれない）

助動詞は常に動詞の前に置かれます。やはり動詞（句）の内容を限定するから。She is ill. と言えば「病気です」。ですが **may** be ill は「病気**かもしれない**」。may は「かもしれない」という種類の話なのですよ，と be ill を限定しているのです。**must** be ill なら「病気に**ちがいない**」。助動詞を前に加えることによって，be ill をさまざまに限定できるのですよ。

ⓓ The United States is an **English-speaking** country. 形容詞 ☞P.232
（アメリカ合衆国は英語を話す国です）

最後に動詞 -ing形を考えてみましょう。動詞 -ing形は「〜している」。I'm **studying**.（僕は勉強しています）など，「進行形」で有名な形です。だけど，前に置かれるときには，やはり限定。English-speaking country は「英語を話す国」。そうした種類の国だと限定しているのです。

限定ルールの意識は，種類を限定する意識。単に tall ではなく，very tall だよ。単なる dog ではなく the dog なのですよ——ターゲットの種類を明確に絞り込む意識で使われるルールなのです。

限定ルールの意識

❷ 説明ルール（後ろから説明）

「説明は後ろから」，それが説明ルール。英語では，**ターゲットに説明を加えるとき，常に後ろに追記する**形で修飾を行います。限定ルールが絞り込む意識であるのに対して，説明ルールは説明を加えていく意識。

ⓐ John is a student. 【説明型 ☞P.71】
　（ジョンは学生です）

説明ルールの典型例は，基本文型の説明型。be動詞文です。be動詞文は主語に説明を加える意識で作られる形な

のです。John に a student（学生の中の1人）で説明を加えて，John is a student. が作り出されます。同じように動詞 -ing形（〜している）や過去分詞形（〜された）で説明を加えれば，「進行形」「受動形」を作ることができます。

ⓑ John is **yelling**. 　　　（ジョンは大声を出している）　　【進行形 ☞P.447】
ⓒ John was **bullied**. 　　（ジョンはいじめられた）　　　　【受動文 ☞P.477】
ⓓ I met her **at the bus stop**. （彼女とバス停で会った）【場所をあらわす副詞 ☞P.251】
ⓔ I met her **at 7 pm**. 　　（彼女と7時に会った）　【時をあらわす副詞 ☞P.250】

　場所・時をあらわす語句も，説明ルール。ターゲットの後ろに並べていきます。「僕彼女に会ったよ」，このできごとの場所を説明したい→ at the bus stop を並べる。とても簡単ですね。
　説明ルールを使えば，表現の幅が爆発的に広がります。動詞 -ing形（〜している）を使ってみましょう。この形は進行形だけに用いられる形ではありません。

ⓕ **The boy yelling** is my brother. 　（大声を出している少年は僕の弟です）
ⓖ **He came into the classroom yelling.** （彼は大声を出しながら教室に入ってきた）

　The boy の後ろに置けば「大声を出している, ね」とその説明になり, came into the classroom の後ろに置けば「大声を出しながら, ね」とその動作の説明となります。説明ルールは英語を自由に話すために欠かすことのできないゴールデン・ルールなんですよ。

● 説明ルールの意識

　説明ルールによる修飾は「欠乏感」——言い足りない, 説明し足りないという意識と深くつながっています。この意識が働くとき, ターゲットの後ろに説明を追記していくのです。例えば, 友人をパーティーに誘ってみましょう。

　　We are having a party.　（パーティーをする予定です）
これではあきらかに不十分。お友達はどこに行けばいいのか, わかりません。

(1) **We are having a party at The Savoy.**　【場所をあらわす副詞 ☞ P.251】
　　（パーティーをする予定です。サボイホテルでね）

説明を加える意識から, ターゲットに at The Savoy が加えられていますよね。でも, まだまだこれではお友達はパーティーには行けません。「何時からなんだろ」。時間を追記しましょう。

(2) **We are having a party at The Savoy from 18:00.**【時をあらわす副詞 ☞ P.250】
　　（パーティーをする予定です。サボイホテルでね。18:00から）

これでもまだダメ。いつの 18:00 だかわからないと出席はできません。そこで。

(3) **We are having a party at The Savoy from 18:00 the day after tomorrow.**
　　（パーティーをする予定です。サボイホテルでね。18:00から。明後日のだよ）

これで完璧！

説明ルールの意識

　説明ルールの意識は, 言い足りない・不十分な表現に説明を加えていく意識です。気軽にターゲットの後ろに説明を追記する——それができればみなさんの修飾はネイティブレベルに大きく近づきますよ。

❸ 穴埋め修飾

英語の修飾は，大きく分けて2つだけ——「前から限定」・「後ろから説明」。ここにもう1つ，「後ろから説明」の一種，「穴埋め修飾」のテクニックを加えます。

穴埋め

ⓐ **This is the boy Nancy loves**.
（この子が，ナンシーが愛している男の子です）

ターゲットの the boy と後続文 Nancy loves のあいだには，修飾関係がありますね。もちろん the boy を「ナンシーが愛している，ね」と後ろから説明しているわけですが，これが穴埋め修飾。後ろの文 Nancy loves に穴（□）があいていることに気がつきましたか？

ⓐ' This is **the boy Nancy loves** □．

love は「～を愛する」。I love **you**. のように，愛の向かう対象（目的語）が必要です。だけどこの文には，それが欠けていますよね——これが穴。穴とそれを埋める the boy が組み合わされ，「ナンシーが愛している男の子」——穴埋め修飾というわけです。

今度は主語の位置に穴をあけてみましょう。

ⓑ This is **the boy who** □ **loves Nancy**.
（この子が，ナンシーを愛している少年です）

the boy の役割が変わりましたね。「□はナンシーを愛している」の□を the boy が埋める関係になって，「ナンシーを愛している少年」という意味になっています。こうした修飾を私は「wh修飾」とよんでいます。who，which など，wh語を使う（ことがある）修飾だから。とはいえ，wh語は脇役。大切なのは，穴埋め関係なんですよ【**wh修飾** ☞P.414】。

穴埋め修飾は，wh 修飾に限らず広く用いられる修飾方法です。to 不定詞と共に使われる例もあげておきましょう。

ⓒ Do you have anything to drink □? 　（なんでもいいから飲み物ある？）

ⓓ I need someone to go out with □. 　（つき合ってくれる人が必要だ）

「□を飲む」「□とデートをする」の穴（□）に anything（何か），someone（誰か）が入って，「飲む何か」「つき合ってくれる誰か」。ほら，とってもポピュラーな修飾方法なんですよ。

● 配置のことば，英語

　基本文型と2つの修飾方向を理解したみなさんは，すでに英語ということばの本質に気がついているはず。英語はどこまで行っても，配置のことばだという本質です。

　英語表現は，常に文中の配置によって役割が決まってきます。基本文型によって，主語・目的語という役割が表現に与えられるのです。ターゲットとの前後関係によって，限定あるいは説明という役割が与えられるのです。

　ためしに red（赤）という単語を考えてみましょうか。この単語，単独で，

(1) red

とポツンと置かれても，それが「赤」なのか「赤い」なのか「赤く」なのかはわかりません。

(2) **Red** is the color of passion. 　（赤は情熱の色）【名詞】
(3) I love **red**. 　（僕は赤が好き）【名詞】
(4) I love that **red** dress. 　（あの赤いドレス大好き）【限定】
(5) That dress is **red**. 　（あのドレスは赤い）【説明】
(6) The iron is burning **red**. 　（鉄が赤く燃えてるよ）【説明】

　red の役割が，文中の位置によって判断されていることがわかりますか？ (2), (3) が「赤」という名詞になるのは，主語・目的語の位置に置かれているからです（主語・目的語には名詞が使われるのでしたね☞P.20）。(4)はターゲット dress の前。だから「青でも黄色でもなく，赤いドレス」と限定。(5), (6)はターゲットの後ろに置かれて説明。(5)は that dress を説明するから「赤い」。(6)は burning（燃えている）を説明するから「赤く」。

　日本語は「赤」「赤い」「赤く」と語尾を変化させることによって文中での機能をあら

わしますが，英語はそれと同じことを配置によって行っているのです。もう1つ例をあげましょう。

⑺ **Google** is an Internet search and advertising company.
　　（グーグルはインターネット検索と広告の会社です）
⑻ **I googled** him.　（僕は彼をググった）

　検索で有名な Google という会社名。会社名ですら動詞の場所にくれば「ググる（グーグルで検索する）」という動詞の意味になる。それが英語。
　英語は配置のことば——それが英語の本質です。配置がギア（歯車）になって文を動かすことば。それが英語。ネイティブは無意識のうちに知ってるよ。英語が話せる人は誰だってわかってるよ。そして，ここまで読んでくれたみなさんにも十分伝わっているはず。みなさんはすでに英語をつかんでいるんですよ。

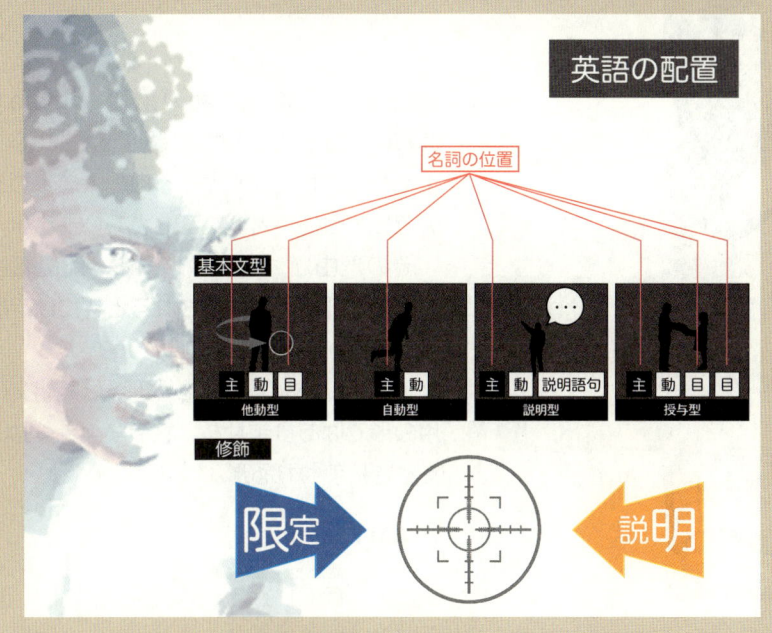

　基本文型は4つ。修飾ルールは2つだけ。英語の配置はそれで十分。さあ，それでは次のステップに進みましょう。

 ⓒ 配置を崩してみる
――配置転換――

英語の配置を身につけてくれたみなさんが登るべき次のステップは，「配置転換」です。基本文型・修飾ルールによって作られた，鉄壁の配置は，しばしば意図的に崩されることがあります。典型的な例は疑問文。

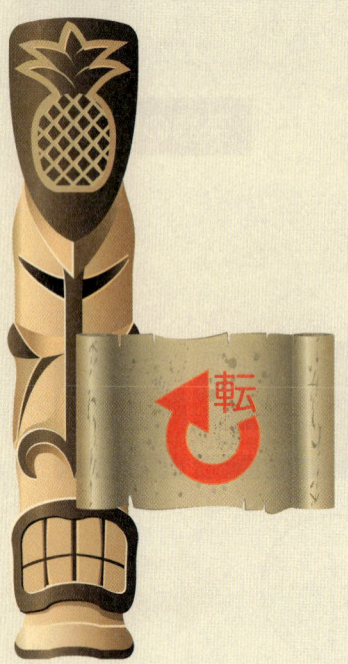

ⓐ **Are you** a student?
（あなたは学生ですか？）

　この文では，通常の配置 You are a student. から be動詞が文頭に出されていますね。なぜ疑問文となると配置が変わるのでしょう――考えたことがありますか。
　その理由が，最後のルール**「配置転換ルール」**。**「配置が動かされるときには，感情・意図がある」**というルールです。
　実は，疑問文の語順（倒置形）は疑問文専用の形ではありません。感情が大きく動いたときに使われる形。

ⓑ **Am I** surprised!

　この文は，「びぃぃっくりしたよ！」。「I am really [so／very] surprised.」（本当に［すごく／とても］驚いたよ）よりもはるかに強い感情の動きをあらわす文なのです。こうした文は特に珍しい文ではありません。倒置形を使えば自由に作れます。

ⓒ **Was I** furious!　（あったまきたよ！）
ⓓ **Did I** make a fool of myself!　（バッカなことしちゃったぁ！）

さて，疑問文を使うとき，私たちは必ず「知りたい・教えて！」と感情を動かしています。だから倒置形が使われるというわけ。**疑問文は，ただ規則だからその形になるわけではない**のです。配置転換ルールにしたがった，あたりまえの形なのだというわけです。 疑問文 ☞P.512

　大きな感情の動きをあらわす**感嘆文**も，配置転換ルールの典型です。

ⓔ What **a nice camera** you have!　感嘆文 ☞P.541
　（You have **a nice camera**.）
　（なんてすてきなカメラをもっているんだ！）

　感嘆文は，（　）内の通常の位置から what, how を使って表現を前置した配置転換の形。配置を変える——そこに感嘆の気持ちが宿っているのです。

　さて，疑問文や感嘆文のような「派手な」配置転換以外でも，定位置から要素が動かされるときには——もちろん——感情・意図が伴います。次の yesterday に注目しましょう。

ⓕ **Yesterday**, we had a party.　（昨日，パーティーをしたんだ）

　時をあらわす表現は，文末が定位置（☞P.250）。その配置が崩れ，前に出されているのは「昨日のことなんだけどね，僕らは…」と yesterday にハイライトを当てようとしているから。ほら，感情・意図が伴っているでしょう？

　英語のネイティブにとって，配置は英語文の設計図であり意味を理解するよりどころです。それだけに，配置の乱れには非常に敏感なのです。そして「わざと崩した」話し手の感情・意図を敏感に察知するのです。 PART 4 でしっかり学んでくださいね。

● キモチを込めて英語を話す

　ここまで読んで「ああ、なるほどね。疑問文を作るのは配置転換なのですね」としか思わなかったとしたら、いつまでも会話は上達しません。みなさんが気づかねばならないこと、それは「疑問文は感情を込めて口から出さないといけないのだ」ということ。「知りたい・教えて」と、常に心を動かしながら使わなくてはいけないということです。

　疑問文は機械的な規則でそーゆー形になっているわけではありません。心が躍動するから配置が乱れるのです。**心が起点となって形が生まれている**——そこに気がついてほしいのです。

　「英語がいつまでたっても自分のことばになってくれない」。英語が話せない人の悩みは共通しています。それは機械的にやっているから。形や表現に心が通っていないから。本書では「心がつかめるような」解説を常に心がけました。本書は話すための英文法。しっかりとネイティブの心をつかむように学習を進めるんだよ。いいね。

● 配置がわからなければ道路標識だって読めやしないよ

　瞬時に理解しなくてはならない道路標識。もちろん、英語の配置規則どおりにできていますよ。じゃなきゃ事故るから。

　FOG AREA は「霧が出てくる場所」——fog は、どんなエリアなのか area の種類を限定していますね。ROAD CLOSED は「この道は閉鎖されています」と road を closed が説明。ほら、配置規則どおり。ためしに順番を変えて CLOSED ROAD。これでは誰も理解できません。「閉鎖道」、どんな道なんだっちゅーの。それ。

Ⓓ 時表現をマスターする

話すための文法, 最後のステップ。それは「時表現(とき)」のマスターです。状況やできごとを時の流れの上に位置づける文の重要な要素, それが時表現です。

英語の基本時表現は6つ。現在・過去と, 進行・完了を組み合わせた, **現在形, 過去形, 現在進行形, 過去進行形, 現在完了形, 過去完了形,** さらに**数種類の未来形**をマスターする必要があります。

今「マスターする」と言いましたが, それは「過去形は現在時より前のできごとをあらわす」「現在形は現在のできごとをあらわす」と, 機械的に理解することではありません。そんな理解では, 日本語訳くらいはなんとかできたとしても会話じゃとても使えないから。「マスターする」とは, **その時表現のフィールをつかみとること**です。そして**ネイティブのキモチを理解すること**が, 時表現マスターへの最速の道です。

■ 時は感覚で

ネイティブは時表現を感覚でとらえています。「こんな感じのときには, この形」といったように。例えば, 現在形, 過去形, 現在完了形を支配しているのは, 遠近。つまり距離感です。現在にいる話し手から見て, 過去形は「遠く離れた」, 現在形は「包み込む」, 現在完了形は「迫ってくる」——距離の感覚としてとらえられているのです。

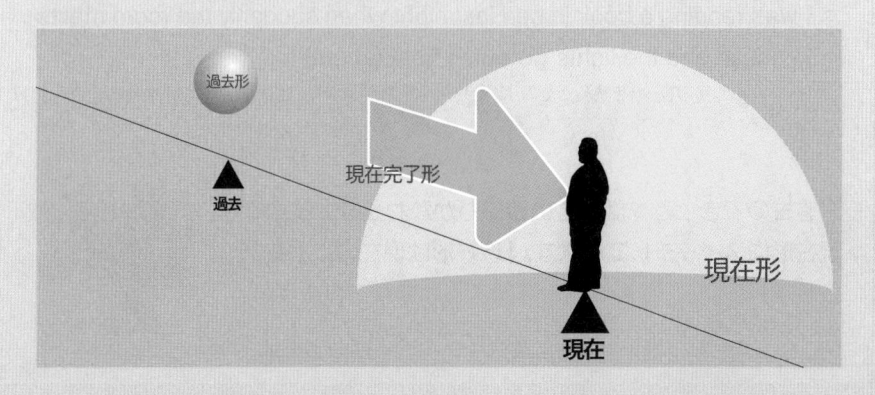

ほら，もうなんとなくそれぞれの形がもつニュアンスがつかめてきたでしょう？

時表現を感覚でつかまなければならない理由の1つは，同じできごとでも，とらえ方によって使われる表現が異なるからです。

みなさんが1年前，オーストラリアに行ってワニ（の肉）を食べたとしましょうか。どちらの文を使いますか？

ⓐ I **ate** alligator tails. （僕はワニの尻尾を食べたよ）【過去形】
ⓑ I've **eaten** alligator tails. （僕はワニの尻尾を食べたことがあるよ）【現在完了形】

過去形　　　　　　　現在完了形

できごとは1つ。ですが感じ方はひととおりではありません。「遠い」過去のできごとと感じれば，使うのは過去形。ですが，「今自分のもっている経験」ととらえれば，現在完了形となるのです。話し手のもつ感覚によって，時表現は自在に変わっていく——だからこそ，時表現は「過去形は現在よりも前のできごとをあらわす」などと機械的に定義することができないのです。

ⓒ I **was** reading a book in bed last night when suddenly the room **starts** to shake and the lights **go** out. I freaked out!
（ベッドで昨日の夜，本を読んでたのよ。そしたら突然部屋が揺れ始めて電気が消えたの。ぞーっとしたわ！）

過去のできごとを話しているにもかかわらず，途中で現在形にスイッチしています。「現在形は現在のことをあらわす」のなら，こんなことは起こるはずがありません。

だけど，ネイティブにとっては朝飯前。彼らは時表現を感覚で使っているからです。昨晩のことを話しているうちに，話し手は自分がその場にいるような臨場感に包まれる——だから当然現在形にスイッチするのです。

　時表現は，杓子定規に定義はできません。だけどね，**感覚でとらえることができるようになれば，ネイティブの時表現が見えてきます**。「遠い感じだから過去形」「包まれている感じだから現在形」「迫ってくる感じだから現在完了形」——それでいいんですよ。

■ 時表現のさまざまな用法

　時表現のマスターに欠かせないのは，それぞれの表現のもつ用法の学習です。現在形にも，過去形にも，現在完了形にも，進行形にも，独特の用法があります。用法の学習で最もやってはいけないこと。それは，「各々の用法を別々のものとして暗記する」ことです。それでは英語を話す力は伸びません。用法別に考えながら会話をすることなど不可能ですし，そもそも用法から逸脱した使い方も日常茶飯事だからです。用法はすべて，**それぞれの時表現がもつ基本的な感覚につなげて身につける**ことが大切なのです。

　例えば，現在完了形には「直近のできごと・経験・継続・結果」の４つの用法が知られています。これらは——もちろん——偶然現在完了形に同居したわけではありません。どれも，現在完了形の「迫ってくる」から生まれた使い方です。

現在完了形：用法の広がり

ⓐ It **has stopped** raining. 【直近のできごと】
　（〔空を見上げて〕雨やんだよ）

ⓑ I **have visited** London. 【経験】
　（ロンドンを訪れたことがある）

ⓒ We **have been** friends for a long time. 【継続】
　（僕たち長い間ずっと友達なんだよ）

ⓓ Can I talk to Cathy? —— She **has gone** shopping. 【結果】
　（キャシーいます？——買い物に行っちゃったよ〔＝今いないよ〕）

　現在完了形の，手元にグッと迫ってくる感触から，すぐ目の前で起こったできごと（ⓐ）。経験とは過去のできごとを，今の経験として手元に引きつけて考えることですよね（ⓑ）。過去のできごとが現在にいたるまでずっと続くことをあらわすⓒは，過去から今に状況が迫ってくるということですね。過去のできごとを述べ今の様子を暗示するⓓも，やはり過去を今に引きつける使い方。現在完了形のさまざまな用法は，「迫ってくる」という感覚からすべて生み出されているのです。

　ところで，現在完了形の例はすべてこの4用法に分類できるわけではありません。例えば，公園をデートしているみなさんがベンチに座ろうとしたら，作業員のおじさんが大声を出しました。

ⓔ Be careful! I**'ve just painted** it.
　（気をつけて！　ペンキ塗ったばかりだから）

　さて，この文は先のどの用法なのでしょう？　…どの用法でもありません。おじさんは「塗ったばかりだよ。だからまだペンキべとべとなんだ」と言っているのです。つまり「直近」と「結果」が同時に感じられているというわけ。もちろん「迫ってくる」感覚があれば，用法に分類しなくてもおじさんのキモチはわかりますよね。
　用法分類は単なる入り口。学習のための方便にすぎません。より深い実践レベルの時表現を身につけるには，用法別ではなくその後ろに流れるネイティブの感覚をマスターしなければならないのです。

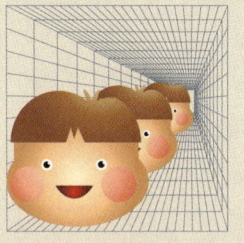

時表現は，英語学習の中でも最も時間を要する，ハードルの高い学習項目です。だけどね。つまらない定義や用法の丸暗記でなく，ネイティブの感覚をつかまえれば，それほど時間はかかりません。PART 5 でじっくり説明しましょう。

おまけ

単語とか熟語とか 英語表現の歩き方
イメージ使えってコトだよ！

英文法。それほど難しくはないことがわかってきましたね？

ただ，文法を理解するだけでは，英語はできません。そ。英語表現。単語や熟語も大切。本書では，基本単語の解説を加えてあります。**問題は，その説明の仕方だったりする**のですよ。

本書の目標は「話せる英語」を解説するということ。そのためには単語の説明も，会話で使えるレベルの説明でなくてはなりません。そのための手法が「イメージ」を使った解説です。

「イメージ」とは，「意味」ということです。英語学習者は──辞書など──日本語訳で英語表現の意味を理解することが多いのですが，それではどうしても越えられない壁があるのです。

例えば on という前置詞を考えてみましょう。この前置詞には，大変さまざまな日本語訳が対応します。

ⓐ There is an apple **on** the table.
　　（テーブルの上にリンゴがある）
ⓑ There is a mosquito **on** the ceiling.
　　（蚊が天井にいるよ）
ⓒ Matsudo is **on** the Joban line.
　　（松戸〔市〕は常磐線沿いにある）
ⓓ Spiders live **on** flies.
　　（蜘蛛はハエを食べて生きている）
ⓔ He has a lot of things **on** his mind.
　　（彼には悩みがたくさんある）
ⓕ **On** hearing the news, he ran to tell all his family.
　　（ニュースを聞くとすぐに，彼は家族に知らせに走った）

　中には on にあたる訳語すらないものもあり，「日本語訳を覚えても on は使えるようにならない」ことがすぐにわかるでしょう？　意味を別のやり方で説明しなければならない——そこで私が提案してきたのが「イメージ」です。
　ネイティブにとって，on の意味とは実に単純。テーブル状のモノに何かが乗っている，それが彼らにとって on の意味（イメージ）なのです。さて，ここからが本番。実はネイティブはこの基本となるイメージから，連想によって on の使い方を広げます。
　ジッと基本イメージを見てみましょうか。
　ほら，テーブルと球体の接触に注目すると「接触」の使い方が生まれます。テーブルの天井に注目すると「線の上」が生まれます。下のテーブルが球体を「支え」ているようにも見えますし，球体が「圧力」を加えているようにも見えるでしょう？
　基本イメージがいろんなふうに見えてくる——これが on がもつ膨大な用法の秘密です。

ⓐ 基本イメージ

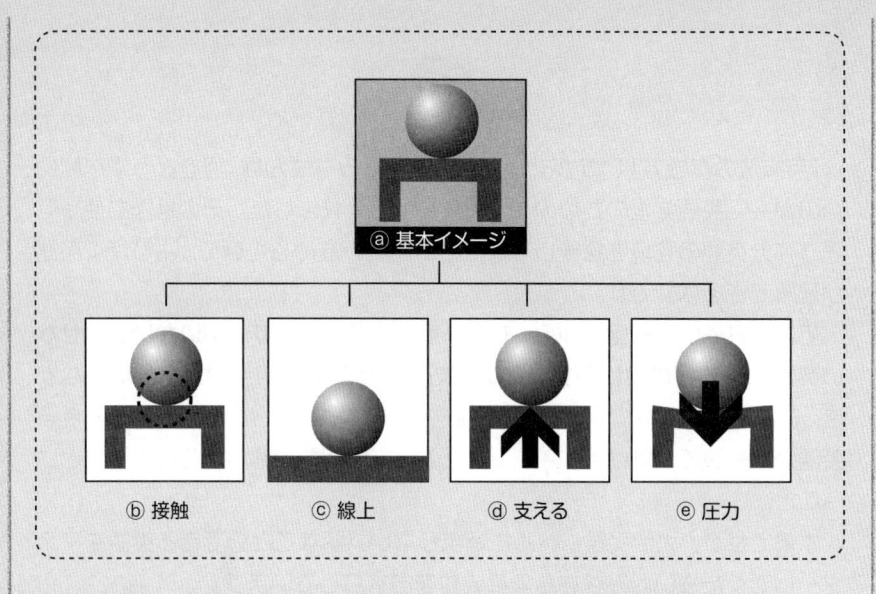

ⓑ 接触　　ⓒ 線上　　ⓓ 支える　　ⓔ 圧力

　先程の例文，ⓐは基本イメージ。ⓑは蚊が天井に「接触」しているということ。ⓒは常磐線（線路）が線とみなされています。ⓓは蜘蛛の生活がハエによって支えられているということ。同じような使い方に count on, rely on, depend on（頼る）などもあります。ⓔは「圧力」。彼の精神（mind）をたくさんのモノがグリグリ押しているということ。concentrate on（〜に集中する）もそう。集中力がグッと何かに向かっている感触がするから。look down on（軽蔑する）もそう。軽蔑するときには，気持ちや目線が相手をグッと圧迫するように動くから。最後のⓕは「〜するとすぐ」と訳される on。「接触」の使い方ですよ。ニュースを聞くというできごとと，「知らせに走った」というできごとが「接触」。「すぐに」ということになりますね。

　いかがでしょう。単純なイメージがその用法すべてに生きているのです。ネイティブのもつ単純なイメージをつかめば，膨大な意味をもつ基本単語を私たちはすぐにマスターすることができるってことですよ。
　本書の表現解説は，すべてイメージによって説明しています。文法事項も大切ですが，表現解説も楽しみにしてくださいね。すぐに使えるようになるヒントがたくさんありますから。

END

「英文法の歩き方」いかがでしたか？　もうみなさんは，何をどう学べばいいのか——英語学習のための「地図」を手に入れました。その地図を使って思う存分英語の秘境を探検してください。読み進めるたびに，より深く英語が理解できるはずです。

　で。忘れていると困るから，もう一度言っておきます。**いいかい。話せない英語なんて何の役にも立たないんだということ。**相手の言い分にうなずき，ひざまずくだけの英語など無意味なんだということ。話すことができる英語力をもっていれば，リスニングだの英文解釈だのはついてくるんだということ。

　本書でぜひ，大学受験レベルに留まらない，話すことのできる英語をマスターしてください。みなさんのご成功をお祈りしています。

さあ，出発だっ。

● 本書のコラムについて

　本書には，学習のレベル・趣向に応じてさまざまなコラムがあります。次のマークを手がかりにして，読んで（または読まないで）ください。

▶ HEART　　　　　　　　　　　　　　　【重要度】★★★
ネイティブの心の動きを詳解するコラム。すべての方にお読みいただきたいコラムです。

▶ LIGHT　　　　　　　　　　　　　　　【重要度】★★☆
さらに詳しく使い方などを解説するコラム。やや学習が進んだ方に適したコラムです。

▶ ELECTRON　　　　　　　　　　　　　【重要度】★☆☆
文法現象にマニアな分析を加えたコラム。一般の方は読む必要がありません。理屈で文法を割り切りたい特殊な方々に向けて書きました。英語の実践にはほぼ役に立ちません。はは。

▶ CONVERSATION　　　　　　　　　　【重要度】★★★
会話へのヒントを書いたコラム。みなさんお読みください。

▶ POSITIONS　　　　　　　　　　　　【重要度】★★★
英語は配置のことば。文の要素の配列の仕方を詳しくまとめたのが，このコラム。しっかりとお読みくださいね。

▶ VOCABULARY　　　　　　　　　　　【重要度】★★☆
語彙を増強するためのコラム。大学入試で標準的に試される表現をカバーしています。日常会話の範囲から逸脱するものもありますが，よろしければどうぞ。無駄にはなりません。

▶ TYPICAL MISTAKES　　　　　　　　【重要度】★★★
よくある間違いを示したコラム。特に大学受験生は要注意です。

PART 1

英語文の骨格

FRAMEWORKS OF ENGLISH

CHAPTER 1：主語・動詞・基本文型
CHAPTER 2：名詞

■ PART 1の内容

　英語に慣れていなかった高校時代，僕は「英語ってなんてややこしいことばなんだろう」と思っていました。多くのみなさんも同じ感想を英語に対してもっているのではないでしょうか。英語に慣れていなければ複雑にも見えるでしょう。文に無限の種類やパターンがあるようにも見えるかも知れません。だけどね，それは大間違いです。

　英語文に無限のバリエーションがあるわけではありません。まさか！　そんな複雑なことばは誰にも使えはしませんよ。英語文にはわずか4種類の設計図しかありません。それが**基本文型**。そして基本文型に「突っ込む」名詞，動詞，説明語句があらゆる文の骨格を作っています。

　PART 1では，英文の骨格をなす主語・動詞・基本文型，さらに名詞をマスターしていきます。このパートを読み終われば，すべての英文の基本的な姿が見えてきます。多少ブロークンであっても，意味が十分伝わる英語文を作ることができるようになります。

　さあ，始めましょう。

CHAPTER 1

主語・動詞・基本文型

SUBJECTS, VERBS, BASIC SENTENCE PATTERNS

> この章では，文の骨格を形作る重要な要素——主語，動詞，そして基本文型——を学びます。英語力の絶対基礎，しっかり身につけましょう。

■ネイティブは基本文型で話す

　私たち日本人が苦労して作っている英文を，英語ネイティブ（母国語話者）は，いとも簡単に作り出します。それは基本文型を使いこなしているから。

他動型：対象に力を及ぼす 主＋動＋目 I read a newspaper. 私は新聞を読みました He kissed Mary. 彼はメアリーにキスしました I kicked the ball. 僕はボールを蹴ったよ	**自動型：動作をあらわす** 主＋動 She laughed. 彼女は笑った I jog in the park. 僕は公園でジョギングするよ I swim every day. 僕は毎日泳ぐ
説明型：主語を説明する 主＋動＋説明語句 He is cute. 彼はかわいい We are friends. 僕たちは友達 Lucy is a dancer. ルーシーはダンサー	**授与型：手渡しをあらわす** 主＋動＋目＋目 I gave him my namecard. 僕は彼に名刺をあげた I handed Dad the balloons. 僕はパパに風船を渡した I bought her a stuffed bear. 私は彼女にクマのぬいぐるみを買ってあげた

　ネイティブは自分の表現したい内容を，このうちのどれかのパターン（型）にあてはめて文を作り出します。それぞれの文型には独自の意味が結び付いていることに注意しましょう。ネイティブはその意味を手がかりにして**文の型をまず選ぶ**のです。

　「他動型」があらわすのは「力が及ぶ」。例えば，彼女がジョンに平手打ちをした場合，力（平手打ち）が対象（ジョン）に及んでいますね。こうした場合ネイティブは自動的に・間髪を入れず，この型を選択するわけです。

型を選択すれば，あとは簡単です。この型の構成要素，主語・動詞・目的語の場所に表現を「置いていけばいい」だけのこと。これで She slapped John.（彼女はジョンに平手打ちをした）のできあがり。ほら，とっても簡単。**基本文型を選び，その設計図にしたがって表現を放り込んでいく。だからこそ，ネイティブは容易に英文を作り出すことができる**のです。

本章で学ぶ基本文型は，英語を話すための絶対の基礎。もう理解していただけましたね？

■ 主語・動詞

すべての基本文型には共通した，重要な要素があります。お気づきですね？　そう，「主語」と「動詞」です。

主語は文の中心。すべての文は主語──述語（動詞［助動詞］以下のフレーズ）によって成り立っており，動詞句のバリエーションが基本文型を作っています。

She | slapped John.
　主　　　動　　　述語

動詞は主語の行為・状態をあらわす語ですが，be動詞と一般動詞（be動詞以外）の２種類があり性質が異なります。また動詞には現在形・過去形・過去分詞形・-ing形の４つの変化形があります（☞P.57）。

この章では，基本文型を形作る主語・動詞の性質をまずしっかりと身につけてから，基本文型とそれをもとにした応用文型までを身につけていただきましょう。この章を読み終わる頃，みなさんには英語文の成り立ちがクッキリと見えてくるはずです。それは英語を話すための絶対基礎なのですよ。

さあ，始めましょう。

SECTION 1 主語

▶文は主語から始まります。主語は文の主題（テーマ）。主語の後ろに述語を「置く」。それが文作りのはじめの一歩です。

A 「主語」とは？

ⓐ **I** like English. （僕は英語が好きです）
ⓑ **The boy** hates dogs. （その少年は犬が大嫌い）

I | like English.
主　動　　述語

　主語は光り輝く文の中心。文の主題となる人・モノ（動物含）・コト（できごとなど）が主語となります。**主語について述語（[助]動詞以下）が説明をする**——それが文の成り立ちです。
　日本語では，主語は「（私は）昨日学校に行ったら怒られました」などと頻繁に，そしてほぼ自由に省略されますが，英語にそこまでの自由度はありません。まずはしっかりと主語を述べる，それが英語の基本です。

● 主語が省略されるケース

　友人同士の気の置けない会話・メール・ネットの書き込みなどではしばしば，主語が省略されることがあります。

(1) (Are you) Enjoying the party? （パーティー楽しんでるかい？）
(2) I heard you were sick. (I) Hope you recover soon!
　　（病気だって聞いたよ。早く治ればいいね！）

　ただやはりこうした文はかなりくだけた響きをもっています。英語に慣れて「正しく」こうした文を使えるようになるまでは「主語はマスト（絶対必要）だ」と考えておいてくださいね。

B 主語のつかまえ方

ⓐ **My American friend** loves natto.
（アメリカ人の友人は、納豆が大好き）

ⓑ **The guy surrounded by girls over there** must be Dan. He's so popular.
（向こうで女の子に囲まれてる男は、ダンにちがいないよ。とっても人気があるんだ）

　日本語では、主語は「～は（～が）の前」。そうした便利なマークは英語にはありませんが、英語で主語をつかまえるのは簡単です。英語は常に主語―述語と並んでいるのですから。つまり、述語の前に置かれた表現が主語。上の例では動詞（loves）、助動詞（must）の前が主語となりますよ。

My American friend | **loves natto.**
主　　　　　　　　　　　　動　　述語

● 主語―述語のキモチ

　英語を使うということ。それは英語のキモチで文に接するということです。英語は外国語。当然日本語と異なる感覚で文は作られているのです。

　英語をネイティブと同じように使いこなしたい――そうしたみなさんにまず乗り越えていただきたいハードルは、日本語と英語の、主語のとらえ方の違い。

(1) 純子は英語が好きです。　　(2) <u>Junko likes English.</u>
　　主語　　述語　　　　　　　　　　主語　　述語

　日本語は、「て・に・を・は」など、助詞を貼り付けて文の中での働きを示すことば。(1)の「純子」にも主語を示す「は」が貼り付いていますね。「純子は、英語が…」とペタペタ貼り付けていく、それが日本語のもっているフィールです。でも英語は違います。

　英語は「配置のことば」。位置によって機能が示されることばです。主語は「述語の前に置く」、ただそれだけで主語であることが示されます。主語

と述語をポンポンと順序よく置いていく——それが英語で文を作る感触なのです。「貼り付ける」感覚から「置いていく」感覚へ。それが英語文へのファーストステップなのです。

さあ, Junko と likes English をポンポン並べながら何度も読んでください。主語に「は」を付けない単純さに慣れてください。それが英語。配置のことば英語の感触なのですよ。

ⓒ 主語の「資格」は特にない

ⓐ **The music teacher** blew his top in class today.
（音楽の先生は今日授業でカンカンになっちゃった）

ⓑ **My friend's dog** peed on my foot!
（友達の犬が僕の足におしっこした！）

ⓒ **Brad's birthday party** was awesome.
（ブラッドの誕生会すごかったよ）

主語は自由！

主語に使われるのは名詞（代名詞）です。名詞とは teacher, dog, party（人・犬・パーティー）などのように，人・モノ・コト（できごと）をあらわす表現。まずはここから慣れてください。ただ, 主語になれるものは, そうした単純な名詞ばかりではありません。

日本語でも「彼が嘘をついたのは許せない」「彼がどこに住んでいるかは謎だ」などと言ったりすることができますね？

英語でも，**意味さえ通じれば，なんでも自由に主語として使うことができる**のです。

ⓓ **Having a part-time job** is a valuable experience for students. 【-ing形】
（バイトをするのは学生にとって貴重な経験です）

ⓔ **To have a part-time job** is a valuable experience for students. 【to 不定詞】
（バイトをするのは学生にとって貴重な経験です）

ⓕ **That he was faking his illness** was obvious to everyone. 【that節】
(彼が仮病を使っていたのは誰の目にもあきらかだった)

ⓖ **Where you got your nose pierced** is not important. It's WHY! 【wh節】
(君がどこで鼻にピアスをしたのかは重要じゃない。重要なのはなぜそんなことをしたのか, だ！)

ⓗ **Whether you cheated on me or not** doesn't interest me because we're through! 　　　　　　　　　　　　　　　　　　　　　　【whether節】
(君が浮気をしたのかそうじゃないのかには興味ないな。だって僕たちもう終わってるんだから！)

文法用語解説　　　　　節と句

　本書は文法用語を最小限に留めています。文法学者を作るのがこの本の目的ではないからです。とはいえ，説明をより理解しやすくするためにどうしても必要な文法用語はいくつかあります。時々解説するので，お付き合いくださいね。
□節…「節」とは，文のこと。また，文の部品となる「小さな文」も節とよびます。
(1) <u>John likes Mary</u>. (2) <u>If you do this</u>, I'll do that. (3) This is the guy <u>who Mary loved</u>. (4) I think <u>that they are having a good time</u>. (5) <u>I love you</u> and <u>you love me</u>.
　下線部はすべて「節」——主語・動詞を備えた文の体裁をもっていますね。また，文の主骨格を作る「大きな文」を**主節**，その部品になる「小さな文」を**従属節**とよぶことがあります。
(6) <u>I think</u> <u>they are having a good time</u>.
　　　主節　　　　　　従属節

　覚えたり悩んだりすることは何もありません。「節＝文」と考えておけば大丈夫。説明の便宜上名前を付けただけのこと。例えば(6)で「えと, they から始まる小さな文があるよね」というよりも「従属節」とよんだ方がわかりやすいでしょう？
□句…「句」とは，複数の語の集まり（フレーズ）のこと。<u>中心になる語</u>にしたがって, a <u>boy</u>（名詞句）, <u>in</u> the park（前置詞句）, <u>afraid</u> of spiders（形容詞句）, <u>like</u> him very much（動詞句）などとよびます。本書ではまぎれのない場合には「句」を省略することがあります。例えば the dog は本来「名詞句」ですが「名詞」とよぶこともあるということ。めんどくさいから。

主語は自由——前置詞句（！）を主語に使うことだってできますよ。

ⓘ **Under the doormat** must be the stupidest place to leave a key.
(ドアマットの下ってのはカギを置いておくには最低の場所にちがいないな)

主題にしたいものはなんでも受け入れる。「資格」はない。それが英語の主語。日本語と同じように気軽に考えてくださいね。

■ 名詞・代名詞以外の主語　ADVANCED

主語は自由。理解していただけましたね？　ただ**主語の標準は単純な名詞（代名詞）**だということも心に留めておきましょう。

前述の to 不定詞や節を使った主語は、「高尚な出だしだなぁ」「複雑なこと言い出しやがったな」といった印象を与えがちです。名詞（代名詞）が最も自然な文の滑り出しなのです。例えば、前ページ⑦の文を **The fact** that he was faking ... と, the fact というシンプルな名詞を主語の中心にすえるだけで、ずっととっつきやすい文となります。

● 主語は名詞の位置

英文法の歩き方（CHAPTER 0）で red（赤）について説明しましたが、覚えていますか？

英語は語句の位置によって意味が決まることばです。主語に置かれた red は「赤」。つまり名詞として働くのでしたね。これと同じことが、主語の位置に置かれたあらゆる語句についても言えます。

(1) Having a part-time job is ...　　（バイトをすることは…）
(2) To have a part-time job is ...　　（バイトをすることは…）
(3) That he was faking his illness was ...　（仮病を使っていたことは…）
(4) Under the doormat must ...　　（ドアマットの下〔という場所〕は…）

すべて「〜すること」や「場所」など、名詞として扱われています。teacher や party など単純な名詞ばかりでなく、**どのような語句も主語の位置にあれば、いつでも名詞扱い**。英語は徹頭徹尾、配置のことばなのですよ。

Ⓓ 無生物主語

ⓐ **The news** made us all excited.
（そのニュースは僕らみんなをワクワクさせた）

ⓑ **The sign** says you can't swim in this lake.
（その標識はこの湖では遊泳禁止だと言っている）

ⓒ **My Gothic Lolita clothes** cost a fortune.
（私のゴシックロリータの服，すごく高かったのよ）

ⓓ **This road** takes you to the stadium.
（この道は君をスタジアムに連れていく）

ⓔ **Her good looks** actually hurt her acting career.
（彼女の外見の良さが，実際は彼女の女優としての仕事を傷つけている〔＝障害となっている〕）

ん？「そのニュースはワクワクさせた」？ もちろん「ニュースを聞いてワクワクした」ということ。日本語に直訳すると，ちょっと違和感のある文ですよね。日本語では無生物（人や生物ではないもの：例えばⓐの news）を主語にするのは極力避ける傾向がありますが，英語はそんなことには全くこだわりません。すべて完全に自然な英語文です。**英語では，無生物を自由に主語として使ってかまわない。**しっかり覚えておきましょう。

■無生物主語の文は最短距離を目指す

　この無生物主語，実は大変便利な形なのです。無生物主語を避けようとすれば，上のⓐは，When we heard the news, we all became excited.（そのニュースを聞いたとき，僕らはみんなワクワクした）となり，文が複雑になります。でも無生物主語ならカンタン。無生物主語は文をコンパクトにおさめるためのすぐれた方法なのです。ネイティブと同じように，躊躇せずに無生物主語を使って，常に最短の文作りを目指しましょう。

SECTION 2 動詞

▶述語の中心——それが動詞です。「基本文型」に進む前に，文型の中心となる動詞の基礎知識を確認しておきましょう。

A 動詞の基礎知識（2種類の動詞）

述部の中心を形作る動詞には，**be動詞**と**一般動詞**（be動詞以外）の2種類があり，性質が異なります。

ⓐ We **are** happy. （僕らは幸せです）　【be動詞】
ⓑ I **like** dogs. （私は犬が好きです）　【一般動詞】

be動詞に属するのは，ただ1つの動詞 be だけです。この動詞は，主語や文のあらわす時によって am, are, is, was, were などと大きく変化します。

be動詞は，主語とその説明語句の「つなぎ」として使われる，実質的な意味をもたない特別な動詞。ⓐの be動詞 are は，主語 We と説明語句 happy を「we = happy」とつないでいるだけです。

be動詞以外のすべての動詞は「一般動詞」とよばれます。一般動詞は，like（好き），play（遊ぶ・〔スポーツなどを〕する）のように実質的な意味を伴った動詞たちです。

同じ動詞とはいっても著しく性質の異なるこの2種類の動詞は，**疑問文・否定文の作り方で大きく異なっています**。

> ⓒ **Are** you happy? / He **isn't** [**is not**] happy.
> 　（君は幸せ？／彼は幸せじゃない）
> ⓓ **Do** you like dogs? / I **don't** [**do not**] like dogs.
> 　（君は犬が好き？／僕は犬が好きじゃない）

　be動詞は，主語の前にbe動詞を出して疑問文。be動詞の後ろにnotを置いて否定文を作ります。一般動詞は助動詞doを補助的に使います。doを前に出して疑問文。doの後ろにnotを置いて否定文を作ります。疑問文・否定文について詳しくは，疑問文（☞P.512）・否定文（☞P.317）を参照してくださいね。

転　　be動詞を前に出ス
Are you happy?

転　　助動詞doを補いマス。
　　　で，doを前に！
Do you like dogs?

not　be動詞の後ろにnot
He is ▼ happy.

not　助動詞doを補いマス。
　　　doの後ろにnot
I do ▼ like dogs.

B 動詞の変化形

現在形 **play(s)**
-ing形 **playing**
原形 **play**
過去形 **played**
過去分詞形 **played**

　動詞には，変化していないもとの形「原形」と，独自の意味をもつ「現在形」「過去形」「過去分詞形」「-ing形」とよばれる変化形があります。変化形それぞれの形と，基本的な意味をマスターしましょう。

PART 1 - CHAPTER 1：主語・動詞・基本文型　SECTION 2：動詞

■現在形

> We are students!
> ぼくたち学生だよ

> I play soccer.
> サッカーやってます

現在形

　動詞は文の「時」をあらわすことができます。現在形は文内容が「現在」であることをあらわす形です（現在形の用法について詳しくは ☞P.547）。
　現在形は be動詞において，最も大きく変化します。

ⓐ **I am a student.** 　（私は学生です）
ⓑ **You are very kind.** 　（君はとても親切だね）
ⓒ **Ken is so smart!** 　（ケンはすっごく賢い！）
ⓓ **Ken and Mary are in the schoolyard.**
　（ケンとメアリーは校庭にいます）

■be動詞の変化形

(主語が) 単数	複数
I am	are
You are	
is	

　be動詞の原形は be。そしてこの動詞は**主語によって am, are, is と変化**します。主語が単数なら **is**・複数なら **are**。単数でも I と you は特別にそれぞれ **am, are と変化**させます。

● be動詞の変化形はドウシテモ！

英語初心者にとって，be動詞の変化はとても腹立たしいものです。「面倒くさいから全部 be でいいじゃないか」。だけどね，この変化形はドウシテモ覚えてもらわねばなりません。すべてを be としても理解はできますが，大変特殊な英語になってしまいます。例文を 100 回読んでください。30分でこの程度は頭に入ります。30分の努力を惜しんで一生涯特殊な英語…どう考えても損ですよね？

ⓔ I **play** soccer every day. （僕は毎日サッカーをやるよ）
ⓕ My son **plays** soccer at school. （息子は学校でサッカーをやっています）
ⓖ He **has** a wonderful family. （彼はすばらしい家庭をもっている）

　一般動詞の現在形は，主語によって激しく変化することはありません。ほとんどの場合原形をそのまま使うことができます（ⓔ）。ただ唯一形が変わるのが，「**三単現の -s**」とよばれるケース。主語が「**三人称（I, you 以外）**で，**単数**。そして**現在**を示すとき，動詞の語尾には s」が付きます。

　ⓕを見てみましょう。主語は my son（I でも you でもありませんね）。そしてもちろん，「私の息子」という単数（1人）を指しています。したがって plays となるわけです。また，一般動詞の中で唯一 **have** だけは，三単現の場合 **has** となり形が大きく変わります。

文法用語解説　　　人称

文の話し手から見て，誰を指しているのかを示す用語。話し手は「一人称」，聞き手は「二人称」，それ以外を「三人称」とよびます。つまり「三人称」とは「I, you 以外」だということです。覚えなくていいよ。ほかに使い途ないし。

PART 1 - CHAPTER 1：主語・動詞・基本文型　SECTION 2：動詞

●三単現の -s は絶対に守らなくてはならないのか？

実のところ，三単現の -s はそれほど重要な文法規則ではありません。たとえ間違えて He play tennis.（正しくは plays）と言ったとしても，誤解されることは一切ありませんし。実質を伴わない，形骸化したルールなのです。

だけどね，やっぱりキチンと付けた方がいい。あまり頻繁に間違えると「んー，この人キチンとしたことば遣いができないんだな」「あんまり教養がないかも」と誤解を受けてしまうからです。**めんどくさいけどキチンと付ける，間違ってもクヨクヨしなくていい**——それが三単現の -s への正しい身の処し方です。

■ 現在形の変化

三単現の -s の作り方を確認してください。語尾によって -s，-es，-ies を付けるケースがあります。

-s ▶ほとんどの動詞	like → like**s**　　work → work**s** tap → tap**s**
-es ▶語尾が -ss, -x, -sh, -ch, -o の動詞	pa<u>ss</u> → pass**es**　　mi<u>x</u> → mix**es** wa<u>sh</u> → wash**es**　　tea<u>ch</u> → teach**es** g<u>o</u> → go**es**
y → -ies ▶語尾が「子音字※＋ y」の動詞	c<u>r</u>y → cr**ies**　　st<u>u</u>dy → stud**ies** f<u>l</u>y → fl**ies**

※子音字：a,i,u,e,o（母音）以外の音をあらわす文字

【-s/-es の発音】…[s][z][iz] の3とおり。

(1) likes, works, taps → [s]（ス）
(2) plays, goes, knows → [z]（ズ）
(3) passes, watches, finishes → [iz]（イズ）

原形が無声音（息だけの音）で終わる場合，息だけの音 [s] となり，有声音（声を出す音）の場合，声を出す [z] となります。同種の音を使うということですね。s（ス）sh（シュ）ch（チ）などで原形が終わる場合 [iz] となります。

■ 過去形

> I was a naughty kid.
> いたずら好きの子どもじゃった

> I played soccer.
> サッカーやったよ

過去形

過去形は文の内容が「過去」であることを示す形（過去形の用法について詳しくは ☞P.554 を参照してください）。

ⓐ **I was really happy.** （僕はとっても嬉しかったよ）
ⓑ **They were sad.** （彼らは悲しかった）

■ be動詞の過去形

（主語が）単数	複数
I was	
You were	
was	were

be動詞は過去形においても、やはり大きく変化します。you 以外の単数主語なら was、複数なら were と変化します。もちろん現在形と関連づけて、am, is → was, are → were と考えてもいいですよ。

ⓒ **I played soccer yesterday.** （昨日サッカーをした）
ⓓ **He played in the All Japan High School Soccer Tournament last year.** （彼は去年全日本高校サッカー大会でプレーした）

一般動詞の過去形は基本的に、原形に **-ed** を付けてあらわします（play**ed**）。**過去形は主語によって変化はしません。** 現在形では、三単現の -s が付くケース（ⓓ）も同じように played となります。現在形より簡単で

1 主語・動詞・基本文型

すね。ところが悪いニュースがあります。日常使われる動詞の多くが，過去形となると大きく形を変えるのです。

■ 過去形の変化

-ed を付けて過去形を作る動詞を「規則動詞」，大きく形を変える動詞を「不規則動詞」とよびます。規則動詞の場合，過去形と過去分詞形（後述）は同じ形です。不規則動詞については**巻末（☞P.664）の「不規則動詞変化表」を参照**してください。

	原形	過去形	過去分詞形
-ed ▶ほとんどの動詞	play finish	play**ed** finish**ed**	play**ed** finish**ed**
-d ▶語尾が -e で終わる動詞	like phone	like**d** phone**d**	like**d** phone**d**
y → -ied ▶語尾が「子音字＋y」の動詞	carry study	carr**ied** stud**ied**	carr**ied** stud**ied**
語尾の子音字を重ねて **-ed** ▶語尾が「1母音字※＋1子音字」の動詞	stop plan	stop**ped** plan**ned**	stop**ped** plan**ned**

※１母音字：a,i,u,e,o（母音）１字ということ
注1 look は look-looked-looked と変化。oo は「２母音字」だからです。
注2 「１母音字＋１子音字」であっても，子音字が y, w のときには，子音字を重ねません。〈例〉stay - stayed - stayed
注3 「１母音字＋１子音字」であっても，最後の音節（☞P.63）が強く発音されない場合には，子音字を重ねません。
〈例〉visit は vis・it と２つの音節から成ります。最終音節は強く発音されません。visit-visit**ed**-visit**ed** となります。ほかにも listen-listen**ed**-listen**ed**，remember-remember**ed**-remember**ed** など。

-ked ▶語尾が -c で終わる動詞	panic picnic	panic**ked** picnic**ked**	panic**ked** picnic**ked**

【-ed の発音】…原形の語尾の発音に応じて，[id][t][d] の３とおり。
(1) [t][d] で終わるものは [id]〈例〉visited, patted, ended, recommended
(2) [t] 以外の無声音で終わるものは [t]〈例〉stopped, liked, finished
(3) [d] 以外の有声音で終わるものは [d]〈例〉loved, listened, studied
　原形の語尾が無声音なら -ed の発音も無声音の [t]。有声音なら有声音の [d]。やはり同種の音を使う原則です。発音のしやすさからこうした読み方になります。

> **文法用語解説　音節**
>
> 「音節（syllable）」は，母音を中心にした音のまとまり。日本語の「柿（ka-ki）」で，「か」「き」をひとまとまりの音とみなすように，英単語もいくつかのまとまりでできています。それが「音節」。辞書の見出しで fla・vor などと単語を区切っているのを見たことはありませんか？　単語をその途中で分断し次行に送るときの区切りですが，音節に一致します。

■ -ing形

ⓐ He is **playing** soccer at the moment.（彼は今サッカーをやってるよ）
ⓑ The girl **playing** soccer with the boys is Manami.
（男の子たちとサッカーをやってる女の子は眞美だよ）
ⓒ **Playing** soccer is a lot of fun.（サッカーをやるのはとっても楽しい）

動詞に -ing を付けた形，それが **-ing形**。**生き生きとした躍動感あふれる行為**をあらわす形です。

　-ing形は，動詞としてではなく，主語（He）や文中の語句（The girl）を説明したり（ⓐ・ⓑ），名詞と同様に使うことができます（ⓒ）。もちろん文中の配置によってさまざまな機能が与えられるわけですが，詳細は CHAPTER 10で解説しましょう。

■ -ing の付け方

-ing ▶ほとんどの動詞	look → look**ing**　　read → read**ing** go → go**ing**
e + ing ▶語尾が -e で終わる動詞	take → tak**ing**　　make → mak**ing** write → writ**ing**
語尾の子音字を重ねて -ing ▶語尾が「1母音字＋1子音字」の動詞	stop → stop**ping**　　plan → plan**ning** shop → shop**ping**　　run → run**ning**
注1　look → looking「2母音字」だからです。 注2　「1母音字＋1子音字」であっても，子音字が y, w のときには，子音字を重ねません。〈例〉play → playing　　know → knowing 注3　「1母音字＋1子音字」であっても，最終音節が強く発音されない場合には，子音字を重ねません。 〈例〉vis・it → visiting　　lis・ten → listening　　re・mem・ber → remembering	
ie → -ying ▶語尾が -ie で終わる動詞	die → dying　　lie → lying

■ 過去分詞形

ⓐ He is good! He surely has **played** soccer before.
（彼いいね！　前にサッカーをやったことがあるに決まってる）

ⓑ Soccer is **played** by over 240 million people.
（サッカーは2億4000万人以上に親しまれている）

ⓒ The sport **played** by most people? That's soccer!
（競技人口が一番多いスポーツ？　サッカーだよ！）

　動詞の**過去分詞形**は2つの意味合いをもちます。まずは「完了」。「have ＋過去分詞」で現在完了形という，必須の時表現を作ります（ⓐ）。もう1つは「〜される（受動）」。ⓑとⓒのように主語や文中の語句を説明することができます。

　過去分詞形を使った，現在完了形を含むさまざまな時表現については CHAPTER 16，修飾表現については CHAPTER 12で詳しく解説しましょう。

ⓒ 基本動詞のイメージ

　動詞の語形変化，大変でしたね。ですが，それは1時間もあればおおよそ頭に入ってしまうただの暗記事項です。動詞が本当に難しいのはその使い方。

　動詞の中には，go, come, make, take, have, get, be など，基本動詞とよばれ日常大変頻繁に使われるものがいくつかあります。日常会話・読解・作文——英語のすべての活動において，これら基本動詞への深い理解は欠かせません。これらの動詞には膨大な意味の広がりがあるのです。

　例えば go をその日本語訳「行く」で使いこなすことはできません。これでは「人」にしか使うことができないでしょう？　英語の go は日本語よりもはるかに豊かに使われるのです。

ⓐ I don't know where the money **goes**.　（どこにお金が消えちゃうのかわかんないよ）
ⓑ Will these stains **go**?　　　　　　　（このシミ消えるかな？）
ⓒ This old sofa has to **go**.　　　　　　（この古いソファ捨てなくちゃ）

　go のイメージは，「ある場所から去って進行していく」，その動きです。日本語訳ではなく，イメージに習熟することが基本動詞征服の最低条件なんですよ。

　この CHAPTER 1 の最後にある「基本動詞」で，最も重要で習得の難しい基本動詞について詳しい解説を加えてあります。いきなり細かく覚える必要はありません。少しずつでいいので，着実に全部マスターしていってくださいね。

　主語と述語の中心となる動詞。これで本章のハイライト，基本文型に進む準備ができました。必須の4つの型。そしてその応用型。1つ1つが会話での力に直結します。

　さあ，がんばっていきましょう。

SECTION 3 基本文型① 他動型

▶他動型は，英語で特に好まれる型です。まずはここから征服しましょう。

主 + 動 + 目
他動型

A 他動型

ⓐ **My boyfriend kissed my sister!**
（私のボーイフレンドが妹にキスを！）

ⓑ **Some students teased the new teacher.**
（新任教員をからかう学生がいた）

ⓒ **Ellie has beautiful eyes.**
（エリーは美しい目をしている）

ⓓ **I know Monet.**
（私はモネをよく知っている）※ Monet：印象派を代表するフランスの画家。

My boyfriend kissed my sister!
　　　　　　　　　　動　　　目

　動詞の後ろに目的語（名詞）を1つ従えた型。それが他動型です。基本文型は常に独自の意味（感触）と結び付いていることに注意してください。感触がつかめなければ決して上手に型を使いこなせません。
　動詞の「力」が対象物（目的語）に加わる・及ぶ──それがこの型の意味。ⓑは「からかう」が the new teacher に，ⓒは「所有」が beautiful eyes に，ⓓは「知識（知っている）」が Monet に及んでいる感触です。この型はいつでも，この感触をもっているのです。

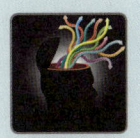

● 目的語は名詞の位置・目的語のキモチ

他動詞型では，動詞の後ろに**力が向かう対象**として「目的語」が加わります。目的語とは動詞（や前置詞）が後ろに従える要素。**主語と並んで，典型的な名詞（代名詞）の位置**です。

(1) John protected **his kid sister**. （ジョンは妹を守った）
   動   目

目的語にはいつも「指し示す」感触が伴っています。(1)は protect の「力」が「ここに及んでいるんだよ」と指す感覚が宿っているのです。

代名詞（I, you, she など）は，目的語の場所ではそれ専門の形である目的格（me, you, her など）を使います（☞P.207）。

(2) He loves **me**. （彼，私のこと好きなの）
    目

目的格は「指し示す」形だから。ネイティブが Me?（私？）と言うときの動作を観察してください。ほら，自分を指さしているでしょう？

● 他動型のもつ，強い「及ぶ」感触

「動詞＋目的語」には常に，「力が対象に及ぶ」強い感触があります。先程とりあげた例文をもう一度見てみましょう。

(1) I know Monet. (2) I know about Monet.
(3) I know of Monet.

日本語訳はすべて「私はモネを知っている」ですが，受ける感触は大きく違います。この中で最も深い知識をもっているのは(1)の know Monet。know about Monet も「フランスの印象派だな」「光の画家だな」などいろいろ知っている感触はありますが，know Monet と比べると知識の深度は落ちます。(3)の know of Monet にいたっては，「あーきーたことあるなー。建築やってたんだっけ？」程度のこと。比較になりません。知識が直接 Monet をおおう感触，それが know Monet なのです。他動型のもつ強い意識，しっかりと身につけてくださいね。

●「スポーツをする」のいろいろ

「野球をする」「柔道をする」「スキーをする」。同じ，スポーツをするという表現ですが，表現の仕方は異なります。

(1) I **play baseball** [tennis／rugby／soccer]．【play ＋スポーツ名】
　　(僕は野球[テニス／ラグビー／サッカー]をする)

(2) I **do/practice judo** [yoga／karate]．　　【do/practice ＋スポーツ名】
　　(僕は柔道[ヨガ／空手]をする)

(3) I **ski** [skate／fence]．　　　　　　　　【動詞であらわす】
　　(僕はスキー[スケート／フェンシング]をする)

　さて，なぜ野球などのスポーツに限って他動型を使うのでしょうか？ それは「力が及ぶ」を感じるから。野球・テニス・ラグビー・サッカー，すべてボールを打ったり蹴ったりします。インパクトの連想からそれに見合った他動型が用いられるというわけ。スキーには，何かを打ったり叩いたりのイメージはありませんよね。だから他動型を使わず，単に ski と動詞になります。また，(2)のようにインパクトもない，動詞になるほどでもないスポーツは「do/practice ＋スポーツ名」となります。

　他動型の「力が及ぶ」。実に一般的な語感なのですよ。

●英語を話せるようになるためには

　英語学習の成否は，この，数十ページで終わってしまう「文型」にかかっています。型を身につける最もいい方法は「音読」。「力が及ぶ」を意識しながら声に出して読むこと。the new teacher にインパクトを感じながら「teased the new teacher」，Monet に知識が及ぶことを意識しながら「know Monet」。すべての型が体から自然に出てくるまでしつこく読めば，英語はすぐに話せるようになります。

SECTION 4 基本文型② 自動型

▶次は「自動型」。これが一番簡単。

主＋動
自動型

Ⓐ 自動型

ⓐ **My brother swims really fast.**
（兄は泳ぐのがすごく速い）

ⓑ **My baseball team didn't play well last night.**
（僕のひいきしている野球チーム，昨晩はあまりできがよくなかった）

My brother **swims** really fast.
　　　　　　　　　動

　動詞の後ろに目的語がないこの型には，力が及ぶ対象がありません。つまり，「単なる動作」を示します。
　例文の really fast, well last night は，目的語ではなく修飾語句。いくら重なっても文型には関わりません。ご注意ください。

Ⓑ 前置詞とのコンビネーション

ⓐ **I looked at the girl.** （その女の子に目を向けた）
ⓑ **Are you going to the school festival?** （学園祭行くの？）

　自動型ではしばしば，動詞による動作が「何に対して・どのようになされるのか」を示す前置詞がコンビネーションで使われます。ⓐの look は「目を向ける」という単なる動作です。それが何に対して行われたかを at が示

1 ▼主語・動詞・基本文型

69

しているのです。こうしたコンビネーションはしばしば「熟語」として紹介されますが、まとめて暗記する必要はありません。動詞と前置詞、それぞれのイメージ（単語のもつ中核的な意味）を正しくつかんでいれば、ほとんどの場合正確に予想することができます。

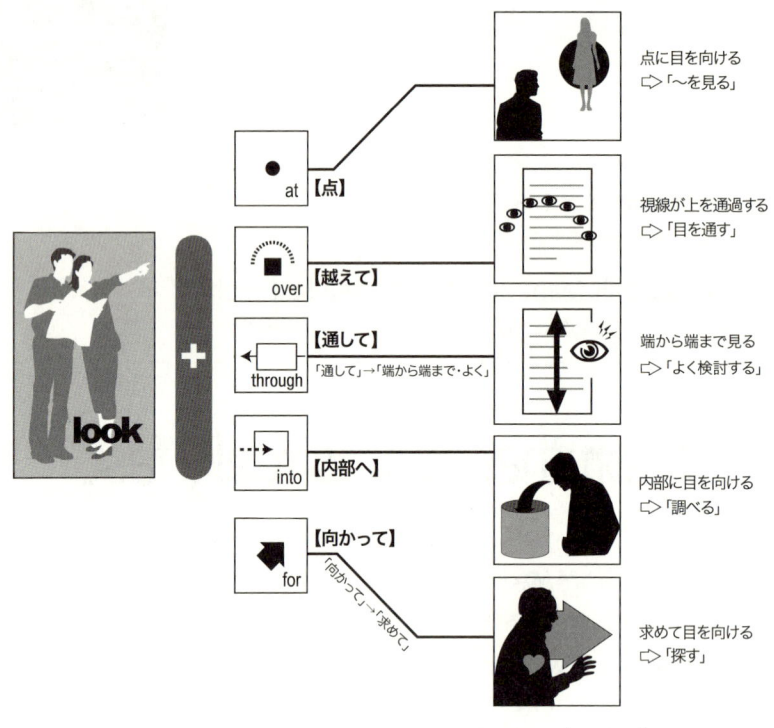

look +

- at【点】 — 点に目を向ける ⇨「〜を見る」
- over【越えて】 — 視線が上を通過する ⇨「目を通す」
- through【通して】「通して」→「端から端まで・よく」 — 端から端まで見る ⇨「よく検討する」
- into【内部へ】 — 内部に目を向ける ⇨「調べる」
- for【向かって】「向かって」→「求めて」 — 求めて目を向ける ⇨「探す」

※動詞と前置詞のコンビネーションに関して、詳しくは「句動詞」（☞P.372）を参照。

■ 他動型と自動型

次の文を見てみましょう。(1)は他動型、(2)は前置詞が使われた自動型です。
(1) He **shot** the bird.　(2) He **shot at** the bird.

(1)は目的語に力が及ぶ他動型。彼は鳥を撃った——鳥に命中するところまでを意味に含んでいます。一方、(2)は単なる行為。目標を示す at が加わり「鳥をめがけて撃った」。命中までを意味に含んではいないのです。他動型と自動型のもつ意識の違いがクッキリと浮かび上がりますね。

SECTION 5 基本文型③ 説明型

▶「説明型」の典型例は be 動詞文。単純な型ですが意識の運び方に注意しましょう。それが「話せる英語」につながります。

主 ＋ 動 ＋ 説明語句
説明型

Ⓐ 説明型（be動詞）

ⓐ My cousin is **a delinquent kid**.
（僕のいとこは非行少年です）

ⓑ My cousin is **very moody**.
（僕のいとこはとてもお天気屋さん）

ⓒ My cousin is **at the bowling alley**.
（僕のいとこはボーリング場にいるよ）

My cousin **is a delinquent kid**.
　　　　　　[動]　　　　[説明語句]

　説明型は**「主語を説明する」**型です。最も頻度が高いのは be 動詞文。be 動詞の後ろに説明語句を置き，My cousin ＝ a delinquent kid と説明します（ⓐ）。

　この型は説明ルール（説明は後ろから）の典型的な形。**主語の後ろに説明語句を配置する意識で作ります**。be 動詞に意味はありません。主語と説明語句をつなげる，文の形を整えるための単なる「つなぎ」として働いています。さあ，何度か上の文を音読してみましょう。is は「オートで自然についてくる」感じ。意識を置かないことに注意しましょう。

1 ▼主語・動詞・基本文型

●be動詞：意味のない「つなぎ」

　be動詞に意味はない，単なる「つなぎ」。それがネイティブの意識です。そのため，be動詞にはほかの動詞にない重要ないくつかの特徴があります。

◆be動詞には短縮形がある

　be動詞は短縮形がある唯一の動詞です。短縮形は「時々短縮して使う」わけではありません。会話では短縮形の方が圧倒的に頻度が高いのです。意味がないから平気で短縮されるというわけ。ちなみに **be動詞も過去形となると，短縮はされません**。

　I was happy. → × I's happy.

「過去のことを示す」意味が生まれるから。意識のありようが短縮されるかどうかを決めているのです。

◆be動詞は強く発音されない

　be動詞は弱く・すばやく発音されるのがふつうです。文全体の意味を強める，特殊効果をねらった文（☞P.536）以外で，be動詞をほかの単語と同じように強く発音すると不自然に響きます。

◆省略されることがある

　感情が激昂したとき，手短に切れよく発言したいときなど，be動詞は省略されることすらしばしばです。

■be動詞の短縮
I am → I'm　　That is → That's
He is → He's　　We are → We're

■be動詞の発音
○John is happy. （小さく発音）
×John is happy.

■be動詞の省略
~~Is~~ everything OK?
（全部問題ない？）
You ~~are a~~ liar!
（この嘘つき！）

　意識を置かない単なる「つなぎ」——それがネイティブの be動詞なのです。

● be動詞の「いる・ある・なる」

　be動詞には,「いる・ある・なる」と訳すとピッタリくる場合が数多くあります。だからと言って,「be動詞には,存在や変化をあらわす使い方がある」と考える必要はありません。

(1) John **is** in his bedroom.　　（ジョンはベッドルームの中にいます）
(2) She will **be** a good teacher.　（彼女はいい先生になるでしょう）

　(1)は単に「ジョン=ベッドルームの中」ということ。説明語句が場所をあらわしているので「いる」と訳すだけのこと。(2)は「彼女=いい先生」に将来なるだろう,ということ。やはり become（〜になる）のような強い意味合いはもっていないのです。be動詞は単なる「つなぎ」。それだけでいいのですよ。

※昔の使い方
　God **is**.（神は存在する）のように,以前,be動詞には「存在」を積極的にあらわす使い方があったのは事実です。ですがこうした使い方は決まり文句に限られ,21世紀現代英語では自由に作り出すことはできません。× John was.（ジョンがいた）

B 説明語句の自由

　be動詞の後ろに置く説明語句には,意味さえ通れば**あらゆる要素を自由に使うことができます。**気楽に並べてくれればいいんですよ。

Gary was
（ギャリーは）
- ⓐ **angry at me**.　（僕に怒っていた）　【形容詞句】
- ⓑ **a chef**.　（シェフだった）　【名詞句】
- ⓒ **on duty**.　（勤務中だった）　【前置詞句】
- ⓓ **fishing**.　（魚釣りをしていた）　【-ing形】
- ⓔ **injured playing soccer**.　【過去分詞形】
　（サッカーをやっていてケガした）
- ⓕ **to regret his foolish behavior**.　【to 不定詞】
　（おろかな行為を後悔することになるのだった）

　ⓓとⓔはそれぞれ**進行形**（☞P.447）・**受動形**（☞P.477）とよばれますが,-ing形と過去分詞形を説明語句として使った単なる説明型の文です。説明語句には,節（文）も使うことができます。

ⓖ The trouble is **that we don't have enough money**.
(問題は僕らが十分お金をもっていないってことだよ)

ⓗ The problem is **what we should do if the plan fails**.
(問題はもし計画が失敗したらどうするべきかだ)

ⓘ The question is **whether we cancel our trip or not**.
(問題は旅行をキャンセルするかどうかだ)

　説明語句には何も制限はありません。なんでも可能──この自由をぜひ手に入れてください。

● 自由度の理由

英語は，表現の文中での働きが配置によって決まる，配置のことばです。be動詞の後ろの位置は「説明」の位置。どういった要素がこの位置にこれるのかという縛りは，「説明として理解することができるか」だけ。その結果，ほぼすべての要素を使うことができるというわけなのです。

C 説明型（一般動詞）

ⓐ Many workers have **become** jobless.
(たくさんの労働者が無職になった)

　説明型は be動詞以外の動詞にも使うことができます。この文では動詞の後ろに説明語句 jobless（無職の）。be動詞文と同じように，基本的な意味は「Many workers ＝ jobless」。ただ，**be動詞と異なり実質的な意味をもつ動詞（一般動詞）の場合，その意味が「＝」にオーバーラップします**。「Many workers ＝ jobless になった（have become）」という意味になるわけです。説明型をとることができる動詞は become 以外にも数多くあります。

〈変化をあらわす動詞〉

ⓐ All the food **went** rotten.
（食べ物はみんな腐っちゃった）

ⓑ I'm **getting** hungry, Mom. When's dinner?
（お腹空いてきたよ，かあさん。晩ご飯いつ？）

ⓒ The autumn leaves are **turning** red and gold.
（秋になり木の葉が赤や金になってきた）

※どれも「〜になる」と，変化をあらわす動詞です。
ⓐ：「食べ物＝腐った（になる）」とオーバーラップしています。go，come は「ある状態に行く（くる）」から「変化」につながっています（☞P.111）。
ⓑ：get は「動き」をあらわすことから「変化」。大変ポピュラーな使い方です。
ⓒ：turn はひっくり返すようにガラッと「変化」。ほかにも Everyone **grows** old.（誰もが歳をとる）などの例もあります。

〈ある状態に留まることをあらわす動詞〉

ⓐ The audience **remained** silent during the national anthem.
（国歌斉唱のあいだ聴衆は静まりかえっていた）

ⓑ It's important to **stay** calm in an earthquake.
（地震の場合冷静でいることが大切だ）

ⓒ I exercise every morning to **keep** fit.
（健康な体を保つために毎朝運動してるよ）

※ⓐ：「聴衆＝静か（なままだ）」と，オーバーラップ。

〈知覚印象をあらわす動詞〉

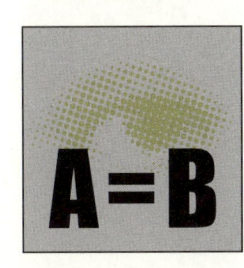

ⓐ Doesn't she **look** gorgeous in that dress?
（彼女あのドレス着てるときれいじゃない？）

ⓑ My hair **feels** much softer with this new conditioner.（この新しいヘアコンディショナーつけてるとはるかに髪がやわらかく感じるよ）

ⓒ The new video game **sounds** amazing.
（新しいテレビゲーム，すごそうだね）

※ⓐ：「彼女＝きれい（に見える）」とオーバーラップ。feel（感じる），sound（聞こえる），smell（においがする），など，知覚をあらわす動詞は頻繁にこの形で使います。

PART 1 - CHAPTER 1：主語・動詞・基本文型　SECTION 5：基本文型③ 説明型

〈判断をあらわす動詞〉

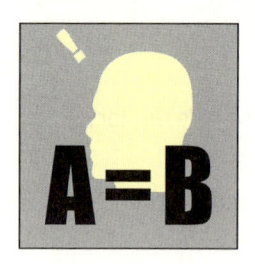

ⓐ She **seems** / **appears** stressed out.
（彼女はストレスで参ってるようだ）

ⓑ His plan **proved** successful.
（彼の計画は成功だった［成功ということが判明した］）

ⓒ Her prediction **turned out** right.
（彼女の予言が正しいことがあきらかになった）

※ⓐ：「彼女＝ストレスで参っている（ように見える）」とオーバーラップ。
　ⓑ：prove（証明する・わかる）も説明型に出てくるポピュラーな動詞。
　ⓒ：turn out（あきらかになる）が「彼女の予言＝正しい」にオーバーラップしています。

　細かく分類しておきましたが，こんな分類覚えなくても，もちろん大丈夫。これらの動詞は，「A＝B（　　）」の（　　）の部分に入る動詞たち。「A＝B（になる・のままだ・に見える・に思える）」などがピッタリくるのは当然ですね。

　さあ，オーバーラップの意識で何度も例文を音読していきましょう。頭で理解するだけでは英語は話せません。ネイティブと同じ意識でこの形が口をついて出てくるまで練習，ですよ！

SECTION 6　基本文型④　授与型

▶最後の基本文型「授与型」です。「動詞＋目＋目」——最も長い基本文型。徹底した口慣らしが必要ですよ。

主＋動＋目＋目
授与型

Ⓐ 授与型

ⓐ **I gave the guy my cell phone number**.
（その人に携帯番号を教えてあげた）

ⓑ **My parents bought me an iPad**.
（両親は僕に iPad を買ってくれた）

ⓒ **We wrote our teacher thank-you poems**.
（先生にありがとうの詩を書いてあげた）

ⓓ **I wonder who sent me this Valentine card**.
（誰が僕にこのバレンタイン・カード送ってくれたのかな）

I gave the guy my cell phone number.
　　動　　目(A)　　　　目(B)

　動詞の後ろに目的語2つを従えた授与型は、「AにBを授与する（あげる・くれる）」をあらわす型です。目的語の順序は変えることができません。いつも「AにBを」の順番となります。

　上の例文では、すべて「あげる・くれる」の意味合いになっていることに注意すること。授与型で使われるとどんな動詞でも手渡しの意味合いになります。配置のことば英語では、文型と意味はガッチリと結び付いているのです。

ⓔ **Mika tells me all the school gossip**.
（ミカは私に学校の噂を全部教えてくれるのよ）

ⓕ **My Grandma taught me Korean**.
（おばあちゃんが私に韓国語を教えてくれた）

▼主語・動詞・基本文型

ⓖ My Mom used to **read me bedtime stories** when I was a kid.
（母は僕が子どもの頃、おやすみの物語を読んでくれたものだよ）

この型で手渡しされるのは具体的なモノだけではありません。「教えてくれる」「読んでくれる」など、抽象的な手渡しにも使うことができますよ。

> ⓗ My old scooter **costs me a lot of time and money**.
> （僕の古いスクーター、すっごく時間とお金がかかるんだよ）
> ⓘ It **took me 3 hours** to get home from school today, owing to the typhoon. （台風で学校から帰るのに3時間もかかっちゃった）
> ⓙ The hotel **charged us $50** for losing our room key!
> （カギなくしたらホテルが僕たちに50ドルも請求してきた！）

授与型は「あげる・くれる」だけではありません。そこに cost, take, charge（かかる、取る、請求する）などの単語を使えば、奪う意味関係もあらわすことができます。誰かから何かを奪う関係──「マイナスの授与」というわけです。

🅱 授与をあらわす、もう1つの形

「授与」をあらわすのは授与型の文だけではありません。前置詞を使ってもあらわすことができます。

> ⓐ She **gave this love letter to me**.
> [She gave me this love letter.]
> （彼女はこのラブレター、僕にくれたんだよ）

この前置詞を使った形には、to を使う場合と for を使う場合があります。**to は到達点、for は「〜のために」**と受益者をあらわす前置詞（to ☞P.402, for

☞P.389)。give（あげる），tell（告げる），send（送る）など到達点が意識される動詞では，「この人にあげた・言った・送ったんだよ」と to が使われ，make（作る），find（見つける），buy（買う）など，受益者が強く意識される動詞では，「〜のために作った・見つけた・買ったんだよ」と for が使われます。

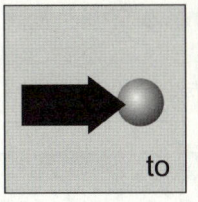

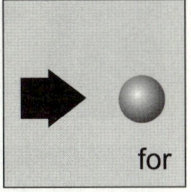

ⓑ I'll send the party photos **to** you.
(パーティーの写真，君に送ってあげるよ)

ⓒ She wrote this love letter **for** me.
(彼女はね，このラブレター僕のために書いてくれたんだよ)

ⓓ She baked some muffins **for** her volleyball club.
(彼女はバレーボール部のみんなのために，マフィンを焼いてくれた)

それでは問題です。次のペア，意味の違いがわかりますか？
ⓔ She brought this chair **to** me.　(彼女は僕のところにイスを持ってきた)
ⓕ She brought this chair **for** me.　(彼女は僕のためにイスを持ってきた)

ⓔは「僕のところに」，単なる到達点。ⓕは「僕のために」，僕を思いやって，ということですよ。簡単ですね。

● **この形は代替形**

前置詞を使って「授与」をあらわすこの形，実はそれほど重要度が高くはありません。**授与をあらわす場合には授与型が圧倒的にノーマルな形**だから。この形が使われる典型的な状況は，受け手の強調です。

(1) Don't you dare read that! **She wrote that love letter for me**!
(それ，読むのやめろよ！　そのラブレター，彼女は僕にくれたんだから！)

この文では「僕に（me）」が目立つ文末に置かれ，前置詞 for により誰のためにかが明示されていますよね？　これにより，受け手に強い光が当たる形となっているのです。 
授与型とこの形は，使われる状況もニュアンスも異なります。「どちらでも同じ」と考えず，授与型ではあらわすことのできない強調を与える「代替形」だと考えてくださいね。

● 基本文型と動詞

みなさんはすでに英語文の骨格——基本文型——をすべて学びました。英語文の設計図は出そろったということです。

主＋動＋目	主＋動	主＋動＋説明語句	主＋動＋目＋目
他動型	自動型	説明型	授与型

ここで1つ，重要な話をしましょう。それは，動詞と基本文型の相性についてです。動詞にはそれぞれ得意とする文型があります（1つとは限りません）。基本文型のもつ独自の意味と，動詞のもつ意味がマッチするとき，初めて意味の通る文ができるということです。例えば，次の文はあきらかに不自然。

(1) × John **died** Mary a present.
（ジョンはメアリーにプレゼントを死んだ）

die（死ぬ）は，単なる動作です。自動型（John died.）は OK でも，授与型を使って「与える」ことをあらわすことはできませんよね。

(2) × I **thought** her.

think は単なる動作。心にアイデアを思い浮かべる動作です。何もほかに力を及ぼす動作ではないので他動型とならず，think **about**/**of** her と自動型となります。

動詞と文型の相性は英語を使いながら徐々に習得すべき事柄ですが，ここでいくつか重要なヒントを差し上げておきましょう。

◆ Tips 1：同じ動詞で複数の型

① 自動型・他動型共用

多くの動詞は他動型にも自動型にも使うことができます。

自動型	他動型
(1) The chair **moved**. （椅子が動いた）	(1) I **moved** the chair. （椅子を動かした）
(2) I'm **flying** to Singapore tomorrow. （明日シンガポールに飛ぶ予定です）	(2) Kids love to **fly** kites. （子どもは凧を飛ばすのが好き）
(3) The door **opened**. （ドアは開いた）	(3) He **opened** the door. （彼はドアを開けた）

> **文法用語解説　自動詞・他動詞**
>
> 辞書などの表記では，自動型をとる動詞を「**自動詞**（vi）」・他動型をとる動詞を「**他動詞**（vt）」とよぶことがあります。move, fly のようにどちらもとることのできる動詞は自動詞でもあり他動詞でもあるということです。

② rise ─ raise と lay ─ lie に注意

rise（上がる）─ raise（上げる）と，lay（横たえる）─ lie（横たわる）に注意しておきましょう。同じ意味でありながら他動型─自動型で異なった動詞を使います。

自動型	他動型
(1) The sun **rises** in the east. （太陽は東から昇る）	(1) He **raised** his hand. （彼は手を上げた）
(2) I like to **lie** on the beach. （ビーチに寝ころぶのが好き）	(2) He **laid** his hand on my shoulder. （彼は私の肩に手を乗せた）

lay と lie はどちらも不規則動詞。lay-laid-laid, lie-lay-lain となります。lay の原形と lie の過去形が同じ形になり，まぎらわしいので注意しましょう。

③ 連想によって広がる意味

move（動く・動かす），open（開く・開ける）──同じ動詞を自動型・他動型で使う，こうした使い分けは難しくありませんよね？　ですがネイティブの表現力を得るためには，もう一歩進んでもらう必要があります。「連想によって使い方を広げる」──それがネイティブの能力。

(1) She **walks** every day.　　【自動型】
　（彼女は毎日歩く）

(2) I **walk** my dog every day.　【他動型】
　（私は毎日犬を散歩させる）

walk は「歩く」。単なる動作ですから基本は自動型です。他動型で使われたときには「（犬などを）散歩させる」──「歩く」を対象に力を及ぼす意味で使うことから，この意味が生まれます。単純な連想が働いていることがわかりますね。もとの意味から連想を働かせて動詞の活用力を広げる，それがみなさんの次のステップです。

(3) He **runs** fast.　　　　　【自動型】
　（彼は走るのが速い）

(4) He **runs** a restaurant.　【他動型】
　（彼はレストランを経営している）

run（走る）から「動かす・運営する・経営する」へ。「レストランを走らせる」からの連想です。ここまで理解すれば、もうみなさんには——例えば——なぜ sit（座る）, stand（立ち上がる）に「（慎重に）置く」「耐える」という使い方があるのかが理解できるはず。「座らせる」「支えて立っている」という他動型（力が及ぶ）に則した連想が働くからですよ。

(5) He **sat** the glass on the table.
（彼はグラスをテーブルに置いた）

(6) I can't **stand** his attitude.
（彼の態度には耐えられないよ）

最後に1つ変わった連想をご紹介しましょう。

(7) I **went** there. 【自動型】
（僕はそこに行った）

(8) Everything **went** rotten.【説明型】
（全部腐っちゃった）

すでに述べたように（☞P.75）, go は説明型に使うことができます。「行く（ある場所から去る）」から「〜になる（別の状態への変化）」へ意味が広がっているのです。こうした例は数多くあり、一挙に学習することはできません。ネイティブの使い方を観察し、文型の意味を考えながら「こうやって使えるんだな」と1つ1つ自分のモノにしてください。

◆ Tips 2：訳は同じでも型が違う動詞

動詞と文型の相性の話を続けましょう。実は日本語訳からでは使う型がわからないケースがあるのです。
look と see について考えてみましょう。どちらも「見る」ですが、使われる型が異なります。

(1) I **looked at** the dog. （私は犬を見た）
(2) I **saw** the dog. （私は犬を見た）

look には前置詞が付いていることに注意しましょう。これは自動型。see は他動型となっています。それは意味（イメージ）が異なるから。

look は単なる動作。「ん？」と「目を向ける」という動きをあらわした動詞です。だからこそ、どこに向かって目を向けるのかを意味する前置詞 at が加わります。一方 see は「見える」。視覚が対象をとらえている——力

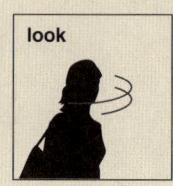

が及んでいる——ことをあらわす動詞。だから他動型となるわけです。

　「到着する」と訳される arrive と reach も同じです。arrive は自動型，reach は他動型です。

(3) I **arrived** in Phoenix.　(私はフェニックスに到着した)
(4) I **reached** Phoenix.　(私はフェニックスに到着した)

　arrive は「到着する」という単なる動作です。そこで，in Phoenix などと，どこでその動作が行われたのかを示す前置詞が必要なのです。一方，reach は「(何かに) 手を届かせる」ということ (ボクサーの腕の長さは reach と言います)。目的地をつかみ取る感触。だから力が対象に及ぶ他動型。

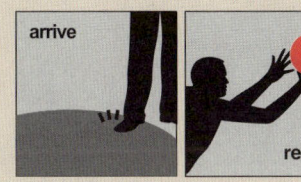

　動詞と文型をマスターするうえで，日本語訳は万能ではありません。そのニュアンスまでしっかりととらえる必要があるのです。

◆ Tips 3：型を間違えやすい動詞

　次の文は，どちらが自然だと思いますか？

(1) We **discussed** / **discussed about** the matter.
　　(我々はその問題について話し合った)

　discuss には思わず about (〜について) を付けてしまいそうになりますが，正解は discussed。この動詞は他動型で使われます。discuss の日本語訳は「話し合う・議論する」ですが，この動詞のイメージは「ターゲットになる話題にアタックする」。attack (攻撃する) と同じ感触なので他動型——直接目的語をとるのです。

　次の動詞はすべて他動型で使われます。前置詞を付けないように注意しておきましょう。

【他動型の動詞】

- ☐ Don't **mention** (×**about**) it.　(その話題には触れないでくれ)
- ☐ I **asked** (×**to**) him.　(私，彼に聞いたのよ)
- ☐ I **married** (×**with**) Catherine.　(僕ね，キャサリンと結婚したんだ)
- ☐ I **told** (×**to**) him.　(僕は彼に言ったんだ)
- ☐ I **entered** (×**into**) the room.　(私はその部屋に入った)

PART 1 - CHAPTER 1：主語・動詞・基本文型　SECTION 6：基本文型④ 授与型

☐ I **visited** (×**to**) London. （僕ロンドンに行ってきたんだ）
☐ She **approached** (×**to**) me. （彼女、僕に近づいてきたんだよ）
☐ My son **resembles** (×**with**) me. （僕の息子ね、僕に似てるんだよ）

　下のイラストを見てください。どれも対象に直接「力」を及ぼす感触で使われる動詞。赤い部分が対象（目的語）のイメージです。

mention　**marry**　**enter**　**approach**

ask　**tell**　**visit**　**resemble**

　mention は（手短に）話題をとり出す、marry は相手をゲットする、enter は対象の中に入っていくという感触。approach は対象にぶつかっていく感触。
　同じように ask, tell も相手に直接働きかける感触。visit は単にその場所に行く（go to する）わけではありません。そのエリア全体を動きまくる、カバーする感触を伴っています。resemble は「対象に重ね合わせる」感触——つまりどの動詞にも、**その行為が対象に直接及ぶことが意識されている**のです。

　逆のケースもあります。次の動詞は自動型。直接目的語をとらず、前置詞を必要とします。相手に力を及ぼさない単なる動作として意識されているからです。

【自動型の動詞】

☐ I **complained to** him. （僕は彼にぶつぶつ文句言ったんだ）
☐ I **apologized to** him. （彼に謝ったよ）
☐ I **agreed with** him. （僕は彼に同意したよ）

　「ぶつぶつぶつ」「ごめんと言ったり頭を下げる」「うんとうなずく」——すべて単なる動作、だからこそ、動作が対象に向かう場合には前置詞が必要となるのです。
　ある動詞がどの文型で使うことができるのか。あまり神経質になる必要はありませ

ん。会話は人間同士のコミュニケーション。よほどのことがない限り相手はわかってくれます。気軽に考えてゆっくり学んでいってくださいね。

complain　　**apologize**　　**agree**

SECTION 7 目的語説明文

▶「目的語説明文」は,「他動型」の発展形。「主語＋動詞＋目的語」の「目的語」の後ろに,その目的語を説明するフレーズが付加される,基本文型と同等に多用される形です。

Ⓐ 目的語説明文（基礎）

ⓐ Just call **me Ken**.
　（ケンとよんでくれればいいよ）

ⓑ Everyone believed **him a genius**.
　（みんなは彼のことを天才だと信じていた）

ⓒ He smashed **the lock open**.
　（彼はカギを壊して開けた）

ⓓ I consider **him trustworthy**.
　（彼は信頼に足る人だと思うよ）

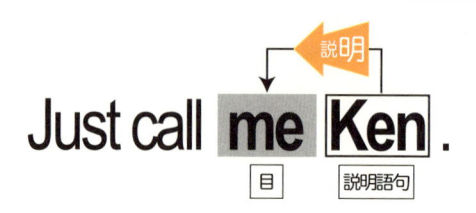

Just call me Ken．
　　　　　目　説明語句
　　　　　　←説明

説明ルール（☞P.27）覚えていますか？　そう,「説明は後ろから」の修飾ルールです。目的語説明文は, 他動型と説明ルールのコンビネーション。目的語の後ろにその説明が追加された形です。

　ⓐ～ⓓのどの文も基本は他動型。ⓐは「私をよぶ」ということ。そこに目的語 me の説明——「私をなんとよぶのか」が加わっているのです。ⓑは「彼を信じていた」。彼が何だと信じていたかというと, a genius。ⓒは「カギを壊した」, 壊してカギはどうなったのか, the lock の説明が open（開いている）。ⓓは「彼を考える」, 彼をどうだと考えるのか, him の説明が

trustworthy。すべて同じリズム。

　もちろん，説明語句には名詞や形容詞だけでなく，自由にさまざまな要素を使うことができます（☞P.27）。

ⓔ I saw a cockroach **in the kitchen**.　　　【前置詞句】
　（ゴキブリが台所にいるのを見た）
ⓕ I saw the players **training**.　　　【-ing形】
　（選手がトレーニングしているのを見た）
ⓖ Harry saw Lucy **bullied by her classmate**.　【過去分詞形】
　（ハリーはルーシーがクラスメートにいじめられるのを見た）

　リズムは全く同じ。ⓔは「ゴキブリを見た」，ゴキブリがどこにいるのを見たのかの説明が in the kitchen，といった具合。-ing形（〜している），過去分詞（〜される）も当然使うことができます。

● 目的語説明文は日常の形

　目的語説明文，最初は少し複雑に感じられるかもしれませんが，ネイティブにとっては日常気楽に，そして頻繁に使う形です。

(1) I'd like my coffee black.　（コーヒーはブラックにするわ）
　coffee を「ブラックでね」と説明していますね。みなさんがよく見かける定型表現の中にもこの形は多々見られます。

(2) Take it easy, man!　（気楽にやれよ，な！）
(3) Leave me alone!　（ほっといてちょうだい！）

　it を easy なものとして take しろ（受け取れ），私を alone（独り）の状態に leave しろ（そのままにしておけ）。ほら目的語説明。この形は会話でも必須の形なのです。**目的語を説明するリズムを意識**しながら，すべての例文を繰り返し音読してください。20分ぐらい読めば使えるようになります。

Ⓑ 知覚をあらわす動詞と共に

目的語説明文は,知覚(見る・聞く・感じるなど)をあらわす動詞と大変親和性の高い形です。こうした動詞は, -ing形などのほか, **動詞原形を説明語句としてとることが頻繁にあります。**

ⓐ I **saw** Mary cross the street. (メアリーが通りを渡るのを見た)
ⓑ Didn't you **hear** the phone ring? (電話が鳴るの聞こえなかった?)

I saw **Mary** cross the street .
　　　　目　　動詞原形　説明語句
　　　　　　← 説明 →

知覚動詞が作るこの形は,場面に生に接していることを示す形です。ⓐは「メアリーを見た」,何をするのを見たのかという説明が cross the street (通りを渡る)。「メアリーが通りを渡るのを見た」となりますよね。

ⓒ We went to the beach and **watched** the sun go down.
(ビーチに行って太陽が沈むのをジッと見ていた)
ⓓ I **listened** to my favorite band talk about their new album.
(僕のお気に入りのバンドが,新しいアルバムについて話すのを聞いた)
ⓔ I **felt** the building shudder.
(ビルが揺れるのを感じた)

すべて同じ要領。すぐにでも作れますよね? さあ音読,音読。

●生の状況に触れる形　ADVANCED

(1)が「生の状況に触れる形」であることを確認しておきましょう。(2)のレポート文（☞P.95）とはまるで違います。

(1) I heard **her play the piano**.　（彼女がピアノを弾くのを聞いた）
(2) I heard **that she plays the piano**.　（彼女がピアノを弾くって聞いた）

(2)は「私は聞きました」。何を聞いたかというと「彼女がピアノを（習慣的に）弾く」。つまり伝聞です。(1)は——もちろん——「彼女を聞いた」，何をするのを聞いたのかといえば「ピアノを弾く」のを。ほら，生でしょう？

●原形動詞による説明と -ing形による説明　ULTRA ADVANCED

(1) I saw Harry **punch the bully**.
　（ハリーがいじめっ子にパンチするのを見た）
(2) I saw Harry **punching the bully**.
　（ハリーがいじめっ子にパンチしているところを見た）

説明語句として動詞原形を使うのか，-ing形を使うのか。このチョイスはちょっと繊細。-ing形は原形と比べ，写真を見ているようなクオリティをもっています。まさにその瞬間の「〜しているところ」をとらえた表現。動詞原形にはそうした躍動感はありません。ただ「パンチするのを見た」。

アメリカ在住数年，「日常会話全く問題ありません」の人であっても，このレベルの使い分けはなかなかできません。できれば大変な実力。ぜひ目指してくださいね。

🅒 make, have, let と共に

make, have, let は目的語説明文に頻繁に使われます。正しく使いこなすには，それぞれの動詞がもつ意味とニュアンスをつかんでおく必要があります。

ⓐ I'll do anything to **make** you happy.
　（君を幸せにする為ならなんでもするよ）
ⓑ The story **made** me sad.　（その物語を読んで悲しくなった）
ⓒ When I was on homestay, I found it difficult to **make** myself understood in English.
　（ホームステイのとき，英語で理解してもらうのは難しいとわかった）

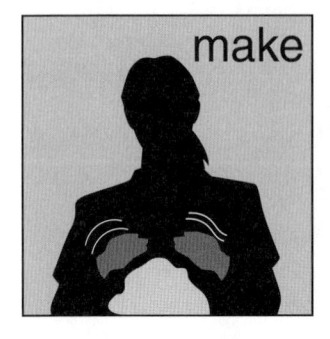

PART 1 - CHAPTER 1：主語・動詞・基本文型　SECTION 7：目的語説明文

make は「(力をギュッと加えて) 作り出す」ということ。「力が加わる」というニュアンスに特徴がある動詞です。ⓐは you に力を加えて「you = happy にするよ」と応分の努力が感じられる表現となっています。これまで同様目的語を happy が説明していますね。ⓑのキモチももうわかるでしょう。その物語が否応のない力で「me = sad」とするのです。ⓒはすでに決まり文句ですね。がんばって「myself = understood（過去分詞：理解される）」とする，ということ。

> ⓓ Shall we **have** our new plasma TV on the wall?
> 　（新しいプラズマテレビ，壁際にする？）
> ⓔ I **had** my uniform cleaned for the graduation ceremony.
> 　（卒業式に備えて制服をキレイにしてもらった）
> ⓕ I **had** my iPod pinched from my school bag.
> 　（学校のカバンから iPod を盗まれた）

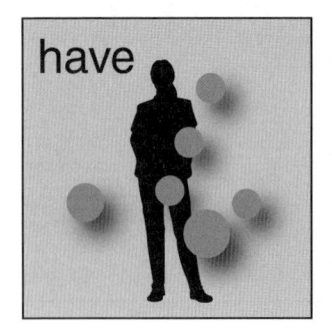

have は「もつ・もっている」。とはいっても「(手でグッと) もち上げる」という意味ではありません。所有する，ある状況をもつなど，体の動きが全く感じられない静的な意味にその特徴があります。have も目的語説明文とは非常に相性のいい動詞です。ⓓは「plasma TV = on the wall」という状況を have しよう，つまり「壁際に置く」という意味。ⓔは「my uniform = cleaned（過去分詞：キレイにされる）」という状況をもった。ⓕは「my iPod = pinched（過去分詞：盗まれる = stolen）」という状況をもった，つまり「盗まれた」という意味となります。どれも日本語訳には have の意味があらわれませんが，**「そうした状況を have する」**という**意識**で使われています。

●I cut my hair. と I had my hair cut.

この2つの意味の違いがわかりますか？ は　は。もちろん cut my hair は「髪を切りました」。そう自分で切ったんです。一方, had my hair cut は髪が cut (過去分詞：切られる) という状況を have したということ。床屋で切ったんですよ。

⑧ Don't **let** me down.
（ガッカリさせないでくれよ）

let は「許す」という意味。allow（許す）ほど, かたい単語ではありません。とっても気軽な単語です。ある状況が起こるのを許す, 手をこまねいている, そんな使い方をする動詞なんですよ。⑧は「私を許す」, 私がどうなるのを許すのかといえば「me = down」。ここから「ガッカリさせるな」となるわけです。

さて, この3つの動詞は, **原形動詞を説明語句にとり,「～させる」**という日本語に対応する文を作ることができます。

ⓗ The PE teacher **made** the students run in the snow.
（その体育教師は学生を雪の中走らせた）

ⓘ I'll **have** the nurse bandage your leg for you.
（看護師に君の足に包帯をさせますね）

ⓙ My daughter's upset because I won't **let** her get a tattoo.
（僕が娘に入れ墨をさせないモノだから, 娘が怒ってるんだよ）

説明

The PE teacher made **the students** **run ...** .
　　　　　　　　　　　　　　　目　　　説明語句

どの例も「〜させる」という訳に対応していますが，みなさんなら，同じ「させる」でも使われる状況が相当違うことがわかるはず。ⓗの make の「させる」は強制的な力を働かせています。力をぐっと加えて「無理矢理」という感触。ⓘの have にはそうした力は感じられません。単にそうした状況をもちますよ，それだけのことです。ⓙの let は「許す」でしたね。娘が get a tattoo するのを許さない（won't let）。

この3つは「〜させる」と偶然日本語の訳が一致しているだけのこと。しっかりとそれぞれの動詞のニュアンスをつかんで使い分けてくださいね。

■ もう1つの「させる」

「〜させる」とよく訳されるもう1つの形に，「get + 目的語 + to 不定詞」があります。

(1) **I got** one of my classmates **to help my sister with her homework.**
（クラスメートの1人に妹の宿題を手伝わせた）

get は「動き」をあらわす動詞（☞P.118）。友人に頼んだり，小遣いやったりしながら to 以下の行為に向かわせる，それがこの形の意味合い。

(2) I asked some of my classmates to give me a hand.
（クラスメートに手伝ってくれるように頼んだ）

と同様の文なのですよ。

●「〜させる」の差

同じ「させる」と訳されても，make, have, let, get (to) のニュアンスはまるで違う——納得していただきましたね。それでは簡単なチェックをしてみましょう。「僕の秘書にすぐ FAX を送らせるよ」——次の文のうち，最も適したものはどれでしょうか。

(1) I'll **have** my secretary fax it to you right away.
(2) I'll **make** my secretary fax it to you right away.
(3) I'll **let** my secretary fax it to you right away.
(4) I'll **get** my secretary to fax it to you right away.

正解は(1)。(2)の make と(3)の let はあきらかにおかしいですよね。自分の秘書にむりやり書類を送らせる（make），書類を送るのを許す（let）という状況はかなり不自然。get が have よりピンとこないのは，秘書と「僕（Ｉ）」の関係性の問題です。秘書に上司が何かをさせるとき，頼み込んだり，小遣いやったりしながら，そう仕向ける必要があるでしょうか。秘書は上司の指示に当然従うもの。上司が秘書に言えば自動的に実現されるのです。何も動きを感じさせない，「単にそうした状況を have するよ」の方が適しているのです。

(5) I'll **have** my parents help me. （両親に手伝わせるよ）
(6) I'll **get** my parents to help me. （両親に手伝ってもらうよ）

このペアでは(6)の get が適しています。have は尊大に響きます。両親に何かをしてもらう——それは望みさえすれば自動的に起こることでしょうか。そんなことはありませんよね。張り倒されます。頼み込んだり，頭を下げたりして仕向ける get の方が適当なのです。まぁ僕なら I'll **ask** my parents to help me.（手を貸してもらうよう頼んでみるよ）ともう少し慎重な使い方をしますけど，ね。

英語を学ぶとき，日本語訳に過度に期待することはできません。しっかりと1つ1つの単語のもつ質感を学んで会話してくださいね。

D to 不定詞を説明語句に

目的語説明文の最後は，目的語の説明に to 不定詞（to ＋ 動詞原形）を使う頻出パターンです。

to の意味（イメージ）は「指し示す（→）」（☞P.402）。ここからこの形には，いくつかの典型的な使い方が生まれています。

ⓐ My parents always **tell** me to study harder!
（両親は僕にいつも一生懸命勉強やれと言うんだよ！）

ⓑ Why don't you **ask** the ALT to help you with your English?
（ALT に英語助けてくれるように頼んでみたら？）

ⓒ I'll try to **persuade** my Dad to give us a ride.
（僕たちを車で送ってくれるように父を説得してみるよ）

My parents always tell me to study harder.
　　　　　　　　　　　　　目　to ＋ 動詞原形　説明語句

まず最も大切なのはこの、「相手に働きかける動詞」が使われるケース。tell（指示する）, ask（頼む）で働きかけることによって「目的語が ➡ 以下の行為に向かう」という意識。ⓐ は、両親が私を to 以下の行為に向かうように指示するということです。order（命令する）, force / compel（強制する）など、働きかける動詞全般にポピュラーな形。

ⓓ **Of course I want her to go out with me, but she's not interested.**
（もちろん僕は彼女に僕と付き合ってもらいたいんだけど、彼女興味ないみたい）

ⓔ **My parents won't allow me to stay out after midnight.**
（僕の両親は真夜中［12時］以降の外出を許さない）

ⓕ **Thank goodness they've gone. I didn't expect them to stay so long.**
（ああ、やっと帰ってくれたよ。こんなに長く家にいるとは思わなかった）

この形は働きかける動詞以外にも使われます。やはり to 不定詞以下の意識は同じ。「目的語が ➡ 以下の行為に向かう」ことを、「欲している」「許さない」「予期しなかった」ということですね。

さあ、この意識で何度も音読してください。すぐに身につきます。

※このパターンには、感情をあらわす動詞句と共に使われるケースがあります（☞P.465）。

SECTION 8 レポート文

▶主語の発言や考えをレポートするタイプの文です。説明ルールさえ身についていれば、簡単に使いこなせますよ。

A レポート文基礎：that節

（太郎は和美が好きだと言っていたよ）
（万引きは立派な犯罪だと僕は思うよ）
レポートしてる

「私は〜だと思います」「彼は〜だと言った」など、主語の発言や思考内容を文で展開するのがレポート文。大変頻繁に使われる形ですから、必ずマスターしなければなりません。この形の後ろに流れるネイティブの意識をつかみましょう。

ⓐ I think **Mary is gorgeous**.
　（メアリーはステキだと思うぞ）

ⓑ Tom said **today is his birthday!**
　（トムは今日が誕生日だと言ってたよ！）

ⓒ Mom doesn't understand **that I want to live my own life**.
　（母さんは僕が自分の人生を生きたいってことを理解しない）

それぞれ「動詞＋（that）節（文）」という形をとっていますね。これがレポート文の最も単純な形です。**ですが誤解のないように。**この形を「動詞＋節」と見てはなりません。次のように理解してください。

I think ← 説明 ─ Mary is gorgeous .

1 ▼主語・動詞・基本文型

95

「動詞の内容を後続文が説明している」と見るのです。そう，レポート文は「説明は後ろから」——単なる「説明ルール」の文なのです。think の内容を Mary is gorgeous が説明。said の内容を today is his birthday が説明。ほら簡単でしょう？

「動詞＋節」と見てはならない理由は，レポート文では主節動詞は1語とは限りません（ⓓは動詞＋前置詞＋名詞＋節ですね）し，また動詞が使われると限ってもいない（ⓕ～ⓗは形容詞）からです。

ⓓ **Tom said to me he loved me.**
（トムは私が好きだって言ってくれた〈あーそーですか〉）

ⓔ **He promised me he would try his best from now on.**
（彼はこれからベストを尽くすって約束してくれたよ）

ⓕ **I'm afraid we cannot give you a refund.**
（返金はできかねます）

ⓖ **I'm so sad he lost his job.**
（彼が失職したのはとても悲しい）

ⓗ **Sorry I'm late!**
（遅刻してゴメン！）

説明

Tom said to me he loved me.

ⓓでは動詞フレーズ said to me の内容を he loved me が説明。ⓕでは形容詞 afraid（恐れている）の内容を we cannot ... が説明。さらにⓗでは，形容詞 Sorry（ゴメン）の内容を I'm late（遅刻してね）が説明しています。レポート文に「動詞＋節」という制限はありません。単に文で説明を加える形——そう理解して初めてあらゆる種類のレポート文を作ることが可能になるのです。

■時制の一致

前ページの例文ⓓには注意しましょう。

ⓓ Tom <u>said</u> to me he <u>loved</u> me. （トムは私が好きだと言った）
　　　　過去　→　過去

日本語訳では「私が好きだ」と現在形が使われているのに対し，英語では he loved me と，過去形が使われています。これは英語のもつ〈時制の一致〉とよばれる独特のクセです。「主節（said to me）が過去なら，従属節（he loved me）も過去にする」というクセ。時制の一致は，レポート文では欠かすことのできないテクニック。P.600で詳しく解説します。

●レポート文を作る「欠乏感」

レポート文を会話で反射的に使うためには「欠乏感」を意識すること。

(1) I think. （僕思うんだ）
(2) Tom said to me. （トムは僕に言ったよ）

これでは言いたいことがまるでわかりません。不十分なのです。「think の内容を説明しなくちゃ」——この欠乏感が後ろに説明文をよび込む。それがレポート文の原動力です。さあ，先のⓐⓓを音読しましょう。I think, Tom said to me, ここまで読んだときに「欠乏感」を感じて文をよび込む。説明を展開する。この意識で練習すれば，レポート文はすぐに使えるようになります。

●that の配慮

レポート文には that がしばしば使われます。that を使っても使わなくても文法的には OK ですが，この that には，どんな意識が隠れているのでしょうか。

that は「導く」がイメージされる単語（☞P.198）。**後続する文内容に丁寧になめらかにそして正確に導きたいという配慮**が働いているのです。

(1) I think **that** he is the best captain we've ever had.
　　（彼は今までで最高のキャプテンだと思うよ）

訳文にはあらわれませんが，「僕が思っているのはどういう内容かというとね…」と導く感触が文に加わっています。

(2) I agree with all the other committee members **that** we should postpone the meeting until next week.
　　（ほかの委員会メンバーすべてと同様，ミーティングを来週まで延期することに賛成します）

agree（同意する）とその内容文が離れてしまっていますね。私ならここでは必ず

that を使います。agree に誤解なくその内容をつなげたいから。さあそろそろ that のキモチがわかってきましたね。

　that はフォーマルな（堅苦しい・かしこまった）ケースに多用されますが，もうみなさんならその理由がわかるはず。そう，聞き手を論旨からはずれないよう，丁寧に間違いなく導きたいという配慮が働くためです。

(3) I think **that** the economic crisis has turned out to be deeper than anyone expected, and I believe **that** it will be a long while before we see light at the end of the tunnel.
（この経済危機は誰も予想しえなかった深い傷跡を残したことが明白になっています。このトンネルの向こうに光明を見いだすにはもうしばらくかかる，私はそう考えている次第です）

　さあ，それではここで問題です。みなさんは次のペアどちらが自然に響きますか？

(4) I think Messi is brilliant.
(5) I think **that** Messi is brilliant.
（メッシ〔サッカー選手〕はすごいと思うよ）

　どちらも「間違い」ではありません。ですがこの場合，より自然なのは(4)。「メッシはすごい」という単純な，しかもくだけた内容を丁寧に正確に導く配慮は必要でしょうか？──もちろん，そんな必要はありません。that なしで Messi is brilliant と並べてあげればそれで十分なのです。

　that に隠れた配慮。もう大丈夫ですね？ どの単語にもキモチは宿っています。それを知ることがネイティブの英語力への大切なステップなのですよ。

B whether / if 節・wh節での展開

　レポート文で使うことのできるのは，that節だけではありません。whether/if 節あるいは wh節（☞P.500）でも展開することができます。

ⓐ **I didn't know whether/if you had already paid the bill.**
（僕は君がもう勘定を払ったかどうか知らなかったよ）

ⓑ **Clare asked me whether/if I have a key to the safe.**
（クレアは僕がその金庫のカギをもっているかどうか尋ねた）

ⓒ **We haven't decided whether/if we'll go to Malaysia this summer.** （僕たちはまだ今年の夏，マレーシアに行くかどうか決めていないよ）

作る要領は that 節とまるで同じです。know の内容を whether/if 節で「後ろから説明」しているだけ。

whether, if は「〜かどうか」。選択をあらわす語ですから「〜かどうか（知らなかった）」となります。先程の ⓐ の文と次の文を比べましょう。

ⓓ I didn't know **that** you had already paid the bill.

　この文は「君が払ったこと（事実）を知らなかった」。ずいぶん意味は変わりますね。

> ■ **whether to 〜**
>
> to 不定詞を使ったバリエーションもマスターしておきましょう。「〜すべきかどうか」です（☞P.500）。
> (1) I don't know **whether to** attend the party.
> 　（そのパーティーに参加するべきかどうかわからない）

> ⓔ I didn't know **where** I could get tickets for the concert.
> 　（コンサートのチケットをどこで手に入れればいいのかわからなかった）
>
> ⓕ Does anyone know **when** the baseball camp begins?
> 　（いつ野球合宿が始まるのか，誰か知ってる？）
>
> ⓖ The teacher explained **why** bullying is bad.
> 　（先生はなぜイジメが悪いのかを説明した）
>
> ⓗ I don't have a clue **how** they did it.
> 　（彼らがどうやってそれをやったのか全く手がかりがない）

　やっぱり作り方は同じ。wh 節を使って「後ろから説明」。know の内容を where I could get tickets（チケットをどこで手に入れられる〔のか〕）で展開する，ただそれだけですよ。

■ the way (that) ～

方法をあらわす how の代わりに the way (that) ～ という形も使われます。

(1) Nobody knows **the way** he did it. He's just a genius!
   (彼がどうやってやったのか誰もわからない。彼は天才だ！)

■ wh語＋ to

「wh語＋ to」の形もポピュラーです（☞P.469）。「いつ・どこで・何を～すべきか」など。

(1) I'll tell you **when to** press the button, OK?
   (いつボタン押すか言うからね、いい？)

(2) Help! I have no idea **what to** buy my girlfriend for her birthday.
   (助けて！　彼女の誕生日に何を買っていいのか全然わかんないよ)

(3) Excuse me. I'm not sure **how to** fill out this application form.
   (すみません。この申込用紙、どうやって記入するのかわからないのですが)

ⓒ 遠回し疑問文

レポート文の形を使った，会話必須の疑問文を紹介しましょう。

ⓐ Tell me **what kind of music you like**.
   (どんな音楽が好きなのか教えて)

ⓑ This is my country's national dish. I wonder **if you'll like it**.
   (僕の国の郷土料理なんだ。君の口に合うかな)

ⓒ Do you know **where the nearest convenience store is**?
   (一番近いコンビニどこか知ってる？)

これらの文はすべて，相手への質問が意図されています。直接疑問文を相手にぶつける代わりに，ワンクッションを置いて耳に優しいやわらかな表現を作っているのです。レポート文を使って「遠回しに相手に尋ねる」ことが，会話では頻繁にあります。同様の表現はいろいろありますが，この３つは最初の一歩。ぜひマスターしてくださいね。

●倒置は疑問のキモチが宿った箇所だけ

前述の例文ⓒを，次のようにしてしまう人がよくいるんです。

× Do you know where **is the nearest convenience store**?
　　　　　　　　　　　　疑問文形

where 以下が疑問文の形（倒置形）をしていますね——これはアウト。ダメだよ。「一番近いコンビニはどこにあるのか知っていますか？」——疑問のキモチは「知っていますか」にあるのです。だから倒置するのはそこだけ。ご注意くださいね。念のため，もう1つ例文を加えておきましょう。

× Do you know where **does he live**?
（正しくは Do you know where **he lives**？）
（彼がどこに住んでいるのか知っていますか？）

●「遠回し疑問文」は会話のクッション

ある日みなさんが渋谷駅界隈で散歩していたとしましょうか。見知らぬ外国人が，突然「109はどこですか」。

僕ならちょっとドギマギします。裸の疑問文は，会話の中に置いてみると，かなり刺激が高いのです。ネイティブは，そのショックを和らげるために「前置き」を作ることが多いのです。一拍置くことによって心の準備をさせるのです。

(1) **By the way,** where are you from?
　　（ところで，どこのご出身ですか？）
(2) **So,** are you free this evening?
　　（で，今晩お時間ありますか？）

遠回し疑問文も同じ。

(3) What kind of music do you like?
　　（どんな音楽が好きなのですか？）
(4) **Tell me** what kind of music you like.
　　（どんな音楽が好きか教えて）

So, are you free this evening?

(4)のように，裸の疑問文を避け Tell me を付けることによって，相手は「質問が来るんだな」と心の準備をすることができますね。遠回し疑問文は会話のベビーローション。低刺激ってことなんですよ。

PART 1 - CHAPTER 1：主語・動詞・基本文型　SECTION 8：レポート文

D コミュニケーション動詞のクセ

ここはミニ知識。say, hear, tell などコミュニケーションをあらわす動詞では，しばしば現在形が優先されます。

> ⓐ She **says** she isn't going to marry him.
> （彼女は彼と結婚するつもりはないと言っています）
>
> ⓑ I **hear** that the PTA is going to hold a fund-raising concert next month.
> （PTA が募金集めのコンサートを来月行うと聞いています）
>
> ⓒ Kaori **tells** me that Kenji is going to be expelled from school.
> （カオリが，ケンジは退学になるって言ってるよ）

厳密に考えれば，彼女が言ったのは過去のことですし，私が聞いたのも過去のこと。だけど現在形が使われるのは，「言った」「聞いた」というできごとに話し手の注目がないから。「そのように承知している」に力点が置かれているからです。日本語訳を見てみましょう。現在形を使っているでしょう？ 英語も日本語も同じだということですよ。

特に重要なポイントではありませんが，このくらいの芸当ができればかなりの会話力といえます。練習しておこうね。

SECTION 9 命令文

▶命令文は，主語を用いない珍しい形です。主語のない述部を相手にぶつける意識の文です。

Ⓐ 命令文の形・意識

ⓐ **Concentrate!** （集中だ！）
ⓑ **Be more confident.** （もっと自信をもちなさい）

Concentrate! **Be more confident.**
　動詞原形　　　　　動詞原形

「～しなさい」——それが命令文。**動詞の原形で文を始めます**。主語のない述部を相手にぶつける意識の文なのです。命令文は**相手の心情にほとんど配慮が見られない，高圧力の表現**。それだけに命令文は使われる状況を選びます。目上の者が目下に。あるいは子ども相手に——そうした状況がピッタリです。

　ネイティブは家族間でも Pass me the soy sauce.（醤油とれ）なんてなかなか言いません。Pass me the soy sauce, **please**. など，やわらかい表現を選びます。それほど刺激の強い，注意すべき表現なのです。ただ，**相手にとって好ましいことを「命令」するケースはその限りではありません**。

ⓒ You haven't seen the YouTube video? **Take a look at it**, man. It's awesome. （ユーチューブのあのビデオまだ見てないの？　見てみろよ。すげーから）
ⓓ This apple pie is delicious. **Try it!**
（このアップルパイはすごくおいしいよ。食べてみなよ！）

命令文の強さが、逆に**好意的なおすすめ**ニュアンスを醸し出していますね。

ちなみに、命令文と同種の強烈な圧力をもたらす助動詞 must にも、同じ「おすすめ」の使い方がありますよ（☞P.337）。

Ⓑ 禁止の命令・勧誘

命令文にはいくつかのバリエーションがあります。

ⓐ **Don't** speak to me like that again, OK?
（二度と私にそんな口のきき方はするな。わかったか？）

ⓑ **Don't** be nervous. You'll be fine.
（弱気になるな。大丈夫だから）

「～するな」。禁止の命令をあらわすときには文頭に Don't ... を置きます。You mustn't ... と助動詞 must を使っても同じ強さの禁止をあらわすことができます（☞P.337）。命令文と must。非常によく似た圧力をもつ表現なんです。

ⓒ **Let's** order pizza tonight.
（今晩ピザ頼もうよ）

ⓓ No, **let's not** order pizza tonight.
（いいや、今晩はピザ頼まないでおこうよ）

ⓔ **Let's** order pizza tonight, **shall we?**
（今晩ピザ頼もうよ、そうしない？）

「～しようよ」。相手を強く勧誘する表現が Let's ～ です。Shall we ～？（☞P.351）も「～しましょうか？」という勧誘表現ですが、Let's ～ には相手

を引っぱる強い勢いがあります。

　Let's ～ のバリエーションもマスターしておきましょう。「～しないようにしようよ」——否定は Let's not ～ 。

　また，Let's ～ と shall we ～ ？をコンビネーションで使うこともできますよ。「ピザ頼もうよ！」と強く誘った後「そうしない？」と相手の意向をソフトに尋ねる。よく使われる決まり文句です。

● **命令文周辺**
　命令文の周辺にある重要な言い回しを，いくつか学んでいきましょう。

◆ **依頼をあらわす文**
　命令文は，相手に依頼・要求をぶつける「生」の形。極端に状況を選びます。英語に命令文以外の依頼パターンがいろいろあるのは，当然のことです。命令文だけでは「生」すぎて困るケースが多いから。さまざまな形がありますが，意識は１つだけ。「オブラートに包む」です。

　最も簡便な形は please（どうか～してください）を使います。

(1) **Please** lend me 5 bucks.（＝ Lend me 5 bucks, **please**.）
　（どうか５ドル貸してください）

please を付けるだけで，命令文もグッと丁寧度が上がり使える文になってきます。助動詞 will（can）を用いるのも，丁寧度を上げる大変ポピュラーな方法です。

(2) **Will/Can you** lend me 5 bucks?
　（５ドル貸してくれない？）
(3) **Would/Could you** lend me 5 bucks?
　（５ドル貸していただけませんか？）
(4) **Would/Could you please** lend me 5 bucks?
　（どうか５ドル貸していただけませんでしょうか？）

　これらは確かに決まり文句ですが，暗記するだけでは心が通いません。こうした文がなぜ丁寧な印象を与えるのか，その意識の動き方がわかりますか？
　まず，これらの文が疑問文であることに注目しましょう。相手にお伺いを立て意向

を打診するという態度がまず，命令文よりはるかに丁寧な態度なのです。

(2)ではさらに，助動詞 will/can が使われているおかげで「5 ドル貸す意志（will）・能力（can）がありますか」と間接的な表現になっています。ここに「5 ドル貸せ」という言いづらい内容をオブラートに包む意識が働いているのです。

さらに(3)と(4)では，would/could と過去形にすることによって「控えめ」効果が出てきます（☞P.556）。2 重 3 重にも**オブラートに包み，距離をとるキモチの動き，それが丁寧な表現を作りあげているのです。**

ただし，(2)の will/can you ...? はそこまで「丁寧」ではありません。身内・友人同士の表現。「命令文よりまし」なレベルの表現です。赤の他人にモノを頼むときは最低でも(3)，できれば please を加えた(4)を使いましょう。

ついでに次の頻出表現も学んでおきましょう。

(5) **Won't you** lend me 5 bucks?
（5 ドル貸してくださいませんか？）

(6) **Would you mind** lending me 5 bucks?
（5 ドル貸してくださいませんか？）

(5)の won't you ...? は「お願いお願い。だめそうなのはわかってんだけどそこをまげてお願い」という懇願のニュアンス。ちょっとしつこい感じがします。not が付いて「だめかもしれない」が表現されているからです。

(6)は mind（気にする）から相手の心情に配慮している様子が感じられる，かなり丁寧な印象ですよ。

◆ 通常の命令文より強いインパクト

通常の命令文よりも，さらに強いインパクトを与える方法をいくつか手に入れておきましょう。

(1) **You,** keep out of this! It's none of your business.
（君，口挟むなよ！　君には関係ないんだから）

(2) **Do** try and pay attention.
（しっかりと注目するように）

(1)では命令文に you が加わっています。相手を名指しすることによって，命令文の緊張感を上げるテクニック。(2)は助動詞 do の強意用法（☞P.359）が命令文に応用されています。

(3) **Never** say never!
（ダメだって絶対言うな！）

(4) **Don't** you **ever** raise your voice at me again!
（いいか，私に二度と声を荒げたりするんじゃないぞ！）

禁止の命令（〜するな）を Don't ... より強い Never ...（決して〜するな）で表現することもよく行われます。また, never を not ... ever と分解すると, さらに（！）強い禁止となります。Don't you ever ... と2箇所に強勢を置くことができるから。まぁ, ここまでくると, **ほとんど怒鳴りつけているような文**だから, あんまり使い途はないかもしれませんけど, ね！

SECTION 10 There文

▶「～がある・いる」をあらわす定型文。

Ⓐ there文の形・意識

ⓐ Mommy, **there is** a strange-looking guy at the door.
（ママー，変な男がドアのところにいるよ）

there is a strange-looking guy ...

　「there + be動詞」で文を始めるthere文。初めて話題にのぼる事物を，「～がいてね」「～があってね」と話題の中に引っぱり込んでくるときに使われます。

　ママとお話していたら，玄関でゴトゴト。女の子がそっとのぞいてみるとそこには…。この文は，そんな状況がピッタリの文。それまでのママとのお話に「変な男」は出てきていませんよね。ママとの話に「初めて」変な男を引っぱり込む。この意識がthere文を使わせているのです。

● be動詞は後ろの名詞と一致する

there 文の動詞（be）は there とではなく，後ろの名詞によって形が決まります。

(1) There is **a boy** ／ There are **boys** in the garden.
　　　　　単数　　　　　　　　複数

奇妙ですか？ だけどね，ネイティブは不思議には思わないんですよ。「a boy（boys）がいてね」と，この文では後ろの名詞が主人公だからです。a boy（boys）が（心理的な）主語，there はそれを引っぱり込むための前置きにすぎない，だからこそ，動詞が後ろの名詞と一致しても，何も不思議はないのです。

■ むかしむかしあるところに…

「むかしむかしあるところに，〜がいました」。昔話の冒頭に出てくる決まり文句，英語ではこの There 文が使われます。

(1) A long time ago, **there was** a handsome young prince called Henry.
（むかしむかしあるところに，ヘンリーとよばれたハンサムな若い王子様がいました）

なぜここでは there 文が使われるのでしょうか。それは物語の冒頭には誰も登場人物が出てきていないからです。初めての登場人物を物語の中に「引っぱり込む」のですから there 文が適任というわけですよ。

B 2とおりの「〜がある・いる」

ⓐ **Tom is in the park.**（× There is Tom in the park.）
（トムは公園にいます）

ⓑ **Your son is in the school yard at the moment.**
（× There is your son ...）
（息子さんは今校庭にいますよ）

ⓒ **He was in the car park.**
（× There was he in the car park.）
（駐車場に彼はいたよ）

there文は「初めての事物を話題にもち込む」、もう大丈夫ですね？

それでは、既出の（すでに話題にのぼっている・お互い知っている）ものについて「〜がいる・ある」と述べるにはどうしたらよいのでしょうか。もちろん例文のように、ただのbe動詞文を使っておけばいいのです。

Tom, your son, he, あるいは the boy などといった表現は、**ふつう there文に使われません**。それは意識が矛盾するから。これらはすべて、すでにお互いがよく知っているものを指す表現。there文を使って初めてもち込む必要がないのです。ただのbe動詞文と there文。英語では２とおりの「いる・ある」が使い分けられているのですよ。

■ 固有名詞などが there文で使われるとき　ULTRA ADVANCED

　固有名詞など既出の表現は there文にはふつう出てきませんが、「there文に固有名詞は出てこない」などと勝手に規則をあみ出してはなりません。there の引っぱり込む感覚とマッチする状況なら固有名詞だって OK。

A: I can't think of anyone to take Anna's place, can you?
　（アンナの代わりができる人、思いつかないんだけど。君はどう？）

B: Ah!　**There's Heather!**
　（ああ！　ヘザーがいるよ！）

考えあぐねている A に、B は「ヘザーがいるよ！」と思いもかけなかった人物を話題に引っぱり込んでいます。だから there は OK。ことばはね、生きているんですよ。

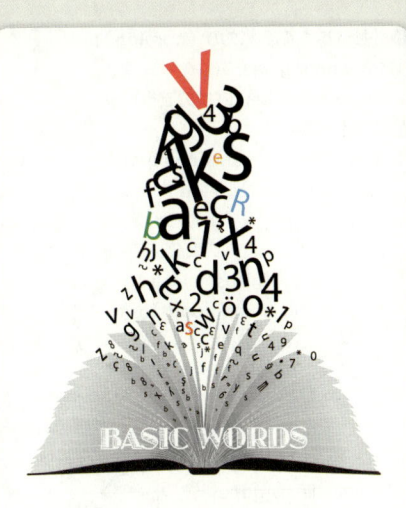

基本動詞

　動詞の中には，日本語訳を覚えるだけではなかなか使いこなせないものがいくつかあります。その代表が「基本動詞」――会話に頻出し，幅広い用法をもつ動詞です。ここでは，そのいくつかをとり上げイメージを使ってマスターしていただきましょう。基本イメージが日本語訳と同じ場合でも，安心しないでください。絵と解説を見て，本当のニュアンスをしっかりつかむこと。いいね？

GO
行く，など

基本イメージ　【立ち去る・進行する】
▶ go のイメージは，「ある場所から立ち去って・進んでいく動き」です。多彩な用法をもちますが，すべてこのイメージからの連想です。

派生イメージ

ⓐ【さまざまな「立ち去る」】
(1) He **went** to the museum. （彼は博物館に行った）
(2) Poor Granny has **gone**.
　（かわいそうにばあちゃん死んじゃった）
(3) You are simply not up to the job. You have to **go**. （君にはこの仕事無理だよ。辞めて欲しい）
▶「立ち去る」からの簡単な類推で「死ぬ」「辞める」などさまざまな意味が生まれます。

ⓑ【通用する】
(1) As far as dress code is concerned, anything **goes**.
　（ドレスコードに関する限り，なんでも大丈夫ですよ）
▶「進んでいく」から「通用する」。

ⓒ【変化する】
(1) The milk **has gone** sour. （ミルクが腐っちゃった）
▶「変化」は「ある状態に進んでいく」という連想。

▶ **go を使ったフレーズ**
(1) **have [has] gone** （行ってしまってもうここにはいない）
　例 Your dad **has gone** to the bank.
　　（パパは銀行に出かけていていないよ）
▶ go は「立ち去る」。そして現在完了は「今」に焦点がある形。立ち去って今。だからこのコンビネーションには「もういないよ」という含

みが生まれます。（☞P.572）
(2) **go (and) 動詞**（行って～する）
例 I don't know where the keys are.
── Well, **go and find** them [**Go find** them].（カギがどこにあるかわからないよ。──ま，見つけてきなさいよ）
(3) **go + -ing**（～しに行く）
例 Let's **go swimming/skiing**.
（泳ぎに／スキーに行こうよ）
(4) **For here or to go?**
▶ハンバーガーなどを買うと尋ねられます。もちろん「店内でお食べになりますか？ それともおもち帰りですか？」という意味。go の「立ち去る」がイキイキしていますね。

COME
来る，など

基本イメージ【到来する】
▶ come のイメージは，何かが向こうから「やってくる」。

派生イメージ
ⓐ【さまざまな「やってくる」】
(1) Where do you **come** from?
（どちらのご出身ですか？）
(2) A watch like that doesn't **come** cheap.
（ああいった時計は安くないよ）
(3) Mmm... nothing exciting **comes** to mind.
（んー…何も面白そうなことが思い浮かばない）
▶(2)は時計がやってくる，つまり「手に入る」ということ。come するものは人だけではないんですよ。

ⓑ【もうすぐくる・次の（coming）】
(1) the **coming** year（次の年）
(2) the **coming** trend（次の流行）
ⓒ【変化する】
(1) May all your dreams **come** true.
（あなたの夢が全部かないますように）
▶「ある状態にくる」からの連想。go は悪い，come はよい方向への変化に使われる強い傾向があります。Things sometimes **go bad** but they usually **come good** again.（ものごとは悪くなることもあるけど，またよくなってくるものだよ）。自分の身のまわりを本来の，あるべき，理想的な場所ととらえる。そこから離れるのは悪い動き──人間にはそうした認識の傾向があるってことですよ。He is completely **gone**.（カレ，完全にイッちゃってるよ）。ほら日本語と英語，同じでしょう？

▶ **come を使ったフレーズ**
(1) **come to 動詞**（～するようになる）
例 I **came to** really like spicy food.
（僕，辛いものがほんとに好きになっちゃったんだよ）
▶変化の **come** です。to 不定詞は単に「→」と理解しましょう。「→以下の状態になった」ということ。
(2) **How come...?**（どうして…？）
例 **How come** I wasn't invited?
（どうして僕は招待されなかったんだろう？）
例 **How come** Helen didn't make it to the party?（なんでヘレンはパーティーにこなかったの？）
▶ Why ...? のくだけた表現です。「どのように・どういった過程を経て（how）起こったのか」ということ。

⚠️ ●**go にするか come にするか**
会話で特に間違いが集中するのが go と come の選択です。
Husband: We're going to be late!
（夫：〔玄関で待ちながら〕もう遅れちゃうよ！）

Wife: OK, OK, I'm **coming**!
（妻：はいはい，今行くわよ！）

　なぜ「今行くわよ」は I'm coming! となるのでしょうか。日本語の「くる」「行く」がいつも話し手のいる場所を中心に使われるのに対して，**英語の come と go は話題で注目されている場所を中心に選ばれる**からです。この場合，注目されているのは夫の場所。そこに近づく動きだから coming となるのです。I'm going! なら旦那さんびっくり。go は注目点から離れる動き。「これから一緒に出かけるのにどこ行っちゃうんだよ」となってしまうんですよ。

expressway.
（高速と平行して走っている狭い道を行った）
(2) Who left the tap **running**?
（誰が蛇口を出しっぱなしにしたんだい？）
　▶「線路が走っている」——日本語でも使う意味の広がり。
I have **a runny nose**.（鼻水が出ます）も，線を連想させるから。

ⓒ【変化する】
(1) The well has **run** dry.（井戸が枯れた）
　▶ある状態に進むことからの連想です。

▶ **run** を使ったフレーズ
(1) **run ＋目**（他動型）（走らせる→経営する・運営する・動かすなど）
　例 He gave me tips on how to **run** a meeting.（彼にミーティングを仕切るコツを教わった）

RUN
走る・経営する，など

基本イメージ 【走る】
　▶イメージは「走る」。単純ですが日本語の「走る」同様，人がランニングする以外にも幅広く使われます。

派生イメージ
ⓐ【さまざまな「走る」】
(1) There's a free shuttle bus that **runs** between the airport terminals.（空港ターミナル間では無料のシャトルバスが運行しています）
(2) That movie made shivers **run** down my spine.（その映画，背筋がゾクゾクした）
　▶(2)は日本語でも「震えが走った」などと表現しますね。shiver(s) は「震え」。

ⓑ【線状のもの】
(1) I took the small road that **runs** parallel to the

BRING
もってくる，など

基本イメージ 【COME ＋モノ】
　▶ come の動きが基本にあります。こちら側にやってくる，その方向性を大切に。主語は人とは限りませんよ。

(1) I'll **bring** my guitar.（ギターもってくるよ）
(2) The Internet **has brought** many changes to our everyday lives.（インターネットは私たちの日常生活に多くの変革をもたらした）

CARRY
運ぶ, など

基本イメージ 【支える】
▶イメージは「支える」。そこに移動のフレーバーが加わっています。bring のような方向性はありません。

(1) That's a heavy backpack you're **carrying**.
(君のもってるバックパック重そうだねぇ)
(2) Millions of people now **carry** the AIDS virus.
(今では何百万の人々がエイズキャリアです)
▶病気の保菌者は carrier。病気をもってうろうろってことですよ。

DRIVE
運転する, など

基本イメージ 【力を入れて動かす】
▶「運転する」が定訳ですが、イメージは違います——「(力を加えて) 動かす」。ネジ回しが screwdriver なのも、力をグッと加えて動かすから。

派生イメージ
ⓐ 【運転する】
(1) My husband always **drives** too fast.
(夫の運転、いつも速すぎるんです)
▶「運転する」は「(動物などを) 駆り立てる」から、馬車や機関車を駆る、そこから「運転する」につながっています。

ⓑ 【力を加えて動かす】
(1) My mother-in-law **drove** me out of the house!
(姑に家を叩き出された！)
(2) Spam mail **drives** me nuts.
(スパムメールは本当にムカムカする)
▶(1)、(2)は目的語説明文。(2)は「グイッと押して nuts (気がヘン) にする」ということ。

LEAVE
去る・残す, など

基本イメージ 【残して去る】
▶この動詞はどこに焦点を当てるかによって、2とおりの意味で使えるので注意が必要です。出ていくモノに焦点を置いた「去る」と、その結果残されたモノに焦点が置かれた「残す」です。

派生イメージ
ⓐ 【去る】
(1) He **left** for Manila this morning.
(彼は今朝マニラに向けて出発した)
ⓑ 【残す】
(1) Oh no, I **left** my wallet at home.

(げ，家にサイフ忘れた)
(2) **Leave** everything to me, OK?
（僕に全部任せてくれ，いい？）

RISE
上がる・増える，など

基本イメージ 【上がる】

▶「上」という方向は比喩による用法拡張の宝庫です。(1)上昇する，(2)増す，(3)社会的立場が上がる，(4)起きる，などなど。日本語とほとんど同じですよ。

(1) Everyone knows hot air **rises**. (誰でも熱い空気が上昇するということは知ってるよ)
(2) Food prices have **risen** dramatically.
（食品の値段はひどく上がった）
(3) What happened to him after he **rose** to fame? (名声を得た後彼に何が起こったのか？)
(4) I never **rise** before midday on weekends.
（週末には決して昼前には起きない）
※(4)はまれな使い方。

FALL
落ちる，など

基本イメージ 【落ちる】

▶「下」方向の動きをあらわす代表的な動詞。やはり比喩的に幅広い意味が広がっています。(1)落ちる，(2)倒れる，(3)減る，(4)健康・意識の減退などなど。

(1) Be careful or you'll **fall**!
（気をつけろ，そうしないと落ちるよ！）
(2) I lost control and **fell** head first into the snow.
（コントロールを失って顔から雪に倒れ込んだ）
(3) The number of students is **falling** every year.
（学生の数は毎年減っている）
(4) He **fell** ill while we were on holiday.
（休暇の最中に彼，病気になっちゃったのよ）
(5) He **fell** asleep on our first date!
（彼，最初のデートで居眠り！）

主語・動詞・基本文型

TURN
曲がる，など

基本イメージ 【曲がる】
▶クルッと向きを変える，がイメージ。

派生イメージ

ⓐ 【各種方向転換】
(1) **Turn** left at the next corner.
（次の角を左に曲がって）
(2) **Turn** the steaks after about 3 minutes.
（だいたい3分でステーキひっくり返すんだよ）
(3) **Turn** the TV on —— the match is about to start.
（テレビつけて——試合がそろそろ始まるよ）
▶どれも方向を変える動作。「テレビをつける」にはスイッチをひねる動作が想像されています。今ではそんなテレビ見かけないけどね。リモコンでぴこぴこ。

ⓑ 【変化】
(1) I love it when the leaves **turn** golden yellow in the fall.
（秋に木々の葉が山吹色になるのが好き）
▶表と裏が違う色の紙をひっくり返してみましょう。ほら色が変わった。これが turn が「変化」に使われる感触なんですよ。

PASS
通り過ぎる，など

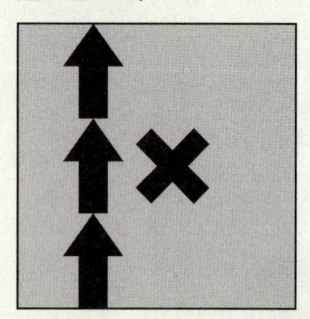

基本イメージ 【ある場所を通り過ぎる】
(1) If you **pass** a big park, you've gone too far.
（大きな公園を通り過ぎたら，行きすぎってことだよ）
(2) The days **pass** too quickly when you're on holiday.
（休暇だと日が過ぎるのがものすごく速いよな）
(3) Hey, I **passed** my driving test!
（ねぇ，運転免許テスト受かったよ！）
▶具体的な場所でも試験などの関門でも大丈夫。(2)は「自分の場所」を通り過ぎるということ。

TAKE
取る，など

基本イメージ 【手にとる】
▶目の前のものをひょいと手にとる動作。単純なゆえに take は大きな汎用性を獲得しています。take には「選びとる」ニュアンスがしばし

ば伴うことにも注視しておきましょう。

派生イメージ
ⓐ【さまざまな「手にとる」】
(1) I think I need to **take** an aspirin.
　（アスピリン飲んだ方がいいな）
(2) The burglars **took** all my jewelry and cash.
　（泥棒に宝石と現金全部盗られた）
(3) I **took** lots of photos on my trip.
　（旅行の写真たくさん撮ったよ） 
　▶「手にとる」という動作は「薬を手にとる→薬を飲む・盗む」などいくらでも応用が可能です。take a picture(photo) は「相手の像（イメージ）をとってくる」というニュアンス。熱（temperature）・血圧（blood pressure）などさまざまな情報を take することができます。

ⓑ【受け入れる】
(1) We can **take** up to 100 guests in our restaurant.
　（私たちのレストランは100名まで入れます）
(2) He didn't **take** his doctor's advice.
　（彼、医者のアドバイスをきかなかったんだ）
　▶ take の手にとる動作は、自分のところにもってくる動作。そこから「受け入れる」。

ⓒ【選択】
(1) I'll **take** the black boots.
　（[買い物で] 黒のブーツいただくわ）
(2) I usually **take** the bus to school.
　（学校にはいつもバスで行ってるよ） 
　▶どちらの例にも「選ぶ」意識が伴っています。「黒のブーツにするわ」「バスにしてるよ」——ほかではなくコレと、手にとる動作が生み出す自然なニュアンスです。おなじみ take a break（休憩をとる）も同様の感触で使われています。

▶ **take を使ったフレーズ**
(1) **take** 人・モノ **to** 場所（もっていく・連れていく）
　例 I'll **take** you **to** the airport.
　（空港に連れていってあげるよ） 
　▶ヒョイと手にとって連れていく、が感じられる表現です。

PUT
置く，など

基本イメージ 【何かをどこかにポン！】
　▶日本語訳「置く」だけでは, put の力をつかむことはできません。「置く」には、「『平たい場所』に『モノ』を…」という感じがしてしまうから。put にはそういった面倒な制約はありません。「何かをどこかにポン」——ただそれだけの動詞。だからこそ大きな表現力をもっているのです。

派生イメージ
ⓐ【さまざまな「何かをどこかにポン」】
(1) I **put** a calendar on the wall.
　（カレンダーを壁に貼った）
(2) I **put** salt in the cake instead of sugar!
　（砂糖と間違えて塩をケーキに入れちゃった！）
(3) I can't believe they **put** Jenny on the committee.（ジェニーを委員会に入れるなんて信じらんない）
(4) The government should **put** more emphasis on education.
　（政府はもっと教育に力を入れるべきだと思う）
　▶ put の「自由」をよく味わってください。置

くのは人でもモノでも OK。場所は，壁でも抽象的な場所でも OK。それが put の自由。

ⓑ【(ことば) を言う・書く】
(1) To **put** it bluntly, you're an idiot!（実もフタもない言い方をするなら，おまえはアホだ！）
▶ ことばや文をポンと置いていく感触が「(ことば) を言う・書く」につながります。

SET
セットする，など

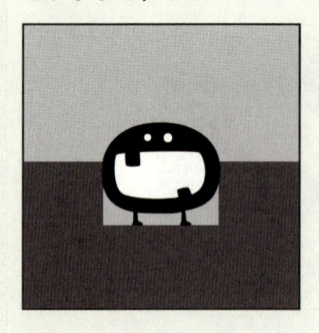

基本イメージ 【しっかり置く】
▶ set は put よりもはるかに意図的に・慎重に・しっかりと「置く」。その結果 set されたものは当然，しっかりと「揺るぎない・動かない」。「機械を置いた」と「機械をセットした」——日本語でもまるで違うでしょう？ 「セット」の方にはカチッと音が鳴る感じがします。動かない、揺るぎないのです。set menu のお店で「椎茸キライだから出さないでね」とは言えません。set は「動かない」ということなのですから。

派生イメージ
ⓐ【カチッと置く】
(1) Just **set** those boxes on the table.（その箱はテーブルに置いてね）
(2) I've **set** the alarm for 6:30 am.（6時半にアラームセットしたよ）
(3) Have you **set** a date for the wedding yet?（もう結婚式の日取り決めた？）
▶ どの使い方にも「カチッとしっかり」があることに注視しましょう。この使い方の延長上に次の「固まる」があります。

ⓑ【固まる】
(1) You have to wait until the plaster **sets**.（石膏が固まるまで待たなくちゃだめ）

GET
得る・手に入れる，など

基本イメージ 【動いて手に入れる】
▶ get は単なる「得る・手に入れる」ではありません。そこには強く動きが意識されています。get は頻度 No.1 の一般動詞。その理由は，日常の多くの動作を煎じ詰めると get の動作としてとらえることができるからです。

派生イメージ
ⓐ【さまざまな「手に入れる」】
(1) I **got** a Valentine's card from Satomi.（里美からバレンタインカードをもらった）
(2) How did you **get** her number?（どうやって彼女の番号もらったの？）
(3) How about **getting** Chinese food for dinner tonight?（今日の晩ご飯中華料理買ってくるっていうのはどう？）
(4) I don't **get** it. I mean, he's not good-looking but the girls are all over him!（わからん。あいつは見た目が良くないのに女の子にすっごく人気がある！）
▶「受け取る」「もらう」「買う」すべて煎じ詰めると get の動きとなります。(4)はアイデアを『手に入れる』から『理解する』。get が多用される理由がわか

りますね。

ⓑ【到着する・〜するようになる】
(1) We'll never **get** there on time with all this traffic.（こんな渋滞じゃ時間どおり着けないよ）
(2) I'd like to **get** to know you better.
（君のことよく知りたいんだ）
▶「動いて手に入れる」から get は「動き」に意味を広げます。「動いている」感じがする——この漠然とした「動き」のニュアンスが get の使い途を爆発的に広げます。体の動きから「到着」。事態の動きから「〜するようになる」。

ⓒ【変化】
(1) I'd better go home ── it's **getting** late.
（家に帰った方がいい──もう遅いから）
(2) Why did she **get** so upset?
[Why was she so upset?]
（なんで彼女はそんなに怒っていたの？）
▶ get の「動き」は「変化」につながります。(2)で，be動詞文はただ単に「怒っていた」，一方 get 文からは事態が動いたことが伝わってきます。「(何かきっかけがあって) 怒り出した」ってこと。

▶ get を使ったフレーズ
(1) **get** ＋目＋to 不定詞（目に〜させる）
　例 I often **get** my older brother **to** help me with my homework.
　（よく兄に宿題手伝ってもらってるよ）
(2) **get** ＋目＋説明語句（目に〜させる）
　例 My sister likes to **get** me really worked up.（妹は僕を怒らせるのが好きなんだ）
　例 I have to **get** all this work done by this afternoon.（今日の午後までに全部仕事終わらせなくちゃならないんだよ）
　例 I finally **got** my printer working properly.
　（とうとうプリンターをちゃんと動かすことができた）
▶何らかの働きかけをして「me ＝ really worked up」にする。get に「動き」の意識が伴うということがわかれば，あとは慣れ親しんだ目的語説明のパターン。こうした文が気軽に口から出てくれば特A級の実力ですよ。
(3) **get** 受動態（〜される）
　例 I **got**／**was** caught speeding yesterday.
　（私は昨日スピード違反で捕まった）

▶ be動詞の受動態（☞P.492）に比べ，「予期せぬ・突然・驚き」などの感情が色濃く伴います。そう，事態が急に「動いた」感じがするのです。

GIVE
与える，など

基本イメージ 【与える】
▶ give には「ためになるものを与える」などといった特殊な意味合いはありません。具体的／抽象的，よいモノ／悪いモノの別なく「与える」ことができます。

派生イメージ
ⓐ【さまざまな「与える」】
(1) I **gave** my girlfriend a silver bracelet.
（ガールフレンドに銀のブレスレットをあげた）
(2) I hope I don't **give** you my cold.
（僕の風邪が君にうつらなければいいなぁ）
(3) Can anyone **give** me a ride?
（誰か僕を車に乗せてってくれる？）

1 主語・動詞・基本文型

PART 1 - CHAPTER 1：主語・動詞・基本文型　基本動詞

MAKE
作る

基本イメージ 【作りあげる】
▶何かを作りあげるときに込める「力」に着目してください。「力」の意識が make の多彩な使い方を支えています。

派生イメージ
ⓐ【さまざまなモノを「作りあげる」】
(1) My husband **made** a lovely coffee table.（主人がかわいいコーヒーテーブル作ったの）
(2) Can you **make** the tough decisions?（厳しい決断を下すことができますか？）
(3) 6 and 4 **makes** 10.（6足す4は10だ）
(4) I must **make** an appointment with the dentist.（歯医者のアポとらなくちゃ）
▶「決定」も，足し算も「作りあげる」。appointment（約束）も当事者同士が「作りあげる」もの。だから make。

▶ make を使ったフレーズ 
(1) I **made friends with** Chris.（クリスと友達になったよ）
(2) What do you **make of** the latest fashion trend?（最近のファッショントレンド、どう思う？）
▶(1)の make friends with では，friends と複数形であることに注意しましょう。「友達同士（friends）」を作り出すということ。(2)の of は out of の意。「最近のファッショントレンドから何を（どのような印象を）作りあげたのか」です。make はいつでも「作りあげる」，いいね？

HAVE
もっている，など

基本イメージ 【近接（近くにある）】
▶ have は「手にもつ」という動作ではなく，「位置」をあらわす動詞です。I have a pen.（ペンをもっています）は，自分の所有権がペンに及んでいるということ——つまりは「自分のところにある」という意識で使われています（「手元にもっている」場合 I have a pen on me. などとなります）。have は物理的な近さ（内部を含む）・所有権の及ぶ範囲など，**近接の意識**で使われる動詞なのです。

派生イメージ
ⓐ【さまざまに使える have】
(1) Our company **has** nearly 50 branches.（我が社にはほぼ50の支店がある）
(2) I **have** a terrible headache.（ひどい頭痛がするよ）
(3) How much time do we **have**?（あとどれくらい時間がある？）
▶(1)のように，have の主語は人とは限りません。また have するモノも，具体的なモノから抽象的なものまでさまざまです。

▶ have を使ったフレーズ
(1) 動作をあらわす have
例 **have dinner**（夕食を取る）
例 **have a baby**（子どもを産む）
例 **have a bath**（風呂に入る）
例 **have a good time**（楽しむ）　など
▶位置をあらわす動詞 have も，名詞と結び付き動作をあらわすことがしばしばあります。た

120

だし，その質感に注意しましょう。動作専門の動詞とは趣きがずいぶん異なります。
例 I **had** beer.（ビールを飲んだ）
例 I **drank** beer.（ビールを飲んだ）
▶ drank beer にはゴクゴクビールを飲む様子が想像されるのに対し，had beer は「ビールにした」。動作をあらわすことがあるとはいえ，have は位置をあらわす動詞。「単に have した」程度の，動きが感じられない印象なのです。

LET
～させる

基本イメージ 【同意（許可）する】
▶ allow などに比べ大変軽い感触の単語。目的語パターンを好んでとる動詞です。

(1) Just **let** me check my email.
（ちょっとメールチェックさせて）
(2) I won't **let** them hurt you.
（奴らに君を傷つけたりさせない）
▶目的語説明文。何度か口に出して慣れてくださいね。

▶ let を使ったフレーズ
(1) **Let's ～**（～しようよ）
例 **Let's** talk it over.（よく話し合おう）
▶ let's = let us。「僕たちが～するというアイデアに賛同してね」ということなのですが，もちろんネイティブはそんなこと考えて使っているわけではありません。「～やろうぜ！」と相手を引っぱっていく意識に直接つながっています（☞P.104）。

LOOK
見る

基本イメージ 【目を向ける】
▶英語には「見る」と訳される動詞が多数あります。look, see, watch など。訳は同じでもそれぞれ，ずいぶん異なったイメージをもっています。look は**目をやる動作**。

(1) I've already **looked** in my bag —— the keys are not there.
（もうカバン探したよ——カギはそこにはないよ）
(2) Can you **look** at my computer? It keeps freezing.（パソコン見てくれる？ フリーズしてばっかりなんだ）
(3) **Look**, I'm really busy right now, OK?（いいかい，僕は今ホントに忙しいんだよ。わかった？）
▶(1)は「目を向ける」から「探す」へ。「探す」は look for だけではありません。look の動作が「探す」とつながっているのです。(2)は日本語の「見る」と同じです。目をやるという動作が調べる（そして直す）につながっているのです。(3)は Listen!（聴いて！）と同じ。「目を向けろ」から「注目しなさい」につながっています。

主語・動詞・基本文型

SEE
見える・理解する，など

基本イメージ【見える】

▶ see は look とは違います。動作ではありません。「見える」——向こうからやってくる感覚が see のイメージ。この意味での see はいつも後ろに名詞がくる「他動型」。「力が及ぶ」——視覚が対象に及んでいることを示しているのです。

派生イメージ

ⓐ【会う・付き合う】

(1) Hey, it's good to **see** you again.
（やあ，また会えたね，嬉しいよ）
(2) Are you still **seeing** that woman from your office?（会社の子とまだ付き合ってるの？）
▶「見える→会う」は当然の流れ。会見・謁見，日本語にも多々例はあります。

ⓑ【理解する】

(1) Yes, I **see** your point.
（うん。君の言わんとするところはわかったよ）
▶「理解」とはアイデアに目を向けて頭に入れるというプロセスです。目を向け頭に映像が入ってくる see のイメージとピッタリと重なります。日本語でも「その話，全然見えないよ」など，「見える＝理解」のつながりは強固です。

ⓒ【心とつながる see】

(1) OK, I'll **see** if I can get some tickets for you.（いいよ。君にチケットとってあげられるか考えてみるよ）
(2) I just can't **see** Gill as a teacher, can you?（ジルが先生だって，想像できる？）
(3) **See** if there's any mail, will you?（郵便きてるか見てきてくれない？）
▶ see は look のように「目を向ける」といった単純な動作ではありません。頭に入ってくる——深く心の動きとつながった単語なのです。(1)考えてみるよ，(2)想像できないな，(3)確認してきて。どの使い方にも「見える」に根ざした心の働きが感じられますね。

ⓓ【目配りをする】

(1) I'll **see** that the apartment is left spick-and-span.（アパートはピカピカにしておくようにしますね）
(2) Go and chat with the guests while I **see to** the drinks.（僕が飲み物用意しているあいだ，あっちにいってお客さんと話していて）
▶目に入れておく。「目配りしておく」ということですね。

WATCH
見る・見張る，など

基本イメージ【注視する】

▶ watch は，じいーっと見る，集中力の単語です。

(1) I love **watching** my two puppies at play.
（飼っている２匹の子犬が遊んでいるのを見ているのが好き）
(2) I need to go to the bank. Can you **watch** the kids for a while?（銀行行かなくちゃならないのよ。子どもたちしばらく見ていてくれない？）

(3) I have a funny feeling we're being **watched**.
（見張られてる妙な感じがするんだけど）
▶(1)の文には「注視」が感じられますね。次の文とはまったくちがいます。Look at the puppy.（子犬を見てごらん） (3)のように「監視」も watch のよくある使い方。ちなみに watchdog は「番犬」です。注視から自然に出てくる使い方ですよ。

▶ **watch を使ったフレーズ**
(1) **watch TV**（テレビを見る）
　例 I **watched** Pokemon last night.
　　（昨晩ポケモン見たよ）
　▶「テレビを見るのは watch」とよく言われますが、それも集中力。動画を見ている状況には応分の注意力が感じられる、だから watch。「画面を見ている」が特に意識されなければ I **saw** Pokemon last night. でも OK ですよ。

LISTEN
聞く

基本イメージ 【耳を傾ける】
　▶ listen は「耳を傾ける」という動作。look の聴覚バージョン。当然自動型で使います。

(1) Do you ever **listen** to classical music?
　（クラシック音楽聴くことある？）
(2) My husband hardly ever **listens** to my opinion.（夫はほとんど私の意見を聞かない）
　▶(2)「耳を傾ける」から「相手の言い分・アドバイスを受け入れる」は自然な拡張ですね。

HEAR
聞く

基本イメージ 【聞こえる】
　▶ look-see の関係が、listen-hear に対応しています。hear は動作ではありません。音が向こうから耳に入ってくる感覚。

(1) I can't **hear** you very well —— It's an awful line.（よく聞こえないよ——ひどい回線だな）
(2) I **hear** that Haruka is moving back to Japan.
　（ハルカが日本に戻ってくるって聞いてるよ）
(3) Have you **heard** from your daughter yet?
　（娘さんからもう連絡あった？）
　▶(2)「見える」と同様、「聞こえる」も頭の働きと直結しています。「耳に入ってくる＝知っている」というつながり。(3) hear の向こうからやってくる感触が「連絡」につながっています。電話のような音声でなくても——手紙でも電話でもメールでも——使えます。

> ●「向こうからやってくる」感覚と進行形
>
> 　see や hear と進行形はあまり相性が良くありません。進行形は躍動感ある動作を示す形。「向こうからやってくる」——動作が感じられないこれらの動詞とは相容れないからです。can を使って「今聞こえている・見えている」をあらわすテクニックを身につけてください。
>
> (1) ✕ **I'm seeing** the pandas.
> 　　○ **I can** see the pandas.
> 　　（パンダが見えるよ）

1 ▼主語・動詞・基本文型

(2) × I'm hearing the bells.
　○ I can hear the bells.
　（ベルの音が聞こえるよ）
　そのほかの知覚をあらわす動詞でも「向こうからやってくる」を意味する場合，同様に進行形の形を取ることはできません。
(3) × I'm tasting the red wine in the sauce.
　○ I can taste the red wine in the sauce.
　（ソースに赤ワインの味がするね）
(4) × I'm smelling perfume.
　○ I can smell perfume.
　（香水のにおいがするね）
(5) × I'm feeling the pain.
　○ I can feel the pain.
　（痛みを感じるなぁ）
※進行形と動詞の関係については ☞ P.561

は「味見をする」。2とおりの使い方が同居していることに注意しましょう。
(1) Would you like to **taste** the wine?
　【動作】（ワインの味見したい？）
(2) Can you **taste** the cinnamon in this wine?
　【向こうからやってくる】
　（このワイン，シナモンの味がする？）

SPEAK
話す・言う，など

● そのほかの知覚をあらわす動詞
　これまでご紹介した視覚・聴覚以外の感覚をあらわす動詞を紹介しましょう。

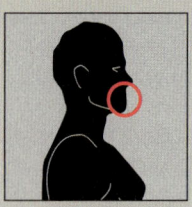

味覚 taste
（味がする・味見する）

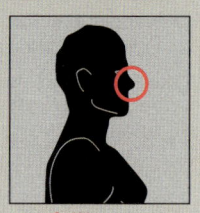

嗅覚 smell
（においがする・嗅ぐ）

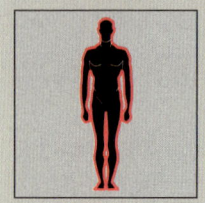

触覚 feel
（感じる・触る）

　人間にとって最も鋭敏な視覚，次いで鋭い聴覚では，動作専門の動詞と「向こうからやってくる」を受けもつ動詞が分かれています（look-see, listen-hear）。しかし比較的鈍いそのほかの感覚では，1つの動詞がどちらも受けもっています。あるときは「味がする」またあるとき

基本イメージ【音声を出す】
▶「話す」と訳される単語には，主なものが4つ。speak, talk, say, tell。訳は同じでもニュアンスが異なります。しっかりとイメージでつかんでおきましょう。speak は中でも最も単純な動詞。イメージは単に「音声を出す」。ステレオの speaker を想像すればニュアンスがわかるでしょう？

(1) She **speaks** 5 languages fluently.
　（彼女は5つのことばを流暢に話す）
(2) I would be delighted to **speak** at the conference.（会議でスピーチする機会がいただけるなら光栄です）
(3) I've **spoken** to the manager, and we can change rooms immediately.（マネージャーに話したからすぐに部屋を変えられるよ）
　▶ speak は「一方通行」の音声の流れです。(2)のスピーチ（演説）は当然一方通行。(3)は話し合いではありません。一方的に文句を言ったということ。

124

TALK
話す・言う，など

基本イメージ 【コミュニケーションする】
▶ talk は双方向の動詞。「話し合う・コミュニケーションする」それが talk のイメージです。

(1) I think we need to **talk**.
（話し合う必要がありそうだね）

● 「今は話したくないな」
(1) I don't want to **talk/speak** about that right now.（それについて，今は話したくないな）和訳は同じでもニュアンスが違うことに気がついてくれましたね。talk は「話し合いたくない」。speak は「口に出したくない」ということ。しっかりとイメージをつかまなければ，実践レベルの英語は話せません。がんばって。

SAY
話す・言う，など

基本イメージ 【ことばに焦点】
▶ say はいつでも「何を言ったのか」——ことばに焦点が当たっています。

(1) I **said**, "I love you!"（「愛してる」と言ったよ！）
(2) Sorry, what did you **say**?（なんて言った？）
(3) He **says** that he's tied up at work.
（彼，仕事につかまってるって言っているよ）
(4) What does the sign **say**?
（その看板，なんて言ってる［書いてある］の？）
(5) My watch **says** 10:50.
（僕の時計によると10:50だね）
▶ say はいつでも「ことば」に注目です。(4)，(5)のように，人だけが say するわけではないことにも注意。

TELL
話す・言う，など

基本イメージ 【メッセージに焦点】
▶ tell の焦点は「メッセージ」にあります。メッセージ・情報を「伝える」ということ。渡す感触を伴っています。

派生イメージ
ⓐ 【メッセージ】
(1) Don already **told** me the result.
（結果はドンからもう聞いたよ）
(2) She **told** me that she didn't love me anymore.
（彼女，僕のこともう好きじゃないってさ）
(3) My intuition **tells** me I should trust the guy.
（コイツは信頼に足ると僕の直感が言うんだよ）

1 主語・動詞・基本文型

125

PART 1 - CHAPTER 1：主語・動詞・基本文型　基本動詞

▶(3)のように，tell できるのは人だけではありません。基本動詞にそうした細かな制約はないのです。

ⓑ【わかる】
(1) How can you **tell** real leather from imitation?
　（本革と偽物の違い，わかる？）
(2) I could **tell** straightaway he was lying.
　（彼が嘘こいてるってすぐにわかった）
　▶「言うことができる」から「わかる」。

● tell のとるパターン
(1) I **told** them **to** be here by 7.
　（彼らに7時までにくるように言ったよ）
(2) You already **told** me that joke.
　（その冗談もう聞いたよ）

「話す」動詞の中でこの2つの形を取ることができるのは tell だけ。それはこの動詞の焦点が「メッセージ」だからです。(1)は「働きかける」パターン。メッセージを渡す（指示する）ことによって to 以下の行為に「押して」います。(2)は「手渡し」。この動詞がメッセージを手渡しする感触だからこそ，このパターンが可能になるのです。

ASK
尋ねる・頼む

基本イメージ　【請う】
▶ ask は「請う（お願いする）」。ここから「尋ねる」「頼む」が生まれています。「尋ねる」は

答えや情報を請うこと。「頼む」は相手の助力・行動を請うことだからです。

(1) He **asked** me why I stood him up.
　（なぜ待ちぼうけさせたのか，彼は私に尋ねた）
(2) I'm going to **ask** Rebecca to marry me.
　（レベッカに結婚してくれるように頼むつもりだよ）

KNOW
知っている，など

基本イメージ　【頭の中】
▶ know は情報や知識が「頭の中にある」ということ。他動型とレポート文が得意な動詞です。

派生イメージ
ⓐ【確信】
(1) I **know** you're an honest guy.
　（君は正直者。ボクにはわかってる）
(2) I **know** I don't stand a chance of winning.
　（勝つチャンスがないってわかってる）
　▶「知っている→確信している」の広がり。

ⓑ【わかる・気づく・経験する】
(1) Do you **know** what I mean?
　（[説明の後] 僕の言うことわかる？）
(2) When I saw her face, I **knew** that something was wrong.（彼女の顔を見たとき，何か悪いことが起こったと気がついた）
(3) I've never **known** a flood like this.
　（こんな洪水見たことないよ）
　▶ know は「知る」につながる心の動きもあらわします。「理解する」「気づく」「経験する」な

どにも使えます。この万能が, know が基本動詞である所以なのです。すべての使い方に慣れること。

THINK
思う・考える

基本イメージ 【思考の万能選手】

▶ think は漠然と「思う」からグリグリ頭を使って「考える」までカバーします。

(1) I **think** she's an amazing singer.
（彼女はすばらしい歌手だと思うよ）
(2) There's so much noise I can't **think**.
（うるさくってモノが考えられないよ）

▶ **think** を使ったフレーズ

(1) When you **think about** this job, it isn't so bad after all. （〔辞めたがっている同僚に〕この仕事, よく考えてみろよ, そんなに悪くないぜ）
(2) What do you **think of** this job ?
（〔新入社員に〕この仕事どう思う？）
▶ think about には「いろいろ考える」と, about（まわり）に根ざした思考の深さが感じられます。一方, think of はただ漠然と「考える」。ずいぶん違う感触なのです。think は他動型で使うことがほぼできない（× think him）ことも覚えておきましょう。ほかに力を及ぼさない単なる心の動きだからです。

BELIEVE
信じる

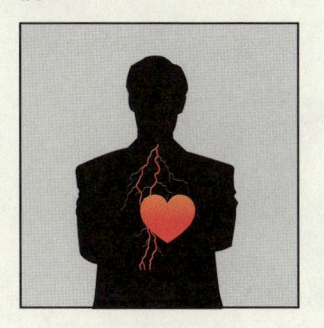

基本イメージ 【心に根をおろす】【信じる】

▶ think が頭の動きをあらわすのに対して believe は胸で感じる単語です。深いレベルでの信頼・確信。それが believe です。thinker は「思想家」, believer は「信者」。believe の深さがわかるでしょう。

(1) Can you **believe** that?
（そんなこと信じられる？）

▶ **believe** を使ったフレーズ

(1) I **believe in** the boss.（僕はボスを信じている）
▶ I believe the boss. との違いがわかりますか？ believe the boss は「ボス（の言うこと）を信じる」ですが, believe in the boss は, 信頼が——彼の人格・行いなど——彼の深部に到達しています。「内部」を感じさせる in のイメージがしっかりとニュアンスにつながっているのです。

主語・動詞・基本文型

WANT
欲しい

基本イメージ 【切実な欲求】

▶ want のベースには「欠けている」があります。欠けているものを補いたいという，切実な欲求。生々しさが感じられる単語です。

派生イメージ

ⓐ【欲しい】
(1) I **want** some cherry pie.（チェリーパイほしー）
(2) My Mom **wants** me **to** go shopping with her.
（母は僕に，自分と買い物に行って欲しがってる）
▶(2)のパターンは必修表現（☞P.94）。

ⓑ【必要】
(1) You **want** to show more respect, young man.
（若者よ，君はもっと人を尊重しなくちゃいけないよ）
(2) Our bedroom **wants** painting.
（この寝室はペンキ塗りが必要だな）
▶「欠けている」が「必要」に結び付くのは自然なこと。(2)の「want + -ing」に注意。具体的な行為の必要性が感じられています。

● want と would like to
(1) **Would** you **like** a glass of wine?
（ワイン1杯いかがですか？）
(2) **I'd like to** speak English fluently.
（英語を流暢に話したいと思います）
　want の上品な言いかえが would like（強く望む場合には would love）。こうした言いかえが好まれるのは，want が生々しい単語であるからです。相手に「欲しいですか？」。自分が「欲しいです」——生々しすぎて気が引けてしまいますよね？　生々しさを避ける，それが would like の存在理由なのです。

CHAPTER 2

名詞

NOUNS

この章ではモノをあらわす表現——名詞を学びます。英語はモノに敏感なことば。日本語にない，さまざまな「モノの見方」に慣れてください。

■名詞とは

名詞とはモノ（人・もの・コト）をあらわす表現。主語や目的語には名詞が用いられます。**文の骨格を形作る重要な要素——それが名詞なのです。**

名詞には pen や water など，一般的事物をあらわす名詞のほか，Tom, Japan, the United States of America などの個別のものについた名前（固有名詞）や，I, you などの代名詞があります。

■モノ表現に繊細な英語

英語と日本語には大きく異なるポイントがいくつかありますが，その1つが名詞の質。英語は大変繊細に，詳しくモノを説明することばなのです。この独特のクセが，英語における名詞の使い方を複雑なものにしています。次は英語ネイティブにとって，かなり不自然な文。

　　× I have pen.　（僕はペンをもっている）

ノンネイティブの英語としてはこれでも悪くはありません。**ブロークンな「伝わればいいや」の英語ならこれで十分。**「ペンをもっているんだな」ってことはボンヤリ伝わりますから。ですが，ネイティブの高い英語力を目指すみなさんにはその先に進んでもらいましょう。

実はこの文は，ネイティブにはどうにも*もの足りなく*感じられる文。「もっとしっかりクッキリ pen を説明してくれよ」と言いたくなる文なのです。日本語では「僕，ペンもっているよ」は完全に自然な文ですが，モノ表現に繊細な英語では，それでは不十分なのです。

■モノを見る「目」

英語ネイティブはモノを3つの観点から眺めます。
❶ *そ*れは数えられる（可算）のか数えられない（不可算）のか。
❷ 可算だとすれば単数なのか複数なのか。
❸ どういった文脈上の意味（特定・不特定など）をもたせたいのか。
この3つの観点から，適切な形を使う，それがネイティブの名詞なのです。

❶ 可算・不可算

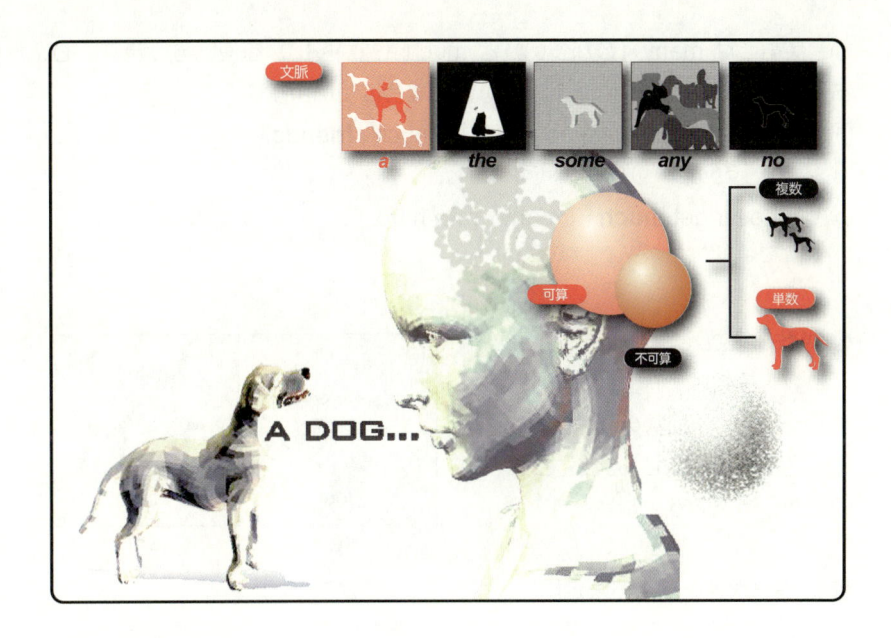

可算・不可算は文字どおり，数えられるか・数えられないかの区別です。より正確に言えば，**具体的で決まった形があるかどうか**ということ。

可算					
dog	cat	tree	pen	child	

不可算					
wine	gas	cheese	rain	love	

　可算の列は，すべて決まった形がありますね。ところが不可算はすべて形がなく，その結果数えられなくなっています（チーズはどんな形をしていても「チーズ」ですよね）。ネイティブは表現したいモノの可算・不可算に応じて——例えば——修飾する単語を変えます。日本語では「たくさん」です

が，英語では many（数が多い）と much（量が多い）を使い分けます。もちろん many は可算, much は不可算の場合に使います。

ⓐ You're lucky you have so **many** [× much] **friends.**
　（君はたくさん友達がいてラッキーだね）

ⓑ We never get **much** [× many] **rain** here.
　（ここでは決してたくさん雨は降らない）

❷ 単数・複数

単数・複数は，「可算」の場合に行われる判断。不可算の場合，単数・複数の区別はありません。数えられないのだから当然ですよね。

dog　　　dogs
単数　　　複数

❸ 詳細な限定を加える限定詞

ネイティブは，可算・不可算，単数・複数だけでなく，さらに詳細にモノを説明します。「この文でどういったモノを自分は意味しているのか」の詳細な指定，それが名詞の前に加えられる a や the, many, this などの「限定詞」です。

文法用語解説　　　**限定詞**

「限定詞」とは後続する名詞の文脈・場面上の意味，数量などを限定することばです。a, the などの冠詞類, one, many などの数量表現, this, that などの指示語を含みます。

ⓐ I love **dogs**.
　（僕は犬が好きです）

ⓑ I love **the dog** next door.
　（僕は隣の犬が好きです）

ⓐの dogs は無限定。具体的な犬は何も想起されていません。犬一般。単に「犬好き」だということです。ところが限定詞 the が加えられたⓑの the dog は，シロ

やポチといった特定の犬。話し手にも聞き手にもわかる具体的な「犬」を意味しています。

ⓒ **Water** is a vital resource.
（水は貴重な資源です）

ⓓ Could I have **some water** to take these pills with?
（この薬飲むのに水をちょっといただけますか？）

ⓒは無限定——水一般。カルピスやコーラや油じゃなくて「水」。しかしⓓのように限定詞 some を加えると「水をいくらか」——途端にある分量をもった具体的な「水」が想起されます。限定詞は，そのままでは漠然とした意味しかもたない dog や water を，具体的な「犬」「水」に限定する働きをもっているのです。

　限定詞は，モノを繊細に表現する習慣をもたない日本語ネイティブの私たちにはやや厄介なしろもの。だけどね，一度慣れるとその便利さが身にしみてわかります。限定詞を手放せない——そこまで仕上げていきましょう。

PART 1 - CHAPTER 2：名詞

■ 名詞を中心とする「かたち」

名詞は文中で次の形（名詞句）を作ります。限定詞はつかないこともあります（**Water** is a vital resource.）。形容詞を加えるとすれば，限定詞と名詞のあいだ。最大で「限定詞＋形容詞＋名詞」の形をとるということです。

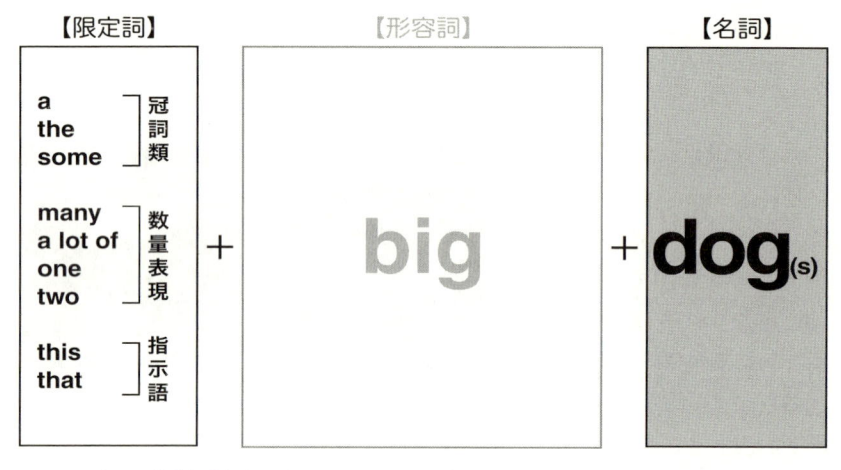

【限定詞】	【形容詞】	【名詞】
a / the / some ― 冠詞類 many / a lot of / one / two ― 数量表現 this / that ― 指示語	big	dog(s)

※ the と all が重なるときには all the dogs の語順となります。

さあ，これでウォーミングアップは十分。さっそく，詳しい説明に入りましょう。

● げんなりしないでね！

英語初心者なら，名詞がとんでもなく難しく思えたかもしれません。ごめんね。だけどイヤなら，ここに書いてあることを全部忘れてくれてもかまいません。**名詞の繊細さでげんなりして英語を使わない，それがみなさんの英語にとって最悪の選択だからです**。「ペンはペンだろ。単数も複数もどうでもいい」──それでもいいのです。相手はボンヤリながら理解してくれるから。

ただ，英語をもう少し正確に話そう。できるだけ自然に話そう。そう思ったらこの章を熟読してください。ノンネイティブで名詞を100％使いこなせる人はいません。名詞を使いこなす完全な方法を解説した本もありません──それほど難しい。それほど繊細。間違ってもいい，少しずつ腕を磨いていく。そうしたキモチで読んでくださいね。

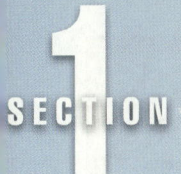

SECTION 1　可算名詞・不可算名詞

▶数えられるモノか，それとも数えられないモノか。可算・不可算の判断は名詞の基本です。

Ⓐ 可算・不可算の判断

ⓐ I have **a cat**, but I hate **dogs**.
　（僕はネコを飼っているけど，犬は嫌い）

ⓑ In summer, my dad drinks **beer** every night.
　（夏には，父は毎晩ビールを飲む）

英語ネイティブが無意識に行う，モノに対する繊細な区別。まずは可算・不可算の区別からマスターしていきましょう。

ネイティブはモノについて述べるとき，まず可算名詞として扱うべきか，不可算名詞かを判断します。代表的な例を眺めてみましょう。

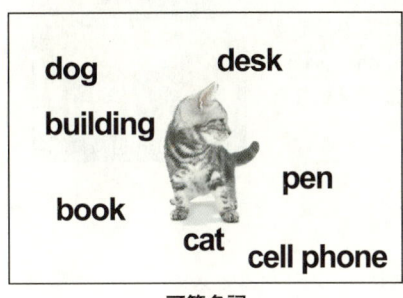

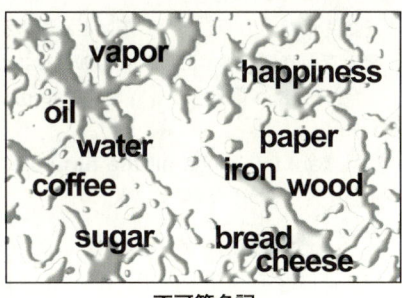

可算名詞：dog, desk, building, book, pen, cat, cell phone

不可算名詞：vapor, happiness, oil, water, paper, coffee, iron, wood, sugar, bread, cheese

可算名詞と不可算名詞は，「具体的で決まった形があるかどうか」という区別。ほとんどの場合，常識的に判断できます。可算名詞の dog, cat, あるいは cell phone（携帯電話）は，具体的なモノで形がありますね。クッキリとイメージが結べます。ですが, vapor（水蒸気），coffee（コーヒー），sugar（砂糖）など気体・液体・きめが細かく不定形なモノ，あるいは happiness（幸福）など抽象的なモノはどうでしょう。とらえどころがなく，1個2個

PART 1 - CHAPTER 2：名詞　SECTION 1：可算名詞・不可算名詞

と数え上げることはなかなか難しいでしょう？ cheese（チーズ），bread（パン）は一見数えられそうですが，不可算。どんな型に入れるかによって，形は千差万別だからです。さらに iron（鉄），wood（木：材質としての「木」です。tree と区別してください），paper（紙：やはり材質としての「紙」。ペラペラのコピー紙になったり，障子になったりさまざまな形をとりますね）など，材料・材質を述べる単語も——決まった形がないため——不可算名詞となります。

●可算・不可算の判断を間違えやすい名詞

とりわけ判断を誤りやすい名詞をピックアップしておきましょう。不可算の単語を数える間違いが多いんですよ。

□ **furniture**（家具）

　数えられそうでしょ？　だけど不可算。具体的な形あるモノを示す単語じゃありませんからね。table, chair, desk …それらすべてを含む「概念」が furniture。数えられません。

(1) I want to change **all the furniture** in my office.
　（オフィスの家具を全部変えたい）

□ **fruit**（果物），**food**（食べ物）

　fruit は具体的な形あるモノを意味していません。ブドウと梨とスイカ…全部含んでますよね。food も同じですよ。

(1) **Fruit** contains essential vitamins.
　（フルーツには大切なビタミンが入っている）

□ **luggage**〈英〉/ **baggage**〈米〉（手荷物）

　bag（カバン），suitcase（スーツケース）は数えられますが，luggage/baggage はそれらすべてを含む「手荷物」。形なんてありません。

(1) You are welcome to leave your **luggage/baggage** at reception.
　（手荷物はフロントでお預かりいたします）

☐ **machinery**（設備）, **jewelry**（宝飾品）, **clothing**（衣料品）

　machinery は 1 個 1 個の機械（machine〔可算〕）ではありません。「装置・設備」全体をあらわす単語。jewel/gem（宝石）は数えられるけど jewelry は「体を飾るモノ」，数えられません。clothes（服）は数えられる（いつでも複数で使います）けど，「衣料品」はジャンル全体。

A: Wow!　I didn't expect to see so much state-of-the-art **machinery** in the factory.（ワオ！ こんな最新式の装置を工場で見るとは）

B: Yes. Look, this **machine** is the latest model.
（はい。ご覧ください，この機械は最新モデルです）

☐ **money**（お金）

　数えられそうですが，無理です。形がないから。bill（お札）, coin（コイン）は数えられますよ。

(1) He has a lot of **money**.（彼はたくさんお金をもってるよ）

☐ **information**（情報）, **advice**（助言）, **news**（ニュース）, **evidence**（証拠）

　これらの語は煎じ詰めると「情報」ということ。数えられませんね。

(1) **Information** is important.（情報は重要です）

　次の会話では news を a piece of（1つの）と数えているところがポイントです（不可算名詞の「数え方」☞P.140）。

A: Do you have any **news** about your job interview?
（就職面接，いいニュースあった？）

B: Well, just one piece of **news** ... I got the job!
（そうだねぇ，1つだけ…合格したよ！）

A: Ha! Ha!　Congratulations!（はははは！　おめでと！）

B 可算名詞・不可算名詞の特徴

　可算・不可算の判断がついたなら，あとは簡単。文中では次のように扱います。

①不可算の場合，複数形になったり a [an] が付いたりしない

可算名詞	不可算名詞
I have **dogs**.	× I have **waters**.
I have **a dog**.	× I have **a water**.

PART 1 - CHAPTER 2：名詞　SECTION 1：可算名詞・不可算名詞

■ 2 「多い・少ない」のあらわし方が違う

I have **many** dogs.（多） I have **a few** dogs.（数匹）	I don't have **much** water.（多） I have **a little** water.（少）

※ a lot of（lots of）, plenty of（たくさんの）などは両者共通です：〈例 a lot of dogs, a lot of water〉

■ 3 単数の可算名詞は，裸（限定詞なし）で出てこない (☞P.159)

× I have **dog**. （○ I have **a dog**.）	I have **water**.

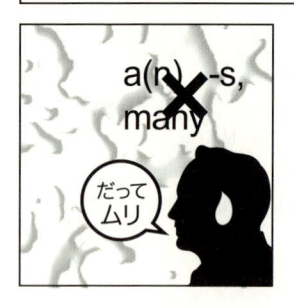

1・2 は「数えられる・数えられない」ことから自動的に出てきます。不可算なら，数えられることを前提とする複数形や a [an]... の形はとれませんし，数えられることを前提とする many や one, two なんて単語は当然使えません。

■ a lot of と lots of

どちらも「たくさんの」ですが，lots of はくだけた感じのする表現。s が付いている分 lots には，強調も感じられます。
A: Does Roger have **a lot of** money?
　（ロジャーはたくさんお金もってる？）
B: Are you kidding?　He has **lots of** money!
　（ばかいっちゃいけないよ。すっごくもってる！）

【文法用語解説】　　**辞書の U C マーク**

辞書にはしばしば，名詞に U（uncountable: 不可算名詞），C（countable：可算名詞）と指示があります。ですが，この記号は一応の目安と考えてください。多くの名詞には U C どちらの使い方もあります（可算名詞・不可算名詞のどちらにもなるということです）し，辞書にない使い方に出会うこともあります。大切なのは的確な判断基準——**具体的で決まった形があるかどうか**という区別だけなのです。

●可算と不可算を文中で見分ける！

次の名詞を見てみましょう。可算名詞として使っているのか，それとも不可算名詞なのか，判断してみてくださいね。

(1) These picture frames are made of **wood** [**iron**/**paper**].
（これらの絵の額は木［鉄／紙］でできています）

(2) There is a lot of **top-secret information** in these documents.
（これらの書類は多くの最高機密情報を含んでいます）

(3) There are too many **mosquitoes** around this evening.
（今晩はやけにたくさん蚊がいるなぁ）

(4) Low-fat **milk** is better for you.
（低脂肪ミルクがおすすめですよ）

(5) Do you have a **pen** on you?
（今ペンもってます？）

(6) This plant doesn't need much **water**.
（この植物はあまり水がたくさんいりません）

(7) Get me some **olive oil**, will you?
（オリーブオイルいくらかとってきてくれる？）

　(1)は名詞が「裸」で出てきていますね（不可算）。(2)は a lot of が加わっても複数形になっていません。「大量の情報」（不可算）。(3)は複数形だから可算。(4)は「裸」（不可算）。(5)は「a」が付いていますね（可算）。

　(6)は量をあらわす much が付いています（不可算）。(7)のように，不可算であっても some ~, all ~, the ~ などの限定詞は自由に使うことができます。この場合，可算か不可算かの判断は形からは得られません。ノーヒント。「oil は不可算。some olive oil は『オリーブオイルをいくらか』ということだろう」——常識で判断しましょう。

　さ，見分け方のコツつかんでもらえたかな？

🄲 不可算名詞の「数え方」

> ⓐ Could I have **a cup of coffee**, please?
> 　（コーヒー 1 杯いただけます？）
> ⓑ **Two glasses of cola**, please.
> 　（コーラ 2 杯，お願いします）
> ⓒ Eh? You ate **4 pieces of cake**?
> 　（え？ ケーキ 4 つも食べたの？）
> ⓓ This tank holds about **50 liters of gasoline**.
> 　（このタンクにはガソリン約 50 リットル入ります）

　水（water），紅茶（tea），紙（paper）などの不可算名詞は，そのままでは「1つ，2つ」と数えることはできません。ですが，日常「水を1杯お願いします」などと，数えなくてはならないケースはままあるもの。こうした場合，**容れ物や形状・量・重さの単位でカウントしてください。**

(1) **a glass [two glasses] of** wine / water / milk
　　（ワイン／水／ミルク 1 杯［2 杯］）
(2) **a cup [three cups] of** coffee / tea 　（コーヒー／紅茶 1 杯［3 杯］）
(3) **a bowl of** soup 　（スープ 1 杯）
(4) **a slice of** bread 　（パン 1 枚）
(5) **a sheet of** paper 　（紙 1 枚）
(6) **a piece of** cheese / cake 　（チーズ／ケーキ 1 つ）
(7) **a spoonful of** sugar 　（砂糖スプーン 1 杯）
(8) **a gallon [liter] of** gasoline / water
　　（ガソリン／水 1 ガロン［リットル］）
(9) **a pound of** sugar / tea / butter 　（砂糖／紅茶／バター 1 ポンド）

この中で最も汎用性の高いフレーズは(6)の **a piece of** です。a piece は「全体からとり出された一部分」ということ。slice（スライスしたもの），sheet（シート状になったもの）などと異なり，形の制限がないため，広く使えるのです。a piece of paper（紙1枚），a piece of chocolate（チョコ1つ）などのほか，

a piece of	information	情報
	news [advice / evidence]	ニュース [助言／証拠]
	luggage / baggage	手荷物
	fruit	フルーツ
	furniture	家具

など，便利に使うことができます。

● 数え方は臨機応変に

ここにあげた以外にもさまざまな「数え方」があります。常識を働かせればほとんどはすぐにマスターできますよ。**a bottle of** wine（ワイン1ビン），**a can of** paint（ペンキ1缶）なんて言い方，覚えるまでもありませんよね。

また水はふつう a glass of で数えますが，常識を働かせれば，それだけでないこともすぐにわかります。料理のレシピでは「2 $\frac{1}{2}$ **cups of** water per 2 cups of rice（2カップのお米に対して2 $\frac{1}{2}$ カップの水）」などと使います──料理の際計量はカップで行うのがふつうですからね。

数え方の多くは，深く生活に根ざしていることも理解しておきましょう。例えばイギリスのパブでは **A pint (of beer), please.** と注文します。ビールはパイントグラス（約500cc）で飲むものだからです。日本では「a mug of beer（ジョッキ1杯）」というべきところでしょう。

要するに，常識を使う，英語圏の文化に親しむ，数え方のバリエーションはそうやってゆっくり手に入れていってくださいね。あせることーないよ。

D 可算・不可算は臨機応変

ブロークンな英語でかまわないなら「dog は形があるから可算，water は不可算」——この程度の認識で全くかまいません。ただ，可算・不可算をネイティブ並に使いこなしたいのなら「臨機応変」を身につけましょう。

可算・不可算の区別は「この名詞は可算」「あの名詞は不可算」と，名詞によって厳密に決まっているわけではありません。どちらにも使う名詞は数多くあり，その使い分けは**「具体的で決まった形があるかどうか」**という基準に従って臨機応変に行われているのです。さあ，英語の便利さ，深さはここから始まります。

1 可算・不可算の違いで大きく意味が異なる名詞

まずはわかりやすいものから。名詞の中には可算・不可算の区別が大きな意味の違いにつながるものがいくつかあります。

ⓐ **The suspicious parcel was wrapped in brown paper.**
（その疑わしい小包は茶色の紙に包まれていた）

ⓑ **Your idea is great on paper, but it'll never work in practice.**
（君のアイデアは紙の上ではすばらしいが，実践では決して役には立たないよ）

ⓒ **I saw the ad in a paper.** （その広告，新聞で見たんだよ）

ⓐの paper は裸で使われています——不可算。どんな材質のもので包まれているかを述べているにすぎません。ⓑも不可算。紙の上ではね——「机上の空論だよ」ということ。どち

paper（不可算） paper（可算）

らも具体的な形ある「紙」は意味されていません。一方 paper は具体的で形あるものを指すときには可算となります。ⓒは新聞（= newspaper）。新聞には決まった形がありますよね。ほかにも学術論文（a scientific paper：科学論文），書類（important papers：重要な書類）などと使えます。可算・不可算を分けることによって，1つの名詞（paper）の表現力がグッと広がる——これが可算・不可算の手放せない便利さの1つなのです。

●その他の注意すべき名詞

可算・不可算で意味が大きく異なるものには以下のものがあります。ご注意を。

☐ **room**（スペース・部屋）

(1) My suitcase was so full of souvenirs I didn't have **room** for my clothes!
（僕のスーツケース，おみやげがいっぱいで服が入らなかったよ！）

(2) That's absolutely clear. There's **no room** for doubt.
（それは100％ あきらかだね。疑いの余地はないよ）

(3) This hotel has 200 guest **rooms**.
（このホテルには200の客室があります）

(1)と(2)の room は不可算で「スペース・余地」。(3)のようにスペースを区切って形を与えると可算で「部屋」。

☐ **glass**（ガラス・グラス・メガネ）

(1) Car windshields are made of **glass**.
（車のフロントガラスはガラスでできている）

(2) Look at **those beautiful wine glasses**.
（あの綺麗なワイングラス見てごらん）

(3) He always wears stylish **glasses**.
（彼，いつもメガネがかっこいいね）

glass（不可算） 　　glass（可算）

(1)の素材としてのガラスには形がないから不可算。(2)・(3)のように形を与えると「グラス」「メガネ（いつでも複数。レンズがペアだからです）」。

☐ **work**（仕事・作品）

(1) I have **a lot of work** today.
（今日僕，たくさん仕事があるんだよ）

(2) Have you read **the Complete Works** of Shakespeare?
（シェークスピア全集って読んだことある？）

(1)の work は「仕事」。ウンウン働く活動全般をあらわす単語です。この意味では形がないから不可算。(2)のように仕事の結晶――「作品」となると，形が与えられ可算となります。

☐ **time**（時・期間・機会・回数）

(1) Do you have **time** today?　（今日時間ある？）

(2) It took me **a long time** to fix the printer.
（プリンター直すのに長い時間がかかった）

(3) I had **a great time** at your party.
（君のパーティーではずいぶん楽しんだよ）

(4) How **many times** did you take the driving test before you passed?
(合格するまで何度運転試験を受けた？)

(1)のように「**時間**」を意味する場合は不可算。時間は漠然ととらえどころがありませんから。(2)の「**期間**」，(3)の「（何かを行った）**機会**」，(4)の「（何かを行った）**回数**」のように，具体的時間幅を与えられたとたん，time は可算となります。

もうコツがつかめましたね。形があれば可算。とらえどころがなければ不可算。ただそれだけのことです。では，もう少しレベルを上げましょう。

■ ② モノの「状態」 ADVANCED

ⓐ Look at **the size of those pumpkins!**
(あのカボチャの大きさ，見てごらん！)

ⓑ **How much pumpkin** did you put in the soup?
(スープにカボチャをどのくらい入れた？)

pumpkin（可算）　　pumpkin（不可算）

ネイティブは可算・不可算を見ただけで，モノの状態がわかります。ⓐの，可算の those pumpkins からは，「ああ，コロコロしてるカボチャだね」。ⓑの不可算の pumpkin では「形がなくなってる——切られたり，煮込まれてとけたりしているんだろうな」。同じ名詞でも状態によって可算・不可算は変わるのです。これがネイティブの可算・不可算。ただの「カボチャ」ではなく，どんな状態かがわかる繊細さ。だからこそ，英語に慣れるにしたがって可算・不可算は手放せなくなるのです。

ⓒ Lucy tends to put too **much apple** in the salad.
(ルーシーはサラダにリンゴを多く入れすぎる)

切られたり，擂られたりした「リンゴ」，思い浮かびましたか？

ⓓ This is **a fish**.　（これは魚です）
ⓔ This is **fish**.　　（これはサカナです）

This is a fish.
fish（可算）

This is fish.
fish（不可算）

　状態の違いがわかりますか？　前ページ[2]と同じ違いです。可算の fish はもちろん，形ある――まるごとの魚のこと。それでは不可算は？　これは「魚肉」だということ。素材がサカナだと言っているのです。それじゃ，次の英文のものすごさにも気がつくかな？

　× We had **a lamb** for dinner.
　　（仔羊を夕食で食べた）

　a lamb は形ある lamb ――仔羊１匹丸のまま。食べられません，そんなの。もちろんここは We had lamb.（仔羊の肉）でなくては困るんですよ。a chicken/chicken（鶏１羽／鶏肉）にも注意しておきましょう。もちろん牛や豚は，ox/cow/beef（雄牛／雌牛／牛肉），pig/pork（豚／豚肉）と別の単語を使うので，こんな心配はいりませんよ。

lamb（可算）

● **大切なのは感性**

　モノの状態に従って繊細に区別する英語で，「名詞ごとに厳密に可算・不可算が決まっているわけではない」のはむしろ当然のことです。 
　例えば dog。辞書には C （可算）の使い方しかなくネイティブはほぼ100％可算で使う単語ですが，もし犬肉を食べる習慣を彼らがもったとすれば？　…もちろん U （不可算）で使うはずですよ。大切なのは辞書の記号を覚えることではないのです。「具体的で決まった形があるかどうか」という基準――ネイティブの感性を身につけることが大切なのです。

２ ▼名詞

■3 モノに対する「見方」 ADVANCED

ⓐ **How many cakes** did you eat?
（ケーキ，いくつ食べた？）

ⓑ **How often do you eat cake?**
（どれくらいちょくちょくケーキ食べるの？）

cake（可算）　cake（不可算）

可算・不可算の判断に大きく影響を及ぼすのは，モノに対する見方です。

ⓐが「いくつ？」と，形あるカタマリを意識しているのに対して，ⓑは「（ケーキという食べ物）を食べる？」と言っているのです。このレベルの使い分けができるようになれば，かなりネイティブの語感と近くなっています。

ⓒ **Two buses** came at the same time.
（バスが2台同時にきた〈バス停で死ぬほど待ったあげくに。別々にこいよ〉）

ⓓ I go to school **by bus**.
（僕はバスで学校に行きます）

ⓔ You can fill out the form **in pen** or **pencil**.
（書類の記入はペンでも鉛筆でもかまいません）

バスで

bus（可算）　bus（不可算）

同じ bus という単語がⓒでは可算，ⓓでは不可算。この違いは，やはり「見方」がちがうから。ⓒはふつうの――形ある――バスを意味しています。ところがⓓでは，**交通手段としてのバス**（by は「手段・方法」をあらわす前置詞）――具体的なバスは思い浮かべられてはいないんですよ。だから不可算。**by train, by taxi, by email, by letter, by hand**（電車で・タクシーで・メールで・手紙で・手で），す

べて不可算。モノではなく「方法」が意識されているからです。ⓔも同じ。「ペン・鉛筆（という手段）で」ということですよ。

ⓕ There are **several excellent schools** in the city.
（その都市には，傑出した学校がいくつかあります）

ⓖ All children should have the right to go to **school**.
（すべての児童は学校に通う権利をもっている）

この対比はどうでしょう。建物・組織としての学校は数えられます。ですが go to school（学校に通う）では，school は数えられません。建物に行くことではなく，学校教育を受けるということだから。

ⓗ We all drank **a lot of wine** at the barbecue.
（BBQ でみんな，たくさんワイン飲んだよ）

ⓘ New World **wines** have become hugely popular.
（新世界ワインはものすごく人気が出てきている）

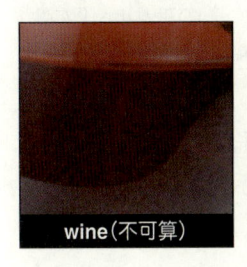

wine（不可算）　　wine（可算）

不可算のモノが可算として勘定される「見方」があります。大変ポピュラーな視点の転換です，注意しておきましょう。

形のない液体のワインⓗは不可算でしたね。それではⓘはなぜ可算になるのでしょうか。**それは「種類」が意識されている**から。「さまざまな（種類の）ワイン」が意識されているんですよ。液体は数えられませんが，カリフォルニアワイン・チリワインなどの「種類」は，１つ２つと数えることができますよね。次もすべて種類が意識されています。

There are many different **foods／cheeses** in the world.
（世界にはたくさんの異なった食べ物／チーズがある）

不可算でも種類が念頭にあれば可算扱い。この意識の流れに慣れておきましょう。

■「種類」が浮かぶかな？

次の文を見て「種類」と気がついたら合格ですよ。

(1) A violin is usually made from four different kinds of **woods**.
（バイオリンはふつう4種類の木材から作られる）

ⓙ Indonesia produces excellent **coffee**.
（インドネシアはおいしいコーヒーの産地だ）

ⓚ Three **coffees**, please.
（コーヒー3つお願いします）

ⓛ Our gourmet shop offers a wide variety of flavored **coffees**.
（私たちのグルメショップではさまざまなフレーバーコーヒーを提供しています）

---

coffee（不可算）　　coffee（可算）

ⓙの coffee は不可算――決まった形がないですからね。でもⓚでは可算で使われています。レストランなどでオーダーするときに頻繁に使われる表現ですが、その理由は「液体」を見ていないから。カップに入って出てくる「品物」として考えているからです。ⓛは種類。

「coffee は不可算」「pen は可算」――そうした杓子定規では、みなさんの英語力は頭打ちです。**不可算の見方・可算の見方を手に入れる。それがネイティブレベルの英語力**なのです。

■ 4 見えないモノを区別する　ULTRA ADVANCED

ここまでくるとさすがに日本人離れした区別です。正しい・間違っているではなく、より自然か自然ではないかの感性の問題。でもね、みなさんならできるようになるはずですよ。

ⓐ My neighbors were making so much **noise** I couldn't sleep.
（近所の人がすごくうるさくて眠れなかったよ）

ⓑ Shh! I can hear **a strange noise** coming from the engine.
（しー！　エンジンから変な音が聞こえてる）

noise は「騒音・雑音」。そもそも目には見えません。ネイティブはこういった単語にまで、可算・不可算の区別を行うのです。不可算の noise（ⓐ）は、とらえどころのない、数えようのない音。「ざわざわざわ」という感じです。一方可算の noise（ⓑ）は、「ドン」「バン」などといった、個々の音を指しています。始まりがあって終わりがある、明確な「形」──これなら数えることができそうですね。

> ⓒ **Conversation** requires skill.
> 　（会話には技術が必要である）
>
> ⓓ I had **an interesting conversation** with my ex last night.
> 　（昨夜、元カノと面白い会話をしたよ）

　conversation（会話）もやはり、手には取ることができない抽象的なモノ。ですが、そこにも「形」を見いだすことはできます。ⓒの不可算は、抽象的な「会話一般」を指しています。ところがⓓのように、具体的なある1つのできごととしての「会話」を考えることもできるはず。**抽象的なモノでも、具体性を与えられれば可算になる**のです。こうした使い分けをネイティブは気軽に行います。

　では、少し例を重ねて慣れていただきましょう。

ⓔ Does she have **enough experience** for the job?
　（彼女にはその仕事に十分な経験がありますか？）

ⓕ I had **an unforgettable experience** in London.
　（私はロンドンで忘れがたい経験をした）

　抽象的な経験一般（ⓔ）と、具体的なある経験（ⓕ）。

ⓖ So many students have **difficulty** in finding a job these days.
　（昨今大変多くの学生が職探しに苦労している）

ⓗ **Many difficulties** still lie ahead, but I'm confident we'll succeed.
　（多くの困難が待ち受けてるけど、僕らは必ず成功するよ）

PART 1 - CHAPTER 2：名詞　SECTION 1：可算名詞・不可算名詞

漠然とした困難（⑧）と個々の具体的な困難（ⓗ）。

ⓘ **Love** is blind.　（恋は盲目）
ⓙ **A love like this** is hard to find.
　（こうした愛にはなかなか例がない）

抽象的な愛（ⓘ）と，目の前に展開されている具体的な愛の形（ⓙ）。さあ，もう慣れてきたかな。それでは最後の問題。この使い分け，話し手の気持ちがわかりますか？

ⓚ **Beauty** is a cultural concept, don't you think?
　（美というのは文化によって違うよね？〈文化的概念〉）

ⓛ She's bright, but she's not **a great beauty**.
　（彼女は賢いけど，そこまでキレイじゃないな）

ⓜ Ronaldo's second goal was **a real beauty**.
　（ロナウドの２点目は美しさそのものだった）

ⓚは抽象的な「美」。可算で使われると，具体的な美しさ――美しい人（ⓛ），美しい光景（ⓜ）となります。みなさんならわかってくれましたよね？

さあ，いかがでしたでしょうか。可算・不可算の区別は単純です――数えられるか，それとも数えられないのか。そして，その判断の基準は，「具体的で決まった形があるかどうか」。難しいのはその基準をどう運用するかです。あせることはありませんよ――英語力全体が上がるにしたがって上手に使えるようになってくるはずです。

SECTION 2 単数名詞・複数名詞

▶単数（1つ）か，それとも複数か。ネイティブがモノに行う重要な区別です。ここも大変！ がんばろーね。

モノに対する繊細な区別。**可算で使われる場合，さらに「単数・複数」の区別がなされます**。もちろん，不可算にはこの区別はありませんよ。そもそも数えられないのだから。はは。

難しいことは何もありません。「1つ」か「2つ以上（複数）か」。基本はただそれだけのことです。まずは複数をあらわす形（複数形）の作り方から。

A 単数形・複数形の作り方（規則変化）

ⓐ I need **6 volunteers**.
（ボランティアが6人必要です）

ⓑ I met **2 girls** from Australia last night.
（昨晩オーストラリア出身の女の子2人に会ったよ）

複数形は単数形に **-s** を加えて作るのが基本。複数形にしたい単語の語尾によっていくつかのバリエーションがあります。

語尾	単数形→複数形
-s ▶多くの名詞	dog → dog**s**, cat → cat**s**, girl → girl**s**
-es ▶語尾が -s, -sh, -ch, -x, -o の名詞（※1）	bus → bus**es**, dish → dish**es**, church → church**es**, box → box**es**, potato → potato**es**

※1…（o 以外は）[s] をそのまま加えると発音が難しいからです。es [iz] と母音を挟むと楽に発音できますね。ただし，o で終わる語には piano**s**（ピアノ），photo**s**（写真），studio**s**（スタジオ），radio**s**（ラジオ）などの例外があります。

-y → -ies ▶語尾が「子音字＋y」の名詞	story → stories, baby → babies （母音＋y はただ s を付ける：play → plays）
-f, -fe → -ves ▶ f, fe で終わる名詞（※2）	leaf → leaves, thief → thieves, wife → wives, life → lives

※2… roofs（屋根），beliefs（信条），proofs（証明）などの例外があります。

【-s/-es の発音】
　動詞の現在形に付く -s/es と同じように，[s] [z] [iz] の3とおりです。単数形が無声音（息だけの音）で終わる場合，息だけの音 [s] となり，有声音（声を出す音）の場合，声を出す [z] となります。また，s（ス），sh（シュ），ch（チ）などで終わる場合は [iz] となります。
(1) cakes, caps → [s]（ス）
(2) dogs, girls, pens → [z]（ズ）
(3) buses, boxes, churches → [iz]（イズ）

【-s で終わるからといって複数形とは限らない】
　-s で終わるからといって複数形とは限りません。mathematics（数学），physics（物理学），economics（経済学）など，-s で終わる学問名はいくつかありますが，単数です（例：Mathematics is difficult.）。

●不規則変化

　ここから先は，不規則変化。ひととおり目を通してくださいね。だけどね，いいかい，これでうんざりしないこと。英語を嫌いにならないこと。間違っても著者を恨まないこと。いっぺんに覚える必要はありません。英文で出会う度に「ああ，これ不規則って書いてあったな」その繰り返しで自然に頭に入っていきます。

◆不規則に変化する語
ここにあげたものは必須。どこかの段階で必ず覚えること。
man → men（男），woman → women（女），foot → feet（フィート），
tooth → teeth（歯），child → children（子ども），mouse → mice（ネズミ）

◆外来語なので不規則変化する語
それほど出会う頻度は高くありませんが，そのうち慣れてくださいね。
analysis → analyses（分析），crisis → crises（危機），
phenomenon → phenomena（現象）

◆単複同形（単数形と複数形が同じ形）

□ **群生の動物**（まとめて考えてるから単複同形）
頻繁に使うのは fish ぐらいです。
fish（魚）, sheep（羊）, deer（鹿）
　I caught **a fish**.（単数）→ I caught **five fish**.（複数）

□ **[z] 音で終わる国民名**
Japanese（日本人）, Chinese（中国人）
Japanese はよく使うので間違えないように（× Japanese**s**）。

◆その他注意すべき複数形

□ **文字・数字・略語の複数**
文字・数字・略語の複数形は，末尾に s（'s の場合もあります）。
the three R**s**（読み書きそろばん）, CD**s**, DVD**s**, 1960**s**（1960年代）

□ **複合語の複数形**
いくつかの単語が合わさって1つの語を作る複合語。主要な意味を担う名詞を複数にするのが基本。名詞が見あたらない場合には末尾に s。
【主要な名詞を複数形に】passer**s**-by（通行人）, looker**s**-on（見物人）, high school student**s**（高校生）, early riser**s**（早起きする人）,
【最後に s】grown-up**s**（大人）, pick-me-up**s**（強壮剤）, go-between**s**（仲人）

□ **常に複数形で用いる語**
対の部分からなるモノ。常に複数で使います。セットだからね。scissors（ハサミ）, pajamas（パジャマ）, trousers/pants（ズボン）, jeans（ジーンズ）, shoes（靴）, socks（靴下）, gloves（手袋）, glasses（メガネ）など。

(1) I can't see a thing without my **glasses**.
　（メガネがないと全く見えないよ）
(2) I have **several pairs of** glasses.
　（僕いくつかメガネもってるよ）
(3) Mom, where's my other **sock**?
　（ママ，僕の靴下，かたっぽは？）

　(1)の「メガネ」はいつも複数形。(2)は対になっているため，数えるときには **a pair of**（1組の）を使います。(3)のように片方だけのときは単数形で大丈夫。

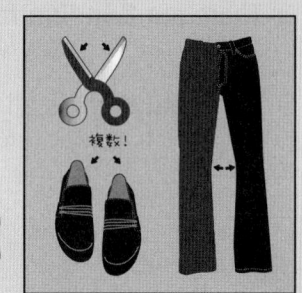

□ **複数形と単数形の意味が異なる語**
名詞の中には，s の付いた複数形になると（無関係ではありませんが）意味がいくぶん異なるものがあります。ポピュラーなものをいくつかあげておきましょう。ご注意くださいね。
　air - airs（空気 - 気取った雰囲気）, day - days（日 - 時代）, arm - arms（腕 -

武器), force - forces（力 - 軍隊）, manner - manners（方法 - マナー）

　これらのペアには、ゆるやかな意味のつながりが感じられています。air は「空気」そこから He is putting on airs.（気取った空気をまとっている＝気取ってやがるぜ）。force の「力」から力を集めた「軍隊」。manner は何かを処すやり方。「マナー」はさまざまな局面での身の処し方ですよね。ちなみに arm（腕）から arms（武器）はなにやらつながりが感じられますが（武器は手にもつもの：腕の延長線上）、語源的には別物です。また、good（善）- goods（商品), custom（習慣）- customs（税関）といったペアには、単数 - 複数といった意味のつながりはほとんど感じられていません。

ⓑ 単数ととらえる・複数ととらえる

　さて、大切なのはここから。単数形と複数形の使い方・感じ方の問題です。
　単数形なら単数、複数形なら複数を意味している——ここまでは単純。だけどね、**単数形でも複数だと感じられるケース、複数形であっても単数だと感じられるケースがある**んですよ。ややこしい？　例を見ればすぐに納得できますよ。

■ ① 集団をあらわす名詞の単数・複数

ⓐ He comes from **a large family**.
（彼は大家族出身です）

ⓑ There are **2 Indian families** living near us.
（僕たちの近くにインド人の家族が2家族住んでいるよ）

ⓒ **My family** are / is all into skiing.
（僕の家族はみんなスキーに夢中だ）

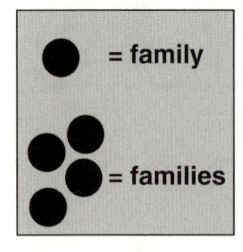

　集団をあらわす名詞には、単数形でありながら複数扱いにするケースがあります。その代表例は family。
　family（家族）という単語は2とおりに見ることができます。まずはひとまとまりのモノとして見る見方。ⓐの family は「ひと家族

(世帯)」。ⓑの families なら「複数の家族 (世帯)」。ここまではふつうの名詞── dog - dogs と同じです。

　注意しなくてはならないのはⓒの使い方。単数形の family に複数を受ける be動詞 are が使われています。これがもう1つの「見方」。family の中にそれを構成するメンバーを見ているのです。お父さん，お母さん，弟などなど。ほら，複数として感じられましたね。こうした見方を許すほかの語には，class（クラス），audience（聴衆），team（チーム），staff（スタッフ），committee（委員会），company（会社），government（政府）などがあります。集団をあらわす単語はその向こうに構成メンバーが見えることがある，だから複数として扱うことがあるということなのですよ。

　実はこの使い方にそれほど神経質になる必要はありません。最近のアメリカ英語では，個々の構成メンバーが意識されていても一貫して単数と扱う強い傾向があるからです（ⓒでは is が選ばれます）。要するに，**集団をあらわす単語を複数扱いしていたら「ああメンバーを見てるんだな」と理解する**，その程度でいいってことですよ。ぶちぶち説明してごめんなさい。

●集団をあらわすその他の注意すべき単語

□ **staff**（〔会社などで働く〕職員全体）
　1人1人は a member of staff（= staffer：職員の1人），an employee（従業員）となります。

□ **police**（警察）
　ぼんやりと警察官の集団を指すことば。警察官を個別に指すことばは a police officer（警察官）。police（警察）はいつも複数として扱うと考えてください。

□ **people**（人々）
　ふつうこの単語はぼんやりと複数の人をあらわし，この意味では常に複数として扱います。ですが，時折 a people，peoples などと使われるケースがあります。「国民・民族」などある地域にいる人々をまとめて，a people としているのです。the peoples of Europe（ヨーロッパの民族），The Masai is a proud, nomadic people.（マサイは誇り高い遊牧民族）

■2 「the + 形容詞（〜の人々）」は複数扱い

ⓐ I just read a surprising article about **the homeless** in Tokyo.
（東京のホームレス〔の人々〕についての驚くべき記事を読んだよ）

ⓑ Is it natural for **the strong** to protect **the weak**?
（強者が弱者を守るというのは当然なのかな？）

「the + 形容詞」は「〜の人々」をあらわすコンビネーション（☞P.171）。「s」は付いていませんが，複数として扱ってください。間違いが多く見られるポイントです。

The rich **are** sometimes stingy.
（金持ちはときとしてケチなものだよ）

■3 まとめて考える場合は単数扱い

ⓐ **20 cigarettes** is a lot to smoke in a day, don't you think?
（タバコ20本は1日吸う分としては多い，そう思わない？）

ⓑ **20 miles** is a long way to run. （20マイル走るのは大変）

どちらの文も複数形の主語（-s）を単数として扱っていますね（動詞が is であることに注意）。この「見方」を手に入れてください。20本のタバコの1本1本を考えているわけではありません。「20本のタバコ」というまとまりを考えている。まとまりは1つですよね。だから単数として扱っているのです。

■4 2つ以上のモノが絡む動作は複数

最後に複数形が求められる文脈をご紹介しましょう。

ⓐ Did you get a direct flight or did you have to **change planes**?
（直行便？それとも乗りかえしなくちゃいけなかった？）

ⓑ Some people bow while others **shake hands**.
（お辞儀をする人もいれば，握手する人もいる〈いろんな文化があるものだ〉）

ⓒ I **made friends with** Karen.
（カレンと友達になった）

　　　　　　　　change planes/trains（飛行機／電車を乗りかえる）, shake hands with（〜と握手をする）, make friends with（〜と友達になる）――こうした言い回しでは必ず複数形が用いられます。というのは，２つ以上のモノが関わるから。「乗りかえる」には飛行機や電車が２ついりますよね。同様に握手にも２つの手が必要ですし，ⓒの make friends は私とカレンで友達同士（friends）を作るのです。

ⓒ 単数・複数の上手な選択

　単数・複数の区別は，「１つ」か「２つ以上か」。ただそれだけのことなのですが，そこには少々コツがあります。覚えることは何もありません。気軽にへらへら読んでくださいね。

■1 数の基本は「複数」・「単数」は特別な数

　とても奇妙に感じられるかもしれませんが，ネイティブにとって「基本は複数」です。考えてみてください。単数は「１」，複数はそれ以外全部。1534だって2658だって134768だって複数なのです。単数はとても「特別」な数。この単純な事実を知るだけで，みなさんの単数――複数の選択は一歩ネイティブに近づくことができます。

　例えば，この本を読んで英語を身につけたみなさんが，僕にプレゼントしようとシルクのネクタイを服屋さんに買いに行ったとしましょうか。買いに行こうね。さて，単数と複数どちらを使います？

ⓐ Do you have **a silk tie / silk ties**?　（シルクのネクタイありますか？）

　自然に響くのは複数。服屋さんでわざわざ特殊な数「１」を選んで，「１本ありますか？」と尋ねる必要はありませんからね。次の例はどうでしょう。相手に「子どもいる？」と尋ねるケース。

ⓑ Do you have **a child / children**?　（お子さんはいらっしゃる？）

PART 1 - CHAPTER 2：名詞　SECTION 2：単数名詞・複数名詞

やっぱり自然なのは複数形。何人いるかわかっていないのに，「1人」にわざわざ限る必要はありませんよね。まずは複数形。数が不明な場合も複数形。「1」が意識される時には単数形。複数形優先——それがネイティブの選択なのです。

■ 2 モノ一般を示すのは複数形が基本

複数形が基本。これがわかると，ネイティブの選択がわかってきます。「僕は犬が好きです」——みなさんなら単数形？　それとも複数形？

ⓐ I like **a dog / dogs**.

犬一般を示す場合に，かなりの上級者でも I like a dog. などと書いてしまうことがありますが，それは誤り。複数形の dogs でなくてはなりません。a dog を使うと「ある具体的な1匹の犬」を述べていることになるからです。単数はある「1つの」ものをピックアップする形。モノ一般をあらわすのは苦手なのです。

■ 3 「単数→単数／複数→複数」のリズム

ⓐ **I** am **a student**.　　（私は学生です）
ⓑ **We** are **students**.　　（私たちは学生です）

単純な be 動詞文ですが，ⓑの students に注意してください。理屈のうえでは，We are a student. も可能な形。「私たち（の1人1人それぞれ）は a student です」となりますから。だけどね，a student は普通使われません。「we が複数だから，イコールで結ぶ student も複数だろ」と**カンタンに考える，それが英語のリズム**。単数なら単数で複数なら複数で受ける，それが英語です。

■ 4 アバウトに複数形

英語はフランス語などと比べると，単数・複数のとり扱いがかなりアバウトです。

ⓐ **Dogs** have **tails**.　（犬には尻尾がある）

「犬には尻尾がある」。犬には尻尾が1本ですから，Dogs have a tail.

が正しいと思われるかもしれません。ですが **tails** がふつうです。英語では「犬１匹につき尻尾が１本だから…」なんて厳密に考えたりはしません。犬が複数だから尻尾も複数。アバウトでいいのですよ。

ⓑ Do all **animals** have **noses**?　(動物には全部鼻がある？)
ⓒ Most **players** were allowed to bring **their wives** to the World Cup in South Africa.　(南アフリカのワールドカップでは，ほとんどの選手は奥さんを連れてくることを許可されていました)

ほら「animals, players は複数→鼻も奥さんも複数でいいや」。**アバウトに「複数→複数」を使う，それが英語ということばなのです。**

■厳密に１人につき１つが意識されるケース

アバウトな英語でも厳密さが要求されるときには「複数→単数」が使われることがあります。

(1) All tourists need **a visa** to enter Bhutan.
(ブータン入国に際しては，すべての旅行者はビザを携行している必要があります)

アバウトに visas とするのではなく a visa とすることで，厳密に「１人につき１つ」が強調されているんですよ。

●可算名詞が「裸」では出てこない理由

最後に少し，深いお話を。

「単数の可算名詞は『裸（限定詞が付かず複数形でもない）』では出てこない」(☞P.138) 覚えていますか？　この「規則」は次のような，不自然な文をブロックするためのものでした。

　×I like **dog**.　(○ my dog / the dog / dogs …)

なぜこんなことが起こるのでしょう。実は，これはネイティブにとって大変自然ななりゆきなのです。

単数は「１」が意識にのぼった特別な数だということはもう理解しましたね。可算名詞単数が限定詞なしで出てこないのはまさにこの理由です。

わざわざ特別な数＝単数が使われ，具体的な１つのモノが提示されたなら「それはどういったものなのだろうか」が気になるのは当然のこと。**特別だからこそ詳しい情報**──「今までの話題に出てきたモノなのか」「不特定のモノなのか」などなど──を限定詞で加える必要が出てくるというわけなのですよ。

SECTION 3 限定詞

▶限定詞は，文脈（話の流れ）上どういった意味をもつのか，数量はどのくらいかなど，名詞を限定する表現。おなじみの a, the, some あるいは数量表現などがこの仲間。英語の名詞表現の中で最も繊細な部分に分け入りましょう。

Ⓐ 限定詞なしの名詞

　限定詞は，**文脈に沿った具体的な意味や数量に名詞を限定する**働きをもっています。ここでまず紹介するのは，こうした限定詞をもたない名詞——具体的イメージを結ばない無限定表現です。限定詞なしの名詞がつかめれば，よりハッキリと次の SECTION からの限定詞の働きが理解できるようになります。

I drink **wine** most evenings.
（僕はほとんど毎晩ワインを飲むよ）

「毎晩ワインを飲む」——どういったワインを飲んでいるのか，どれくらいの量を飲んでいるのか，具体的に想像することができますか？　もちろんできません。無限定。**具体的なイメージを結ばない，うすぼんやりした表現。それが限定詞なしの名詞の特徴**なのです。

　具体的なイメージを結ばない，それは悪いことではありません。ボンヤリとしているがゆえの得意領域が，この限定詞なしの名詞にはあるのです。

■ ① ～というもの

ⓐ **Crows** are highly intelligent birds but also a big nuisance!
（カラスは大変知能の高い鳥なんだけどね，大迷惑だったりもする！）

ⓑ I like **wine**.　（私はワインが好きです）

　限定詞なしの名詞が**最も得意とするのは「～というもの（全体）」**。ⓐ・ⓑの文は，「カラス・ワイン（～というもの）」をもわっと指し示しています。具体的なイメー

ジ・特定のモノに縛られないところから，ゆるやかに全体をあらわす表現となっているのです。

ⓒ **Hyenas** kill **zebras** and **lions** kill **hyenas**. That's the way it is.
（ハイエナはシマウマを殺し，ライオンはハイエナを殺す。それが世の常）

■ 総称表現

「〜というもの（全体）」をあらわす表現は「総称表現」とよばれることがあります。総称表現は a ... や the ... でも作ることができます（☞P.176）が，最も広範囲に，最も制限なく使われるのは，この限定詞なしの名詞です。

■ ② リストアップ

ⓐ We need **poster paper**, **marker pens**, and **glue**.
（ポスター紙，マーカー，それからノリがいるなぁ）

── How about **scissors**? （ハサミはいらないの？）

限定詞の付かない名詞は，**リストアップ**に使われる典型的な形。「必要なモノは a, b, c ...」と，品目だけが問題になっている場合，具体的な数量や特定のモノに言及する必要は全くありませんよね。具体的なイメージを結ばない，限定詞をもたない名詞だからこそ，可能な使い方なんですよ。

● 限定詞の働きと位置

限定詞なしの表現，もうイメージはつかめましたね。次のSECTION では，さまざまな限定詞を１つずつマスターしていきますが，その前に限定詞の位置について説明しておきましょう。次の限定詞 the の位置に注目してください。

　　○ the dog　　× dog the

the は常に名詞（dog）の前に置かれます。なぜかわかりますか？　そう，それは後ろの名詞を限定するから。英語修飾の大原則，限定ルール（☞P.25）を思い出してください──「限定は前から」。限定詞は，具体的イメージをもたない名詞を具体的なモノに限定していく働きをもっています。だからこそ，常に名詞の前に置かれるのです。

B the

theは名詞に最大級の限定を与えます。「特定する」と考えても悪くはありません。ただそれはtheの強力な表現力のごく一部。theのイメージは「**1つに（複数形の名詞を従えるときには1グループに）決まる**」。theを使うとき話し手は，常にそれが聞き手にとっても「1つに決まる」ことを意識しています。1つに決まる——theで重要なのはそれだけ。

「1つに決まる」にはさまざまなケースがあります。典型的なケースにまず慣れていきましょう。

■ 1 文脈から1つに決まる

ⓐ I met Karen's boyfriend last night. **The guy** is not friendly at all.
（昨夜カレンのボーイフレンドに会ったよ。そいつ全然愛想よくないんだ）

ⓑ You know I bought a new iPod? Well, **the thing** keeps freezing up!
（新しいiPod買ったって知ってるよね？ うーん，それいつもフリーズするんだよ！）

まずは前の文脈から「1つに決まる」ケース。「昨夜カレンのボーイフレンドに会ったんだよ」。前の文で「1人」が話題の焦点になりました。次の文で，the guyと言えば聞き手には「ああ，前の文で出てきたカレンのボーイフレンドのことだな」とわかる。だからtheが使えるというわけ。ⓑは，「a ...」で導入して，theで受ける，非常にポピュラーな文の流れです。

ちなみに次のような流れではtheを使うことはできません。

ⓒ I met **two Chinese businessmen** last night. × **The guy** ...
（昨夜2人の中国人ビジネスマンに会ったんだよ。そいつはね…）

前の文で焦点が当たっているのは「2人」。the guyといってもどちらのことなのかわかりませんよね（2人をthe guysと受けるならOK）。「1つに決まらない」，だからtheは使えないのです。

■ 関連していても OK

the で受けることができるのは、「Karen's boyfriend = the guy」といった「同じ」ものだけではありません。関連しているだけでも 1 つに決まれば OK。

(1) I just saw **a car** run a red light. **The driver** was using his cell phone.
（車が赤信号を無視するの見たよ。その運転手携帯使ってたんだ）

(2) I just saw **a dog** attack a little kid. **The owner** did nothing!
（犬が小さな子に襲いかかってさ。飼い主何もやんなかったんだよ！）

(1)の文では、a car が話題にもち込まれました。「そのドライバー」と言えば 1 人に決まっている，だから the driver ということができるのです。

■ ② その場の状況から 1 つに決まる

ⓐ Close **the door**!
（ドア閉めて！）

ⓑ Look at **the puppy** over there! Cute, isn't it?
（あそこの子犬見て！　かわいくない？）

その場にあるものを the で示す，大変ポピュラーな使い方。もちろん「あ，あれね」と 1 つに決まらなければ不可。ドアが 2 つあってどちらかわからないようなケースでは，使えませんよ。

■ ③ 常識から 1 つに決まる

ⓐ 70% of **the earth's** surface is covered by water.
（地表の 70% は水です）

ⓑ **The world** is our classroom.
（世界は僕らの教室だい）

ⓒ Which way is **the restroom**?
（トイレはどっち？）

earth（地球），sun（太陽），moon（月），world（世界）などには the が付きます。常識的に1つに決まるから。でも，「world には必ず the」などと安心してはいけません。the は「1つに決まる」が肝心なのです。

ⓓ **My dream is to live in a world free of poverty.**
（私の夢は貧困のない世界に住むことだ）

　私たちが生きるこの世界は，常に the world ですが「貧困のない世界」は特定の世界1つに決めることはできないでしょう？　だからここに the は付かないのです。

　さて，ⓒの restroom に the が付いている理由がわかりますか？　レストランなどではトイレはたいてい1つですよね。1つに決まる，だから the。

■ ④「1つ」を意味に含む語句

ⓐ Chiaki Mukai was **the first Japanese woman** to travel into space.
（向井千秋は，宇宙旅行をした最初の日本人女性でした）

ⓑ You are **the only girl** I've ever loved.
（君は僕が愛した唯一の女性だよ）

ⓒ Who is **the youngest** of the three?
（三人の中で誰が一番若い？）

first（最初の），only（唯一の），最上級などに the が使われるのは，「1つ（あるいは1グループ）」に決まるから。first woman は何人もいませんよね。

● **機械的に覚えてはいけません**

「only には the」などと機械的に覚えないでくださいね。He is an only child.(彼は 1 人っ子です)。ほら，only なのに an。もちろん「1 人っ子」はほかにもたくさんいるから an となるのです。

⑤「the ＋複数」＝ 1 つに決まるグループ

ⓐ Look at **the penguins** over there.
（あそこのペンギン見てごらん）

ⓑ **The Yamadas** are moving to Indonesia.
（山田さん一家はインドネシアに引っ越す予定です）

the が複数に使われると，「1 つに決まるようなグループ」。**特定のグループ全体**が意識されています。

「the ＋姓（-s）」が「〜さん一家」となるのも同じ，Yamada という姓をもった人全部が意識されるからです。

■ 「the ＋複数」の名称

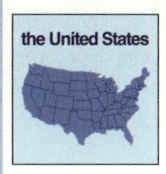

the United States of America（アメリカ合衆国），the Philippines（フィリピン），the Alps（アルプス山脈）など，「the ＋複数」の名称はよく見かけるところ。その理由，もう理解できましたね。複数の州（state）・島・山からなるグループ全体だから。え？ 「もし the を使わず United States といったら？」ですか？ もちろん意味は通じますが，babyish（赤ちゃん的）に響きます。基本的な文法がわかってねーな, が伝わってきますから。

PART 1 - CHAPTER 2：名詞　SECTION 3：限定詞

■ 6 the のネイティブレベル　ADVANCED

さて，ここまでの内容いかがでしたか？ the は「1つに決まる」，単純でしたよね？ 外国人の英語ならここで学習を止めても何ら問題はありません。ですが，ネイティブが使うレベルの the には実に鋭敏な感覚が宿っています。**英語を格別上手になりたいのならここの内容**，しっかりマスターだよ。

❶ the の与える「光」

the は「1つに決まる」。このイメージは，the の表現力をさまざまな形で拡張しています。まずは **the のもつ「光」**を理解しておきましょう。

> ⓐ Sharon is **the woman** for the job.
> 　（シャロンはその仕事にまさに適任だ）
>
> ⓑ I think the Hotel de Paris is **the place** to stay.
> 　（泊まるならホテル・ド・パリだと思うよ）

the が woman, place を強い光で照らしていることがわかりますか？ the は「1つに決まる」。そこから「これしかない」「これに決まりだ」という大きな強調を名詞に与えているのです。Sharon is **a woman** for the job.（シャロンはその仕事の適任者〔のうちの1人です〕）と比べてみると，その強さが理解できますね。さあ，もう次の文の the が手に取るようにわかるでしょう？

ⓒ Carlos Santana, **the guitarist**, is performing in Tokyo next month.
　（最高のギタリスト，カーロス・サンタナは来月東京で公演予定です）

新聞名・ホテル名などの名前にしばしば the が付くのも，同じ理由から。

- [ ] **The** New York Times　（ニューヨークタイムズ紙）
- [ ] **The** Independent　　　（インディペンデント紙）
- [ ] **The** Dorchester　　　　（ドーチェスターホテル）
- [ ] **The** Ritz　　　　　　　（リッツホテル）

the のもつ光が,「権威・威厳がある」「有名な」といった感触を名前に与えているのです。もちろん,小さな旅館に The Ofukuroya なんて名前をつけたら笑われます。the は名前に付ける王冠。それなりのバランスが必要なんですよ。

※強い強調を与える場合, the は [ðiː]（ズィー）と発音されます。これは the の強形——強く読まれるときの発音です。

❷「ピン！とくる」the

the には一見なぜ付いているかよくわからない例があります。「楽器に付ける the」もその１つ。

ⓐ John plays **the flute** and **the clarinet**.
（ジョンはフルートとクラリネットを演奏するよ）

ⓑ I love listening to you playing **the piano**.
（君がピアノ弾いてるのを聞くの大好き）

ほら「ピアノを弾く」—— the が付いていますね。カン違いしてもらいたくないのは，楽器だからといっていつでも the が付くわけではないということ。ピアノを単なる物体として見ているときには, pen, desk などと同じように, a piano でも this piano でも many pianos でもいいのです。

ⓒ Look at **that piano**. （あのピアノを見てごらん）
ⓓ This is **a piano**. （これはピアノです）

「ピアノを弾いている」の the piano は特定の物体（ピアノ）を指しているわけではありません。だとすれば何を意味しているのでしょうか。それはみんなに共通するイメージ。「ピアノを弾いている」と聞いてみなさんは何を思い浮かべますか？「鍵盤を叩くとポロローンと音がする楽器」を思い浮かべますね。「あ、あれを弾いたんだね」と、**みんながピン！とくる**（１つに決まる）――それが the piano。１つに決まる――だから the が使われているのです。

ⓔ **The police** were quickly on the scene.
（警察は迅速に現場に到着した）

ⓕ I don't often listen to **the radio**.
（僕はあまりラジオを聴かない）

the police, the radio などにも the がしばしば使われます。ピアノの例と同じだよ。どちらも物体（police officers〔警察官〕, a radio）を意味しているわけではありません。「警察」といえば、市民を守ってくれる組織・万引きすれば逮捕しにくる組織――**みんながピン！とくる共通のイメージ**――が浮かびます。それが到着したのです。「ラジオを聴いた」は、具体的な物体に耳を傾けたわけではありません。音だけの番組を流す、みのもんたが出てる通信媒体――「ラジオ」――を聴いたと言っているのです。

　実は、こういった共通のイメージを意味する the が付くのは、piano や police など特定の単語に限られるわけではありません。「あ、あれね」、みんながピン！とくるイメージがあるなら、実に気楽に使うことができるのです。こういった the が出てくるようになると、それはネイティブそのものの語感です。

ⓖ Do you prefer **the town** or **the country**?
(街が好き？ 田舎が好き？)

ⓗ I want to live in a house on **the river**[beach／golf course].
(川沿い[ビーチ／ゴルフコース]にある家に住みたい)

ⓘ I'll pop into **the supermarket／bank** on my way home from work.
(仕事帰りにスーパー／銀行に寄るよ)

ⓙ You'd better take him to **the hospital**.
(彼，病院に連れていった方がいいな)

ⓚ I think you should see **the doctor**.
(君は医者に行くべきだと思うよ)

the town

the country

ⓖは，やはり特定の「街」「田舎」を指しているわけではありません。賑やかな目抜き通りがあって人がたくさん往来している——みんなが思い浮かべる——「あの街だよ」と，気楽に使われているのです。同じように the river なら「あーあの川なんだね」と典型的な川の情景が浮かびます。the doctor も（病気を治してくれる・白衣着てる・消毒液のにおいがする）あの医者が浮かぶのですよ。

ⓛ If you take **the train**, I'll pick you up at the station.
(電車で来るなら，駅に迎えに行くよ)

ⓜ I often fall asleep on **the bus**.
(僕はよくバスで居眠りする)

もう大丈夫ですね？ a train でも a bus でもかまいません。ですが頭に「電車」「バス」が典型的なイメージとして蘇ってきたはず——それが the の力なのです。

■ 特定の the・ピン！とくる the

　ちょっと悩み始めていますか？　そう，みんなが「あ。あれね」とピン！とくる使い方と，ふつうの特定のモノを指す the。いったいどうやって区別すればいいのでしょう？　——心配ご無用です。前後の文脈でわかるから。

(1) Why do so many people get sick in **the car**?
（なんで車で気持ち悪くなる人がすっごくたくさんいるんだろう？）

(2) I saw a terrible car accident this morning. **The car** rolled over and crashed into a wall.
（今朝ひどい事故見たよ。その車，転がってって壁にぶつかったんだ）

　(1)は，特定の車が出てこなさそうな一般的な内容。そこで「ピン！とくるthe」。一方，(2)は具体的な車以外に考えることはできませんね。実際の会話でまぎらわしいことはほとんどありません。どちらも気軽に使ってごらん。間違いなく理解してもらえるから。

> ⓝ **The American husband** never complains about his wife.
> （アメリカ人の夫は決して妻の不満を言わない）
>
> ⓞ **The British gentleman** is hard to find these days.
> （最近イギリス紳士はなかなかいないよ）

the British gentleman

　「アメリカ人の夫」「イギリス紳士」。もうなぜ the が付いているか不思議じゃありませんね。みんながピン！とくる強烈なイメージがあるからですよ——車のドアを開けて奥さんを待つようなレディーファーストなアメリカ人の夫，帽子かぶってステッキをもったイギリス人の紳士。ここで the Japanese gentleman と the を付けるわけにはいきません。私を含めて(^^)日本人にも紳士はたくさんいますが，英語の話し手にとって「あ，あれね」とすぐに飛びつける強烈なイメージがないからなのです。**みんながピン！とくるイメージ——それが大切**なのですよ。

❸ the ＋ 形容詞（〜の人々）

ⓐ **The poor** are getting poorer, and **the rich** are getting richer.
（貧乏人はますます貧乏に，金持ちはますます金持ちになっている）

ⓑ It's natural for **the young** to be rebellious, isn't it?
（若者が反抗的なのは自然なこと，そうだよね？）

「the ＋ 形容詞」は人々全体を指す表現（☞P.156）。これも「ピンとくる」the の一種。the rich（お金持ち[の人々]），the poor（貧乏人），the young（若い人たち），the old（年寄り），the strong（強者），the weak（弱者），the homeless（家なき人々）——ほら，しっかりとイメージがわき起こりますね。もちろんどの形容詞でもこの表現を作れると思ったら大間違い。× the tired（疲れた人々），the tall（背の高い人々）などとは言いません。「疲れた人々」といっても「あ，あれか」のイメージがわかないからなんですよ。

●「the ＋ 国民名」で悪口を言うな　ULTRA ADVANCED

The Japanese are ..., The Koreans are ... などと国民名の前に付いた the。時々見かけますが，注意が必要です。それはこの形で悪口を言うなってこと。

(1) **The Japanese** are poor at English. （日本人は英語が下手）

そもそも不愉快な文ですが，ことさらに「いやな」感じがしませんか？　そう the Japanese がとても不愉快なのです。the を使うことによって，「英語が下手」という悪口を，あたかもそれがみんながピン！とくる日本人についての常識のように語っているからです。そんなもん常識ぢゃねーよ。

❹ the の類推

the は「1つに決まる」。最後にこの意味がもたらす「類推」に焦点を当ててみましょう。

> ⓐ This is **the present** that he gave me.
> (これは彼が私にくれたプレゼント)
>
> ⓑ You can use **the phone** in my office.
> (僕のオフィスにある電話，使っていいよ)
>
> ⓒ She told me **the reason** why she left him.
> (彼女は彼を捨てた理由を教えてくれた)

彼が私にくれたプレゼントは「1つだけ」だということがわかりましたか？ もしいくつかくれたのだったら，「これ」はその中の1つ。a present になるはずですね。the を使う——ここから1つしかないことがわかるというわけ。ⓑの phone，ⓒの reason（理由）も1つだけしかありません。

the は常に「1つに決まる」。ここから「ああ，1つしかないんだな」。ネイティブがよく使う類推です。

いかがでしたでしょうか。「1つに決まる」が生み出す表現力に，きっと驚かれたかと思います。もちろん the を本当の意味で使いこなせるのは，上級者のみです。ですが，この SECTION の内容をいつも思い出しながら英語に親しめばそれは不可能なことではありません。がんばって。

❸ a [an]

> ⓐ I'd like **a** chocolate donut. ── Just **one**, please.
> (チョコレートドーナッツちょうだい。──1つだけね)

限定詞 a [an] は常に単数名詞と一緒に使われるため誤解を受けてきましたが、そのイメージの中核は「1つの」ではありません。

ⓐの例文を見てください。

もし a [an] が「1つ」を強く主張するなら、just one を重ねる必要はありませんよね？ a [an] は、「（2ではなく3でもなく）1つ」と数に焦点がある one とは違うのです。a [an] は「（特定のモノに）決まらない」── the と対照的なイメージをもっています。さあ、「決まらない」が生み出すさまざまな使い方に慣れていきましょう。

■ 1 話題に初めて登場させる

ⓐ **You know I bought a new iPod?** Well, the thing keeps freezing up!
（新しい iPod 買ったって知ってるよね？ うーん。それいつもフリーズするんだよ！）

ⓑ **Karen's got a new boyfriend.** The guy is not friendly at all.
（カレン、ボーイフレンドができたんだけど、そいつ全然愛想よくないんだ）

a [an] が活躍するのはまず、話題に何かを初めて登場させる場合。初めて話題にもち込むモノは、**聞き手にとっては「（特定のモノに）決まらない」**──だから a [an] が使われるのです。初めてのモノを a で導入して the で展開。いいですね？

■ 2 特定のモノを思い描いていない

ⓐ **I need to find a part-time job.** （バイト見つけなくちゃ）
ⓑ **Mary is a nurse.** （メアリーは看護師です）

次に、話し手がそもそも特定のモノを思い描いてはいない場合。もちろん a [an] が使われます。ⓐの「バイトを見つけたい」。まだ見つけていな

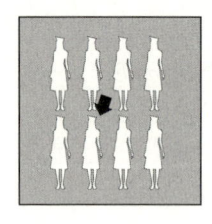

いんだから特定のモノには決まりません。またⓑの「**主語＋be＋a [an]...**」は，職業や立場を紹介する典型的な形。「メアリーは（ほかにもたくさんいる）看護師（の1人）です」ということ。やはり特定の1人を思い描いてはいないので a [an]。

■ ③ a の類推　ADVANCED

ⓐ This is **a present** that he gave me.
（これは彼が私にくれたプレゼント）

ⓑ She gave me **a reason** why she left him.
（彼女は彼を捨てた理由を教えてくれた）

a [an] がもたらす類推は the の類推と対照的です。日本語の訳は the を使ったケース（☞P.172）と同じになってしまいますが，みなさんなら意味の違いがわかるはず。

the の「1つしかない」に対して a [an] は「ほかにもいろいろあるんだな」。「このプレゼントに決まらないのだからほかにもあるんだろう」，「捨てた理由はほかにもあるんだろう」という類推が働くのです。

■ a reason, the reason, the reasons, reasons

「彼を捨てた理由」。a [an], the のほかに the reasons, reasons などとも言えますが，意味の違いがわかりますか？

(1) She gave me **a reason [the reason/the reasons/reasons]** why she left him.

the reason はこれしかない理由を教えてくれた，です。the reasons は「捨てた理由すべて」。「the ＋複数形」が特定のグループ全体を示すことを思い出してくださいね。the の付かない reasons は「捨てた理由をいくつか」。何も限定がありませんから。「理由を教えてくれた」にこのバリエーション。この繊細な英語名詞は使い慣れると手放せなくなるほど便利なんですよ。

●other（ほか）の使い方　ADVANCED

　　英語初心者にとってことのほか難しいのは，other の使い分け。
　　other は場面に応じて the other, another, the others, others と使い分けられるから。だけどね，みなさんならすぐにわかるはず。例えば，ケータイショップで新型機種を見せてもらってるとしましょうか。

(1) Show me **the other**.（ほかの見せてくれる？）

　これは新型機種が「2つ」しかない場合。そもそも2つしかないのなら，「ほか」は「1つに決まり」ますからね。「2つ」のとき，一方を one，もう一方を the other とする使い方にも慣れておきましょう。

(2) Can you show me **another**?（ほかの見せてくれる？）

　新型機種，ほかにもいろいろあるなかから「ほかのをもう1つ」と言うときには another。「決まらない」1つ。だから **an**other。

(3) Can you show me **the others**?（ほかの全部見せてくれる？）

　「the + 複数形」は特定のグループ全体。「ほかの携帯全部」ということですね。

(4) Can you show me **others**?（ほかの見せてくれる？）

　限定なく「ほかの」。ほかの機種をいくつか見せてほしいということ。

　ほら，簡単な使い分け。ぜひマスターしてくださいね。まぁ僕みたいなおじさんにとっては other よりも携帯の機能をマスターする方が難しいんだが。なんだいったいこの機械わ。ばんごー出ねーよ，番号がっ。

●a と an の使い分け

　　母音（a,e,i,o,u）で始まる語の前に置かれる場合 a → an。

(1) a cat（猫），an apple（リンゴ）

　apple は母音で始まるため an。文字ではなく「発音が」母音の場合であることに注意しましょう。

(2) a used car（中古車），a university（大学）
(3) an honest person（正直な人），an hour（1時間）
(4) an NBA game（NBA の試合），an MVP award（最優秀選手賞）

　(2)は u が語頭ですが「ユーズド」と母音で始まってはいません。また(3)の「オネスト」は，h は読まれないため母音で始まっています。(4)は「エヌビーエイ」など母音で始まるため an。

● 全体をあらわす表現 　ADVANCED

「〜というもの」——これまで学んだ，限定詞なし・a [an]・the の各表現は「全体」をあらわすこともできます。

(1) I don't know much about **horses**.
（馬についてはあまりよく知らない）

(2) **A horse** is fun to ride.
（馬に乗るのは楽しいよ）

(3) **The horse** is a noble animal.
（馬は高貴な動物です）

どの形も，個々の具体的なモノを指してはいません。「馬（というものは）」と，全体について述べた表現です。この中で最も頻度が高く（ネイティブにとっても）使いやすいのは，限定詞なしの形。

◆限定詞なし＝全体

(1) I don't know much about **horses**.
（馬についてはあまりよく知らない）

(2) **Red wine** is good for your health.
（赤ワインは健康にいい）

「限定詞なし」は，数・量に制限がない形。具体的な個々のものに縛られない——ここからゆるやかに「全体」を意識させる表現となっているのです（☞P.161）。

◆a [an] ... ＝全体

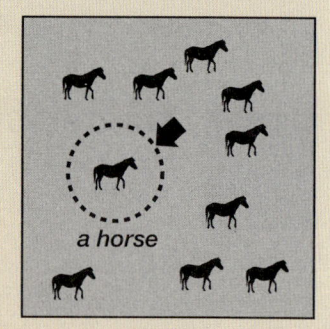

(1) **A horse** is fun to ride.
（馬に乗るのは楽しいよ）

(2) **A lioness** will protect her cubs.
（雌ライオンは子どもたちを守るものだ）

「決まらない a [an]」はなぜ「全体」をあらわすことができるのでしょうか。それは任意のモノをとり出しているからです。「ある任意の（適当に選んだ）馬をとり上げて『乗るのが楽しい』→馬全体は『乗るのが楽しい』」と，間接的に全体をあらわしているのです。

a [an]で全体をあらわすこのテクニックは，**限定詞なしよりもはるかに気を遣います**。次の文を見てみましょう。

(3) I like **a dog**.
(4) I like **dogs**.

「犬(一般)が好き」と言うためには、(3)は不可((4)は OK)。I saw a boy yesterday.(昨日少年に会った)のように、「ああ、ある犬が好きなのだな」と具体的な犬が想像されてしまうからです。a[an]は間接的に全体をあらわすにすぎません。文脈全体が問題になっていることを強く示していないと、うまく使うことができないのです。例文(1), (2)では、それぞれ「現在形（☞P.547）」と「法則・習慣（〜するものだ）をあらわす will（☞P.344）」が、一般的な内容を強く指し示していますよね。

ネイティブも a[an]で全体をあらわすときには、「これ、全体を示していることをちゃんと理解してもらえるかな？」と意識しながら使っているのです。みなさんもご用心くださいね。

◆the ... ＝全体

(1) **The horse** is a noble animal.
（馬は高貴な動物です）

(2) **The car** is the most convenient form of transport.
（車は最も便利な交通手段です）

the horse が「全体」をあらわすことができることは、もうみなさん理解できますね？　そう、誰もが「あ、あれね」とピン！とくる「馬」——ここから「馬全体」となります。horses の「ゆるやかに全体」や a horse の「間接的に全体」と異なり、**直接「馬という種族全体」を指し示す表現**となっているのです。直接「全体」を指すだけに、この表現には応分の「堅さ」が感じられます。

(3) **The giant panda is**[**Giant pandas are**] on the verge of extinction.
（ジャイアントパンダは絶滅の危機に瀕している）

(4) Poachers continue to hunt **the white rhino/rhinos** for its/their valuable horns.　（密猟者は高値で売れるツノの為にシロサイの密猟を続けている）

この対比で、動物愛護会のパンフに出てきそうなのは the giant panda, the white rhino。ジャイアントパンダ、シロサイという「種族」がよりクッキリと意識される表現になっているからです。

PART 1 - CHAPTER 2：名詞　SECTION 3：限定詞

D some

someは「いくつかの」と訳されることもありますが、そのイメージは「**ボンヤリある**」。数量が定かではないモノがボンヤリと意識される単語です。可算名詞にも不可算名詞にも使うことができますよ。

■ 1 ボンヤリと意識

ⓐ There are **some squirrels** in your garden.
（君の家の庭にリスが何匹かいるよ）

ⓑ I need **some olive oil** for the salad.
（サラダにいくらかオリーブオイルが必要だ）

　someは「ボンヤリある」。**数も量も定かではないモノがボンヤリと意識される表現**なのです。ⓐの文ではボンヤリと「数匹のリス」が、ⓑではボンヤリと「いくらかのオリーブオイル」が意識されています。someには「いくつかの」と訳すことができるケースが数多くありますが「some＝いくつかの」と覚えないでくださいね。someは数が問題にならない不可算名詞や単数名詞とも結び付くから。大切なのは「ボンヤリとある」という感覚。それがsomeの豊かな使い方につながっていくのです。

some people

ⓒ **Some people** never learn from experience.
（経験から学ばない人がいる）

ⓓ **Some** are cheap and **others** are expensive.
（安いものもあれば高いものもある）

　経験から学ばない──ⓒは、「そういった人々がいる」という感覚で使われています。クッキリ何人いるのかはわかりません。だけどそうした人々がボンヤリと見えてくるでしょう？　ⓓの「**some ～, others ～**」は、よく使われるコンビネーション。「そういう人（もの）もあれば、こういう人（も

の）もある」ということ。ボンヤリした some と，「ほかのは…」とやはりボンヤリした others がいいコンビになっています。

■ some はボンヤリ

some の「ボンヤリ」は，some を使ったいくつかの単語を考えてみれば納得できます。someone, somebody（誰か），something（何か），somewhere（どこか），sometime（いつか）。どれも特定の人や場所などが思い浮かばないボンヤリとした表現ですね。ボンヤリ──それが some の意識なのです。

(1) I'll be rich and famous **someday**! （いつかセレブになってやる！）

また，次のような使い方，もうみなさん理解できますね？

(2) **Some** 500 people were airlifted to safety.

そのとおり。「だいたい500人（が安全な場所に飛行機で移された）」ということ。some は「ボンヤリ」。もう大丈夫ですね？

● some と several

several も「いくつかの」と訳される単語ですが，some との雰囲気の違いを確認しましょう。

(1) I know **some/several** good golf shops.
　　（いいゴルフショップ知ってるよ）

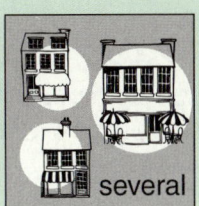

ここで some は漠然と「いいゴルフショップを知ってるよ」──何軒かも，具体的にどこの店かも，思い浮かべてはいません。一方の several ははるかにクッキリした単語。具体的なゴルフショップをいくつか念頭に置いて話しているんです。

■ ② 温かい some

ⓐ Would you like **some coffee**? 　（コーヒーいかがですか？）
ⓑ Do you need **some assistance**? 　（お手伝い必要ですか？）

人に何かをすすめるときには，some を上手に使うことができます。上の2文には「どうぞどうぞ」と温かさが通っています。その理由は，言外に some の「ある」が響くから。「コーヒーありますよ，すぐ用意できますよ。いかがですか」「お手伝いしましょうか，準備はありますよ」と**相手の目の前に差し出す感触**で使われているのです。

●some は複数が基本

some はボンヤリ。確たる数量は示されていませんが，**可算名詞と使われるときにはふつう複数形と結び付きます**。また単独で使われた場合，複数が想起されます。

(1) I heard **some interesting speakers** at the conference.
　　(学会では面白い話をした人が何人かいたな)
(2) I was glad to meet **some** of your friends.
　　(君の友人の何人かと会えて嬉しかったよ)

「1」を強く意識する単数形には a [an]... が絶対の標準。ボンヤリと数量をあらわす some はふつう使われないのです。

●some の高等テクニック　ULTRA ADVANCED

some は複数が標準。だけどね，**some が単数と結び付くケースがある**んです。ここまで使いこなせればネイティブ並！
　「some + 単数」には特別な意識が働きます——「ボヤかしたい」。「ボンヤリ」の応用です。

☐ Case 1：興味がない

(1) She ran off with **some guy** from Italy!
　　(女房はイタリアからきたどっかの男とかけ落ちしちゃったよ！)

　単数形に some が使われていることに注意しましょう。本来なら a guy と言うべきところ，話し手は「わざわざ」some を使っているのです。ボンヤリとした some をわざわざ使うことによって「どーでもいいよ，そんな奴」と**興味・関心がないことを強調している**のです。日本語でも「どっかのヤツと結婚した」などと言いますね。

(2) I'm sure I've seen her in **some movie or other**.
（彼女のことどっかの映画で見たよ）

some ... or other は「興味がない」をさらに印象づける表現。どっかの，あるいはほかの…。「どうでもいいよ」ってことですね，結局。

□ **Case 2：言いたくない**

(1) Police officer: Where did you get this information?
(2) Suspect: Er ... **some guy** told me.
(3) Police officer: What do you mean, some guy? I need a name!
（警官：どこでこのネタ手に入れたんだ？）
（容疑者：あー…どっかの奴が教えてくれたんだよ）
（警官：「どっかの奴」とはどういうことだ？　名前を言え，名前を！）

警官に詰問されて，容疑者が some guy。「ぼやかしたい」「隠しておきたい」意識が伝わってきますね。そこを目ざとく警官が，「名前を言え」。

some をわざわざ単数名詞と使う特別な意識。覚えると大変便利に使える表現テクニックです。

E any

any（どんな〜でも）は，「何でもいいよ」「どれを考えてもいいよ」と相手に選択肢を開く表現。つまり**「選択の自由」を相手に与える表現**です。可算名詞にも不可算名詞にも使うことができます。

■ 1 何でも・誰でも・どれでも

ⓐ **Any parent** would want the best for their child.
（親なら誰でも子どものために最良を求める）

ⓑ He's more talented than **any player** I've coached.
（彼は私がコーチしたことのあるどの選手よりも才能がある）

ⓒ Choose **any card**.
（どのカードでもいいから選びなさい）

「親なら誰でも」「どの選手よりも」「どのカードでも」——どういった使い方をしても any には選択の自由が感じられているのです。

■ any は選択の自由

any の選択の自由は，anyone/anybody（誰でも），anything（何でも），anywhere（どこでも），anytime（いつでも）などを思い起こせばすぐに理解できますね。

■ any がうまく使えないケース

any にはうまく使えないタイプの文があります。例えば × I met anybody. 誰でもいいよ，その人に会ったんですよ——これでは意味がよくわかりません。「どれをとっても」と選択の自由が生きる文脈が，any を上手に使うことのできる場所なのです。次に紹介する疑問文・否定文・条件節（if 文：もし〜なら）は，そうした場所の典型です。

■ 2 疑問文での any

ⓐ Do you have **any other questions**?
（ほかに質問はありますか？）

ⓑ Do you have **any money**?
（お金もってる？）

疑問文は any がピッタリはまる場所。「何でもいいんだけど，どう？」と尋ねます。ⓐはただの other questions より，「その他どんな質問でもいいんですよ，聞いてくださいね」が強く響いています。ⓑは「5円でも10円でもいいんだよ，とにかくお金もってる？」——貸せよってことですね。

■ 3 否定文での any

ⓐ I don't like **any sports**.
（僕はどんなスポーツも好きじゃない）

ⓑ I don't need **any advice**, especially from you!
（どんなアドバイスもいらない。特に君からのはね！）

否定文でも any は頻繁に使われます。「どんな〜も…ない」と any を否定することによって、あらゆる選択肢を否定することができるから。any と not の位置関係に注意してください。このコンビネーションでは、**not の前に any は出てこれません**。

　× **Anybody** can't do such a thing.

「どんな〜も…ない」は、any の「どんな…」を not が否定することによって初めて成り立つ表現。any はいつも否定される位置（not の右側）になくては困るんですよ（詳しくは、☞P.321）。

■4 条件節での any

> ⓐ **If** you need **any** more information, just let me know.
> 　（もしもっと何か情報がほしかったら、知らせてください）
>
> ⓑ **If** you want **any** sleep, don't stay at that hotel ——it has a disco!
> 　（もし少しでも眠りたければ、あのホテルには泊まっちゃダメ——ディスコがあるんだよ！）

「どんな種類・量であっても〜なら」。それが if とコンビで使われる any の語感です。

F all, every, each

all, every, each は「全体」が意識された表現ですが、ニュアンスが異なります。

■1 all：ひっくるめて「全部」

> ⓐ **All the spectators** were delighted.
> 　（観客たちはみんな大喜びした）
>
> ⓑ I've been a musician **all my life**.
> 　（オレ、生まれてこのかたずっとミュージシャン）

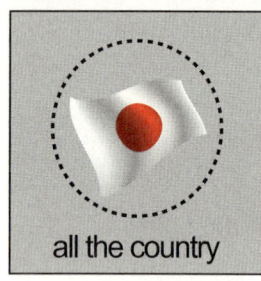

PART 1 - CHAPTER 2：名詞　SECTION 3：限定詞

all は every と比べると，大変おおらかな単語です——「ひっくるめて全部」。ⓐの文では the spectators 全体をひっくるめています。個々の観客たちには特に意識が及んでいません。全体をひとまとめにして「みんなね」，all はそうしたおおらかな単語なのです。

この単語は，「1つのものの全部」，つまり**「全体（= whole）」**もあらわすことができます。ⓑは「生涯すべてを」ということですね。all day long（一日中），all the year round（1年中）などよく使われますよ。

ⓒ **All the country** was excited about the World Cup.　（国中ワールドカップに熱狂した）

■位置の自由・強調

all の位置の自由度に注目しておきましょう。

(1) The kids were **all** amazed.　（子どもたちは，みんな，ビックリしてたよ）
(2) We **all** had fun.　（僕たちは，みんな，楽しんだ）
(3) You can have it **all**.　（全部取っていいんだよ）

all the kids were の代わりに the kids were **all** ... と位置を変えることができる，というわけ。また，all の「全部・みんな」は，強調にもつながっています。

(4) I'm **all** for the plan.　（その計画に大賛成です）
(5) They traveled **all** over Japan.　（日本中を旅した）

for the plan（計画に賛成）の前に付けて「大賛成」という具合です。

■不可算名詞にも使える all

「全部」をあらわす all は可算名詞同様，不可算名詞にもバッチリ使えます。The thief took **all the money**.（どろぼうはお金全部を盗んだ）。ちなみに，個々が意識にのぼる every, each は不可算名詞には使えません。

■2 every：緻密な「すべて」

ⓐ **Every participant** will receive a prize.
（参加者すべてに賞品が出ます）

ⓑ I hope **every** customer **is** satisfied.
（すべてのお客さまにご満足いただけることを願っています）

ⓒ **Every** mother looks after **her** children.
（すべての母親は子供の世話をします）

every は大変緻密な単語です。all のように「全部ひっくるめて」ではありません。ⓐの文では「どの参加者もみんな」と，個々の参加者が意識にのぼっているのです。

個々が意識にのぼる。それが every が単数扱いであることの理由です。participant，customer，mother —— every に続く名詞はいつも単数なのです（× every participants）。また代名詞も単数を受ける代名詞 he, she, it が使われます。

■ every を受けるテクニックと PC（Political Correctness：差別禁止）

every を代名詞で受けるのは少々厄介。次のようなケースがあるからです。
(1) Every child has (　　) own room.（どの子どもも自分の部屋をもっている）
さて his を入れますか？ それとも her？ でもね, child には男の子も女の子もいるのです。この場合には次の3とおりの述べ方があります。
(2) Every child has his own room.
(3) Every child has his/her own room.（his or her と発音します）
(4) Every child has their own room.

ひと昔前には「every は he で受ける」が一般的でした。今でも(2)の文を使う人は，しばしば見受けられます。ただ「みんな」を男性を示す代名詞であらわすのは，「差別」と感じる人も多いのです。そこで編み出された最も「正しい」形が(3)。でもこんなの会話じゃ面倒くさいですよね。そこで荒技。every が単数であることを無視して(4) they で受けてしまいます。

ちなみに each（それぞれ）にも同じ, he, he/she, they で受けるバリエーションがありますよ。
(5) Each member has their own locker.
（どのメンバーにも，個人のロッカーがあります）

めんどくさい？ そーだよめんどくさいんだよ。ネイティブだって面倒くさいんだから，かんべんしてね (^^)。

PART 1 - CHAPTER 2：名詞　SECTION 3：限定詞

●all と every　ADVANCED

all は「ひっくるめて全部」のおおらかな単語。every は個々が意識にのぼっている緻密な単語。ネイティブはこの2つをしっかりと区別しています。実際次のような言いかえを時々やるんですよ。

(1) You must attend **all** the meetings, and I mean **every** meeting, understand?　（会議は全部出なさい，すべてのミーティングだよ，わかったかな？）

最初に all で「全部ね」と言った後，緻密な every に言いかえて念を押しているのです。

■ 3 each：それぞれ

ⓐ She had a glass of wine in **each** hand.
（彼女はそれぞれの手にワイングラスをもっていた）

ⓑ In golf, **each** player keeps their own score.
（ゴルフでは各々の選手が自分のスコアをつける）

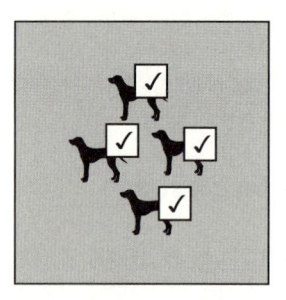

each に全体への意識は希薄です。**個々のもの——それが強く意識されています。**「それぞれの手」がもっている，「各々の選手」と，しっかり1つずつチェックする感覚ですよ。もちろん every と同じように単数扱いです（ⓑ）。

every と each は個々を強く意識するという点で大きくその意味が重なっています。そこで次のように重ねて強調することもあります。

ⓒ These are issues that affect **each and every** one of us.
（これらは私たちすべてに影響を及ぼす問題だ）

■場所の自由

each は all と同様，名詞の前だけでなく文のさまざまな位置で使うことができます。

(1) We **each** have our own skills.　（僕たちにはそれぞれの技術がある）
　　（= Each of us has his/her own skills.）
(2) The tickets cost $20 **each**.　（チケットはそれぞれ20ドル）
　　（= Each ticket costs $20.）

G no

ⓐ **Nobody** came to my party! （誰もパーティーにこなかった！）
ⓑ I looked everywhere, but I found **nothing.**
（あらゆる場所を探したけど，何も見つからなかった）
ⓒ No problem. I'll fix it in **no time**. （大丈夫。すぐ直すよ）

no（ない）は強烈な単語。no one, nobody（誰も～ない），nowhere（どこでも～ない）など，no を冠されたどの語句も「0だよ」という強い限定が与えられます。ゼロ・真っ黒・漆黒。そうした強いイメージの単語なのです。

ⓓ There are **no seats** left. （席は全く残っていない）
ⓔ There are**n't any seats** left.

上の2つは同じ訳となりますが，no は not ～ any（いかなる～も…ない）よりも，はるかに強くインパクトがあります。

●no ＋ 単数名詞？ それとも複数名詞？

no は「0」。不可算名詞・可算名詞どちらにも使うことができます。
(1) **No water** is left in the tank.【不可算】
（水がタンクに全く残っていない）
(2) **No student is/No students are** allowed in the staff room.【可算】
（学生は職員室に入室できません）

さて，問題は可算名詞の場合。no は「0」ですから，後ろの名詞は単数でも複数でもどちらでもよさそうですが，**複数を使うのがふつう**です。単数を使うとさらに強烈なインパクトをもった否定表現となります。「1人（1つ）として～しないよ」というニュアンスが加わるためです。

◆強い否定 ULTRA ADVANCED

強烈なイメージをもつ no を使えば，文に大きな感情の抑揚を与えることができます。
(1) I'm **no** doctor, but it's pretty obvious to me that this child is seriously ill.
（僕は医者なんかじゃないけど，この子が重病だっていうのは見てわかるよ）
(2) It's **no** fun eating alone, is it? （1人ぼっちで食事を取るのはマジで楽しくないよね？）

> (3) I tell you, this job is **no** picnic.
> (いいか，この仕事はピクニック〔みたいにお手軽な楽しい仕事〕じゃないんだぜ)
>
> どの文からも，ただの否定文とは大きく異なった「全くそうじゃない」という強い打ち消しが感じられるでしょう？ このレベルで no を使うことができたならネイティブレベル。がんばって。

🅷 both, either, neither

both, either, neither は「2つのモノ」の間の選択をあらわす限定詞です。

① both

> ⓐ **Both my kids** are excellent swimmers.
> (僕の子どもたちは二人とも優秀な水泳選手なんだよ)
>
> ⓑ I love the puppy and the kitten. Can I have **both**, Mom?
> (その子犬と子猫が気に入ったんだけど。かあさん，両方飼っていい？)

「A と B 2つのうち，その両方」。それが both。ⓑのように単独でも使えます。次の **both A and B** (A と B 両方とも) もポピュラーな形。

ⓒ I asked **both** Keiko **and** Rina out and they both turned me down! (ケイコとリナをデートに誘ったんだけど，2人とも断ってきた！)

② either

> ⓐ You can invest in stocks or property, but **either way** it's risky. (株でも不動産でも投資できるけど，どのみちリスクはあるよ)
>
> ⓑ I have a blue sweater and a red one ——you can borrow **either**. (僕は青と赤のセーターをもってる——どっちでも借してあげるよ)

either の感覚は，「(主に A と B 2つのうち) 1つ1つに目を向ける」ことにあります。ⓐは株と不動産1つ1つに目を向け「どちらでも」。ⓑのよ

うに both 同様単独でも使うことができます。

否定文での意味にも注意しておきましょう。

ⓒ I listened to his first two CDs, but did**n't** like **either** album very much.
（彼の最初の2つの CD 聞いたんだけど，どちらもあんまり好みじゃないな）

1つ1つに目を向け，それを否定します。「どちらも〜じゃない」となります。そう全滅ってことですよ。**either A or B** はよく使われる表現。やはり1つ1つに目を向け，「そのどちらか」。

ⓓ **Either** Tom **or** Bill is going to make the presentation.
（トムかビルがプレゼンをすることになっています）

■「〜も」の言い回し

「〜も」は，英語では too と either の2種類があります。
(1) I like spinach. ── I like it too.（僕はほうれん草が好きなんだ──僕もだよ）
(2) I don't like spinach. ── I don't like it either.
（僕はほうれん草が好きじゃない──僕もだよ）

そう，肯定の意味を添えるなら too。否定なら either となるというわけ。否定の場合 neither も使えますが，位置に注意しましょう。ふつうは文頭に置き，倒置を使います。

(3) I don't like spinach. ── Neither do I.
（僕はほうれん草が好きじゃない──僕もだよ）

■ 3 neither

ⓐ It was a deal in which **neither side** got what it really wanted.
（どちらの側も本当に欲しいモノが得られない交渉だった）

ⓑ Do you take milk and sugar? ── **Neither**, thanks.
（ミルクと砂糖入れますか？ ──いえどちらもいりません。ありがとう）

「A と B，両方ともそうじゃない」。全滅。**neither A nor B**（A と B どちらも〜ない）にも注意しておきましょう。

ⓒ **Neither** Pat **nor** Gary is married.
（パットもギャリーも結婚していません）

PART 1 - CHAPTER 2：名詞　SECTION 3：限定詞

● **意識の動かし方**

both は「両方とも」，either は「どちら」，neither は「どちらもダメ」。なんだか日本語訳が似てるのでまぎらわしいかな？　これじゃ会話で瞬時に使えない？　はは。それでは，もう少しわかりやすく説明しましょう。

(1) You can take **both**.　（両方とっていいよ）
(2) You can take **either**.　（どちらか一方をとってもいいよ）
(3) You can take **neither**.　（どちらもとってはいけないよ）〔両方ダメ〕

さあ，もうわかったね？　both はパッケージ。2つのものをひとまとめにしている表現。だけどね either/neither は「こっちも，そしてこっちも」。either で説明したように1つのものからもう1つに**視線が移動している表現**なんですよ。だから **neither/either は単数扱い**なんです。次の文，be動詞に注意してくださいね。

(4) **Both apples** are rotten.　（両方腐ってる）
(5) **Either apple** is rotten.　（どちらかが腐ってる）
(6) **Neither apple** is rotten.　（どちらも腐ってない）

either/neither は，いつでも1つのものに意識が置かれているから単数扱い。さあ，これで使えるようになったかな？

数量表現

限定詞，だんだん慣れてきましたか？　ここでは限定詞の仲間，数量表現を解説しましょう。単なる「多い／少ない」にも，英語にはさまざまな表現と注意すべきことがあるんですよ。

■ ① 多い

英語には日本語にない区別――可算（数えられる）・不可算（数えられない）――があったことを思い出しましょう。「多い」も英語には2とおりあるのです。

ⓐ I don't have **many** friends. （僕にはあまり友達はいない）
ⓑ Do you have **much** rain in October?
（10月に雨はたくさん降る？）

　many は「数が多い」, much は「量が多い」を示す表現。friend（友人）は可算, rain（雨）は不可算。many と much が使い分けられていますね。
　a lot of［lots of］(たくさんの), plenty of（たくさんの）など，数・量どちらにも使える便利な表現もあります。特に a lot of［lots of］は会話でも多用されます。口からすぐに出てくるようにしてくださいね（a lot of と lots of の違いについては ☞P.138）。

much　　a lot of
　　　　　(lots of)
　　　　　plenty of　　**many**

= a good/great deal of, a large amount/quantity of
※deal, amount, quantityは「量」

= a good/great/large number of
※numberは「数」

●much のクセ　**ADVANCED**

　much は独特のクセがあります――疑問文・否定文を好む強い傾向。「そんなにたくさんじゃない」「たくさんですか？」で使われると考えてください。それ以外の平叙文では a lot of などが好まれます。
(1) Do you have **much** money?（→ I have **a lot of** money.）
(2) We do**n't** have **much** rain here.（→ We have **a lot of** rain here.）
　many も much ほどではありませんが，ややそうした傾向があります。面倒くさい？　だけどね，クセが飲み込みづらかったら，いつでも a lot of を使っておけば問題なし。a lot of は本当に使えるフレーズなんですよ。

PART 1 - CHAPTER 2：名詞　SECTION 3：限定詞

●クセの理由

much のクセには，それなりの理由があるんです。知りたい？　は
は，それじゃちょっとだけお付き合いしてくださいね。
　much が肯定文で使いづらいのはね，実は**「インパクト」が足りな**
いから。

(1) × We had **much** rain yesterday.
　　（昨日はたくさん雨が降りました）

ネイティブにとって much はとても「軽い」単語なのです。(1)の文で話し手は「た
くさんだよ」を表現したいのに4文字の軽い単語。そこに違和感があるのです。疑問
文や否定文は「たくさんなんだ」をしっかりと表現したいわけではありませんよね。
「たくさんですか？」「そんなにたくさんじゃない」ですからね。
　もし much に very much, so much, too much（とってもたくさん，すっごくた
くさん，あまりにたくさん）と強調語が付けば，肯定文でも much を使うことができ
ます。「たくさん」を示す十分な重みが出てくるから。

(2) ○ We had **so much** rain yesterday.
　　（昨日はたくさん雨が降りました）

ちなみに, Thank you very much. とは言うけれど, ×
Thank you much. なんて聞いたことないでしょう？　あ
りがたみなさそーだからね。見るからに。
　ちなみに, a lot of は lot（量／数）を含んでいます。ガ
ツンと「大量なんだよ」が響く表現。だからこそ，平叙文
で使うことができるのです。

× Thank
you much.

まったくありが
たみってもん
に欠けるんだ
よな

■ 2 少ない

> ⓐ I have **a few** good friends.
> 　（親しい友人が何人かいるよ）
>
> ⓑ I have **little time** for exercise these days.
> 　（運動時間がほとんどないんだよ）

　「少ない」も，数（few）と量（little）で使い分けます。可算名詞の friends
（友人）には few，不可算名詞の time（時間）には little が使われています
ね。

a little / little

※イギリス英語では，a little の代わりに a bit がよく使われます

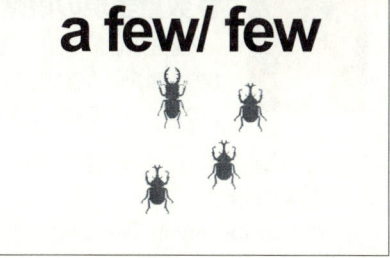

a few / few

実は，話はここでは終わりません。little と few には「a」の付くバージョンと付かないバージョンがあるのです。

ⓒ I have **a few / few** good friends.
（親しい友人が少しいる／少ししかいない）

ⓓ I have **a little / little** money.
（お金が少しはある／少ししかない）

この区別は実際の量の違いというよりも，話し手の意識の問題。**a few と a little は肯定的**な見方をしています——「少しはある」。一方，**few と little は否定的**な見方。「少ししかないよ・ほとんどないよ」をあらわしています。

次のペアを何度も口慣らしして，意識の違いをとり込んでくださいね。

ⓔ I have **a little time** to talk now, so please take a seat.
（今は少し話す時間がありますので，どうぞお座りください）

ⓕ I have **little time** to talk now, so please come back later.
（今はほとんど話す時間がないから，後からきていただけますか）

■ a few の日本語訳

a few は「少し」。個数で言えば，2－3個，あるいは4－5個というところですが，こだわらないこと。「漠然と少ない感じ」をあらわす表現だからです。場面に応じて考えてくださいね。

●数量表現の段階 ADVANCED

数量表現は、人によって「強度」の感じ方にバラツキがありますが、おおむね次のような序列で感じられています。英語上級を目指すならこのレベルまで使いこなしましょう。

□ too many / too much （多すぎ）
限度越えてます。
(1) We had **too much** wine and got drunk.
（ワイン飲みすぎて酔っぱらった）

```
too much    too many
so much     so many
            a lot of
much        many
            quite a lot of
    s
    o       quite a few
    m       several
    e
a little    a few
little      few
very little very few
hardly any
almost no
none (0)
```

□ quite a lot of （かなりたくさん）
a lot of よりやや少ない印象です。「a lot of とまでは言えないけど」程度。
(1) **Quite a lot of** people have applied for the job.
（かなりたくさんの人がその仕事に応募してるよ）

□ quite a few （割に多くの）
quite は「割に」。「割に賢い」は「賢いとまでは言えない」ということですよね。同じように、「a few (少ない) とまでは言えない」からこの表現は「少なからずの・割に多くの」となります。意味をとり違えやすい表現です。注意してくださいね。

□ very few （ほとんどない）
few（少ししかない）の強調。
(1) **Very few** people here speak Japanese.
（日本語を話す人はほとんどいない）

□ hardly any / almost no （ほとんどない）
hardly（ほとんど〜ない）がわかれば、問題ありませんね。「ほとんど0だ」ということ。
(1) I have **hardly any** money. ＝ I have **almost no** money.
（ほとんどお金もってないよ）　　（ほとんどお金もってないよ）

◆数をあらわすその他の表現

その他のよく使われる、数をあらわすフレーズを2つマスターしておきましょう。

□ a couple of （2つの・ちょっと）
couple は「2」。ですが、a few と同様、漠然と少ない数もあらわします。a few よりも「ちょっと」感が高いです。「2」ですからね、もともと。大変頻繁に使われるフレーズ。僕もすぐに口から出てきます。

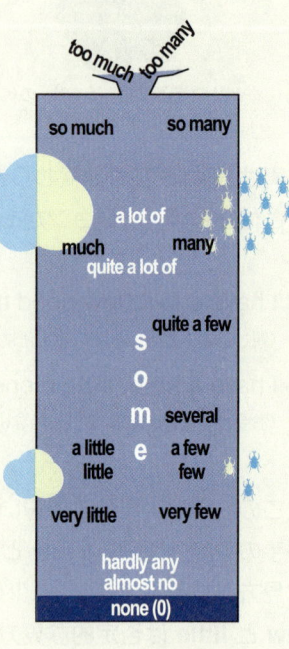

⑴ I have **a couple of** projects on the go.
（進行中のプロジェクトをちょっと抱えている）

⑵ I'll be back in **a couple of** minutes!　（すぐ戻るよ！）

□ **a number of**（いくつかの，など）

　number は「数」。このフレーズは，多くの場合 several（いくつか）と同じ程度の数を示します。受験に必要な程度の英語力を求めているならポイントはそれだけ。以上。終了。おつかれさま。

　でもね，ネイティブと同じようにこのフレーズを使いたいなら，もう少しお付き合いください。

　several が some よりも具体的なイメージをもつことはお話しましたね。a number of はさらに強い具体性をもっています。number（数）という単語が当然「1…2…3…とリストアップできますよ」につながるから。このフレーズが会議など，フォーマリティレベルが上がった局面で使われることが多いのも，その「しっかり感」のおかげです。さて，それでは具体例を見てみましょうか。

⑴ **A number of** guests have complained about the food.
（お客さんが食べ物について文句言ってますよ）

⑵ There are **a number of** reasons why this happened.
（このことが起こった背景には，理由があるのです）

　a number of は a couple of と同じように，明確な数にこだわらない漠然とした表現です。文句を言っている客の数は5名かもしれませんし12名かもしれません。場面によって数は異なりますし，気にすることもありません。話し手は具体的な数ではなく「そうした客がいますよ。なんとかしないとやばいよ」に焦点を合わせているからです。「そうしたものが確かにいくつかあるんだよ」そこに意識を置いて使えば，それがネイティブの a number of。

　さて，a number of には，small，large，good などを加えることができます。several などと違い，幾とおりにでも数の大小をあらわすことができる便利な表現なんですよ。ぜひマスターしてくださいね。

⑶ This new bill will affect **a large number of** people.
（この新しい法案は多くの人々に影響を与えるだろう）

　ちなみに number を使った表現に **the number of**（～の数），**any number of**（どんな数でも）もあります。ご注意くださいね。

⑷ **The number of** homeless men and women is increasing.
（ホームレスの数は増えている）

⑸ In this game, you can use the same letter **any number of** times.
（このゲームでは同じ文字を何度使ってもいいんですよ）

J 指示の this, that

① this (この) と that (あの)

ⓐ What do you think about **this** bag?
(このバッグ，どう思う？)

ⓑ Whose is **that** red sports car over there?
(あそこの赤いスポーツカー，誰の？)

「指す」——それが this (この) と that(あの)。this は身のまわりのモノ，that は距離があるものを指します。指す対象が複数の場合には these, those を使います。

ⓒ Hey, check out **these** gorgeous earrings.
(ねぇ，このすてきなイヤリング，見てよ)

ⓓ **Those** guys talking to Maria look a bit suspicious, don't you think?
(マリアと話しているあの人たち，ちょっと怪しいと思わない？)

■ this のネイティブらしい使い方　ULTRA ADVANCED

(1) I was sitting having a drink and minding my own business when **this** guy suddenly started screaming at me. (座って1杯飲みながら好きにやってたんだよ，そしたら急に男が僕に向かって叫び始めてさ…)

　この this の使い方，ピンときますか？　もちろん a guy でも十分なところですが, this には臨場感が乗っています。this は「近く」を指す単語。そこからそのできごとが（心理的に）話し手の近くにある感じがしているのです。勢いをもったお話の中で使ってみてくださいね。

■ 名詞以外に使われる this, that　ULTRA ADVANCED

(1) I'm telling you I was **this** close to a hole-in-one! —— Wow, I've never been **that** close! (いいかい，オレ，ホールインワンまでこんなに近かったんだぜ！　——すげーな。僕はそんなに近づいたことないよ！)

(2) I knew he was stingy, but not **that** stingy!
(彼がケチってのは知ってたけど，あんなにケチだとは！)

this と that が従えるのは実は名詞だけではありません。「こんなに近く」「あんなにケチ」日本語と同じですよ。気軽に使ってごらん。

■② 単独で使う this, that

ⓐ **This** is a really nice apartment. (これ本当にいいアパートだね)
ⓑ Didn't you know **that**? (それ知らなかったの？)

ほかの多くの限定詞同様（☞P.198），this, that も単独で「これ・あれ」と指すことができます。

■ 先取りの this ADVANCED

以降の内容を先取りする this の使い方。
(1) Remember **this**. I will never let you down!
（このことをよく覚えておいてね。僕は君をガッカリさせたりはしないよ！）
日本語と同じですよね。

ⓒ My situation is quite different from **that** of the rest of my family.
(僕の状況は，僕以外の家族が置かれた状況とはかなり違うよ)
ⓓ Some of the best wines are **those** from the New World.
(最上のワインのいくつか〔の種類〕は，新世界で作られている)
ⓔ Good friends are **those who** stick together through thick and thin.
(親友ってのは，いいときも悪いときもツルんでる奴らのことさ)

that/those の「指す」延長にある使い方。ⓒ・ⓓは，名詞の繰り返しを避けています。前の名詞を指して受ける感じ。単数名詞（situation）は that,

複数名詞（wines）は those で受けてくださいね。

ⓔは「those + who 〜（〜という人々）」。親友というのは「こういう人たちなんだよ」と指してから，どういった人たちなのか，その内容を wh修飾（☞P.414）で説明します。

> ● **that 各用法の展開**
>
> that は最も多彩な用法のある単語の１つです。それは意味の中核に「導く」がイメージされているから。
>
> (1) **That** is a window. （あれは窓です）
>
> 最も使われる that の用法——指す——は，詳しく言えば相手の注目を遠くの目標物に「導く」行為です。「あれはね」と相手を窓に導く。この感触が that のもつ，ほかのすべての用法を生み出しているのです。
>
> (2) **That** he is hiding something is plain to see.
> 　　（彼が何かを隠しているのは簡単にわかるよ）　【主語の節（☞P.499）】
>
> (3) I think **that** he is the best captain we've ever had.
> 　　（彼は今までで最高のキャプテンだと思うよ）　【レポート文（☞P.95）】
>
> (4) I came to the conclusion **that** it was pointless discussing anything with her.
> 　　（彼女と何を話してもムダだという結論に達した）　【同格（☞P.651）】
>
> (5) The woman **that** lives next door is an English teacher.
> 　　（隣に住んでいる女性は英語教師です）　【wh修飾（☞P.414）】
>
> あるできごとに聞き手の注目を導いている(2)，think の内容に導く(3)，conclusion を「どういった結論かというとね」とその内容に導く(4)，the woman の説明「隣に住んでいる」に導く(5)。that の多彩な用法は，すべて「導く」が生み出す自然な使い方なのですよ。

🅚 単独で使える限定詞

これまで各語について「限定詞＋名詞」の形を主に解説しましたが，限定詞のほとんど（the, a, every, no を除く）は，単独でも用いることができます。

【限定詞として】
　I have **some** candies. （キャンディいくつかもってるよ）

【単独で】

Oh no, I left my money at home! ── Don't worry. I'll lend you **some**.
(げ。お金，家に忘れてきちゃった！──だいぢぶ。いくらか貸してあげるよ)

Some of my friends are a bit crazy!
(僕の友達の何人かはちょっとヘン！)

単独で使われるケースを特別に学習する必要はありません。限定詞としての意味を思い出してくれれば十分。money を受けて，some（いくらか）。some of my friends で「(友人のうちの) 数人」。カンタンかんたん。単独で使うことに慣れるだけですよ。ほかにも例をあげてみましょう。

ⓐ Excuse me. Do you sell batteries? ──Yes, but we don't have **any** at the moment.
(すみません。電池ありますか？──はい，でも今切らしているんですよ)

ⓑ How much are these lamps? ──**Each** costs 25 dollars.
(このランプいくら？──それぞれ 25 ドルです)

ⓒ I'm looking for Velcro tape. ──I'm afraid we have **none** at the moment.
(マジックテープ探しているんだけど。──今品切れです)

ⓓ I must buy some milk because I don't have **much**.
(ミルク少し買わなくちゃ，あまりないから)

ⓔ Which do you want? ──I'll take **both**.
(どっちがほしい？──両方もらうわ)

ⓕ What do you think of these designs? ──Mmm ... I like **this**, but I hate **that**.
(このデザインどう思う？──んー，これすき。あれ大嫌い)

ⓖ How many computers do you have? ──I have **three**.
(パソコンいくつもってる？──3つ)

問題ありませんよね。ⓒは ✕we have no とはなりません。**no** は単独では使えないから。**none**（0）を使いましょう。

限定詞を単独で使う場合，特にポピュラーなのは「X of 名詞」の形です。

ⓗ I don't like **any** [**most / many / one**] of these paintings.
(僕はこの絵のどれも [ほとんど／多く／1つ] が好きじゃない)

ⓘ **None of** my friends sent me a birthday card.
(僕の友達誰も誕生カード送ってくれなかった)

ⓙ **Neither of** them can cook.
(あの人たち，どっちも料理できないんだよ)

この形にはただ1つ，注意しなければならないことがあります。それは，of の後ろは**十分具体的なものでなくてはならない**ということ。

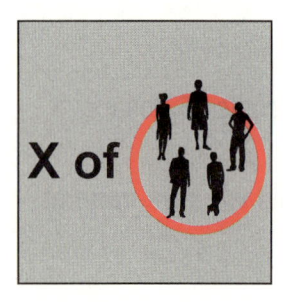

ⓚ I don't like some of **your friends** [**my co-workers / those songs / them**].
(僕は君の友達の何人か [僕の同僚の数人／あの歌のうちいくつか／彼らのうち数人] が好きじゃない)

ほら「君の友達」「僕の同僚」「あの歌」「彼ら」——すべてクッキリ具体的なグループが示されているでしょう？ 「X of ...」は，**特定のグループの中の X** という表現なのです。

● 漠然としてたらムリ

「X of ...」は次のような表現では使えません。
(1) ✕ I don't like some of **friends**.
(2) ✕ I like most of **paintings**.

これでは意味が通じません。friends では漠然としていて，どの中の数人かわからないから。「絵だったらだいたい好き」と一般的なことを述べたいときには，「X of ...」を使わずに，
(3) I like **most paintings**.
と言ってあげればいいんですよ。間違いが集中するケースです。ご注意くださいね。

SECTION 4　代名詞

▶代名詞抜きでは，文章を書くことも会話をすることもできません。毎日使う大変重要な学習ポイント。特に変化形がもつそれぞれのニュアンスをしっかりつかんでください。

文法用語解説　　　　代名詞とは

代名詞は名詞の代わりをする（短い）単語のこと。単独で使う this, that を指示代名詞，I, you, he などを人称代名詞などと分類することもあります。ここは従来の用語では「人称代名詞」の解説です。

A 代名詞の基本

ⓐ I want to talk about <u>Mayuko</u>.　Is **she** ready to become a team leader?
（マユコについて話したいんだけど。彼女，チームリーダーになれそう？）

ⓑ <u>Steve and Lee</u> are coming tonight.　**They** are very interesting guys.
（スティーブとリーが今晩来るよ。奴ら，とっても面白い男たちなんだ）

ⓒ What's <u>that</u>?　── **It's** a crystal paperweight.
（あれ何？　──クリスタルの文鎮だよ）

ⓓ What are <u>those</u>?　── **They** are crystal paperweights.
（あれ何？　──クリスタルの文鎮だよ）

代名詞は文脈や状況や事物を **「受ける」** 単語です。ⓐ〜ⓓでは下線部の単語を she（彼女），they（彼ら），it（それ），they（それら）と，「受けて」発言を展開しています。これが代名詞の基本です。

代名詞にはそれほどのバリエーションはありません。次の８つ。そして（後に説明する）one。全部で９つマスターすれば OK。英語は単数・複数を区別することば。代名詞にも単・複の区別があります。また，性別による区別もあります。

PART 1 - CHAPTER 2：名詞　SECTION 4：代名詞

単数を受ける		複数を受ける	
私	I	私たち	we
あなた	you	あなたがた	you
彼	he	彼ら （それら）	they
彼女	she	^^	^^
それ	it	^^	^^

※ they は人・モノ問わず複数を受ける代名詞です。

■ 代名詞の変化形

代名詞は**文中でどういった働きをするかによって形を変えます。**

主格~は	所有格~の	目的格~に･を	所有代名詞~のもの	-self 形~自身
I	my	me	mine	myself
you	your	you	yours	yourself
he	his	him	his	himself
she	her	her	hers	herself
it	its	it	――	itself
we	our	us	ours	ourselves
you	your	you	yours	yourselves
they	their	them	theirs	themselves
参考 Tom	Tom's	Tom	Tom's	――

※ you の変化は単数・複数（あなた・あなたがた）でほぼ変わりません。-self 形だけに注意。
※ its は it is の短縮形 it's としっかり区別します。
※ 通常の名詞（参考：Tom）は，所有をあらわすときにだけ -s が付きます。

● 絶対ムリ

代名詞の変化表，「こんなのめんどくさい」という声が聞こえそうです。だけどね代名詞の変化を覚えないで英語は絶対話せません。根性出してください。本気になれば15分だよ。こんなの。

Ⓑ 主格の使い方

ⓐ **He** is a dentist. （彼は歯医者です）
ⓑ **John** is taller than **I**. （ジョンは僕より背が高い）

主格は文の**主語として代名詞が使われるときの形**です。日本語で言えば「～は／～が」ということですね。

ⓑの文に注意しましょう。主格が現れるところには常に主語の意識が宿っています。この文は,

　　　John is taller than I (am).

「ジョンは僕がそうであるより背が高い」, I は主語として感じられているのです。

■ taller than me

急いで付け加えますが, この「比較級＋than」の形の後ろには, 目的格も使うことができます（John is taller than me.）。「僕よりもね」と自分を指す気持ちで使われています（☞P.284）。こちらの方が圧倒的にポピュラー。than I とすると「古くさいなあ」「なんかこだわってんだろうな」という印象です。

Ⓒ 所有格の使い方

ⓐ **His** arms are bigger than **my** thighs!
　（彼の腕は僕の大腿より太い！）
ⓑ Every country has **its own** traditions and customs.
　（すべての国はそれ自身の伝統と慣習をもっている）
ⓒ Your **Mom's** cherry pie is simply the best!
　（君のお母さんのチェリーパイは, ホントに最高だね！）

所有格は「〜の」と,所有をあらわす形。ギュッと密着した感じをもっています。

所有格は名詞を「私の」「彼の」と限定するため,名詞の前に置かれます。ⓑの「所有格＋own」はマスターに価する表現。own は「所有する」という単語。所有を重ねることによって,「それ自身の・固有の・ほかにはない」などの強調を与えています。ⓒは代名詞以外が「〜の」と所有をあらわすときの形。下の表で作り方を確認してくださいね。

単数（名詞の後ろに 's を付ける）	複数（複数形の語尾の右側に '）
Tom → Tom's the student → the student's	the students → the students' ※ただし, men, women → men's, women's

■所有格が重なっているとき

ワンポイントアドバイス。所有格が重なってもどきどきしないでくださいね。his parents' house, この表現は his parents に所有格の「'（アポストロフィー）」が付いているだけ。**彼の両親**の家。はは。簡単すぎたかな。

■店のよび方・「場所・とこ」の省略　ADVANCED

the baker's（パン屋）, the butcher's（肉屋）など店の名前はしばしば「the –'s」という形をとります。これは所有格（パン職人の・肉屋さんの）。その後ろには「場所（店）」が省略されているのです。「パン屋さんとこ」ってことですね。この所有格, 実はみなさん日常よく目にしているのですよ。McDonald's（マクドナルド）, Macy's（メーシーズ：デパート）。同じように I visited my **aunt's**. など,「おばさんの（とこ・家）」と省略することもよくあります。

■人・モノ以外の所有格

所有格は人や動物だけではありません。モノの所有格も自然に使われます。

(1) The sea is within **ten minutes'** walk from my house.
　　（海は僕のうちから徒歩10分以内）

(2) This **restaurant's** menu is very extensive.
　　（このレストランのメニューはとても幅広い）

● **所有格の意識** ADVANCED

所有格は「～の」。訳はそれで十分。ですが，英語上級を目指すなら，もう一歩理解を進めましょう。

◆ **所有格と of ～**

　所有格と前置詞 of は，どちらもしばしば「～の」と訳されますが，この2つは，意識が違います。

(1) Don't go anywhere near him!　He's **my boyfriend**!
　　（近づいちゃだめ！　彼は私のボーイフレンドなの！）

　　　　　　my の位置に注意しましょう。my は boyfriend の前——種類限定（☞P.25）の位置にあります。ただのボーイフレンドではなく，あなたのボーイフレンドでもなく「私のボーイフレンド」。ボーイフレンドの種類を強く限定しています。my dog, my house, my father ... など，「ほかでもない私の」という強いつながりの意識が所有格の持ち味です。

(2) I just love the rhythm **of samba music**.
　　（サンバのリズムがすっごく好き）

　　　　　　一方 of は「明確化（☞P.396）」。前の名詞を**クッキリと**説明する意識で使われます。「リズム」と言っただけでは，何のリズムだかわかりませんよね，そこで「of samba music」で明確化する。後ろから説明を加える——それが of ～ の意識なのです。

(3) Jerry, this is **my friend** Sue.
　　（ジェリー，こちら僕の友達のスーだよ）

(4) Sue is **a friend of mine.**　（スーは僕の友達だよ）

　ニュアンスの違いがわかりますか？　my friend は「私の友達」——「私の」が響いて親しさや近さが感じられる表現となっています。a friend of mine は「友達の1人（a friend），私のね」。何人かいる友達の1人ということ。

(5) This is a picture of Lucy.　　（ルーシーの写真だよ）
(6) This is a picture of Lucy's.　（ルーシーの写真だよ）

　よく話題になるペアなのですが，みなさんならもう意味の違いがわかるはず。(5)は a picture の（何を撮ったのかの）説明が「ルーシー」。つまりルーシーを撮った写真。(6)は説明が Lucy's（ルーシーのもの）。つまりルーシーの所有する写真，ということですよ。

PART 1 - CHAPTER 2：名詞　SECTION 4：代名詞

◆所有格を「広く」使う

所有格は「所有」だけをあらわすわけではありません。**「強いつながり」**をあらわす形でもあるのです。

(1) Well, here we are. This is **my new apartment**.
　（さ，着いた。これが僕の新しいアパート）

(2) **The rock star's sudden death** shocked the world.
　（そのロックスターの突然の死は世界を驚かせた）

(3) Our top priority is **our children's education**.
　（僕らの最優先事項は子どもの教育です）

(1)の文は，単なる所有。ですが，(2)は「ロックスターが死んだこと」という意味ですよね。(3)は「子どもの教育」——「子どもを教育すること」。所有格の用法は，所有格と後ろの名詞のあいだの，**簡単に想像できる強いつながり**にまで広がっています。びっくりするほどのことはありません。だって日本語の「〜の」と同じだもの。(2)と(3)の文を何度か意味を考えながら読み込んでいきましょう。すぐに慣れます。私たちが気をつけることはただ１つ。**「所有」に縛られず自由に所有格を使うことだけなのです。**

※ -ing の「主語」として所有格を使うケースもあります（☞P.445）。

●I patted John on the shoulder.

「ジョンの肩を叩いた」，もちろん patted John's shoulder でもかまいませんが，英語はこうした「彼を叩いた→部位」という流れの表現を作ることがあります。

(1) I punched him in the face.　（彼の顔にパンチした）

ポイントはここで「×patted him on **his** shoulder」**とは言えない**ということ。身体部位はふつう John hurt **his shoulder**.（ジョンは肩を痛めた）など所有格を使います。ですがこのタイプの表現で所有格は大変奇妙に響くのです。

この表現の意識の流れは「John を叩いた→部位の指定」ですからね。誰を叩いたのかはもう十二分に意識にのぼっています。そこで「彼の肩」は言わずもがな。patted John on his shoulder となると，同じことを繰り返し言っているような気がしてしまうのです。「１つに決まる the」でもう十分なんですよ。

D 目的格の使い方

> ⓐ I love **him**. （私，彼が大好き）
> ⓑ I went fishing with **them**. （彼らと魚釣りに行ったんだよ）

目的格が使われる典型的な場所は，(1) **動詞の目的語**，(2) **前置詞の目的語**。それは目的格が「指す」形だから（☞P.284）。大好きなのは「彼！」，僕が魚釣り行ったのは「彼らと！」と指す意識ですよ。

動詞の後ろ，前置詞の後ろでなくても目的格は使われます。だけど，そこにはいつも「指す」意識が乗っているのです。次の文を，自分を指しながら何度も読んでくださいね。…うん，その意識ですよ！

> ⓒ Who is the ugly guy in this photo? —— Er... it's **me**!
> （この写真でヘンな顔してる人，誰？ ——うーん…僕！）
> ⓓ Who forgot to flush the toilet? —— Oops! **Me**.
> （誰がトイレ流さなかったの？ ——おっと！ 僕だよ）
> ⓔ I love classical music. —— **Me**, too!
> （僕クラシック音楽が好き。——僕もだよ！）

E 所有代名詞の使い方

> ⓐ Is this **your** tennis racket? ——No, that's **mine** on the bench.
> （これは君のテニスラケット？ ——いや，ベンチの上のが僕のだよ）
> ⓑ Whose motorbike is that over there? —— It's **Barry's**.
> （あそこにあるの誰のバイク？ ——バリーのだよ）
> ⓒ I met an old friend of **mine** on my way home tonight.
> （今晩家に帰る途中，昔の友達に会ったよ）

ⓐの your は所有格「～の」。後ろに名詞を従えて使います。一方所有代名詞 mine は「～のもの」。**単独で使う**表現です。ⓒの a friend of mine は「友人の中の1人」。よく使われる表現です。

🅕 -self 形の使い方

> ⓐ Helen cut **herself** chopping carrots.
> （ヘレンは, ニンジン切りながら指を切ってしまった）
>
> ⓑ He often talks to **himself**.
> （彼はよくひとりごとを言う）
>
> ⓒ I have to do everything **myself**.
> （僕は自分で全部やらなくちゃいけない）

-self（～自身）形は, 動作がその主体自身に返ってくることを示します。ⓐは「自分自身を切った（指を切った）」。ⓑは「彼自身に話しかける（ひとりごとを言う）」。ⓒでは I に **myself** を重ねることによって,「ほかの誰でもなく（誰の力も借りず）」という**意味の強め**になっています。

-self は決まり文句によく登場します。

> ⓓ It was tough to **make myself understood** in Bulgaria.
> （ブルガリアで話を理解してもらうのは大変だった）
>
> ⓔ Just relax and **make yourself at home**.
> （リラックスしてくつろいでくださいね）
>
> ⓕ **Help yourself** to the buffet, OK?
> （料理は自分で取ってくださいね, いい？）

ⓓは「自分が理解されるようにする（= make）」。目的語説明文（☞P.86）ですね。ⓔの at home は「家にいる＝くつろいでいる」ということ。自分をそういう状態に make するということ。ⓕは「自分自身を手伝う（自分で〔食べ物を〕取る）」となります。

Ⓖ it

　it（それ）には，代名詞の中でも特にバリエーションに富んだ使い方があり，一度慣れるとこれほど便利な単語もありません。「それ」という日本語ではなく，その意識をしっかりと学んでいきましょう。

■① 文脈に登場したもの・内容を受ける it

ⓐ What is that? —— It's a can opener.
（アレ何？ ——缶切りだよ）

ⓑ How did you like the movie? —— I liked it a lot.
（その映画どうだった？ ——すっごく気に入った）

ⓒ I'm really sorry. It won't happen again.
（本当にゴメン。二度とそんなことしないよ）

ⓓ This is going to be a fantastic event. There's no doubt about it.
（すごいイベントになるな。〔それについては〕間違いなしだ）

ⓔ And another thing. You should ... ——OK, OK, I got it.
（で，もう1つ。君がやらなくちゃいけないのは… ——わかった，わかったよ）

　it はほかの代名詞と同じ，「**受ける**」**単語**です。この単語には he, she などのように性別がありません。最も広範になんでも受けることができる万能語。それが it なのです。

　まずは単純な使い方。文脈（話の流れ）にあらわれたモノ（単数）や内容を受ける例から。ⓐ・ⓑは that, the movie を受けて，「缶切りだよ」「すっごく良かったよ」と発言を展開しています。ⓒ〜ⓔでは「起こってしまったこと」「すごいイベントになるということ」「指示の内容」を受けて it と使っています。よーするになんでも受けることのできる便利な単語，それが it ってこと。

● it の意識

that, this など「指す」単語と, it を明確に区別しておきましょう。前ページⓐの応答をスローモーションで眺めてみますね。

ⓐ What is that? —— **It's** a can opener.

この質問に対して **That's** a can opener. と応答することも可能です。でもその場合 it と全く感触が異なっています。

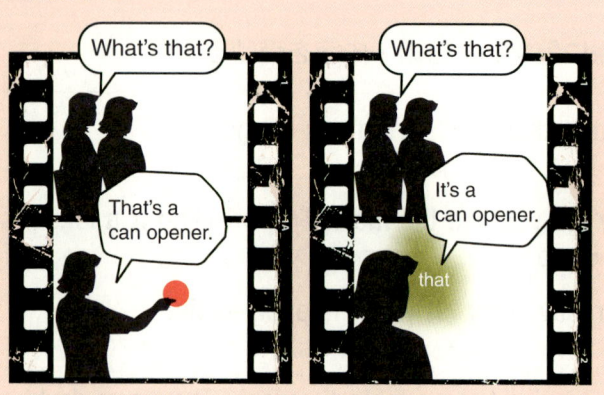

that は受ける単語ではありません——「指す」単語。「あれは何？」と言われて, 同じモノをグッと指しながら「あ。あれ？ あれはね, 缶切り」それが that。一方, it で答える場合は, 相手の that を受けているのです。「君が that と言って指しているものはね」と, 相手の発言をグッと受けて——「缶切りだよ」。代名詞の機能は「指す」ではありません——**「受け入れる」**。it だって同じだよ。

■2 状況を受ける it

ⓐ **It's dark here.** （ここ暗いね）
ⓑ **How's it going, Chris?** （クリス, 調子はどう？）

it はまさに万能。この単語は, 身のまわりに感じられる状況を「受ける」こともできるのです。ⓐはこの部屋の状況を受けて「暗いよ」。ⓑの it は相手の置かれた状況を漠然ととらえ

ています。「君の状況はどう（how）進んでいるのか（going）」, ここから「調子どう？」となるんですよ。

● **Who is it?**

日常よく使われる表現がこれ。Who are you? と区別してくださいね。この文は電話が鳴ったとき, あるいはドアがノックされたときの「誰ですか？」。it は「ドアがノックされている状況」「電話で声が聞こえている状況」を漠然と受けて「それは誰？」と尋ねています。この場合 Who are you? は使えません。Who are you? は見ず知らずの人に直接「あんた誰でっか？」と尋ねる表現なのです。

ⓒ **It's fine today.** 【天候】
（今日は晴れたね）

ⓓ **It's Wednesday today.** 【曜日・日付】
（今日は水曜日）

ⓔ **What time is it?** ── **It's 11 o'clock.** 【時間】
（今何時？ ── 11時だよ）

ⓕ **It's 5 kilometers from here to the station.** 【距離】
（ここから駅まで5キロだよ）

状況を受ける it は実に広範に使われます。大切なのは「受ける」キモチ。**身のまわりに流れる状況を感じたら, 気軽に it で受ける**。そのクセをつけるだけのことです。

空を眺めていい天気。その状況を── it で受ける。今自分が置かれた時を感じて── it で受ける。ここから駅に向かう状況を想像して── it で受ける。すべての例は, 状況を it でとらえることから生まれているのです。

■ ③ it + to 不定詞／節

ここで it を使った，会話で頻出する重要な形をマスターしておきましょう。

ⓐ **It** is difficult **to speak English**.
（英語を話すのは難しい）

ⓑ **It** takes less than 7 hours **to get to Singapore**.
（シンガポールへは7時間以内で行けるよ）

表現力を大きく広げる頻出パターンです。

It is difficult to speak English.

<u>to＋動詞原形（to 不定詞）</u>

一見複雑な形をしていますが，作り方は単純。**it の内容を to 不定詞を使って「後ろから説明する」意識**です。ポイントは it が受ける単語だということ。上の文を使って意識の流れを説明しましょう。

1：まず思いついた状況（英語を話すのって）を it で受けて，文を始めてください。It is difficult ...（難しいんだよ）。
2：ここで文が終わってもいいのですが，「難しいんだよ」だけでは，相手はあなたが何を難しいと言っているのかわかりませんよね。さっそく to 不定詞で説明してあげましょう。It is difficult **to speak English**（英語を話すのがね）。これで完成。

何か心に浮かんだ内容を it にして It is difficult ...（難しいよ），It is easy

...(カンタンなんだよ)，It takes less than 7 hours ...（7時間以内なんだよ）と，文で始めてしまう。とにかく始めてしまう。その説明は後ろで説明すればいい——この形は it で始めて to 不定詞で追いかけて説明する形。さあこの意識で何度か口慣らし。すぐに使えるようになるはずですよ。

ⓒ **It is tough for me to lose 2 kilos.**
(私にとって2キロの減量は大変だ)

to 不定詞の前に for ... を加えるバリエーションもマスターしましょう。「私にとって」。誰が減量するのが難しいのか—— lose weight の意味上の主語が加えられています。

> ■ to 不定詞の意識
> 　to 不定詞は, speak English（英語を話す）を「指す」意識。it の内容を「これ！」と指して説明します。詳細は CHAPTER 11 をごらんください。it を主語以外に置いた形も紹介しています。

> ⓓ **It is surprising (that) he agreed to this deal.**
> (彼がこの取引に同意したのは驚きだな)
>
> ⓔ **It's up to you whether/if you take him back (or not).**
> (君が彼とよりを戻すかどうかは君次第だな)
>
> ⓕ **It's still not clear when the election results will be announced.**
> (いつ選挙結果が公にされるかはまだあきらかではない)

it の内容を説明するのは, to 不定詞だけではありません。（主語・動詞を備えた）節でも OK。意識の動き方はまるで同じです。it の内容を説明する意識で節をつなげる。それだけですよ。

PART 1 - CHAPTER 2：名詞　SECTION 4：代名詞

● 説明ルールと「it + to 不定詞／節」

英語の修飾ルール「説明ルール」を思い出しましょう。「説明は後ろから」。it を使ったこの形は、そのバリエーションの1つにすぎません。レポート文を思い出しましょう。

レポート文　I think [Mary is gorgeous]．
　　　　　　　　　　　↑説明

it + 節　[It] is surprising [he agreed to this deal]．
　　　　　　　　　　　↑説明

レポート文は「私が思う」その内容を、後ろに文を置くことによって説明していますね。it で作る文も、まるで同じ意識。「驚きだよ」。何が驚きなのか、その内容を to 不定詞や節で後追い説明しているにすぎません。恐れるに足らぬ、あたりまえの表現テクニック。

実践の会話では、it を後ろから説明していくテクニックは、さまざまな形と共に使われます。

(1) **It's** pleasant **here in the mountains**. (ここは山に囲まれて快適です)
(2) What was **it** like **in Barcelona**? (バルセロナはどんな感じだった？)

「快適です」と言ってから、何が快適なのかを here in the mountains。What was it like で「どんなふう？」と言ったあと、in Barcelona（バルセロナはさ）と it を説明。

(3) **It's** over, I mean, **our relationship**.
　　(終わっちまったんだよ、っていうのは、僕らの関係がね)
(4) **It's** shameful **the way he wastes his talent**.
　　(残念だよ、彼が才能を浪費しているのがさ)

「終わっちまったんだよ」——何が終わったのかを our relationship で説明。「残念だよ」を the way 以下で説明。要するに、難しいこと考えないでどんどん後ろに置いていけ。そしたら説明できる。ただそれだけだよ。

■4 it ～ that ... の強調構文

it を使った強調構文です。それほど頻繁に使われる形ではありません。というのは、この形は相手の誤解に対して反駁する際に用いられる文だからです。

おまえ昨日ネコ踏んづけちゃったんだって？
——違うよ。妹だよ，昨日ネコ踏んづけちゃったのは。

ほら，反駁していますね。これの英語バージョンが，it を使った次の形。

> ⓐ **It was** my little sister **that** stepped on the cat yesterday.
> （僕の妹なんだよ，昨日ネコ踏んづけちゃったのは）

この文は本来，

ⓑ My little sister stepped on the cat yesterday.

と言えば済むところ。ですが話し手は反駁のために It was my little sister（妹だったんだよ）と始めているのです。そして「昨日ネコ踏んづけちゃったのはね」と続けているのです。

作り方は単純そのもの。初心者の段階ではもとの文から引っぱり出すことを意識すればいい。

It was my little sister that ___ stepped on the cat yesterday .
　　　　　　　　　　　　　　　　もとの文

反駁したい my little sister を前に出して It was my little sister ... これで完成。同じ要領で，さまざまな要素を強調することができます。

ⓒ **It was** the cat **that** my little sister stepped on ___ yesterday .
（〔犬じゃないよ〕ネコだったんだよ，妹が昨日踏んづけちゃったのは）

ⓓ **It was** yesterday **that** my little sister stepped on the cat ___ .
（〔今日じゃないよ〕昨日だったんだよ，妹がネコを踏んづけちゃったのは）

ほらカンタンでしょう？

■ **強調構文と「it +節」の見分け方**

　先程紹介した,「it +節」の文とこの強調構文は, 形が似ているため区別しづらいかもしれません。だけどね,「it +節」は that 以下にフルセンテンスが続きます。

(1) It is surprising that <u>he agreed to this deal</u>.
　　　（彼がこの取引に同意したのは驚きだな）

　下線部はすべての要素がそろったフルセンテンス。ところが強調構文は, 語句を前に「引っぱり出し」ていますから, そこに「穴」があいています。

(2) **It** was my little sister **that** □ stepped on the cat yesterday.
　　　（妹なんだよ, 昨日ネコ踏んづけちゃったのは）

　that 以下に, my little sister が入るべき穴（□）がある, それが強調構文の形です。もちろん, どちらの形なのか神経を尖らせる必要はありません。強調構文は「反駁」の形。「そうじゃないよ, 妹だったんだ…」こうした文脈で使われる形ですから, 前後関係から明白にわかります。

● **強調構文——ネイティブの作り方**

　先程「初心者の段階ではもとの文から引っぱり出すことを意識すればいい」と言ったのは——もちろん——ネイティブは「もとの文作ってから, 前に出して」なんて悠長な作り方はしていないから。ネイティブは, 語順どおりに文を作っているだけ。

(1) It was my little sister

　まず,「僕の妹だったんだよ」と言い切ってしまいます。そして何が「妹だったのか」の説明文を続けます。

(2) that □ stepped on the cat yesterday.

　my little sister が入るべき箇所に穴（□）をあけておくのがポイント。「昨日ネコを踏んだのはね」と続けます。これでおしまい。

　さあ, このやり方で何度か口慣らししてみましょう。すぐにできるようになるよ。

H 人々一般をあらわす代名詞

ⓐ **You** need a visa to travel to China.
（中国へ旅行するにはビザがいります）

ⓑ **We** shall fight terrorism all the way.
（我々は断固としてテロと戦ってゆく）

ⓒ **They** say life begins at 40.
（人生は 40 から始まると言いますね）

ⓓ **People** always want what they cannot have.
（人は常に手に入れられないものを求めるもの）

ⓔ **One** should never take love for granted.
（人は愛をあたりまえのモノとして考えるべきじゃない）

代名詞には、「人々一般」を意味する使い方があります。people と one を加え、まとめて理解しておきましょう。

ⓐの **you** は、最も広く人々一般をあらわします。you（あなた）というもとの意味から「話し手自身を含まない」と考えてしまいそうになりますが、間違いです。話し手を含めた人々全般をあらわすこともできます。

ⓑの **we** を私は WE CLUB（ウイ・クラブ）とよんでいます。ほかの人々と区別して「私たちは」。自分たちのまわりに垣根をめぐらし「クラブ（仲間内）」を作る感覚を伴っているからです。文章などで書き手が I と言うべきところを we と表現することがあるのはこのため。仲間意識に訴えているのです。

ⓒの **they** は話し手自身を含まない「人々」。例文の they say は、「〜と言われている・みんな（世間で）は〜と言っている」と一般に流布した内容をあらわす決まり文句。

ⓓの **people** は少し醒めた言い方です。話し手自身を含まないのはもちろんですが、人々を自分から離れたものとしてとらえた観察目線です。「人っていうのはさ」。

ⓔの **one** は日常会話ではかなりレア。ほかの you だの we だのと比べるとはるかに高尚な言い方だからです。もしみなさんが One ... と文を始めた

217

ら，まわりは身構えます。「いいかね，人というものは…」なんて話が始まりそうだから。もちろんこの one は数字の「1」とつながりが感じられています。any one person（どんな人も）ということですよ。

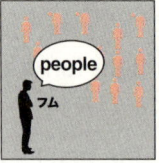

❶ 前に出てきた単語の代わりをする one

代名詞 one のもう1つの使い方を紹介しましょう。**前の文脈に出てきた可算名詞の代用として使われる one** です。ほら，日本語でも「ねえ，そこの赤いヤ̇ツ̇とって」「あの若いの̇がさ」なんて，言いますよね。そーゆー使い方をする単語。

ⓐ My **cell phone** is broken, so I need to buy a new **one**.
（僕の携帯壊れてるから，新しいの買わなくちゃ）

ⓑ My brother bought an **iPod**, so I got **one** too.
（兄が iPod を買ったので，僕も買った）

ⓒ Which is your daughter? ── The **one** with the ponytail.
（どっちがお嬢さん？ ──ポニーテールの子だよ）

ⓓ What kind of guys do you like? ──**Ones** with a good sense of humor.
（どんな男の人が好き？ ──ユーモアのセンスがある人よ）

ⓐでは前の cell phone の代わりとして使っています。a new cell phone ということ。同じ単語を**しつこく繰り返すのは不格好ですよね。それが one の存在理由**。ⓑのように修飾語が付かないとき，× a one とは言わないことに注意しましょう。a new one, a small one は OK だけど，a one はおかしいということ。one が受けるのは必ずしも前の文脈に出てきている単語とは限りません。ⓒは，文脈からあきらかな単語（girl）の代わりに使っています。

one は，dog や cat と同じ可算名詞として使うことに注意しましょう。a, the を付けたり，ⓓのように複数形の ones（= guys）と使っても OK ですよ。ついでに次の使い方にも慣れておきましょう。

ⓔ **Which (one)** do you want? —— **This (one)** looks the nicest.
（どっちのがほしい？　——これが一番いーかんじ）

ⓕ Can I have **another (one)**?
（もう１つもらえる？）

which（どっちが欲しい？）と訊く代わりに which one（どっちのが欲しい？）と添えることも多々あります。

■ one と it　ADVANCED

次の意味の違いを考えてみましょう。
(1) I lost my umbrella, but luckily I found **it**.
(2) I lost my umbrella, but luckily I found **one**（= an umbrella）.

(1)の it は前文の，なくした an umbrella を受けています。つまり「なくしたその傘」を見つけたということ。デニーズに忘れていた自分の傘を見つけたんですね。一方(2)の one は，「単語の代わり」だということを思い出してください。「I found an umbrella.（１本傘を見つけた）」ということです。なくして困っていたらココスの傘立てに１本発見！〈こらこら，それは犯罪〉

■ one は不可算名詞には使えない

one は dog と同じ。可算名詞です。不可算名詞の代わりはできません。
× Chris likes white wine better than red **one**.
（クリスは赤ワインより白ワインが好きです）
これは不自然。red wine と繰り返すか，red. と終わってくださいね。

J 固有名詞

固有名詞とは「のび太」とか「ナルト」とか。人名・地名・曜日・月・会社名・書名（イタリック[斜字体]を使う）など，そのもの固有の名前です。

> ⓐ **Mr. Jones** arrived in **Tokyo, Japan,** on **Wednesday, September 26th.** Japan is a country known for its global companies like **Sony, Honda, Toyota** and so on. He decided to visit Japan after reading **Ruth Benedict's** *The Chrysanthemum and the Sword*.
> （ジョーンズ氏は9月26日水曜日に日本の東京に到着した。日本はソニー，ホンダ，トヨタなど，さまざまな世界的企業を擁することで知られた国。彼はルース・ベネディクトの「菊と刀」を読んだ後，日本に行くことにした）

固有名詞は，大文字で始め，a, the などの限定詞は——名称の一部になっている場合以外，ふつう——付きません。だって，そもそも Jones は1人。さらに限定することはできませんからね。でも…

> ⓑ She is **the Martha Stewart** of Japan.
> （彼女は日本のマーサ・スチュアート）
> ※ Martha Stewart …アメリカの「セレブ主婦」。ライフスタイルを提案してます。
>
> ⓒ I would love to own **a Maserati.**
> （僕，マセラティの車が買いたい）
> ※ Maserati …イタリアの高級自動車メーカー。日産 GTR の方が速くてすてき。
>
> ⓓ There are **two Lucys** in our class.
> （僕のクラスにはルーシーが2人いる）
>
> ⓔ **The Nancy** I know is a nurse.
> （僕の知ってるナンシーは看護師）

固有名詞に限定詞が付いたり，複数形になる場合もあるんですよ。ただこの場合，「～のような人（ⓑ）」，「～の製品（ⓒ）」，「～という名前の人（ⓓ・ⓔ）」など，唯一のものを指す固有名詞本来の機能を離れ，特別な意味を担っていることに注意しましょう。

固有名詞の作り方：the のあるなし

　長かった「名詞」。大変でしたね。おつかれさま。英語名詞の繊細さにきっと驚かれたことでしょう。ですがあせることはありません。毎日英語を使っていれば徐々に慣れていきますよ。さあ，最後は読み物。「マスターしよう」などと思わず，気楽に「あーこんなに繊細なんだ」ってお楽しみくださいね。お題は，「固有名詞の作り方」。名前と the の関わりです。

London Bridge

■厄介な事実：the のある・なし

　固有名詞の中には，the が名称の一部となっているものが，数多くあります。the Red Sea（紅海），the Sahara Desert（サハラ砂漠），the Golden Bridge（金門橋）などがその例ですが，一方，London Bridge（ロンドン橋），SONY（ソニー：会社名），あるいは Shinjuku Station（新宿駅：鉄道駅）には the が付きません。

　もちろん，「名前」ですから最終的にはそれを決めた人の意向もあり，100%

の確度で the の有無を予測することはできません。ですが，英語超上級者を目指すみなさんなら，ネイティブがどんな意識で「名前」を考えているか知るのもムダではありません。ちょっと長いけどお付き合いくださいね（それ以外の人は特に読まなくても大丈夫。the Tower of London（ロンドン塔）を Tower of London だと思っていても困ることは何ひとつありませんから）。

■ なぜ the が名前に付けられるのか

それではまず，なぜ名前に the が付けられるのでしょうか。この疑問を解くためには，「名前」というものがそもそもどういった機能をもっているのかを知らなくてはなりません。

「名前は1つのもの・1人の人を指すためにある」

「太郎」という名前は太郎君1人を紛れなく指し示すために，付けられます。あたりまえですね。もしある男の子が「なっとう」という名前だったとすると，途端に不便なことが起こります。茨城県名産の晩ご飯に出てくるとブルーになってしまう，「なっとう」と区別が付かなくなってしまいますから。「なっとうがすごく好き」と言ったとき，その子が好きなのか，食品が好きなのかわからなくなってしまう。だから名前は通常，それらしい名前専門の単語を当てるのです。例えば「太郎」とかね。

さて，まず 地名（都市名） を考えてみましょう。London，Paris，New York，Tokyo，Urawa。「太郎」など人名と同じように，聞いただけで「1つの場所」が浮かびます。だからこのまま名前として使うことができます。SONY（ソニー），HONDA（ホンダ），TOYOTA（トヨタ），BRIDGESTONE（ブリヂストン）などの 企業名 も人の名前と同じ。聞いただけで「1つの会社」が浮かびます。だからそのまま名前として通用するのです。

the が付けられる名前は，そのちょうど逆。

the が付く名前の基本は，「なっとう」のような「一般的な単語」で名前が作られている場合です。例えば米国大統領の住む the White House を考えてみましょう。white（白）も house（家）も，名前のために特別にあつらえられた単語ではありません。一般的な単語。これが名前であることをハッキリと示すためには，「1つを紛れなく示している」ことを示す必要が強く感じられます。ほら，わかってきた。それが the なのです。「1つに決まる」

を意味にもつこの強い単語が，一般的な単語で作られた the White House が名前として機能することを保証し，支えているのです。

■ the を必要としない形，必要とする形

実は，一般的な単語が入っていても，the を必要としない「形」があります。それは次の形。

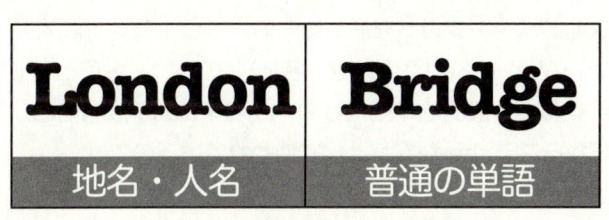

London	**Bridge**
地名・人名	普通の単語

London Bridge（ロンドン橋）

名前の中には，「地名・人名＋ふつうの単語（名詞）」のコンビネーションで作られるものが多々あります。ふつうの単語が使われていますが，the は必要ありません。地名・人名という固有名詞の王様が冒頭に来ることによって「あ．名前なんだ」が強く意識されるから。ちなみに，同じ bridge（橋）でも the Golden Gate Bridge（金門橋）には the が必要です。ふつうの単語ばかりでできているからですよ。次の例はすべて「地名・人名＋ふつうの単語」の例。the が付いていないことを確認してください。

- **大学** Oxford University（オックスフォード大学），Cambridge University（ケンブリッジ大学），Harvard University（ハーバード大学）
- **通り** San Diego Freeway, Hendon Way, Finchley Road, Irvine Boulevard（アーバインブルバード〔大通り〕）Baker Street, Yale Avenue
- **駅** London Bridge Station（ロンドンブリッジ駅），Shinjuku Station, Ueno Station
- **公園** Kensington Gardens（ケンジントン公園），Hyde Park（ハイドパーク）

さて、１つ面白い例をお目にかけましょう。

[画像] = | **Buckingham** | **Palace** | = **the Royal Palace**
　　　　| 地名・人名　　 | 普通の単語 |

有名なイギリスの王宮、バッキンガム宮殿には２とおりのよび方があります。１つは地名バッキンガムを使ったもの。もう１つは the を用いたもの。ほら、「地名・人名＋ふつうの単語（名詞）」のもつ、名前としての「強さ」がわかりますね。一般的な単語だけの Royal Palace は名前として「弱く」感じる、だからこそ the が支えとして使われているのです。

逆に the が必要な形は次のもの。

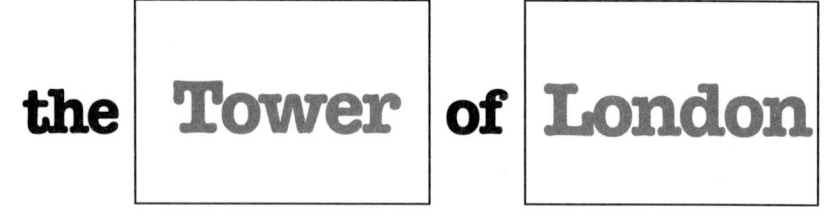

the Tower of London

the Tower of London（ロンドン塔）

tower of London（ロンドンの塔）だけでは、名前に最も必要な「１つを紛れなく示している」を保証することはできません。ロンドンの塔にはいろいろあるでしょうから。だから the を付ける、the によって紛れない「１つ」を指していることを示しているのです。

■ the の与える「光」

名前に the を付けるかどうか。それを大きく左右するのが the の解説でも触れた、「光」です。「権威ある」「有名な」「壮大な」「おお」という感触が、「１つに決まる：これしかない」の the には宿ります。名前は、その効果を特に期待できる領域です。ホテル名・新聞名には the が付くことをすでに指摘しましたね。

| ホテル名 | the Savoy (Hotel), the Sheraton Hotel
| 新聞名 | the Independent（インディペンデント紙）, the Washington Post（ワシントンポスト紙）
| 博物館・美術館・建物 | the National Gallery（ナショナルギャラリー：ロンドンの美術館）, the Metropolitan Museum（メトロポリタン美術館：ニューヨークにあります）, the Leaning Tower of Pisa（ピサの斜塔）, the Empire State Building（エンパイアステートビルディング）
| 銀行名 | the Bank of Japan（日本銀行）, the Bank of England（イングランド銀行）

　まずは the Washington Post に注目してみましょう。みなさんご存じのように Washington は元々人名。それが州名になっています。まあともあれ名前。「名前（Washington）＋ふつうの単語」ですから，これだけでも十分名前として通用します。ですが「権威ある」「誰でも知っている」新聞名。光が欲しい。だから the Washington Post と the が重ねられているのです。

　博物館・美術館など誰もが知っている施設にも the がしばしば用いられます。the National Gallery は national（国民の），gallery（美術館）と一般的な単語だけ。そもそも the が必要なのですが，そこにはさらに「光」を与えようという意識も働いています。the が銀行名に非常によく使われるのも同じ理由。the Bank of Japan は，「A of B」。ただでさえ the が必要な形であるのに加え，銀行のもつ「権威」を the があらわしている，「どうしても the がいるだろ，ここは」レベルの意義ある the なのです。

　河川・大洋・海・半島・砂漠など，自然の地形で突出したものについても the は必須です。地域の生活の中で「誰もが知っている」「有名な」ものですよね。どれも。

| 河川 | the Amazon (River)（アマゾン川）, the (River) Thames（テムズ川）, the Atlantic Ocean（大西洋）
| 海 | the Sea of Japan（日本海）, the Caribbean Sea（カリブ海）, the Gulf of Mexico（メキシコ湾）, the English Channel（イギリス海峡）
| 半島 | the Izu Peninsula（伊豆半島）
| 砂漠 | the Sahara (Desert)（サハラ砂漠）

ちなみに, 山 はふつう1つ1つに「富士」といった独自の名前が与えられているので, Mt. Fuji（富士山）のように the は付きません。「太郎君」と同じです。また 山脈 は「the + 複数形」でまとまりをあらわす使い方（☞P.165）。**the** Himalayas（ヒマラヤ山脈）となります。

　「地名・人名＋ふつうの単語」には the はいらない。「A of B」には the がいる。それが「形」からの判断。そしてそこに「光」を付け加えるかどうかのさじ加減が加わって,「名前」はできあがっているというわけ。どうですか。すっごく繊細でしょ？　さて, 最後に問題を差し上げましょう。みなさんなら「エッフェル塔」は英語でなんと言いますか？　僕なら,

the Eiffel Tower

としたいところです。(the) Tokyo Tower（東京タワー）のように地名が前にくると,「地名＋一般的な単語」ですから the を付けて「光」を与えるかどうかは, 命名者の判断です（東京タワーにはどちらのバージョンもあります）。ですが, エッフェル塔に関しては「人名＋一般的な単語」をしているとはいえ, 僕ならやはり the を付けます。だって, Eiffel は Gustave Eiffel（技術者）というただの人なんだもの。どう考えたってパンチが足りない。Lincoln Center（リンカーンセンター）とはわけが違います。そこで,「名前なんですよ」,「ガッツリした塔なんですよ」と主張するために, the Eiffel Tower。

　さて, 名前の後ろに隠されたネイティブの意識, 理解できましたか？ 100%の予測は困難。だって「名前」なんだもの。だけど, 意識がわかれば, 新しい名前に出会う度に納得ができる。自分でも作れるようになる。がんばってね。

PART 2

修飾
MODIFICATION

CHAPTER 3：形容詞
CHAPTER 4：副詞
CHAPTER 5：比較
CHAPTER 6：否定
CHAPTER 7：助動詞
CHAPTER 8：前置詞
CHAPTER 9：WH修飾

■PART 2の内容

PART 1ですでにみなさんは，英語の骨格を形作る「文型」そして文型の主要要素「動詞」「名詞」について十分な知識をもっています。

PART 2ではこの基礎に，修飾のテクニックを加えていきましょう。PART 2の目標は「修飾」。文の骨格を補足し，詳しく述べるテクニックを学んでいきます。

■品詞と修飾

修飾とは文のある要素を詳しく述べること。漠然と「ペン」と言う代わりに「赤いペン」。ただ「ピアノを弾いた」の代わりに「ピアノを上手に弾いた」。表現の精度を上げるテクニックです。

修飾にはあらゆる要素を使うことができますが，PART 2では代表的な品詞——形容詞・副詞・助動詞・前置詞を中心に解説します。それぞれの基本的な機能は次のとおり。

■形容詞（CHAPTER 3）

名詞を修飾する働きをもった語句を「形容詞」とよびます。

■副詞（CHAPTER 4）

名詞以外を修飾する語句を副詞とよびます。形容詞を修飾する場合も動詞を修飾する場合も文を修飾する場合も前置詞を修飾する場合も「副詞」。とってもおおざっぱな用語です。僕が大学のときに師事した教授は「品詞のゴミ箱」とよんでいました。あはは。

■助動詞（CHAPTER 7）

疑問文——否定文を作るときに使われる do，完了形に使われる have のほか，話し手の心理をあらわす will, must, may, can, should など，動詞句を修飾する語句を「助動詞」とよびます。

■前置詞（CHAPTER 8）

in, on, with など名詞の前に置き，時間・場所など位置関係をあらわすものを「前置詞」とよびます。

ご注意ください。品詞は絶対的なものではありません。例えば，「in ＝前

置詞」と品詞を暗記するだけではネイティブの英語力は手に入りません。

ⓐ He is **in** the classroom. 　　（彼は教室にいる）　　　　　　【前置詞】
ⓑ Red is the **in** color this year. 　（赤は今年の流行色です）　　【形容詞】
ⓒ Miniskirts are **in** this year. 　　（今年はミニが流行しています）【形容詞】
ⓓ Please come **in**. 　　　　　　　（お入りください）　　　　　【副詞】

　同じ in でも使い方いろいろ。「in ＝前置詞」が通用するのは，英語学習の初期段階だけなのですよ。品詞に神経質にならなくても大丈夫。PART 2で品詞別に解説を加えているのは，各品詞で典型的に使われる語句を紹介するための，便宜上の章立てにすぎません。

■ ネイティブの修飾と，限定・説明ルール

　ネイティブ並の自在な修飾力を手に入れるのは難しいことではありません。まずは，修飾について考え方を大きく転換してください。それは**「文内での場所が修飾の働きを生み出す」**ということです。

ⓑ Red is the **in** color this year.

　in が color を修飾して「流行の色」と，形容詞の働きをもつのは，color の隣に置かれているから。Onishi method（大西方式），Tokyo office（東京支店）――名詞の前に置けば固有名詞すら形容詞として働きます。

ⓓ Please come **in**.

　同じように，in が come を修飾して「中にくる」と，（動詞を修飾する）副詞の働きをもつのは，come の隣に置かれているからです。**「なんでも隣に置けば修飾できるんだよ」**――これがネイティブの修飾。ネイティブのもつ自由です。ほらカンタンでしょう？

229

「場所が修飾の働きを生み出す」——それがわかったら次に頭に入れるのは，修飾の方向。

ⓑ Red is the **in** color this year.
ⓒ Miniskirts are **in** this year.

ⓑ・ⓒで，in は修飾のターゲット（修飾される語句）の前，後ろにそれぞれ置かれています（ⓒの be動詞は文の形を整えるための意識されない要素。この文は miniskirts のすぐ後ろ［隣］に in を並べる意識で作られています）。前から・後ろから——この２つの修飾方向は，修飾の意識が大きく異なります。これが「英文法の歩き方」で紹介した修飾の汎用ルール，**限定ルール**（前から限定）・**説明ルール**（後ろから説明）。

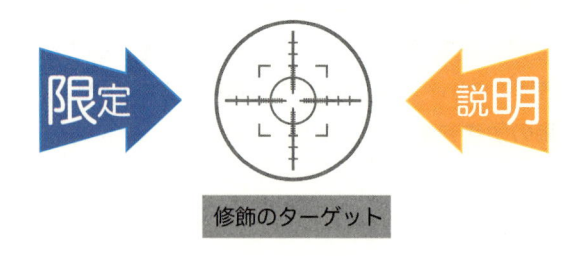

in color は「流行の色」。どういった種類の色なのか，in が color を限定するのに対し，Miniskirts are in. と後ろにまわれば，「ミニは流行ですよ」と miniskirts に説明を加えることになります。

限定ルールと説明ルール。すべての修飾は，非常に単純に作られています。この２方向の修飾をあらゆる語句と共に使いこなすことができれば，みなさんは完全な修飾テクニックをモノにすることができます。

さあ，それではさっそく始めましょう！

CHAPTER 3

形容詞

ADJECTIVES

名詞を修飾する，それが形容詞。big（大きい），small（小さい）などの単語が典型的な形容詞にあたります。だけどね，大切なのは「名詞の前後に置けば形容詞として働く」を身につけること。「限定・説明ルール」を上手に名詞に使う——それがこの章のポイントです。

■ 形容詞とは

　名詞を修飾する表現を「形容詞」とよびます。語句を形容詞として使うためには，名詞の前後に配置してください。この位置にくれば，どんな語句も形容詞として機能するということ。お気軽に並べてくださいね。

ⓐ Look at that **big** guy.　（あのデカい男を見てごらん）
ⓑ John is **big**.　　　　（ジョンはデカいよ）

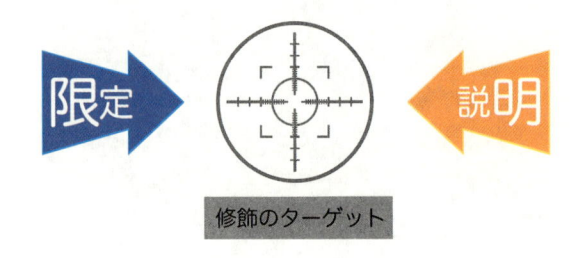

　形容詞を前に置くか，後ろに置くかは重要な意味をもっています。そう限定ルールと説明ルール。
　典型的な形容詞 big（大きな）を考えてみましょう。前に置くとき，形容詞はいつも「どういったものなのか」，種類を限定するように働きます。ⓐの big guy はただの男じゃなくて「大きな男」。どんな男なのかその種類を限定しています。一方後ろに置くと，説明。ⓑはジョンを「大きいんですよ」と説明しています。

■ 典型的な形容詞以外でも，形容詞として使えます

名詞の前後に配置すれば，どんな語句も形容詞として機能します。

ⓐ **customer** satisfaction 　　　（顧客満足）
ⓑ **machine** translation 　　　　（機械翻訳）
ⓒ **English-speaking** countries 　（英語を話す国々）
ⓓ **written** English 　　　　　　（書き言葉で使われる英語）

　ⓐ・ⓑのように普段名詞として使われるものであっても，customer は「顧客の満足」と形容詞として satisfaction を修飾しています。ⓒ・ⓓの -ing形，過去分詞形もやはり形容詞。もちろん前からの修飾ですから「(タダの国々ではなく) 英語を話す国々」と種類の限定になっています。ためしにさらに「顧客満足」を形容詞として使ってみましょうか。

ⓔ **customer satisfaction** survey 　（顧客満足度調査）

　やっぱり名詞（survey）の前に置くだけで，形容詞として働いていますね。ほら，カンタンだよ，修飾なんて。

　形容詞として名詞を修飾したかったら，ごちゃごちゃ言わずになんでも並べてみなさい——形容詞はそれで征服できるのですよ。

SECTION 1 前から限定

▶形容詞を前に置いて名詞を修飾してみましょう。

A 限定する

ⓐ Look at the **cute** girl over there.
（あそこのかわいい女の子，見てごらん）

ⓑ This guy with a **goofy** face asked me out. I just laughed!
（この間抜けな顔した男がさ，デートに誘うのよ。笑っちゃった！）

ⓒ These **rotten** eggs stink!
（この腐った卵，ひどくくさいよ！）

名詞がどんな種類のものなのかを限定する，それが前に置いた形容詞の働きです。ⓐはただの少女じゃなくて「かわいい女の子」と限定していますね。

形容詞の位置にも注意しておきましょう。前に置いて修飾する場合，the，a，these などの限定詞の後ろに置きます（☞P.134）。

B 重ねて修飾

ⓐ Mark is an **excellent though reckless** driver.
（マークは上手な，だけど向こう見ずな運転するんだよ）

ⓑ Naomi is a **bright but lazy** student.
（直美は賢いけどなまけ者の学生だよ）

ⓒ Look at that **beautiful silk** top.
（あの綺麗な絹の上着見てみなよ）

234

形容詞はいつも単独で使われるわけではありません。接続詞を使ったり（ⓐ・ⓑ），単にそのまま重ねて使うことができます（ⓒ）。

独特のカンが必要なのが，ⓒの形容詞をそのまま重ねるケース。この例では × silk beautiful top と言うことはできません——なんかヘンなんだよねぇ…。実は, 形容詞の種類によって自然に感じる順序があるんです。まぁ，あくまで「だいたい」なんですけどね。

限定詞	形容詞					名詞
	感想・評価	大きさ	新旧	色	材料・所属	
a my this	gorgeous comfortable	 big	young old	blond yellow	Swedish leather	girl armchair bird

a gorgeous young blond Swedish girl
（素敵な若い金髪のスウェーデン女性）

my comfortable old leather armchair
（僕の楽ちんな，古い革でできた肘掛けイス）

this big yellow bird
（この大きな黄色い鳥）

実は，この語順は名詞への「近しさ」に基づいています。

that beautiful silk top　（あの綺麗な絹の上着）

洋服にとって，絹であるのか皮であるのかその材質は本質的な性質です。ですが「美しい」は，ジャケットの性質を左右しない主観的な評価。だからより遠くから修飾します。

a funny old American guy　（ゆかいな歳をとったアメリカ人の男）

人間にとって「国籍」はほぼ変化することのない本質的な性質。容易に変

わる「歳をとった」は遠くから。「ゆかいな」といった主観的な評価はさらに遠く。さ，なんとなくわかったかな？

　この語順は，絶対でもないしムリをして覚える必要もありません。「近しさ」が理解できればそれで十分。英語に慣れるにしたがって，だんだんとカンが身についてきます。ネイティブだって別にムリして覚えたわけじゃないんですよ。実際。

> ⓓ I have a **5-year-old** daughter.
> 　（僕には5歳の娘がいます）
>
> ⓔ This is an amazing, **once-in-a-lifetime** opportunity. You gotta take it!
> 　（これはすごい，一生に一度の機会だよ。つかみ取るんだ！）

　形容詞は複数の表現で作ることも自由にできます。ハイフン (-) で結ばれていることに注意してください。「1つのまとまった語ですよ」をクッキリとあらわすために付けられています。ほかにも no-win-no-lose situation（勝者も敗者もない状況），no-holds-barred attitude（なんでもやるぜの態度），behind-the-scenes effort（舞台裏の努力）などなど。

■5-year-old daughter

　year に複数形の -s が付いていないことに気がつきましたか？ 25-meter pool（25メートルプール），3-year contract（3年契約）など，数値を含んだ語が前から修飾するとき，複数の -s が落ちます。（後ろからの修飾では：My daughter is 5 year**s** old.）

■日夜量産 　ULTRA ADVANCED

　複数の単語で独特の形容詞を作る。自分でお気に入りのモノを作ってもかまいませんし，長さも問いません。シャレた，「ああ，なるほど」と思わせるフレーズが——特に小説などでは——日夜量産されています。

(1) I can't stand her **I-know-better-than-you** attitude.
　（僕は，あんたよりも知ってるわって彼女の態度が耐えられないんだよ）

　はは。よくいますよね，こーゆータイプの人。ヒマがあったら作ってごらん。傑作ができるかも。

SECTION 2 後ろから説明

▶今度は後ろに置いて修飾。説明を加える意識が肝心ですよ。

🅐 説明を加える

ⓐ **My girlfriend** is **gorgeous**.
（僕のカノ女はすてきだよ）

ⓑ **She** is **beautiful and kind**.
（彼女はキレイで親切です）

ⓒ **My parents** were **strict but fair**.
（僕の両親は厳しいけど公平だった）

　名詞に説明を加える。それが後ろに置いた形容詞の働き。ⓐは my girlfriend に「ゴージャスだよ」と説明を加えているだけ。be動詞文の場合，形容詞の前に be動詞が置かれますが，思い出してください。be動詞に意識は置かれていません（☞P.71）。ネイティブは「主語の後ろに形容詞を置く」だけの意識で，この形を作っています。

　ⓐのように１語のこともあれば，ⓑ・ⓒのように接続詞で結んで説明しても——もちろん大丈夫。

> ●接続詞抜きはダメ
> 　前からの修飾と異なり，後ろからの修飾では形容詞をそのまま重ねて使うことはできません。
> × She is beautiful kind.

3 ▶形容詞

B 説明を加えるその他の例

ⓐ I'm looking for somebody better.
(もっといい人探してるの)

ⓑ I've tried everything possible.
(できることは全部やったよ)

ⓒ This is the worst scenario imaginable.
(これは考えうる最悪のシナリオだ)

ⓓ I'm afraid there are no seats available for tonight's show.
(今夜のショーには空席がありません)

ⓔ I was given a bag full of cookies!
(クッキーでいっぱいの袋をもらったよ！)

　形容詞が後ろから説明を加えていく例は，be動詞文以外にも見られます。-body(-one)，-thing，最上級の後ろ，あるいはthere文の名詞の後ろなど。共通した意識の流れがわかりますか？

　それは「足りない」ということ。「誰か(somebody)を捜してる」「袋をもらったよ」だけでは，どんな誰かなのか，どんな袋をもらったのかハッキリしません。説明が足りない。だから「もっといい，ね」「クッキーでいっぱいの，ね」と，説明を加えているのです。

ⓕ That building is 150 meters high and 35 meters wide.
(あのビルは高さ150m，そして幅は35mとなります)

ⓖ Did you know that the tallest man in the world is 2 meters 49 centimeters tall?
(世界で一番背の高い人は2m49cmだって知ってた？)

ⓗ You have to be 17 years old to drive a car in England.
(イギリスでは車を運転するには17歳でなくてはならない〔免許は17歳から〕)

① The Great Seto Bridge is 13.1 kms long.
（瀬戸大橋は 13.1km）

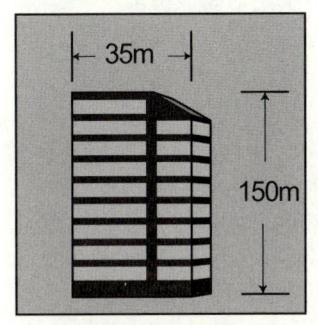

数量の後ろに形容詞が使われるパターン。このキモチ，もうわかるでしょう。「あのビルは150m」と言っただけでは，「足り」ません。ビルの何が150mなのかがわからないから。そこで「高さが，ね」と後追いでキッチリ説明。ちなみに背の高さは high でなく tall であらわしますよ（⑧）。

●後ろからの説明をよび込む「欠乏感」

今みなさんが学んだ，「足りない」——欠乏感は，典型的な「後ろから説明」の意識です。レポート文を思い出しましょう。

(1) Tom said to me he loved me.
（トムは私が好きって言ってくれた）

Tom said to me では内容が足りない。この気持ちが説明の節 he loved me を「よび込む」のでしたね（☞P.97）。ほかにも，

(2) I want something to drink.
（何か飲み物が飲みたい）

(3) There are a lot of things to do.
（やらなきゃならないことがたくさんある）

(4) I came to the conclusion that it was pointless discussing anything with her. （彼女と何を話してもムダだという結論に達した）

どの文も同じリズムでできています。説明抜きでは「足りない」，だから説明が後ろから追加される。さあ，このページのすべての例を何度か音読して，「欠乏感が説明をよび込む」リズムを身につけてください。

●前から専門・後ろから専門

「前から限定」・「後ろから説明」，形容詞の位置決めのルールはこれだけ。ほとんどの形容詞は，どちらの位置もとりますが，形容詞の中には「前から専門」「後ろから専門」のものがあるんですよ。

【前から専門】

(1) This is my **only** son.　（× My son is only.）
(2) This is the **main** road.　（× This road is main.）

　さて問題。どうして only や main が常に前に置かれるのでしょうか。うん，そのとおり。それは「唯一の」「主要な」と，限定の意味をもった単語だからですよ。ほかにも mere（単なる），chief（最も重要な），former（もとの～）などがありますが，やっぱり限定的な意味。前に置かれることはすぐにわかりますね。

【後ろから専門】

(3) He is still **asleep**.　（× the asleep guy → ○ the sleeping guy）
　　（彼はまだ寝ているよ）
(4) I'm **afraid** of spiders.（× the afraid girl → ○ the scared girl）
　　（僕，クモがこわいんだ）

　逆に，説明に特化した単語は，後ろ専門。asleep, afraid は「(～が) そうした状態にいる」という説明語。常に後ろです。後ろ専門の単語にはほかにも, alive（生きている），awake（起きている），alone（1人でいる）などがあります。

◆前位置特有の意味をもつ語

(1) The discount is only available on **certain** days.
　　（ディスカウントはある期間限定です）
(2) I'm **certain** I locked the door.
　　（僕，絶対ドアにカギかけたよ）

　前の位置特有の意味をもつ形容詞にも注意しておきましょう。代表選手は certain。この単語，後ろに置かれれば「確信している・確実だ」ですが，前に置かれると，「ある，一定の」となります。どちらもよく使われますよ。late（故：すでに亡くなった），present（現在の），old（昔からの）にも注意しておきましょう。

(3) （前）my **late** grandfather　　　　　　（私の亡くなった祖父）
　　（後）I was **late** for the class.　　　　（授業に遅刻した）
(4) （前）the **present** situation　　　　　（現在の状況）
　　（後）I wasn't **present** at that meeting.（ミーティングに出ていなかった）
(5) （前）an **old** friend of mine　　　　　（昔からの友人）
　　（後）He is **old**.　　　　　　　　　　（彼は歳をとっている）

■ certain のもつ２つの意味

certain のもつ２つの意味「確実・ある」は、もちろん無関係ではありません。どちらも確信に満ちた表現なんですよ。

(1) I met a **certain** guy.
（ある男に会ったんだよ）

a certain guy は, some guy とは違います。ぼんやりとした「ある男」ではありません。特定の具体的な「ある男」に会ったのです。only available on **certain** days. (…はある期間限定だよ) にはいささかもぼんやりした感触を含んでいません。11/11 〜 12/4 など, クッキリした特定の「ある期間」。100% の確信で「ある男」「ある期間」——ほら，２つの意味は重なっているのです。

SECTION 3 何でも形容詞

▶名詞を修飾する——名詞の前後に置くことによってどんな要素も形容詞として機能する，それが配置のことば英語です。名詞や動詞 -ing形などを形容詞として使うテクニックをつかみましょう。

🅐 名詞による修飾

ⓐ We have to do everything to prevent **child** abuse.
（児童虐待を防ぐために我々はあらゆることをしなければならない）

ⓑ Hey, he's just a **child**. Go easy on him.
（あの子はまだ子どもなんだから。優しくしてあげろよ）

child は「子ども」。そもそも名詞です。ですが abuse（虐待）の前に置けば「児童虐待」と虐待の種類を限定。また主語の後ろに置けば「彼は子どもなんだよ」と説明。

「形容詞」という機能は，名詞の前後という位置によって与えられます。big や small など典型的な形容詞でなくても自由に名詞を修飾することができるのです。ほかにも例はたくさん。child actor（子どもの俳優：子役），hotel room（ホテルの部屋），wrist watch（腕時計），summer holiday（夏休み），car key（車のカギ），dog food（犬の餌），bird cage（鳥かご）など。大変ポピュラーな修飾ですよ。

🅑 動詞 -ing形で修飾

ⓐ **His smile** is warm and very **inviting**.
（彼の笑顔は温かくてとっても魅力的なの）

ⓑ **What you just said** is **interesting**.
（君が今言ったこと，面白いね）

ⓒ There are many **English-speaking** countries.
（英語を話す国々はたくさんある）

動詞 -ing形は「〜している」。躍動的状況を想起させる形です。-ing も名詞の前後に置いて，名詞修飾に使うポピュラーな形です。

ⓐの inviting に very が付いていることに注意しましょう。very small（とても小さい）と同じように，-ing が形容詞として気楽に使われていることがわかりますね。

とはいっても，inviting はやはり -ing。attractive（魅力的な）のような本格の形容詞とは違います。「手招きしている」ような**躍動的な感触**をもっているのです。ⓒの English-speaking（英語を話す）も同じです。「英語をがちゃがちゃしゃべっている」という感触があるんですよ。躍動の -ing を形容詞として気楽に使うテクニック。ぜひ身につけてください。

ⓒ 過去分詞形で修飾

ⓐ **Written** English is sometimes different from **spoken** English.
（英語の書き言葉は話し言葉と時々異なる）

ⓑ **He** is not **well-known** as an artist yet, but he will be one day.
（彼は芸術家としてはまだ知られていないけど，いつかそうなる）

ⓒ I love coming here in the off-season because the beaches are **deserted**.
（僕はシーズンオフにここに来るのが好き，ビーチがガラッとしてるから）

動詞過去分詞形（-ed ☞P.476）は「受動（〜される）」。やはり形容詞と同じように気楽に名詞を修飾できます。write（書く）から written English（書かれた英語）。desert（放棄する）から deserted（人通りがない・閑散とした）。

■ 過去分詞形「～してしまった」

過去分詞での修飾は「受動（～される）」が支配的です。ですが，まれに
(1) **the retired professor** （退職した教授）
(2) **fallen leaves** （落ち葉）
など，完了（できごとが終わってしまった）の意味で使われることもあります（☞P.495）。

■ 過去分詞形の強力な生成能力　ULTRA ADVANCED

過去分詞形（～される）は，異常な（！）形容詞生成能力をもっています。
(1) **untold** history of Japan（日本の秘められた歴史）
(2) The question was **unanswered**.（その質問は答えられることがなかった）

　そもそも **untell** などといった動詞は存在しません。ですがムリヤリ過去分詞にして「誰にも語られたことのない」という形容詞を生み出しています。すげー。

　過去分詞形は，名詞！からすら形容詞を生み出します。four-legged（4本足の），good-natured（性格のよい），skilled（熟練の），diamond-shaped（菱形の），one-eyed Jack（片目のジャック）などなど。え？「なぜ『4本足の』は four-legged なのか」って？　はは，「4本足に（形作られた）」と補ってみてください。「いい性格に（形作られた）」「（トレーニングによって）技術を熟練された」と「～された」が隠されているのです。a born artist（生まれながらの芸術家）と同じですよ。「artist として生を受けた」ということですよね。

D -ing形 vs 過去分詞形（感情をあらわす）

ⓐ That game was really **exciting**.
（本当にわくわくするような試合だった）

ⓑ I was really **excited** watching that game.
（試合見ながらホントにわくわくしたよ）

　-ing と過去分詞は，大変頻繁に感情をあらわす形容詞として使われます。でね，間違いが多発するのもこのポイント。上の例で -ing と過去分詞がどんな基準で使い分けられているかわかりますか？

　そのとおり。**-ing形は感情をよび起こす原因，過去分詞形は，感情をよび起こされた人**について使います。ⓐの主語に注目しましょう。「試合」は私をわくわくさせた原因ですよね。だから exciting と修飾。ⓑの文の主語は「私」

――感情をよび起こされた人。だから excited で修飾しています。

こうした使い分けは、そもそもの動詞の意味から。excite は「わくわくさせる」という意味。「わくわくさせるような」が exciting となり、誰かが「わくわくした」は excited（わくわくさせられた）となるというわけ。

■ 感情をあらわす動詞

excite に限らず、英語では感情をあらわす動詞はすべて「～させる」という意味。つまりこの「原因なら -ing・人なら過去分詞」はすべての動詞共通のパターンとなります。

☐ surprise（驚かせる）-surprising（〔原因が〕驚かせるような）-surprised（〔人が〕驚いて）
☐ please（喜ばせる）-pleasing（喜ばしい）-pleased（喜んで）
☐ satisfy（満足させる）-satisfying（満足できる）-satisfied（満足して）
☐ worry（心配させる）-worrying（心配させるような）-worried（心配して）
☐ disappoint（ガッカリさせる）-disappointing（ガッカリさせるような）-disappointed（がっかりして）

もう十分かな。もう2つだけ例文をあげておきましょう。

(1) He has been very **disappointing** as Prime Minister.
（彼、首相としてはかなりガッカリだよ）
(2) I was **disappointed**.（僕、ガッカリした）

■ 感情の動詞以外でも

感情の動詞以外でも、同様の使い分けがあるモノがあります。よく使われるのが tire（疲れさせる・うんざりさせる）です。

(1) The race was very **tiring**.（そのレースはとても大変だった）
(2) The **tired** runners were happy to finish the race.
（疲れたランナーたちはレースを終えてホッとしていた）

● くれぐれもご注意

-ing と過去分詞の修飾。しっかり理解しておいてくださいね。本当に間違いが多く、しかもかなり「目を射る」大きな間違いです。「ジョンはビックリした」を John is surprising.（ジョンは驚くべき人だ）とやってしまうことがよくあるんです。気をつけて。

さんきゅ

You can...

いーよーん

CHAPTER 4

副詞

ADVERBS

「名詞以外を修飾する表現」を副詞とよびます。「名詞以外」から予想されるとおり，副詞には非常に様々な種類の修飾語が含まれます。だけどね，大切なのは限定ルールと説明ルールだけ。

■ 副詞とは

　副詞とは，名詞以外を修飾する表現です。種々雑多な修飾要素がこれにあてはまります。

ⓐ I had a party **last night**.　　　　　　【時】
　（昨晩パーティーやったよ）

ⓑ Many people were waiting **at the bus stop**.　【場所】
　（たくさんの人々がバス停で待っていた）

ⓒ He is **very** annoying.　　　　　　　　【程度】
　（彼，とっても鬱陶しいの）

ⓓ My parents **always** nag me.　　　　　【頻度】
　（両親はいつもガミガミ言う）

ⓔ **Honestly**, I have no idea where she went.　【発言態度】
　（ホントに，彼女がどこに行ったのか全然わかんないんですよ）

　さまざまな表現が雑多に集まった「副詞」。だけどね，マスターするのは難しくありません。

■ 場所が機能を生み出す

　英語は配置のことば，でしたね。名詞の前後に置けば形容詞として働いたことを思い出してください。同じです。「名詞以外」の前後に置けば，副詞です。みなさんは何も気にすることなく，修飾したい語句の前後に――今までどおり――語句を並べればいいのです。それで修飾は完了。

　上の例文ⓐ～ⓔでは，副詞の位置がマチマチであることに注目しましょう。副詞は比較的位置の自由度が高い表現ですが，それでもその種類によって定位置があります。「場所は後ろ」「程度は前」，といった具合にです。

ⓑ Many people were waiting **at the bus stop**. 【場所】
(たくさんの人々がバス停で待っていた)

ⓒ He is **very** annoying. 【程度】
(彼、とっても鬱陶しいの)

　もちろん丸暗記の必要はありません。この定位置を支配しているのは、もうおなじみの限定ルール・説明ルール──「限定なら前」「説明なら後ろ」だからです。

限定　→　修飾のターゲット　←　説明

　場所の副詞は、できごとがどこで起こったのかを説明します。「たくさんの人々が待っていた」に「バス停で、ね」と説明を追加するために使われるので後ろに置きます。程度の副詞は限定の働き。very annoying で、very は annoying の程度を限定。「とてもレベルの annoying だよ」と限定するため、前に置かれるのです。

　副詞の征服は、語彙を増やすだけでなく「どこに置くか」を知ることがポイント。限定ルール・説明ルールがみなさんを正しく導いてくれますよ！

　さあ、始めましょう。

SECTION 1 説明の副詞

▶まず，ターゲットの後ろ，説明位置に置く副詞をマスターします。

A 時をあらわす副詞

ⓐ **I walked my dog yesterday.**
（昨日犬を散歩に連れていったよ）

ⓑ **I had a party last night.**
（昨晩パーティーやったよ）

ⓒ **Wake me up at 6:30, Mom.**
（6時半に起こしてね，お母さん）

　時をあらわす副詞は，文末が定位置。文であらわされたできごとがいつ起こったのかについて「説明」を加えるからですよ。説明ルールです。

※時表現と前置詞については（☞P.400）

●カレンダー関連の言い回し

　日常会話で頻出するのが，「今日」「明日」「あさって」などの言い回し。とくにポピュラーなものをあげておきました。反射的に使えるようにしてくださいね。

【注意】ネイティブの中でも誤解のあるのが this と next の使い方。16日を next Saturday（次の土曜日）と考える人がいるからです。next Saturday と言われたとき，Do you mean this coming Saturday or a week on Saturday?（今度の土曜日？　それとも1週間後の土曜日？）と確かめることもよくあります。

2010 last year		**2011** this year			**2012** next year	
September last month			October this month		November next month	
Sun	Mon	Tue	Wed	Thu	Fri	Sat
					1	2
	←a week ago(back) / this time last week		the week before last			
3	4	5	6	7	8 3 days ago	9 the day before yesterday
			last week			
10 yesterday	11 today	12 tomorrow	13 the day after tomorrow	14	15	16 this Saturday
			this week			
17	18 a week (from) today	19 a week tomorrow	20	21	22	23 next Saturday
			next week			
24	25 in a fortnight / in 2 weeks / in 2 weeks' time / 2 weeks (from) today	26	27	28	29	30
			the week after next			

B 場所をあらわす副詞

ⓐ **Many people were waiting at the bus stop.**
（たくさんの人々がバス停で待っていた）

ⓑ **Terrible things happened here.**
（ここでひどいことが起こったんだよ）

　場所の副詞も文末が定位置。できごとがどこで起こったのかについて説明を加えるからです。　　※場所表現と前置詞については ☞ P.375

■home, abroad は場所表現に使える

場所表現でその感触が理解しづらいのは、home と abroad。少しだけ説明しておきましょう。

(1) Let's go **home** before it gets dark. (暗くなる前にうちに帰ろう)

go to home じゃなく（go there のように）go home。この文では home が場所表現として使われていますよね。come home（家に帰る）, stay home（家にいる）, on my way home（家に帰る途中で）, I'm home.（帰ったよ）…非常にポピュラーな使い方です。この使い方に慣れてもらいたいのです。

home は名詞として使われるときも house とは違う響きをもっています。house は物体としての「家」。home はもっと豊かな「（家族と共に暮らす, 自分の属する）場所」としてとらえられているのです。

(2) I want to die in my own **home**. (自分の家で死にたい)
(3) Make yourself at **home**, OK? (くつろいでくださいね, いい？)

「家族がいる・自分のいるべき場所で死にたい」「自分の家（＝落ち着いていられる場所）のように感じてね」ということですね。この「場所」意識が, 場所表現としての使い方につながっているのです。home は心がいつも戻る場所なのですよ。

abroad は単純。「広く（broad）あちこち→外国で」ということ。そもそも場所を示す単語です。

(4) I studied **abroad**. (僕は留学したよ)

●定位置からの移動

副詞の配置は厳密に決まっているわけではありません。文の前後関係や強調によって場所を変えることができます。例えば今まで紹介した文は,

(1) **Yesterday,** I walked my dog.　　　　　Yesterday, I walked my dog.
(2) **At the bus stop,** many people were waiting.

と文頭に移すこともできます。ただこの場合, 聞き手は「ああ yesterday, at the bus stop を強調したいのだな」「そのために前に移したのだな」と感じます。カンマ（,）──読むときにはその位置でポーズ（小休止）──が置かれ, 定位置から移されたことが示されます。

ⓒ「どのように」「どれくらい」── 様態をあらわす副詞

ⓐ We ran **really fast** and just managed to catch the last train.
（本当に速く走って，ギリギリ終電に間に合った）

ⓑ The player scored **with his hand,** not with his head!
（そいつ〔サッカー選手〕は手で入れたんだ。頭じゃない！）

ⓒ I beat my best time for the 100 meters **by 0.8 seconds**.
（僕は100mの自己ベストを0.8秒上回った）

ⓓ You'd better do **exactly as I tell you**, or you'll be in big trouble.
（正確に言うとおりした方がいい，さもないと困ったことになるぜ）

どのように行為がなされたか──様態──を説明する表現は，もちろん動詞句の後ろが定位置です。

● 動詞 -ing形・過去分詞形による修飾

配置のことば英語では，語句の機能は位置が決めます。副詞の位置（名詞以外の語句の前後）に -ing形や過去分詞形を置けば，副詞として働きます。

(1) She came **running** into the office.
（彼女はオフィスにかけこんできた）

(2) They left the theater **disappointed**.
（彼らはガッカリして映画館を出た）

動詞句の後ろに配置すれば，ほら，様態の副詞となります。修飾したければ前後に置け──英語修飾はカンタンですよ。

D 副詞の重ね方

ⓐ The couple argued **bitterly in the restaurant last night**.
（そのカップル，昨晩レストランで激しく口論していたんだよ）

ⓑ The barbecue will start **around 1 o'clock tomorrow**.
（バーベキューは明日のだいたい1時からだよ）

ⓒ We first met **at the Louvre in Paris**.
（僕たちが初めて会ったのは，パリのルーブル美術館）

副詞を複数重ねるときの語順に注意をしましょう。ⓐを見てください。**「様態→場所→時間」が基本**となっていることがわかりますね。様態が一番「内側」にくるのはあたりまえ——様態は行為を修飾するのに対し，場所・時はそれを含むできごと全体を説明するからです。また，場所・時の副詞は「場所→時」の順番が最も自然です。

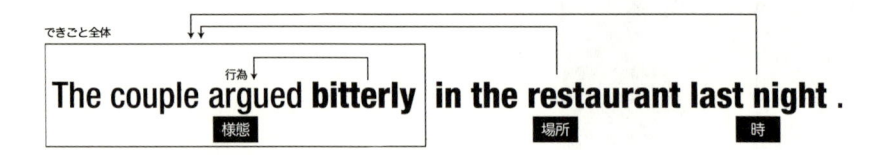

```
できごと全体 ↓
        行為 ↓
The couple argued bitterly   in the restaurant   last night .
              様態                 場所                時
```

場所・時を重ねて説明するときの語順にも注意します。どちらも**「狭い→広い」の順番が自然**です。

The barbecue will start **around 1 o'clock tomorrow**.

We first met **at the Louvre in Paris**.

●-ly 副詞

語尾の -ly は副詞によく使われる重要なマーク。英語には「形容詞 + ly」で副詞になる語が数多くあります。

(1) My computer is **slow**. （僕のパソコンは遅い）　【形容詞】
(2) My computer works **slowly**. （僕のパソコン動きが遅い）【副詞】

　slow-slowly（ゆっくりな・ゆっくりと），happy-happily（幸せな・幸せに），easy-easily（簡単な・簡単に），true-truly（本当の・本当に），simple-simply（単純な・単に），beautiful-beautifully（美しい・美しく）など。つづりによく注意してください。単純に ly を付けるだけではないものもあります。

(3) He is **friendly**. （彼はフレンドリーだ）　【形容詞】
(4) She has a **lovely** face. （彼女はステキな顔立ちをしている）【形容詞】

　-ly で終わっているからといって必ずしも副詞というわけではありません。friendly（親しみ深い），lovely（ステキな），lonely（孤独な）などは形容詞。

(5) He is an **early** riser. （彼は早起きな人です）【形容詞】
(6) He gets up **early**. （彼は早く起きる）　【副詞】

　「副詞なら -ly」と考えるのも間違いです。同じ単語が形容詞・副詞をカバーすることはいたってふつうです。ほかにも fast（〔速度が〕速い・速く），first（最初の・最初に），last（最後の・最後に），long（長い・長く），far（遠くの・遠くに），hard（かたい，厳しい，一生懸命な・一生懸命に），right（右の・右に）——ただし right-rightly（正しい・正しく）ですから要注意——などなど。

(7) This week's assignment was **hard**. （今週の宿題は難しかった）
(8) We **hardly** know each other. （僕たちはほとんどお互いを知らない）

　-ly が付くと，もとの単語から意味が離れることがあります。hard は「かたい・難しい」，hardly は「ほとんど〜ない」。これほど極端ではありませんが，そのほかにも，late-lately（遅い・最近），most-mostly（ほとんどの・大抵の場合），near-nearly（近い・ほとんど〔しそう〕），にも注意しておきましょう。

　ちなみに hard と hardly は無関係ではありません。イメージの中ではゆるやかにつながっています。

(9) Speak up——I can **hardly** hear you.
　　（声大きくして——ほとんど聞こえないから）

　この文では hard（難しい）が生きています。「聞くのが難しい」ということですからね。

PART 2 - CHAPTER 4：副詞　SECTION 1：説明の副詞

●配置のことば英語と -ly の省略

次の文を見てみましょう。奇妙ではありませんか？

(1) He speaks so **slow** he drives me crazy!
（彼話すのがスッゴク遅いから，イライラしちゃうんだよ！）

(2) In this business you have to think **different**.
（この仕事では，違った視点から考えてみる必要がある）

(3) Don't take it so **serious**.
（そんなにマジで受けとるなよ）

　本来なら副詞の働きをしていますから slowly, differently, seriously となるはずですね。しかし特に口語では，しばしばこういった使い方をするのです。

　みなさんもすぐに出会うことになる，なんかクールな響きのあるこの使い方。その理由は，「位置さえちゃんとしてれば ly 付けなくてもわかるでしょ」。

　わざわざ -ly を付けて，「この単語は副詞ですよ，動詞を修飾しているのです」とクッキリあらわさなくても, speak so slow と動詞の後ろにあれば「speak を説明しているのだな」とわかる。だからこそ，-ly を気軽に省略しているのです。英語はどこまでも配置のことばなのですよ。

　「同じ単語で形容詞・副詞どちらもカバーするのはいたってふつう」なのもこの理由から。場所で働きがわかるため，語形を変えなくてもネイティブは悩んだりしないのですよ。

(4) Use your **right** hand. 　（右手を使いなさい）　【形容詞】
(5) Turn **right** at the post office. （郵便局で右に曲がりなさい）【副詞】

SECTION 2 限定の副詞

▶さあ，今度は限定位置に置く副詞のマスターです。ターゲットの前に置くキモチを理解してください。

A 限定一般

ⓐ These shoes are **ridiculously** expensive.
（この靴ばかばかしい程高いよ）

ⓑ The tea was **steaming** hot.
（そのお茶，湯気が出るほど熱かった）

ⓒ You stole it **just** because your mates told you to?
（友達にそそのかされただけで盗んだってのかい？）

ⓓ I was bad-mouthing Jim and he was standing **right** behind me!
（ジムの悪口言ってたら，僕のすぐ後ろに立ってたんだ！）

ⓔ You can use cell phones **only** in this area.
（携帯電話を使っていいのはこのエリアだけ）

steaming hot
アチッ

　限定の意味合いをもつ副詞はすべて前に置かれることを確認しましょう。
　ⓐは単に「（値段が）高い」じゃなく「ばかばかしい程高い」と，どんなレベルの高さなのかを限定。ⓑは単に「熱い」じゃなく「湯気が出るほど熱い」。ⓒは「〜という理由で」じゃなく「という理由だけで」と唯一の理由に限定。ⓓは単なる「後ろ」じゃなく「すぐ後ろ」。ⓔは「このエリアだけ」と限定しています

■自由に限定

限定したい要素の前に自由に副詞を置く——これができると途端にみなさんの表現に彩りが加わります。例えば only。

(1) She married him **only** for his money.
(彼女，彼のお金目当てで結婚しただけだよ)

(2) My students answer questions **only** when I point to each one individually.
(僕の学生，1人1人指した時だけしか質問に答えないんだ)

(3) You can see this snake **only** in a certain area of Okinawa.
(この蛇は沖縄のある地域だけでしか見られません)

ほら，動詞でも節でも前置詞でも，修飾したい語句の前に自由にポンポン置けばいいだけなんだよ。

ⓕ He **almost / nearly** missed his flight.
(彼はほとんど飛行機に乗り遅れるところだった)

ⓖ I **kind of** love her. (彼女がまあまあ好き)

ⓗ We **hardly** talk anymore. (僕たちはもうほとんど話さない)

動詞の前に置かれる副詞は——やはり——動詞内容を限定していることに注意しましょう。ⓕは「乗り遅れた」のではなく「ほとんど乗り遅れた」。ⓖの kind of は口語でしばしば使われます。「まあまあ・なんとなく」。「まあまあ好き」と，love her の種類（レベル）を限定しているのです。ⓗの hardly は「ほとんど〜ない」。talk を「０」に近いレベルにまで限定しています。not など，**否定的な語句は常に前置き**。それは後続表現を「０」に限定していくからなんですよ。

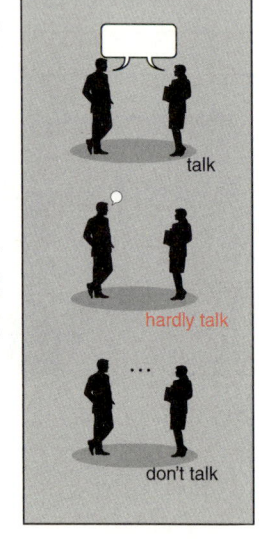

ⓑ 程度副詞

> ⓐ He is **so** annoying.
> （彼はものすごく鬱陶しい）
>
> ⓑ That is **totally** out of the question.
> （それは全く問題外ですね）

程度をあらわす副詞は，前が定位置。ターゲットのレベルを限定する働きをもっているからです。単に annoying（鬱陶しい）のか，それとも very annoying（とても鬱陶しい）なのか。はたまた so annoying（すごーく鬱陶しい）のか。前から絞り込む意識をもってくださいね。

●さまざまな程度表現

程度をあらわす表現はバリエーションが多く，しかも日常大変頻繁に使われます。それぞれの単語の感触を知って自由に使いこなしてください。

☐ **very**（とても）：最も標準的な強調表現。特別なニュアンスはありません。
(1) He is **very** smart.（彼はとても賢い）

☐ **absolutely**（完全に）：最も強度の高い単語。「一点の曇りもなく」という感覚。
(1) You're **absolutely** right.（君は全く正しい）
(2) Do you think he has a chance of winning? —— **Absolutely**!
（彼，勝つチャンスあると思う？ ——もちろんだよ！）

☐ **too**（〜すぎ）：行きすぎをあらわす表現。ブルーなキモチで使っています。
(1) She is **too** strict with her kids.（彼女，子どもたちに厳しすぎるよ）

☐ **so**（とっても）：so は感情の乗る単語です。very を上回る強さをもっています。「sooooooo」と伸ばして読んで強烈な強調を与えることもよくあります。
(1) She is **so** cute!（彼女，とってもかわいいんだよ！）

☐ **really**（本当に）：この単語にカタさはありません。真ん中からやわらかい方をカバーする単語です。
(1) He is **really** funny and kind.（彼，ホントに面白くて親切）

☐ **quite**（かなり）：読み方・顔の表情などで大きく強度が変わります。
(1) This marketing strategy is **QUITE** BRILLIANT.
（この市場戦略は本当にすばらしい）

(強 ↑ ← くだけた　かたくるしい →)

```
          too 😟
    absolutely ●         ○
               ●────────●
              so
        ●────●
       really
                  quite
              ● very ●
    pretty ●
                  ● rather
              ● fairly
              ● a little
  ●
  a (little) bit
              ● hardly
              ● barely
```
(↓ 弱)

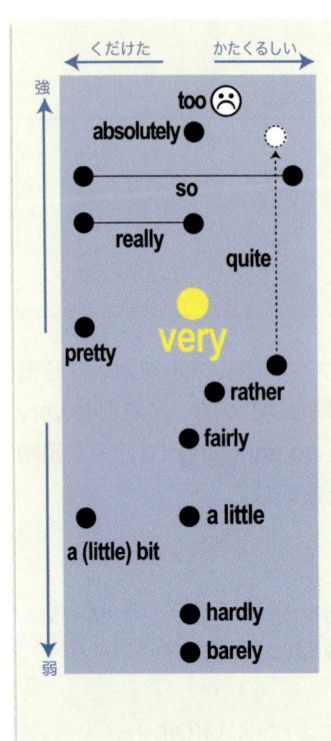

(2) Monica is **quite** good at dealing with awkward customers.
（モニカは厄介な客の扱いにかけてはかなり上手だよ）

最初の文では非常に強い強調が与えられていますが，次の文では fairly に近いところまで強調の度合いが下がっていますね。

☐ **pretty（かなり）**：くだけた言い方専門。よく使われますよ。
(1) We're in a **pretty** tough situation right now.
（今の状況はかなり厳しいな）

☐ **fairly（かなり）**：たいしたレベルではありません。a little よりは上ですが very よりはかなり落ちます。
(1) She plays the piano **fairly** well, but she needs to practice more.
（彼女のピアノはかなりいいがもっと練習する必要がある）

☐ **rather（かなり）**：否定的な文脈で使われることが多い単語。
(1) The situation is **rather** bad, actually.
（状況はかなり悪いよ，実際）

☐ **a little / a (little) bit（少し）**：どちらも同じ訳になりますが，a (little) bit の方がより口語的。「ちょこっと」って感じ。
(1) It's **a little bit** dangerous but really exciting.
（ちょっと危険だけどホントにエキサイティングだよ）

☐ **hardly / barely（ほとんど〜ない）**：どちらも同じ日本語訳ですが，barely の方がより「ない」感じがします。
(1) I was so exhausted I could **barely** stand upright.
（私はあまりに疲れてほとんどまっすぐ立っていられなかった）
(2) You'll have to speak up; I can **hardly** hear you.
（もっと大きな声ださなきゃだめだよ。君の言うことほとんど聞こえないよ）

　　bare は「裸（何もつけてない）」という意味の単語。barely は「ない」同然のかすか（faintest, slightest）な感じ，ということです。

ⓒ 頻度副詞

> ⓐ My Mom **always** nags me. （お母さんは僕にいつもガミガミ言う）
> ⓑ I **never** talk back to my wife. （僕は決して女房に口答えしません）

　頻度をあらわす副詞の定位置は動詞の前。多少の自由度はありますが，この位置が絶対の基本です。

~~always~~ My Mom **always** nags me. ~~always~~
　　　　　　　　　　　［動］

　頻度副詞が動詞の前に置かれるのは，単に「ガミガミ言う」ではなく「いつもガミガミ言う」と，どんなレベルのガミガミなのかを限定しているためです。

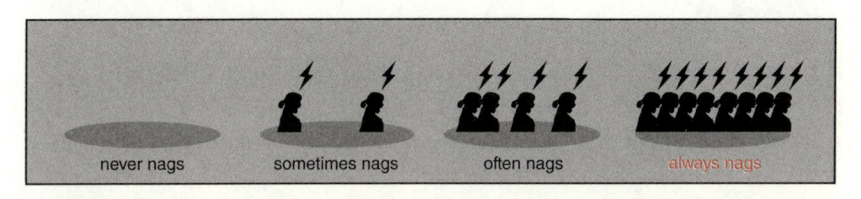

| never nags | sometimes nags | often nags | always nags |

● 動詞の前に置かれる副詞の位置

　be動詞や助動詞がある文は，副詞の置かれる位置に注意が必要です。

【be動詞】　be動詞　副詞　～

(1) My parents **are always supportive**. （両親はいつも力になってくれる）

　動詞の前に置かれる副詞は，be動詞文では be動詞の後ろとなります。実はこれはあたりまえのことなんです。be動詞に実質的な意味はありません。always が修飾したいのは supportive ですよね。だからその直前に付けるというわけ。

【助動詞】　助動詞　副詞　動詞　～

　助動詞を含んだ文では，副詞は助動詞の後ろが定位置です。

(2) I **can hardly imagine** it. （× I hardly can ...）
　　（ほとんど想像できない）

(3) I **have never broken** the law. (×I never have ...)
(法律を破ったことがない)

be動詞を使った文でも語順は同じ，やはり助動詞の後ろ。

(4) I **have never been** to Hawaii. (僕はハワイに一度も行ったことがない)
(×I never have been ..., ×I have been never ...)

一見複雑に見えますが，丸暗記の必要はありません。**この語順はみなさんがよくご存じの not と同じだから。**

(5) I am **not** a genius. (僕は天才じゃないよ) ※ be動詞の後ろ
   I can**not** do it. (僕にそれはできないよ) ※助動詞の後ろ
   I can**not** be a flight attendant. (私に客室乗務員はムリよ) ※ be があっても助動詞の後ろ

not の文を上手に作ることができれば，こちらもカンタン。何度か読んで慣れてくださいね！

●数語にわたる副詞

「程度」「頻度」など限定的に働く語句は前に置く——もう OK ですね。ただ「程度・頻度」であっても数語にわたるフレーズとなると，前に置けば文全体の流れを阻害しがち。「フレーズは後ろ」が基本です。

(1) His English is improving **very much [a great deal / a little]**. 【程度】
(彼の英語は大変 [大変／少し] 進歩しています)

(2) We eat out **from time to time [every now and then / once a week]**. 【頻度】
(私たちは時々 [時々／週に一度] 外食します)

●さまざまな頻度表現

「頻度」も，会話で特によく使う表現。それぞれの語句があらわす頻度をしっかりつかんでおきましょう。

☐ **always**（いつも）
(1) You will **always** be in my heart. (君のことは忘れないよ)

☐ **nearly always**（ほとんどいつも）
(1) I **nearly always** get the blame for anything that goes wrong!
(何でもうまくいかないと，ほとんどいつも僕のせいになる！)

☐ **usually**（普段）
(1) I **usually** go to bed around midnight. (普段寝るのはだいたい真夜中)

頻度	
高 ↑	always
	nearly always
	usually
	often frequently
	sometimes occasionally
	seldom rarely hardly ever
↓ 低	never

ほぼ同じ意味の口語表現として more often than not も押さえておきましょう。

□ **often**（しばしば）
(1) My kid brother **often** gets into trouble at school.
（僕の弟，よく学校で問題起こすんだ）

「often は t を発音しない」と教わったことがあるかもしれませんが，発音するネイティブも相当数います。驚かないように。

□ **frequently**（頻繁に）
(1) Chris is **frequently** mistaken for Johnny Depp!
（クリスはよくジョニー・デップに間違えられるんだ！〈嘘〉）

□ **sometimes**（時々）
(1) I **sometimes** download songs from the Internet.
（僕は時々インターネットから歌をダウンロードするよ）

□ **occasionally**（時折）
(1) We **occasionally** go clubbing.
（僕たちは時折，クラブ遊びをしにいくよ）

occasionally の感触に注意しておきましょう。それは，「と○○○○き○お○○○○○○り」。NOT REGULARLY（定期的ではない）にイメージの焦点があります。occasion は「機会」。誕生日，結婚記念日などの「機会があるとき」，ということなのです。だからリズミカルではなく，ポツッ…ポツッ…という感覚になるというわけ。近い感触をもつものに (every) now and then, from time to time があります。

□ **seldom** / **hardly ever** / **rarely**（ほとんど［滅多に］〜ない）
(1) I **hardly ever** work on the weekend.（僕は週末ほとんど働かない）

seldom, rarely, hardly ever は否定的な表現。ほぼ同じレベルの頻度を指します。seldom は，口語表現としては退場しかかっており，古くさく堅苦しい表現。rarely は「珍しい（rare）」ということ。それほどの頻度はありません。会話で使うなら hardly ever がイチオシです。

hardly ever の位置に注意しましょう。数語にわたるフレーズは，限定表現でも文末（☞P.262）が基本。でも hardly ever は頻度副詞の定位置に置かれます。それはネイティブには「1 語に感じられている」から。みなさんもひと息で使う練習をしてくださいね。

□ **never**（決して〜ない）
(1) I **never** drink and drive.（僕は決して飲酒運転しないよ）
あたりまえ。

● 週に一度

回数を伴う頻度表現です。once a week, twice a month, three times a year（週，月，年に1，2，3度）など**回数表現と期間を並べるだけ**。a（an）の代わりに per（〜につき）が使われることもあります（three times per day：1日に3回）。また，「3週間に1度」など期間が複数にわたる場合には，once every three weeks と every を使うほか，once in three weeks と表現しても OK。

We go out once a week.
週に1度デートするよ 回数　期間

per week
every 3 weeks

once 1度　twice 2度　three times 3度　…many times 何度も べんきょうしろよ

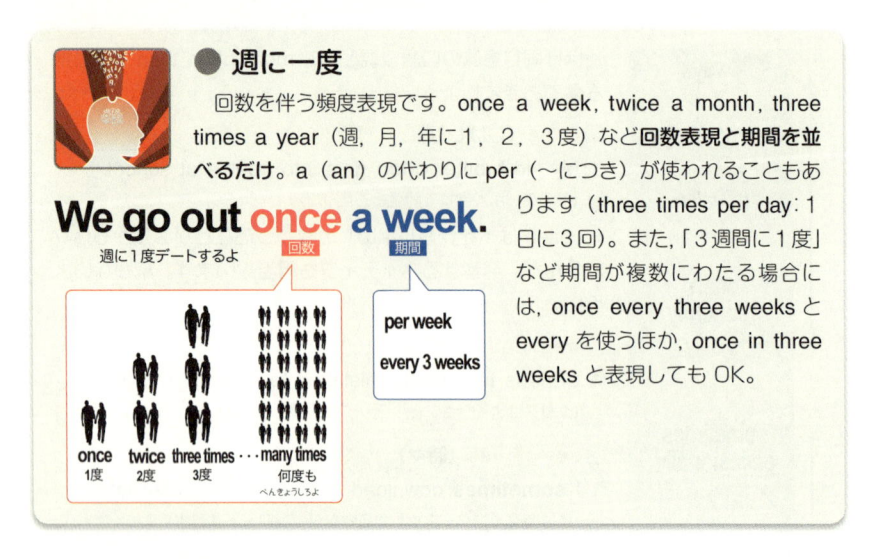

D 確信の度合いをあらわす副詞

ⓐ We will **definitely** make it on time.
（僕たちは絶対時間ピッタリに着くよ）

「絶対〜する／きっと〜する」など，（話し手の）**確信の度合いをあらわす副詞も前置き**です。We will **surely/probably/perhaps** make it on time.（きっと／おそらく／たぶん間に合うよ）。「間に合う（make it on time）」を，「たぶんの話だよ」と可能性を限定する意識が働くからですよ。もちろん **Perhaps** we will make it on time. などと，文頭に置いても OK。日本語でも「僕たちはたぶん間に合うよ」と言っても「たぶん，僕たちは間に合うよ」と文頭に出しても同じですよね。文頭に置かれた場合は，文全体を「たぶんの話なんだけど」と限定するだけのことです。

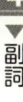

●さまざまな確信の度合い

確信をあらわす表現，ポピュラーなものは次のとおり。

```
高 ↑
    100%
    definitely

    certainly
    surely

    probably

    maybe
    perhaps

    possibly
低 ↓
```

☐ **100%**：文字どおり100%ということ。
(1) I'm **100%** sure/certain about it. （100%確信しているよ）

☐ **definitely**（絶対）：完全に疑念がないということ。
(1) This is **definitely** the best pizza I've ever tasted.
（これ，間違いなく今まで食べた最高のピザだよ）

☐ **certainly**（確かに）：強い揺るぎない信念。客観性が感じられます。経験や状況に基づいた「確実ですよ」。
(1) He is **certainly** capable of doing the job.
（彼なら確実にその仕事をすることができます）

☐ **surely**（きっと）：certainly ほどの強さは必ずしもありません。主観的なニュアンスをもつ単語。「私はそう信じています」ということ。
(1) There has **surely** been some misunderstanding. Let me look into the matter.
（なんらかの誤解があるにちがいないんだ。僕に調べさせてくれ）

☐ **probably**（たぶん）：「たぶん」と訳される単語の中で最も日本語の「たぶん」に近い単語。だいたい80%ぐらいの確かさです。
(1) They'll **probably** think I'm crazy for turning down the job. （その仕事断るなんて，みんなはたぶん僕の気が触れたと思うだろうなぁ）

☐ **maybe**（たぶん）：助動詞 may の本当の意味合い（☞P.339）がわかれば，たいした確かさをもっていないことが理解できるでしょう。50%ぐらいでしょうか。
(1) **Maybe** it would be a good idea to take a short break.
（このへんで少し休んでもいいかもしれないな）

☐ **perhaps**（たぶん）：maybe と強さの違いはありません。perhaps の方が多少フォーマルな雰囲気がある，というだけの違い。
(1) **Perhaps** we could get together for a drink this weekend. What do you think?
（たぶん私たちは今週末飲みに集まれると思います。どう思います？）

☐ **possibly**（もしかすると）：possible（可能）がわかれば，この単語が高い可能性を示しているわけではないとわかるでしょう。単に「可能性がある」ということ。
(1) We believe sales will rise by 5% this year, **possibly** even more.
（販売は今年5％上昇すると思います。もしかするとさらに）
(2) This is **possibly** the best movie he's ever made.
（これはもしかすると彼が作った映画のベストかもなぁ）

E 評価・態度をあらわす副詞

ⓐ **Happily,** no one was badly injured.
（幸運なことにね，誰も大ケガしなかったよ）

ⓑ **Clearly,** we cannot handle this situation alone.
（あきらかに，僕たちだけじゃこの状況はどうにもならない）

Happily,
幸いなこ
とにね…

　文内容全体の限定です。「幸運なことなんだけど…」「あきらかなことなんだけど…」。後続文の内容はこうした種類の事柄なんだよと，**話し手の評価**を述べています。もちろん文頭がノーマルな位置。

■ 位置を変えてもいいよ

　「話し手の評価＝文頭」は，守らねばならない絶対のルールではありません。

(1) This is **hands down** the most beautiful painting in the exhibition.
（これは文句なく展覧会で最も美しい絵だ）

(2) He is **without a doubt** the best player in the world.
（彼は疑いなく世界で最優秀の選手だ）

　「文句なく」という評価が下されているのは文全体ではなく，the most 以下。「限定は前から」。この原則が理解できればあとは臨機応変に，ということです。

● 機能は位置によって決まる

(1) **Regretfully,** we've run out of time.
（残念ながら，時間になってしまいました）

(2) "I'm afraid we've run out of time," the speaker said **regretfully**.
（「時間になってしまいました」と講演者は残念そうに言った）

　regretfully の，文内での働きが違うことに気がつきましたか？　(1)は文全体を限定する位置。「残念なことなんだけどさ」とできごと全体に対する話し手の評価をあらわしています。(2)は様態の説明。どんなふうに言ったのかを説明しています。「この単語は前置きの単語」などと，余計なことを覚える必要はありません。肝心なのは置かれる位置。「前は限定」「後ろは説明」，いいね！

●「話し手の評価」をあらわすその他の表現

luckily（ラッキーにも）, **curiously**（奇妙なことに）, **strangely**（奇妙なことにね）, **naturally**（当然のことなんだけど）, **happily**（幸運なことにね）, **oddly (enough)**（奇妙なことなんだけどさ）。**fortunately [unfortunately]**（幸運[不運]なんことなんだけどね）, **obviously**（あきらかにね＝誰が見たってすぐわかることなんだけど）, **stupidly**（バカげたことなんだけどさ）など。

ⓒ **Honestly**, I have no idea where she went.
（正直なところ，彼女がどこに行ったのかわかりません）

ⓓ **As far as I know**, John is the only one with a key to the safe.
（僕の知る限り，金庫のカギをもっているのはジョンだけだよ）

ⓒは「正直なところ」。**発言内容についての話し手の態度**を述べています。もちろん文頭ですよ。

●「発言態度」をあらわすそのほかの表現

話し手の発言態度をあらわす表現は，いくつか覚えておくと便利です。よく使いそうなものをちょっとあげてみますね。

□ **frankly speaking**（率直に言って）など，頻出フレーズ
(1) **Frankly (speaking)**, what you're saying makes no sense whatsoever.
（率直に言って，あなたが言っていることは何の意味もない）

ほかにも, **strictly**（厳密に言うと）, **seriously**（マジな話でね）, **just between you and me (=ourselves)**（僕たちのあいだだけの話なんだけど＝秘密にしてもらいたいんだけど）, **personally**（個人的にはね）, **from one's point of view**（〜の視点では）, **according to**（〜によると[情報の出所]）, **to the best of my knowledge**（私の知る限りでは）, **in a sense (way)**（ある意味では）など。

□ to を使った表現

(1) **To tell the truth**, he is a real jerk.
（本当のこと言えば，アイツはすごくやな奴なんだよ）

to 不定詞は話し手の発言態度と大変相性のいい形です。ほかにも，**to be honest**（正直に言うと），**to be sure**（確かに），**to make the matter worse**（さらに悪いことには），**to be frank with you**（率直に言って），**to put it bluntly**（単刀直入に言えば）など，さまざまな決まり文句があります。

to 不定詞は，「指し示す」ニュアンスを伴った大変目立つ要素です。文頭に置くと，居住まいを正す感触が文に付け加えられます。まぁ，「本当のこと言うとね」で会話を始めるヤツは，なかなか本当のことを言わなかったりもするのですが，ね。

□ to one's 感情（〜したことには）

(1) **To my surprise**, he passed the test.
（驚いたことに，彼はそのテストに合格した）

to は, to one's disappointment／sorrow／delight（ガッカリした／悲しかった／大変喜んだことに）など，さまざまな感情と組み合わされます。これも to の「指し示す」から。後続文の内容が，感情とガッチリ結び付いていることをあらわしています。

BASIC WORDS

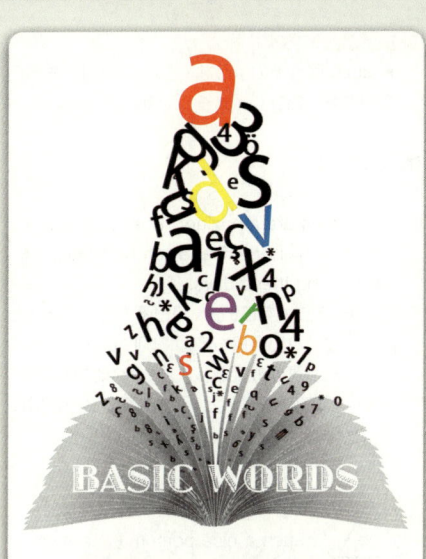

基本副詞

　副詞として使われる語句の中には，文に多彩なニュアンスを添えるものがいくつかあります。短く・ちょっとした意味を付け加えるこれらの単語は，大変繊細な語感をもっており，日本語訳ではなかなか征服することができません。でも私たちには強力な武器——イメージがあります。基本副詞の世界にようこそ。

so
すごく・だから，など

基本イメージ【矢印】
▶ so は極端に多彩な単語。強意副詞としても，先行文脈を受ける語としても，あるいは接続詞としても使います。イメージ「→」が単純なゆえ，多彩な使い方を生み出しているのです。

派生イメージ

ⓐ【強意】
(1) These puppies are **so** cute!
（この子犬たちとってもかわいい！）
　▶ very よりも感情の乗った強意表現。「とっっても」。ただ，very との違いは強さだけではありません。そこには「だから（→）」が感じられています。この文は「とってもかわいい（だからギュッと抱きしめちゃいたい）」など，「だから」の余韻が感じられるのです。

ⓑ【接続詞】
(1) I forgot my girlfriend's birthday, **so** she got really mad at me.（彼女の誕生日忘れちゃったから，すっごく怒られた）
　▶「→」を文をつなげる接続詞として使っています。

ⓒ【前の内容を受ける】
(1) Has Tim arrived yet? —— I don't think **so**.
（ティムはもうきた？ ——まだだと思う〔そうは思わない〕よ）
(2) I love Lady Gaga. —— **So** do I.
（レディ・ガガ好きなんだ。——僕もだよ）
　▶(1) do so（そうする），say so（そう言う）など，so には前の内容を受ける使い方があります（☞P.647）。「そーんなふうに」と前の内容をな

4
副詞

269

ぞる感触。(2)助動詞 do が主語 (I) の前に出た倒置形（☞P.536）を取っていることに注意しましょう。「僕もだよ！」と相手の発言に飛びつく勢いのある表現。Me too.（僕もです）との違いはあきらかですね。

▶ so を使ったフレーズ

(1) **so ... (that)** 文（とても…なので 〜【結果】）
例 I was **so** tired I couldn't sleep.
（疲れすぎて眠れなかった）

▶ so の「→」が「結果」の使い方につながっています。「とても疲れた（だから）」という so の余韻に, 結果を示す文が続いているのです。同じ強調語でも, ×very tired I couldn't sleep は不自然。very には「→」の感覚がないから。

▶ so 〜 (that) の that はもちろん「文をなめらかに・正確につなぐ」that。この例文程度の内容なら, 僕は that を使いません。「疲れて眠れなかった」, こんな簡単な内容を正確につなぐ必要はないからです。The teacher's explanation was **so** long and complicated **that** not even the best students could follow it.（その先生の説明はあまりに長く複雑だったので, 最もできる学生でもついていくことはできなかった）。これくらい長く複雑な文になると, しっかり that でつないであげたくなりますね。「目的」をあらわす so (that) 文, **so as to** については（☞P.632）を参照してください。

SUCH
そのような・とても, など

基本イメージ 【矢印】
▶ such は「そのような・このような」。もちろん何かを「指す」イメージです。

派生イメージ
ⓐ【そうした類の】
(1) These kids are amazing. They train every day, rain, hail or shine. **Such** dedication is hard to find these days.
（この子たちはすごいよ。毎日雨の日もひょうが降る日も晴れてる日も練習に明け暮れている。こうした熱意は最近滅多に見られないモノだ）
▶その場にあるモノや, それまでの文脈を指して「そのような」。

> ●**such の作る形に注意！**
> such a nice person (× a such nice person) のように, such は a [an] の前に置きます。

ⓑ【最高値】
(1) Shinobu is **such** a geek!
（しのぶはすっごいオタクなの！）
(2) I've never seen you wearing **such** bright colors.（そんな明るい色を着ている君を見たことないよ）
▶強意で使われるとき, such は最高値を示します。You can't get better (more terrible).（これ以上〔ひどいの〕はないよ）ってこと。a geek such as I've never met before（僕が見たことないようなオタク）というキモチが隠れています。

▶ such を使ったフレーズ

(1) **such as ...**（…のような）
例 I like different kinds of movies, **such as** action, horror, comedy, and so on.
（僕はいろんな映画が好き。アクションとかホラーとかコメディなどなど）
▶「そのような」と言ってから as 以下に例を並べます。相手に例をあげてもらうときにも, 使えますよ。
例 I think our school has many good points.

―― **Such as?**（僕たちの学校にはたくさんいいところがあると思う――例えば？）

(2) **such ... that ~**（とても…なので~）
　例 He was **such** a loser **that** I dumped him after the first date!（彼，すごく情けなかったから最初のデートで捨てたわよ！）
　▶ **such** が大きな強調を a loser に置いています。そしてどうした結果をもたらすほどの loser だったのかを that 以下で指し示しているのです。「目的」をあらわす such that 文，in such a way that（in such a way as to）に関しては（☞P.632）を参照してください。

> ● 「〜も」の too
> I love you, **too**.（僕も君が好きだよ）
> 「〜も」と文に添える too。この too は「〜すぎる」too とは，別物。混同しないでね。

TOO
あまりに

基本イメージ 【行きすぎ】
▶ 行きすぎをあらわす強調表現。常に否定的なニュアンスを伴います。

(1) I thought the movie was **too** long.
　（その映画は長すぎると思った）

▶ **too** を使ったフレーズ
(1) **too ~ to ...**（~すぎて…できない）
　例 It's **too** hot **to** play tennis.
　　（暑すぎてテニスできないよ）
　▶ **too** は「行きすぎ」。常に「だからできない」を想像させます。詳しくは ☞P.472 をご覧ください。

RATHER
かなり・むしろ，など

基本イメージ 【対比】
▶ 強調で使われますが，それほど大きな強調ではありません。

(1) This steak is **rather** tasteless, don't you think?（このステーキ，かなりまずいな。そう思わない？）
　▶ **rather** の後ろには対比のキモチが隠れています。「思っていたよりもまずい」といった対比。この意識がさまざまなフレーズに生きています。

▶ **rather** を使ったフレーズ
(1) **would rather ~**（むしろ~したい）
　例 Lots of people are into sports or hobbies, but **I'd rather** just hang out with my mates.（スポーツとか趣味とかに入れ込んでいる人は多いけど，僕はむしろ友達とふらふらしてたいな）
　▶ **rather** の対比の意識が色濃くあらわれたフレーズ。「（スポーツとか趣味とかより）むしろ…」という意識です。否定は **rather** の後ろに **not**。I would rather **not** comment.（コメントしたくないな）のようになります。

(2) **but rather**（そうじゃなくて）

例 The problem is not a lack of intelligence, **but rather** a lack of motivation.
（問題は知性が欠けてることじゃなくてやる気のなさだね）
▶ not と呼応して「…ではなくて」。やはり「それよりもこうなんだ」と対比が意識されてます。

(3) **rather than ...**（…というよりも）
例 Actually, it's a small apartment **rather than** a house.
（実際，家というよりは小さなアパートだね）
▶やはり rather の対比が生きていますね。

NOW
今・さて・さあ，など

基本イメージ 【今＋勢い】
▶現時点をあらわす now は，「さあ」「さて」など，勢いを文に与えます。

派生イメージ
ⓐ【今】
(1) I'm free **now**.（今ヒマなんだ）
▶現時点をあらわす表現には，ほかにも at the moment, at present, currently（現在のところ）などもあります。

ⓑ【勢い】
(1) **Now**, let's move on to the next item on the agenda.（さあ，それでは次の議題に移りましょう）
(2) **Now**, if I were the boss, I would give everyone a pay raise!（さて，もし僕がボスだったとしようか。そしたらみんなの給料上げるよ！）
▶文に勢いをつけて，相手に注目させようとしています。

▶ **now を使ったフレーズ**
(1) **by now**（今頃は）・**just now**（たった今）・**for now**（今のところは）
例 The paint should be dry **by now**.
（ペンキは今頃もう乾いているはずだよ）
例 Was that the phone I heard **just now**?
（たった今聞いたの，電話？）
例 Just put your bags on the floor **for now**.
（今のところはバッグを床に置いておいてね）
▶ by now は今起こっていることを想像するケースで使います。by は「近く」（☞P.387）。just now は過去形と仲がいい表現ですが，現在形と使われることも。Sorry, but I'm in a meeting just now.（ゴメン，会議の最中なんだ）。for now は「暫定的に」。for は「期間」をあらわしています（☞P.570）。

THEN
そのとき・それから・それなら，など

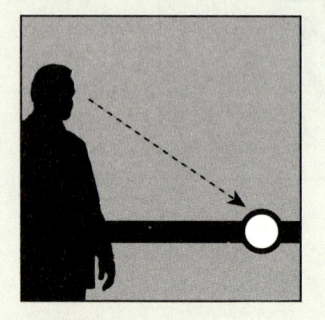

基本イメージ 【いち時点】
▶過去や未来のいち時点をあらわす表現。過去や未来のある時点に目を移す表現です。「自分のいる現時点からある時点へ」の視線の動きが「やじるし（→）」の意味を生み出します。

派生イメージ
ⓐ【いち時点】
(1) It was **then** that I remembered where I'd seen her face before.（どこで以前彼女の顔を見たのかを思い出したのはそのときだった）
(2) I'm going to the concert too, so I'll see you **then**.（僕もそのコンサート行くよ，そのときに

会おうね）

ⓑ 【→】

(1) We went to Los Angeles and **then** to Las Vegas.
（ロサンゼルスに行って，それからラスベガスに行った）

(2) Well, if Hank is refusing to do it, **then** I guess I'll have to.（うん，もしハンクがイヤがっていたら，僕がやらざるを得ないだろうね）

(3) Nobody home? He must be still at work **then**.（誰も家にいない？　そしたら彼，まだ仕事にちがいないわ）

(4) A big typhoon is coming. ── We'd better cancel classes, **then**.（大きな台風が近づいてるよ。──それじゃ授業中止しなくちゃなぁ）
▶すべて「→」。(2)の「if + then」は，「もし…それなら…」と論理性に力点を置いた言い方となります。

(5) Okay **then**. We'll all meet here next Wednesday.（じゃ，決まりだよ。来週水曜日にここに全員集合）

(6) Now **then**, what would you like to do today?（さあそれじゃ今日は何をやりたい？）
▶ then は会話で気軽に付け足される単語。どちらの文にも「→」のニュアンスが加味されています。(6)ではこれからやることへの→が意識されていますよ。

AGO
（今から）〜前

基本イメージ 【さかのぼる】

▶ ago は常に「現在」が基準。現在からさかのぼって「3 ヵ月前」などと勘定します。3 days ago, 4 months ago などと使います。

(1) My dad died 15 years **ago**.（父は15年前に亡くなった）

▶ **ago** を使ったフレーズ

(1) **a minute ago**（ちょっと前）・**a while ago**（しばらく前）・**a long time ago**（ずっと以前）・**ages ago**（ずっと以前）
例 I saw her **a minute ago**.
（彼女とちょっと前に会ったよ）

● 現在からの勘定が大切！
Miyuki told me about her strange dream, and it was really funny because I had had the same dream 3 days **before**（× ago）.（ミユキがおかしな夢を見たって言ってたけど，その3日前私も同じ夢見たの。ホントに奇妙なことだよね）
　この文では ago を使うことはできません。「私」が夢を見たのはミユキが told me した時点から3日前。この文を言った「現在」からではないからです。ご注意くださいね。

ALREADY
すでに・もう

基本イメージ 【完了】

▶できごとが「すでに」完了していることを示します。

(1) I've **already** seen that movie.
（その映画もう見たよ）

YET
もう・まだ・けれども・さらに

基本イメージ 【未完】
▶できごとがまだ完了しておらず、後に続くことを示します。

派生イメージ
ⓐ 【まだ・もう】
(1) Has the game started **yet**? ──No, not **yet**.
（もう試合始まった？ ──いや、まだだよ）
▶ Has the game started?（ゲーム始まった？）に未完──「（それとも）まだなの？」を付け加えています。そこに「待ちきれないよ」などの感情が乗ってくるのです。not yet は not started（始まっていない）に「まだだよ」が加わっています。

ⓑ 【しかし・けれども】
(1) She's still very young, **yet** she is a true entrepreneur.（彼女はまだすごく若いけど、本当の起業家といえるだろう）
(2) It's a small apartment, and **yet** there's lots of storage space.（小さなアパートだけどすっごくたくさん収納スペースがあるんだ）

それでおわりじゃないんだよ
ちっちっち

▶ yet は接続詞としても使えますが、未完の意識で使うこと。「大変若い。（でもそれで話は終

わりじゃないんだな）彼女はね…」という具合。
ⓒ 【最上級と共に使われる yet】
(1) This could turn out to be her most successful book **yet**.（この本は彼女にとって、これまでのところ最も成功した作品となるかもしれない）
▶これも「未完」。「これまでのところで最良（これからのことはまだわからないけどね）」。

EVER
これまで，など

基本イメージ 【任意の時点】
▶任意のときをあらわす──「いつのことでもいいんだけど（at any time）」。それが ever。

派生イメージ
ⓐ 【いつのことでもいいんだよ】
(1) Have you **ever** been to France?
（フランスに行ったことがありますか？）
▶現在完了（経験）で使われる ever は「これまで」という訳が定番になっていますが、それではうまく使えません（下の例文(2)・(3)を参照）。この文は「どの時点のことでもいいんだけど、フランス行ったことありますか？」と任意の時点を相手に自由に選ばせる表現です（☞P.568）。
(2) Nobody **ever** sleeps in Chris's class. He's too scary!（誰も絶対クリスの授業じゃ寝ないんだよ。すっごく怖いから！）
(3) Many students **hardly ever** speak English outside of class.（多くの学生は授業以外ではほとんど英語を話さない）
▶(2)は誰も「どんなときにも」寝ない。(3)の hardly ever は「めったに～ない」。「ほとんどい

つのときにも~ない」ということですよ。ever を「これまで」と考えてしまうと意味がわかりませんよね。

ⓑ 【強調】
(1) If you are **ever** in Barcelona, make sure you give me a call. （バルセロナにお越しになることがあれば、私にお電話ください）
(2) This is the best pizza **ever**!
（これはまさに最高のピザ！）
▶(1)は if you are in Barcelona よりも、強い感情が乗っています。「いつでもいい、いらっしゃることがあれば」。(2)は最上級と ever のコンビネーション。「すべてのときにわたって最高の」という強め。

▶ ever を使ったフレーズ
(1) **for ever**（永久に）・**as ever**（いつものように）・**ever since**（それからずっと）・**ever after**（その後ずっと）

例 I hope our friendship will last **for ever**.
（僕らの友情が永久に続くよう願ってるよ）

例 **As ever**, Jim was the only one not to pay for a round of drinks.
（いつものように、ジムがみんなに一杯奢らなかったただ1人の奴ってことになった）

例 My son has been happier **ever since** he changed school.
（息子は転校してからずっと、前より元気です）

例 Lots of children's stories end with: "They lived happily **ever after**."
（児童が読む物語の多くは、「彼らはそれからずっと幸せに暮らしましたとさ」で終わります）

▶「どの時点を考えても」。基本イメージどおりの使い方です。

例 I'll support you **whatever** you decide.
（君がどう決心しようが支えてあげるよ）

▶「いつのことでもいいよ」──意味の底に「どれをとってもいい」という選択の自由がある ever は、wh語と結び付いて whatever（なんでも）、wherever（どこでも）、whenever（いつでも）などを生み出します（☞P.505）。

JUST
ちょうど・まさに・~だけ，など

基本イメージ 【ピタッ】
▶ just は大変頻度の高い副詞。すべてに「ピタッ」が共通しています。

派生イメージ
ⓐ 【時のピタッ】
(1) Mom! Your parcel has **just** arrived.
（かあさん！ 小包たった今届いたよ）

ⓑ 【表現のピタッ】
(1) I **just** can't stand my sister's new boyfriend!
（お姉ちゃんの新しいボーイフレンドホントにがまんできないんだよな！）
(2) These new designs are **just** stunning.
（この新しいデザインはまさに驚きだよ）
▶ can't stand, stunning という「表現」がまさにピッタリ、ということ。

ⓒ 【さまざまなピタッ】
(1) You are **just** like your mother.
（お母さんそっくりだね）
(2) We had **just** enough money to buy a ticket home.（僕たちは、家に帰る切符を買うのにぎりぎりのお金しかもってなかった）
(3) More discipline is **just** what our school requires. （さらに規律を厳しくすること、それがまさに我が校が求めていることだ）
▶ just の後ろの語句をピッタリと強調します。

ⓓ 【~だけ】
(1) Our latest laptop will sell at **just** 80,000 yen.
（我が社の最新のラップトップはたった80,000円しかしません）
(2) Don't worry ── it's **just** a small technical hitch.

4 副詞

275

(大丈夫――一時的に動かなくなっただけだよ)
(3) **Just** call me Ken. (ケンとよんでくれればいいよ)
(4) Can I **just** use your cell phone?
(ちょっと携帯使っていい?)
▶「ピッタリ」と「〜だけ」はすぐ隣にあります。安い価格を指して「8万円ピッタリ」といえば「8万だけ」という意味になりますよね。それがわかると(4)の便利な使い方ができるようになります。「ちょっと使うだけ、いいよね?」。何度か練習してくださいね。

EVEN
さえ・すら

> 基本イメージ 【極端なレベル】
▶意外・驚きをもってレベルの高さ・低さをあらわす強調表現。

(1) Some new graduates can't **even** make a spreadsheet. (新卒の中にはスプレッドシートすら作れないヤツがいるんだぜ)
(2) **Even** my little kid can do that much! (僕のまだ小さい子どもだってそのくらいできるさ!)
(3) Question 4 was **even** more difficult. (4番の問題はさらに難しかった)

▶ even を使ったフレーズ

(1) **even so** (たとえそうであっても)
「そこまでは認めるよ。うん、そうしたことはある。だけどね…」と、あるレベルを受け入れたうえで、話を展開します。
　　例 This guy seems perfect for the job. **Even so**, I want to see all the other applicants.
(この仕事にピッタリな人だと思うけど、たとえそうであってもほかの応募者全員と会っておきたい)

HERE・THERE
ここ・そこ

> 基本イメージ 【ここ・そこ〈だよなそりゃ〉】
▶自分がいるところが here。そうじゃないところが there。ただそれだけのことなんですが、1つだけ気がついてほしいのが「比喩的な場所」にも気軽に使えるということ。

(1) He got stopped by the police for speeding, but his troubles didn't end **there** because he was also drunk. (彼、警察にスピード違反で止められたんだ。だけどね、トラブルはそこでは終わらなかった。というのも酔っぱらってもいたから!)
(2) I don't have time to go into detail **here**, I'm afraid. (ここで詳細を検討している時間は、残念ながらないのです)
▶日本語「そこ・ここ」と同じように、時間上のポイント、一連のできごとや話の中でのポイントを示すことができるのです。

WELL
よく・十分に・健康な

基本イメージ 【まぁ満足かな】
▶ well は，さまざまな「満足」をあらわす単語。ただね，高い満足感をあらわすわけではないんです。通信簿の A, B, C でいけば B。5段階の通信簿なら3。百分率なら60～70%くらい。「この場合，まぁ満足だろうな」「この年でここまでいけばまぁ満足かなぁ」といった，さまざまな要素を考え合わせ判断している感触があります。

(1) My Dad is **doing well** after his operation.（僕の父は手術の後順調によくなっています）
(2) How are you and your family? —— Oh, we're all **well**, thank you very much.（君やご家族はどう？ 元気？——うん，みんな元気だよ。ありがと）
(3) You lost the match, but you played **well**.（試合に負けたけど，よくやったよ）
▶ どの文でも well は「まぁ満足」。決してスーパーなできというわけではありません。だからこそ「とっても満足」をあらわすとき She played VERY(REALLY) WELL! などと強調語が必要となるのです。ちなみに well off は「裕福な」などと訳されますが，大金持ちという意味ではありません。生活に支障がなく子どもを大学に行かせることができる程度の「裕福」です。

▶ well を使ったフレーズ
(1) 強調語としての **well**
  例 Your daughter's English skills are **well** above average.（君の娘さんの英語力，平均よりかなりいいね）
  例 I love his new movie. It's **well** worth seeing.（彼の新作映画とってもいいよ。十分見る価値がある）
  ▶「かなり・十分」をあらわす強意語として使えます。
(2) 思案をあらわす **well**
  例 **Well**, let's wait and see how things turn out.（そうだね，ちょっと待ってどうなるか様子を見ていようよ）
  ▶「そうだねぇ」など，思案をあらわす言葉として使えます。さまざまな要素を考え合わせているのです。

UP・DOWN
上・下，など

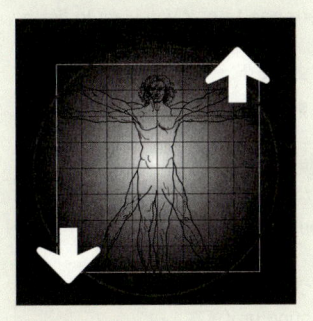

基本イメージ 【↑↓】
▶ 単なる「上下」をあらわす単語ですが，豊かな用法の広がりをもっています。それは，人間という生物は「上下」という位置関係に——無意識のうちに——さまざまな意味を付与するからなのです。また，up, down は非常に多くのフレーズで使われています。ここですべてを紹介することは——もちろん——できませんが，代表的な用例を眺めれば，みなさんがこれから出会うほとんどのフレーズについて重要なヒントが得られるはずです。

派生イメージ
ⓐ【上下】
(1) They've gone hiking **up** in the mountains.（彼らは山にハイキングに行ったよ）
(2) I need to **sit down** for a while. I'm exhausted.

PART 2 - CHAPTER 4：副詞　基本副詞

（しばらく座りたいな。疲れちゃった）
▶単純な上下。stand up（立ち上がる）, get up（起きる）も体の上下動からのフレーズ。pick up（車に乗せる）は誰かを車に「つまみ上げる」。make up（〔失敗の〕埋め合わせをする・仲直りする）は，失敗によってあいた穴を埋めるということ。fall down（失敗する）は「倒れる」から。その他たくさん。

ⓑ【増の up ／減の down】

(1) The number of road fatalities **went up/down** this year.（交通事故の死傷者の数は今年増えた／減った）
(2) The temperature **went up/down**.（気温が上がった／下がった）
(3) You'd better **speed up**, if you want to finish on time.（時間どおりに終わりたかったら急がなくちゃダメだよ）
(4) Could you **speak up**, please?（〔電話で〕ちょっと大きな声でお願いできますか？）
▶数量・温度・スピードなどさまざまな増減に使えます。(3) speed up の逆は slow down。(4) は「声の音量を」ということ。grow up（育つ）, bring up（育てる）などでは年令や体格の「増大」が感じられています。

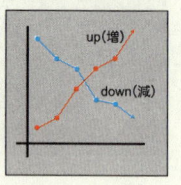

ⓒ【接近の up】

(1) Bad karma always **catches up with** you.（神様の罰からはのがれられないものなんだよ）
(2) **Coming up**, a fascinating documentary entitled *Inside Asia*.（〔テレビで〕次の番組はインサイド・アジア。すばらしいドキュメンタリーですよ）
▶ up は「接近」の意味となることもあります。近づいてくるものは，視覚上大きく感じるからでしょう。catch up with（追いつく）, keep up with（ついていく）や up-to-date（最新式の）, close-up（〔写真などの〕クローズアップ）にも見られる使い方です。

ⓓ【出現の up ／消失の down】

(1) My date didn't **show up**.（デート相手がこなかったんだよ）
(2) We have to **think up** a foolproof plan.（誰でも間違いようのないプランを思いつく必要がある）
(3) I've been busy grading my classes: 4 **down**, 3 to go.（受けもちのクラスの成績つけるので忙しかったんだよ。4つ終わってあと3つ）
▶土から芽が出てくるところを想像しましょう。上への動きは「出現」につながります。come up with（思いつく）, come up（〔話題に〕のぼる）, What's up?（どうしたの）などもこの連想です。「どういった状況が現れたの？」ということ。

ⓔ【完全】

(1) I need to **fill up** the car with gas before we set off.（出発前にガソリン満タンにしなくちゃ）
(2) It's going to take us forever to **clean up** this mess.（こんなにちらかってたら，片づけるの永久にかかっちゃうよ）
(3) My old car has **broken down** again. Time for a change.（僕のポンコツ，また壊れた。買いかえだー）
(4) Hey, just **shut up**, will you?（ねぇ，ちょっと黙っててくれないかな）
▶コップに水を入れ続け満杯になっているところを想像してください。ここから「完全に」が生まれます。ちなみに(2)の clean up（キレイにする）は完全にぴかぴかにするということ。shut up は口をギュッと閉じて完全に黙るということ。break down（故障する）, close down（閉店・廃業する）は完全に活動を停止します。

ⓕ【良の up ／悪の down】

(1) I've always **looked up to** my parents.（僕はいつでも両親を尊敬してきたよ）
(2) Some of my colleagues **look down on** me because I didn't go to an Ivy League school.（同僚の中には，僕をアイビーリーグ卒じゃないから軽蔑しているヤツもいるんだ）
▶「尊敬・軽蔑」に up と down が使われてい

るのは，up が「良い」, down が「悪い」に結び付いているから。make up（化粧する），do up（着飾る），brush up（磨き上げる）などにも感じられる語感。We all have ups and downs in life.（人生山あり谷ありさ）などの言い回しにも見られる感覚です。

ⓔ【活発の up／沈滞の down】
(1) I **woke up** late today.（今日は遅くに目覚めた）
(2) The flowers you sent me really **cheered** me **up**.（君が送ってくれた花，ホントに元気づけてくれたよ）
(3) The whole nation was **down** after the terrible earthquake.
（ひどい地震の後，国中が沈み込んだ）
▶ up は精神の活発な・意識ある状態につながっています。(1)の wake up は「起きる」。無意識から意識ある状態に up するところから。逆に沈滞，無意識への動きは下方向と感じられています。fall asleep（眠る）などにも見られる感じ方。

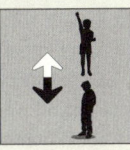

OUT
外，など

基本イメージ 【外】
▶ out は「外」。この単語にもイメージの広がりはあります。

派生イメージ
ⓐ【外】

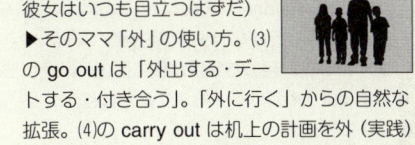

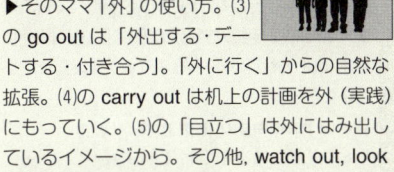

(1) Let's **eat out** today.（今日は外食しようよ）
(2) **Get out**!（出ていけ！）
(3) Is Namie **going out** with Daiki?
（ナミエはダイキと付き合ってるの？）
(4) They **carried out** the plan to perfection.
（彼らは完璧にプランを実行した）
(5) With her ability, she'll always **stand out**.（能力があるから彼女はいつも目立つはず だ）
▶ そのまま「外」の使い方。(3)の go out は「外出する・デートする・付き合う」。「外に行く」からの自然な拡張。(4)の carry out は机上の計画を外（実践）にもっていく。(5)の「目立つ」は外にはみ出しているイメージから。その他, watch out, look out（注意する）なども。「（いつも見ている範囲の）外を見る」から。
(6) Truth will **out**.（真実は露見するものだよ）
(7) I **found out** where they were hiding.
（僕はどこに彼らが隠れていたのか見つけたよ） 
▶「隠れていたモノが外に出てくる」ニュアンスです。(6)は隠れていた真実が外に，ということ。ほかにも break out（〔突然〕起こる）など。break（壊す）の勢いが「突然」のニュアンスを加えています。

ⓑ【逸脱・脱出】
(1) Statement T-shirts **are out** this year.
（今年はステートメントTシャツは流行遅れ）
(2) The students were **getting out** of control, so the Headmaster stepped in.
（学生たちが始末に負えなくなっていたので，校長先生が割って入った）
(3) We can't **rule out** the possibility of further job losses.
（さらに就職難が進む可能性を否定できない） 
▶ 望ましい状態からの逸脱，除外です。(1)は「今年は，ステートメントTシャツはアウトだよ」。日本語と同じ語感です。(3)の rule は「定規で線を引く」。定規で線を引きながら「ここからはダメだよ」と除外するのです。ほかにも drop out（脱落する），out of order（故障している〔order

279

＝秩序・望ましい状態]), out of date（時代遅れ）, out of use（使われていない）など。

(4) I'm sure we can **work** it **out**.
（絶対解決できるさ） 
(5) My friends **helped** me **out** after my accident.（友達が事故の後，僕を助けてくれた）
(6) I'll try to **talk** her **out** of going there alone.（そんなところに１人で行かないように説得してみるよ）
▶今度は逆。困った状況からの脱出。ほかにも sort out（片づける・解決する）など。

c 【なくなる】
(1) We're **running out** of milk.
（ミルクがなくなりかけてるよ）
▶外に出ていってしまい，なくなる，ということ。pass out（意識がなくなる）, wear out（磨り減る）, die out（絶滅する）, blackout（停電）なども。

d 【完全】
(1) Just **hear** me **out**, OK?
（最後まで聞いてよ，いい？）
(2) I was impressed by their extremely **well-thought-out** proposal.（僕は彼らの非常によく考え抜かれた提案に感銘を受けたよ）
(3) **Fill out** this form.
（この書類に必要事項を書いてください）
▶「なくなる」からの類推。「残らず・あますところなく」から「完全」。tired out（疲れ切る）なども。

OFF
離れて，など

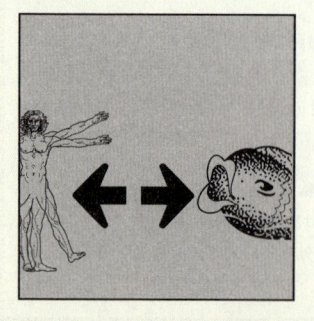

基本イメージ 【離】
▶ off は on の逆。「離れている」という位置,「離れる」動きです。

派生イメージ

a 【離れる】
(1) I'm **off**.（行くよ）
(2) Don't you think that's a bit **off**?
（それってちょっとひどいって思わない？）
(3) I'm **getting off** at the next station.
（次の駅で降りるよ）
(4) **Take off** your shoes.（靴を脱ぎなさい）
▶ off に首をひねる使い方はあまりありません。(2)は許容範囲から離れる。ほかに, put off（延期する）, keep off（入らない）など。put off はスケジュールを離れた場所に置くところから「延期」。

b 【活動から離れる】
(1) Don't forget to **turn** your cell phone **off**.
（携帯の電源を切るのを忘れないように）
(2) I **get off** work in about half an hour, so we could grab a coffee.（だいたい30分で仕事終わるから，コーヒー飲みに行けるかもよ）
(3) The TV is never **off** in their house!
（彼らの家でテレビが消されることはない！）
▶ on（活動中）の逆（☞P.398）。活動の流れから離れるということ。

CHAPTER 5

比較

COMPARISON

　この章の目標は，形容詞・副詞の応用——比較表現のマスターです。形容詞・副詞の基本がわかっていれば，あとは形を変えるだけの簡便なテクニック。ぜひモノにしてくださいね。

PART 2 - CHAPTER 5：比較

■「比較表現」とは

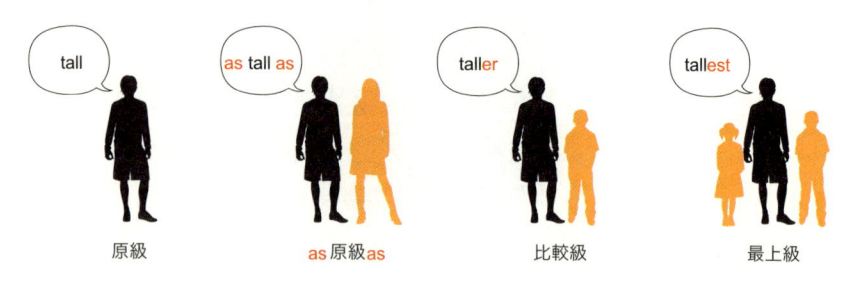

tall	as tall as	taller	tallest
原級	as 原級 as	比較級	最上級

　比較表現とは「彼と同じくらい背が高い」「彼よりも背が高い」「最も背が高い」など，ほかと比較する表現のこと。比較表現となるのは，形容詞・副詞といった**修飾要素です**。「×彼は私より山田です」——名詞はなかなか比較には使えませんよね。
　みなさんがこの章でマスターする比較表現は，ⓑ〜ⓓの3種類。

ⓐ Jim is tall.　　　　　　　　　（ジムは背が高い）
ⓑ Jim is as tall as Lucy.　　　　（ジムはルーシーと同じくらい背が高い）
ⓒ Jim is taller than Ken.　　　　（ジムはケンより背が高い）
ⓓ Jim is the tallest of the three.　（ジムは3人の中で最も背が高い）

　修飾表現 tall にアレンジが加わって，ほかと比較する表現になっていることがわかりますね。ⓑは原級（形容詞・副詞のもとの形を「原級」とよびます）に as-as が加わり「同じくらい」をあらわしています。ⓒは比較級という変化形です。この形で「より〜」と程度を比較します。ⓓは最上級。「最も」をあらわす形。
　この章では，この3つの形を上手に使うテクニックを学んでいきます。だけどね，それほど大変ではありません。だって，みなさんはすでに形容詞・副詞を学んでいます。あとはただ，アレンジを加えるだけなのですから。比較表現はいたって単純なのです。

　一気に行きましょう。

SECTION 1 同等レベルをあらわす

▶「同等のレベル」をあらわす,それがas ... as ～(～と同じくらい…) [as-asと表記することもあります] を使ったアレンジです。単に「同じ」だけではなく「半分」「～倍」などもあらわせる表現力豊かな形です。必ずマスターだよ。

Ⓐ as-as の基本

ⓐ Tom is **as tall as Mary**. (←Tom is **tall**.)
　(トムはメアリーと同じくらい背が高い)

ⓑ She now speaks **as naturally as a native speaker**.
　(←She now speaks **naturally**.)
　(今じゃ彼女,ネイティブと同じくらい自然に話すよ)

as ... as ～ は同等のレベルをあらわす表現 (～と同じくらい…) です。as は「＝」をあらわす表現 (☞P.640)。( ) 内の文は,みなさんがすでにマスターした形容詞 (ⓐ)・副詞 (ⓑ) の文。それをこの as-as でアレンジするだけで,「～と同じくらい」をあらわす文ができあがります。

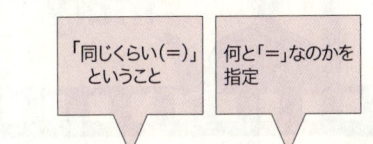

5 ▼ 比較

「同じくらい(＝)」ということ　　何と「＝」なのかを指定

Tom is as tall as Mary.

ちなみに,ⓐは「トムは背が高い」と言っているわけではありません。メアリーと同じくらいの背の高さだ——ひょっとするとものすごくちっちゃいのかもしれません。ご注意を。

■ as-as の後ろは目的格

21世紀現代英語では as–as の後ろの代名詞は，目的格がふつう。比較級で使われる than（☞P.203）の後ろも同じです。

(1) Tom is as tall as **me**（> I）．（トムは私と同じくらい背が高い）
(2) Tom is taller than **her**（> she）．（トムは彼女よりも背が高い）

目的格は「指す」ニュアンスをもった形です。as tall as me は「私と同じくらい」と自分を指す感覚で使われているのです（代名詞 ☞P.207）。

● 何度も音読！

as-as を会話の中で気楽に繰り出す。そのための意識の動かし方を解説しましょう。

(1) Tom is as tall as Mary.

最初の as は「同じくらい（=）」。つまり equally tall だと言っているのです。Tom is as tall までを equally tall の意識で一気に出します――「トムは同じくらいの背の高さだよ」そしてその後，何と「=」なのかを as Mary で指定していきましょう。この呼吸で出していけば，すぐに使えるようになる。さあ，何度も音読。

Tom is as tall — トムは同じくらい背が高いんだよ
as Mary. — メアリーとね

● 感情が乗った as ... as ～ `ULTRA ADVANCED`

感嘆・驚きなどの感情を文に乗せるために as-as を使うテクニックです。

(1) Mary is a really kind and considerate young woman. She visits her grandmother **as often as 3 times a week**.（メアリーは本当に親切で思いやりがある女性だよ。おばあさんのところに，週に3回も行ってあげてるんだ）

単に **3 times a week** と言えば済むところなのに，わざわざ as often as とレベ

ル表現をもち出していますね。ここに「こんなレベルまで」「すげー」という感情が宿るのです。as-as に感情を込める。珍しいことではありません。次の文にはちょっと誇らしげな感情が乗っていますよ。

(2) Talk about a strong drinker——my brother can drink **as many as 10 pints of beer** without getting drunk!
(お酒が強い人と言えば——僕の兄ちゃん，10パイントもビール飲むんだよ。それも酔わないで！)

B 限定語句と共に as-as を使う

as-as は not を始め，さまざまな限定語句と共に使うことができる，大変便利な表現です。まずは not とのコンビネーションから。

ⓐ She is**n't as attractive as Sarah.** （彼女はサラほど魅力的じゃない）
ⓑ He did**n't play as well as his opponent**, so he lost.
（彼は相手ほど巧くプレーしなかった，だから負けたんだよ）

I'm not as tall as him.

not + as ... as ～ で「～ほど…じゃない」。同じレベルまでいたっていない，実質「↓」だということです。

ⓒ I'm **not as tall as** him. （僕は彼ほど背が高くない）
　= He is taller than me. （彼は僕より背が高い）
ということになりますね。

not + so-as

not as-as と同じように使うことができるのが，not so-as。
(1) I'm **not so/as** smart **as** Takeo. （僕はタケオほど賢くないよ）
　not と so（そんなに）のコンビネーションは「強い単語の否定（☞P.322）」。「それほど…じゃない」ということです。あるレベルに達していないことをあらわすには最適な表現。as ... as ～ よりも「正しい」表現と考える人も多いのです。ただこの表現は，今急速に退場しかかっています。
「正しい」から「ちょっとお高くとまってる」「堅苦しい」印象につながってしまうから。「not があってもなくても as ... as でいいじゃないか」それが現代英語の趨勢なのです。カッチリとした古きよき英語がなぁ，滅んでいくわなぁ。しくしく。

ⓓ He is **almost** as tall as his Dad now.
(彼はもう、ほとんど父親と同じくらいの背の高さだ)

ⓔ Why did he get the job rather than me? I'm **just** as experienced as him. (なぜ僕じゃなくて彼が仕事をゲットしたのかなぁ？ 僕だって彼と全く同じくらい経験あるのに)

ⓕ This cake is not **half** as delicious as it looks.
(このケーキは見た目の半分もおいしくない)

ⓖ Facebook is **more than twice** as big as MySpace. Soon it may be **three times** as big!
(フェイスブックはマイスペースの2倍以上大きい。もうすぐ3倍になるかも！)

　not 以外にも、さまざまな限定語句を as-as に加えることができます。常に as-as の前に置かれることに注意してください。ⓓは単に「父親と同じくらい」ではなく「ほとんど父親と同じくらい」。回数表現（☞P.666）を使って、半分・2倍・3倍などもあらわせます。

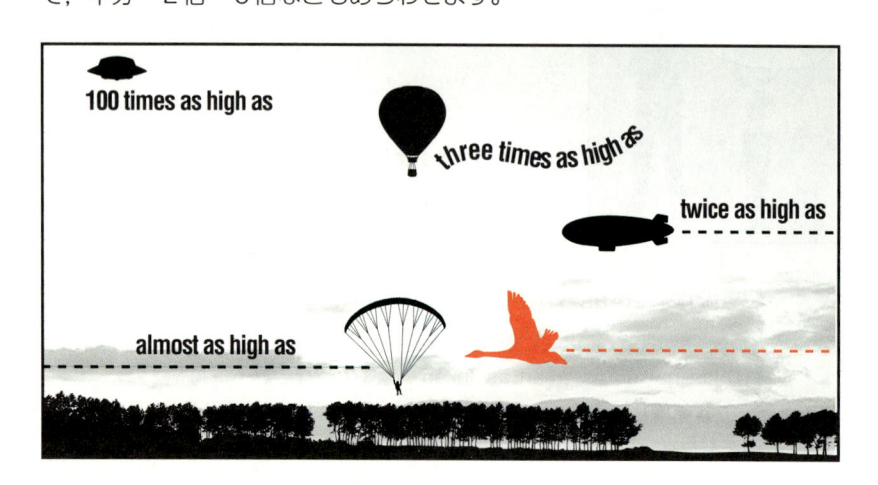

100 times as high as

three times as high as

twice as high as

almost as high as

ⓒ as-as を使い切る　ADVANCED

さて，基礎は十分。それではこれから as-as をマックスに使い切るテクニックを身につけていただきましょう。as-as は次の形をしていましたね。

Tom is **as tall as** Mary.

　　　　比較の焦点　　比較の対象

実は「比較の焦点」も，「比較対象」も，大変自由に広げることができるのです。比較の焦点を，tall のような 1 語だけではなく good at skiing といったフレーズへ。比較の対象を，Mary のような人や物だけでなく，going to Disneyland などのフレーズへ。これができるようになれば，いよいよネイティブの as-as に近づきます。

> ⓐ I have as **many CDs** as Ken.
> 　（僕はケンと同じくらい多くの CD もってるよ）
> ⓑ She is not as **good at skiing** as me.
> 　（彼女は僕ほどスキーが得意じゃない）
> ⓒ Eva didn't perform as **well in the exam** as Tess.
> 　（エヴァはテスほど試験でよくなかったな）

as-as で比較の焦点となるのは，形容詞・副詞 1 語に限られるわけではありません。フレーズだって OK。ⓐは「同じくらい多くの CD を」と名詞ごと比較の焦点としています。ⓑは as **good** as じゃなく，as **good at skiing** as と，「同じくらいスキーが上手」。

PART 2 - CHAPTER 5：比較　SECTION 1：同等レベルをあらわす

■ **as nice a person as...** の語順：「焦点」を目立たせる配慮　**ADVANCED**

a を含んだ名詞が比較の焦点になる場合の語順に注意します。

(1) Tom is **as nice a person as Ken**.（× as a nice person as Ken.）
（トムはケンと同じくらいいい人です）

　本来の語順 a nice person が，as nice a person。こちらが自然です。というのも，この文の比較で重要なのは nice ——「同じくらいナイスだよ」。だから **as と nice を離さないようにしている**んですよ。a person はただ補助的に付け足されているにすぎません。

> ⓓ I think reading a book is as exciting as **going to Disneyland**.
> （読書はディズニーランドに行くのと同じくらい面白いと思うよ）
>
> ⓔ To write Japanese is not as easy as **to speak Japanese**.
> （日本語を書くのは，話すほど簡単ではない）
>
> ⓕ On camp, I ate as well as **at home**.
> （キャンプでは，家と同じくらいよく食べたよ）

　今度は「比較対象」を自由に置けるようにしましょう。as-as の後ろは，Ken など単純な名詞だけではありません。**比較対象となるなら，-ing形でも to 不定詞でも，どんな形でも OK**。

> ⓖ My boss isn't as decisive as **he was a couple of years ago**.
> （僕のボスは２年前ほど決断力がない）
>
> ⓗ Dad is not as grumpy as **he used to be**.
> （父は以前ほど気難しくない）
>
> ⓘ I don't skip as many classes as **you do!**
> （僕は君ほど授業たくさんさぼらないよ！）
>
> ⓙ Chris isn't as old as **he looks**.
> （クリスは見た目ほど歳をとっていない）

　文が比較対象になっています。ですがもう１つ，重要なことにお気づきにはなりませんか？　それは文に「穴があいている」ということ。そのとおり。これは「**穴埋め修飾**（☞P.29）」の形なのです。ⓖは，

My boss isn't as decisive as he was ■.

（穴埋め）

　he was の後ろに「穴」があることに注意しましょう。この穴と decisive が穴埋め関係にあり，「彼がそうであったような decisive（ではない）」という修飾関係を作っているのです。

ⓗ grumpy as he used to be ■
ⓘ many classes as you do(= skip) ■
ⓙ old as he looks ■　※He looks old.（彼は歳をとっているように見える）の形ですよ。

　同じようにⓗ～ⓙも，「彼がかつてそうであったような grumpy（ではない）」「君がさぼるほど many classes（はさぼらない）」「彼がそう見えるような old（ではない）」。すべて比較の焦点（as-as の中身）を as 以降の穴あき文が修飾しているのです。
　いいかい。as に後続する文に穴をあけ，修飾する。この意識で何度も読んでみるんだよ。すぐに慣れるはず。

■ 穴埋め修飾

　穴埋め修飾は，英語の重要な修飾テクニックの１つ。主な活躍の場所は wh 修飾（☞P.413）。伝統的には「関係（代名・副）詞」とよばれていた修飾です。
(1) This is the dog **my father loves**.（これが私の父が好きな犬です）
　loves の後ろに「穴」があいており（my father loves ■），the dog と穴埋め関係にあります。そこから「私の父が愛している犬」という修飾関係が生まれているのです。as の文とまるで同じ修飾関係ですね。

PART 2 - CHAPTER 5：比較　SECTION 1：同等レベルをあらわす

●会話で使おう as-as ＋ 文

文を比較対象に使った as は，日常大変多用されます。ポピュラーなものをあげておきましょう。何度も口慣らし，いいね。

(1) The situation is not **as** desperate **as it may seem.**
（状況は見た目ほど〔そう見えるかもしれないほど〕悪くはない）

(2) The new vaccine is not **as** promising **as we thought/expected/hoped**.
（新しいワクチンは僕たちが考えた／予期した／望んだほど有望ではない）

(3) You can stay **as** long **as you'd like**.（好きなだけいていいんだよ）

神経質な方は——例えば(2)に——「厳密な穴埋め関係になってないじゃないか」と思われるかもしれません。はは。そのとおり。厳密には The new vaccine is not as **promising** as we thought it was ■．ですからね。だけどさ，「僕たちが思ってたほど（as we thought）」と言えば十分。ことばはね，堅苦しいもんじゃない。伝わりゃいーってことなんだよ。

●マニアなあなたへ：as-as の後ろに目的格が使われる理由

as-as の後ろに代名詞を使うときには，目的格にするのが基本です（☞P.284）。この場合，主格を使っても間違いというわけではありません。

(1) Tom is **as** tall **as I**.

だけどこれはやっぱり不人気な形です。それは堅苦しいから。その理由をお話しましょう。

実は，同じことをみなさんが先程学んだ「as-as ＋ 文」でより厳密にあらわすことができます——「私の背の高さと同じくらいトムは背が高い」。

(2) Tom is **as** tall **as I am**.

この場合，用いられるのは当然主格（I）。主語ですからね。この形も as tall as me の次にポピュラーな形。さて, as tall as I が堅苦しく感じられるのは，文でもないのに主格を使ってやがるから。そこに「本来の厳密な使い方を意識しているんですよ」が感じられるからなのです。文じゃないなら me と指してあげれば十分だろ？　それがこの形が不人気な理由です。

最後はお口直し。カンタンなポイントです。

> ⓚ His first album sold over half a million copies, and we hope this second album will be just **as popular** (as that).
> （彼の最初のアルバムは50万枚以上売れました。この2番目のアルバムも同じくらい売れると思いますよ）
>
> ⓛ Hiromi plays the piano brilliantly, but her sister can play **as well** (as her).
> （ヒロミのピアノの演奏はすばらしいけど，お姉さんも同じくらい上手）

何と比較しているのか十分あきらかな場合には，as 以下をゴッソリ省略することがしばしばあります。ことばは伝わればそれでいい，ってことですね。

> ● 比較対象をそろえる
>
> 　最後に1つだけ，as-as に限らず比較をあらわすすべての文にあてはまる注意事項です。それは「比較対象をそろえろ」ということ。
>
> (1) × The culture of Japan is as rich and beautiful as **England**.
> 　　（日本の文化はイギリスと同じくらい豊かで美しい）
>
> 　もちろん言っていることはわかります。ですが非常に不正確な文になっていますね。それは比較対象がそろっていないから。比べたいのは，日本の「文化」とイギリスの「文化」。ここは, England's, that of England としなければなりません。
>
> (2) × Gary's car isn't as flashy as **Mary**.
> 　　（ギャリーの車はメアリーのほど派手じゃない）
>
> 　これは論外。比較したいのは「車」。**Mary's** にしてください。メアリーがいくら派手でも車と比べちゃいかんだろ。比較の対象をそろえる。要注意ですよ。

5 ▼ 比較

●as-as を用いたフレーズ

as-as はみなさんの表現力に直結するさまざまなフレーズを作ります。

☐ **as ... as ~ can / as ... as possible**（できるだけ）

(1) OK, keep calm. I'll get there **as** fast **as I can**.
（いいか，落ち着けよ。できるだけ早く行くよ）

(2) I'm sorry I'm late. I got here **as** quickly **as I could**.
（ごめん遅刻だ。できるだけ早くきたんだけど）

(3) My boss needs this report **as** soon **as possible**.
（僕のボスはなるべく早くこのレポート欲しがってるんだけど）

(1)と(2)は，「できるのと同じくらい早く→できるだけ早く」という意味の流れです。can-could に注意。過去のことなら could になります。(3)の as ... as possible は，「可能（possible）な限り」。email などでは, **as s**oon **as p**ossible は ASAP（asap）と略されることがあります。クールでしょ？

☐ **as ... as can be / as good as it gets**（最高）

「最高」をあらわす表現。「それがなり得るのと同じくらい」ってこと。

(1) I'm **as** happy **as can be**.
（僕は最高に幸せだよ）

(2) Enjoy the moment——this is **as good as it gets**.
（今を楽しむんだよ——最高の時間だから）

☐ **as ... as any**（どの～にも劣らず・ナンバーワン）

any は，比較表現と定番のコンビネーションを数多く作ります。any のイメージは「どれをとっても」。相手に選択の自由を許す表現でしたね（☞P.181）。

(1) This example is **as good as any**, so let's use it.
（この例文はどれと比べても十分いいな。使おうぜ）

(2) Lazy? You must be joking! Charlie is **as hardworking as any student** in our class!
（なまけてる？ 冗談だろ！ チャーリーはクラスで一番勤勉だよ）

さて, as ... as any は特別な表現ではありません。多くの場合「どの～とも同じくらい（劣らず）」とそのまんまの意味。(1)は「どれにも劣らず good だよ」——これで十分役に立つということ。注意

すべきは(2)。as ... as any は，**大きな強調をあらわすこともできる**んです。「誰にも劣らず勤勉 → 一番勤勉」ってことですね。

□ **as ... as ever**（相変わらず）

ever は「いつのことでもいいんだけど（at any time）」。任意の時点をあらわします。as ever は「いつもと同じように」そこから「相変わらず」。

(1) Ha! Ha! I see you are **as witty as ever**.
（はは！ おまえって相変わらず気が利いたことを言うなぁ）

□ **not so much ... as 〜**（…よりはむしろ〜）

(1) I'm **not so much** concerned about the money **as** about how much time it will take. （お金よりむしろかかる時間を心配しているんだよ）

パッと見るとややこしそうですね。日本語訳は気にしないで英語だけに集中してごらん。not so much concerned about the money は「お金にはそれほど心配していない」。そして as 以下で「時間ほどにはね」と比較しているだけ。がんばって口慣らしするんだよ。

□ **not so much as ...**（…さえしない）

(1) Mary would**n't so much as** hurt a butterfly.
（メアリーは蝶々を傷つけることさえしない）

(2) Talk to me? Ha! He would**n't so much as** look at me! （彼が私と話をする？ ははは！ 彼，私の方を見ようとさえしないのよ！）

not so much as ... で動詞を修飾してみましょう。**そんなレベルまでやりません**となります。もちろん not so much as ... は「…ほどたくさんではない」ということだから。(2)はとても「look at me までは行きません」ということになりますね。

□ **as good as ...**（ほとんど…・…同然）

(1) Trust me, it's **as good as new**! —— Yeah, right!
（僕を信じてくれよ。新品同様だぜ，これ！ ——はいはい，わかりましたよ！）

(2) If my parents find out, I'm **as good as dead**!
（もし両親に見つかったら，僕死んだも同然！）

このフレーズを使うためには，good のもう1つの意味を知らなくてはなりません。それは「十分」。例えば，みなさんが会社の掃除をしていたとしましょうか。そこで上司が入ってきて That's good. これは，「いいですね」という意味ではありません。

PART 2 - CHAPTER 5：比較　SECTION 1：同等レベルをあらわす

「あ，それで OK。十分だよ」ということ。例えばゴルフで，みなさんのパットが 2cm まで寄りました。相手は That's good. これも「もう十分。入れなくても入れたことにしましょう」ということ。good には，「よい」だけでなく，「もう十分だよ」の意味があるのです。あ，前置き長すぎましたね。

さて，このフレーズ。as good as new は new と十分いえるような，as good as dead も十分 dead といえるくらいの，ということです。わかったかな？

> That's good.

■ 比較級・最上級の作り方

　次のセクションから，形容詞・副詞の変化形——比較級・最上級——を使うテクニックを学んでいきますが，その前にこれらの形を上手に作れるようにしておきましょう。まずは規則変化から。

■ 規則変化

　この変化で最も重要なことは，**「短い単語」は -er（比較級），-est（最上級）と変化し，「長い単語」は more, most を付ける**ということです。「子音字＋y → -ier, -iest」「1母音字＋1子音字 → 子音字を重ねて -er, -est」など，ほかの語形変化と共通の綴り字の変化があります。

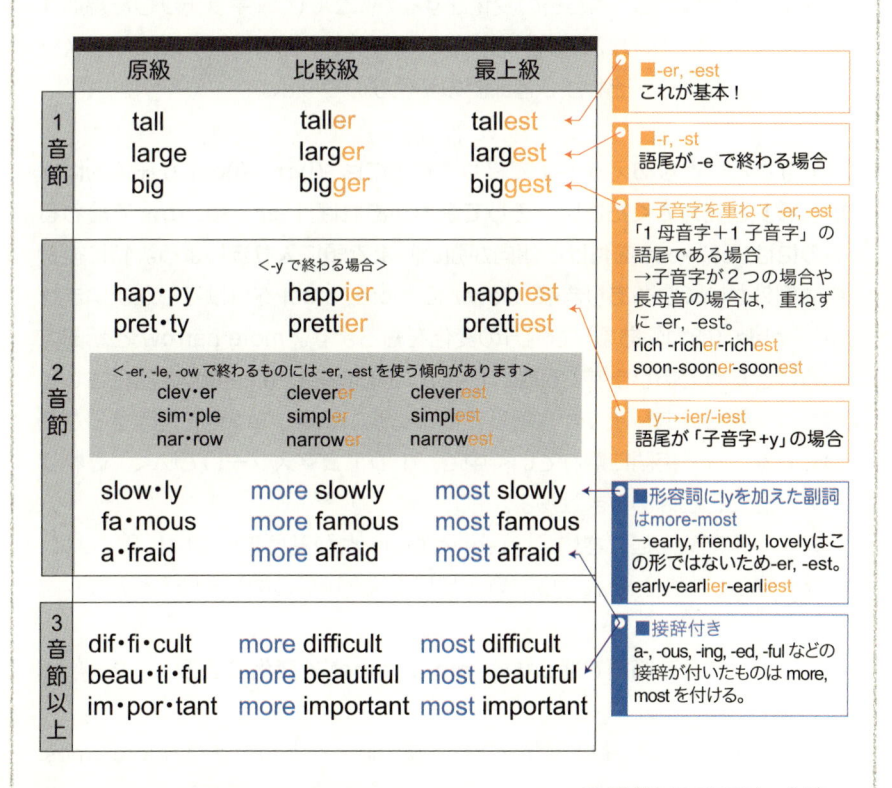

	原級	比較級	最上級	
1音節	tall large big	taller larger bigger	tallest largest biggest	■ -er, -est　これが基本！ ■ -r, -st　語尾が -e で終わる場合 ■ 子音字を重ねて -er, -est　「1母音字＋1子音字」の語尾である場合　→子音字が2つの場合や長母音の場合は，重ねずに -er, -est。　rich -richer-richest　soon-sooner-soonest
2音節	＜-y で終わる場合＞ hap・py pret・ty	happier prettier	happiest prettiest	■ y→-ier/-iest　語尾が「子音字+y」の場合
	＜-er, -le, -ow で終わるものには -er, -est を使う傾向があります＞ clev・er sim・ple nar・row	cleverer simpler narrower	cleverest simplest narrowest	
	slow・ly fa・mous a・fraid	more slowly more famous more afraid	most slowly most famous most afraid	■ 形容詞にlyを加えた副詞はmore-most　→early, friendly, lovelyはこの形ではないため-er, -est。　early-earlier-earliest
3音節以上	dif・fi・cult beau・ti・ful im・por・tant	more difficult more beautiful more important	most difficult most beautiful most important	■ 接辞付き　a-, -ous, -ing, -ed, -ful などの接辞が付いたものは more, most を付ける。

※「音節」については ☞ P.63

ⓐ Tokyo Tower is **taller** than Yokohama Landmark Tower, but it's not the **tallest** structure in Japan.
（東京タワーは横浜ランドマークタワーよりも高いけど，日本で一番高い建造物というわけではない）

ⓑ I agree that Shakira is **more beautiful** than Beyoncé, but she's definitely not the **most beautiful** woman in the world.
（シャキラはビヨンセよりキレイだけど，ま，世界で一番ってわけじゃ絶対ないよ）

さて，厄介なことに気がついたはずです。それは2音節語の変化です。2音節語には -er, -est 型の変化をする場合と，more, most 型の2とおりがあるからです。しかも，どちらの変化をするかについて「キッチリした規則はありません」し，「両方の変化が可能なものも多数」あります。なんだかスッキリしないなぁ——それが2音節語の変化なのですよ。

みなさんは**とりあえず「-y で終わるものには -(i)er, -(i)est が圧倒的に好まれる」**と覚えてください。そして余力があれば「**-er, -le, -ow で終わるものには -er, -est を付ける傾向が強い**」まで頭に入れましょう。特に後者には例外がいくつもあります。clever に more, most を付けてもかまいませんし，able（能力のある）も両方の変化をもちます。more narrow と新聞に出ることだってあります。bitter（苦い）を bitterer, bitterest と変化させるのも（辞書にはありますが）最近では珍しく，more, most を付けるのがふつうです。——英語に触れていく中で，1つ1つマスターしていく，それで十分。急ぐことはありませんよ。

え？　まだめんどくさい？　「-er とか -le とか覚えたくない」？　はは，しょーがないなー。それなら次のアドバイスを握りしめておいてください。

2音節語で迷ったら，more, most で変化させろ

単語によって -er, -est 型が好まれる場合は多々ありますが，more, most にして間違うことはありません。どちらが「標準的か」程度のこと。迷ったら，迷わず（？）more, most 型で変化させること。いいね！

● ネイティブだって悩んでいる

比較級・最上級の変化は，変化形の中でも最も複雑なものですが，それはネイティブにとっても同じことです。最近海外の掲示板やブログなどで，英語についての情報交換が盛んに行われていますが，比較級・最上級については，ネイティブ自身ずいぶん混乱していることがよくわかります。

そもそもネイティブは「自然にこれらの変化形を身につけた」わけではありません。私たちの漢字学習と同じように，幼少期に学校でドリルをやったり親に怒られたりしながら覚えるのです。ネイティブすら苦労する。ならば私たちが悩むのもあたりまえ。少々の間違えは気にせず英語を使えばいいだけですよ。

ただ，ネイティブの文に時々見かける，次のような間違いはしないこと。

(1) × This is **more bigger** than mine. （○ This is bigger than mine.）
　　　（これは僕のより大きい）

これは単なる不注意。正確無比で鳴る日本人がこんな間違いをしてはいけません。

■ 不規則変化

原級	比較級	最上級
good（よい） well（健康で・よく［上手に］）	better	best
bad（悪い） badly（悪く［ヘタに］）	worse	worst
many（［数が］多くの） much（［量が］多くの・とても）	more	most
little（［量が］少しの・少し）	less	least
far（遠くの・遠くへ）	farther further	farthest furthest
old（古い・歳をとった）	older elder	oldest eldest

比較級・最上級が不規則に変化する単語があります。とはいえ，「よい」「悪い」「多い」「少ない」の4種類と，far（遠い），old（古い）のもつ2種類の変化に注意すれば十分です。

ⓐ My Dad may be the **best** businessman in Town, but he's the **worst** father!
【good, bad の最上級】
（僕の父は商売人としちゃ町一番だけど，最悪の父親だよ！）

ⓑ She can handle this situation **better** than anyone.
【well の比較級】
（彼女はこの状況を誰よりもうまく処理することができる）

ⓒ He took the TOEIC test again and did even **worse** than last time!
（**badly** の比較級）
(彼はまた TOEIC テスト受けたんだけど，前回よりもさらに悪かったんだ！)

　far と old は 2 種類の変化をもつ珍しい語です。far は「遠く」と距離をあらわす単語ですが，そこから比喩的に「さらに」という使い方が生まれています。

ⓓ How much **farther (further)** do we have to walk? 【物理的な距離】
(あとどれくらい歩かなくちゃならないの？)

ⓔ For **further** information, please contact reception. 【比喩的な距離】
(さらに詳しい情報については受付にお問い合わせください)

　単なる「遠く」の場合，farther が好まれますが further も可能です。比喩的な使い方では further のみ。ま，further を毎回使ってかまわないということですね。

ⓕ He is **older** than me. （× He is elder than me.）

　elder-eldest は older-oldest の古い変化形です。現在は主に elder sister，elder brother（姉，兄）などの使い方に限られています。

●なぜ more, most が比較級・最上級に使われるのか

　2 音節以上の比較級・最上級には，なぜ more, most が使われるのか，考えたことはありますか？
　それはね，more, most が many（much）の変化形，つまり数量の「より多く・最も多く」をあらわすから。

(1) We're hoping for **more** bookings at our hotel this year. （many の比較級）
　　(今年は私たちのホテルにより多くの予約を期待しています)
(2) Mom, I need **more** pocket money. （much の比較級）
　　(かあさん，もっと小遣い)

　比較級・最上級を作る例にも，ちょうどこれと同じように，「量」が感じられているのです。

(3) Lucy is **more intelligent** than Nancy. （ルーシーはナンシーより賢い）
(4) Lucy is **the most intelligent** of all. （ルーシーは最も賢い）

　そう，「もっとたくさん intelligent だ」「最もたくさん intelligent だ」ってこと。more, most が比較級・最上級に使われるのは，とっても自然なことなんですよ。

SECTION 2 比較級表現:「より〜」

▶「より・もっと〜」。ほかとのレベル差をあらわす,それが比較級。

Ⓐ 比較級の基本

ⓐ Follow me. This way is **quicker**. (←This way is **quick**.)
(ついておいで,こっちの道の方が早いよ)

ⓑ Many people would like to have a **better** life.
(←Many people would like to have a **good** life.)
(多くの人々はよりよい人生を送りたがっている)

ⓒ Try swinging the bat **more slowly**.
(←Try swinging the bat **slowly**.)
(バット,もっとゆっくり振ってみなよ)

形容詞・副詞のもとの形(原級)の代わりに,比較級(-er の付いた形)を使ってみましょう。それで「より〜」のできあがりです。カンタンですね。

■ 比較対象があきらかな場合に

　　上の例は比較の対象があきらかにされていません。こうした文は,比較対象があきらかな場合に用いられます。まぁ,あたりまえの話ですね。

(1) Women live **longer**.　(女性は〔男より〕長く生きる)
(2) Social networking sites like Twitter are becoming **more popular**.
(ツイッターのような SNS サイトは〔以前より〕ポピュラーになってきている)

ⓓ Slow down! I can't keep up with you. ──That's because I'm **fitter than you**.
(ゆっくり! 君についていけないよ。──それは僕が君より体力があるからだよ)

ⓔ How can I get **a higher TOEIC score than her**? She lived in the States for 5 years!
(どうやったら TOEIC 彼女よりいい点取れるんだよ? 5年もアメリカ住んでたんだぜ!)

PART 2 - CHAPTER 5：比較　SECTION 2：比較級表現：「より〜」

> ⓕ C'mon, kids! You can scream **louder than that**.
> （がんばれ！　それよりもっと大きな声が出せるだろ）

　比較級表現は，「何よりもなのか」——比較対象を具体的に示すのがふつう。比較対象を明示する **than（〜よりも）** を加えてみましょう。than の後ろに代名詞がくる場合は目的格となります（✕ than she）。ご注意くださいね。

● than のイメージ

than はコントラストを示す単語。あるポイントから「離れる」感触をあらわします。than Mary はメアリーのレベルから「離れて」ということ。比較級と用いられるほか, other than 〜（〜以外の）, rather than 〜（〜よりもむしろ・〜ではなく）などのフレーズを作ります。

(1) Do you have more samples **other than** those you've shown us already?
（今まで見せてくれたもの以外のサンプルありますか？）
(2) In the end, I decided to repair my old bike **rather than** buy a new one.
（最後には，新しいバイクを買うんじゃなくて古いバイクを直すことにした）
(3) **I'd rather** go naked **than** wear fur.
（毛皮を着るより裸の方がいい〈反毛皮キャンペーン〉）

どの文にも「離れる」が生きています。other than 〜 は「〜と離れたほかのモノ」。would rather 〜 は「むしろ〜したい」。あっちじゃなくて（離れて）こっちを選択，ということ。

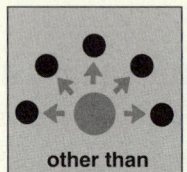

other than　　　　　rather than

■ 比較級起源の単語

　superior（すぐれた）, inferior（劣った）, senior（地位・レベルが上の）, junior（地位・レベルが下の）は，比較級を起源にもつ単語。
(1) This is **superior** to that.（これはあれよりもすぐれているよ）
(2) Ken is **senior** to me in the firm.（ケンは私の上役です）
　これらの話は何に対して（to）より上なのか——比較対象が意識にのぼっています。

B 限定語句と共に比較級を使う

比較級もさまざまな限定表現と共に使うことができます。まずは not から。

ⓐ Camembert is **not** tastier than Gruyère.
（カマンベールはグリュイエールほどおいしくない）

ⓑ My kids are **no** naughtier than most other children.
（僕の子は，ほかの子たちより全然やんちゃじゃない）

ⓒ This perfume is**n't any** more fragrant than the one I am using now. （この香水は私が今使っているものよりも全然いい香りじゃない）

not はふつうの否定。淡々と「あれよりおいしくありません」。平板な言い方。一方 no は「全然・全く〜ない」。強い否定です。not any は any の意味に注意しましょう。any は「どんな分量であっても」。そこから「少しも〜ない」となります。

■ any と比較級のコンビネーション

any と比較級のコンビネーションは否定文に限ったことではありません。
(1) You said you felt sick. Are you feeling **any** better?
（キモチ悪いって言ってたよね。少しはよくなった？）
こんな言い回しもよく使われますよ。

ⓓ My hair is **a little**［**a bit**］softer than before, so I like this conditioner.
（私の髪，前よりちょっとやわらかいの。だからこのコンディショナー好き）

ⓔ Today's test was **somewhat** more difficult than last week's.
（今日のテストは先週のよりもいくぶん難しかった）

ⓕ Fruit is **much**［**a lot**］cheaper in my country than in Japan.
（果物は日本よりも僕の国の方がはるかに安い）

ⓖ Whisky is **far** stronger than beer. （ウィスキーはビールよりもはるかに強い）

ⓗ My brother is **even** crazier than me!
（僕の兄ちゃん，僕よりクレイジーだぜ！）

比較級の強調表現です。バリエーションはこのくらい知っておけば十分。まずは位置から。もちろん比較級の強さを「限定」するのですから、**修飾語は前置き**となります。

注意すべき点は、**ただの強意表現はこない**ということ。

× **very / really / so / pretty** cheaper

比較級はいつもほかとのレベル差について述べる形。ですからほかとどれだけ違うのか、つまり**「どれだけ離れているのか」が強調の方法**となるのです。「少し」「たくさん」などの単語が使われるのはこのため。far（遠い）が使われるのも納得ですね？ very などの単なる強調は距離感を含まない——だから使うことができないのです。ⓔの somewhat はいくぶん堅苦しいフォーマルな表現。ⓗの even（さらに）は、「僕も相当クレイジーだけどさらに」という意味合いです。

ⓘ Sue is **3 years** younger than me. （スーは僕より3歳若い）

ⓙ I need **3** more volunteers. （もう3人ボランティアが必要だ）

ほかとの差を具体的にあらわす形にも慣れておきましょう。比較級の前に具体的な数値を置いて限定します。「単に younger ではなく 3 years younger」「単に more ではなく 3 more」という具合。

■ many more, much more ADVANCED

many more, much more は「もっとたくさん」。more のうしろの名詞が可算なら many、不可算なら much を使いましょう。

(1) Don't worry, you'll get **many more** chances to meet a nice girl.
（大丈夫だよ、いい子に会えるチャンスはもっとたくさんあるからさ）

(2) I have **much more** confidence than before.
（以前よりもっと多くの自信がある）

ⓚ Did you know that a woman's hips are approximately **one and a half times** bigger than a man's?
(女性の腰まわりは男性のだいたい1.5倍あるということ，知ってた？)

ⓛ This new operating system is **2 to 3 times** faster than the old one. (この新しいOSは古いのより2〜3倍速いよ)

「〜倍速い」などは，回数表現を使って作ることができます。ただし once, twice は使えません。one, two, three ... など数字を使いましょう。

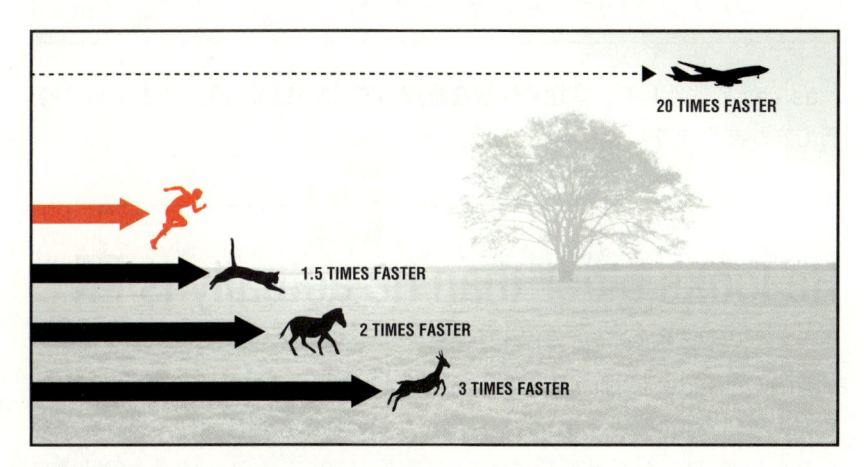

20 TIMES FASTER

1.5 TIMES FASTER

2 TIMES FASTER

3 TIMES FASTER

5 ▼ 比較

ⓒ 比較級を使い切る

比較級も as - as と同じように，than に後続する比較対象には，Ken などの名詞に限らず，さまざまな表現を自由に使うことができます。

ⓐ It's cheaper to eat at home than **at a restaurant**.
(レストランで食べるより家で食べた方が安くあがる)

ⓑ Doing something is always better than **doing nothing**.
(何もやらないより，何かやってみる方がいつだっていいに決まってる)

ⓒ It's healthier to play sport than **to watch it on TV**.
(テレビで見るより，自分でやる方がスポーツは健康的だよ)

前置詞句や -ing形, to 不定詞など，なんでも自由。ここまで使いこなしてみて初めてネイティブ並ですよ。次に，文を使ってみましょう。

> ⓓ He looks older than **he actually is**.
> 　（彼は実際より歳をとって見えるよ）
>
> ⓔ I'm more confident than **I've ever been**.
> 　（今までで一番自信があるよ）
>
> ⓕ The meeting lasted longer than **I expected**.
> 　（ごめん，思ってたよりミーティングが長引いたんだ）

as - as で説明した，**穴埋め修飾を意識してください**。例えばⓓは is の後ろに穴があります。

穴埋め

He looks older than he actually is ■ .

この穴と old が穴埋め関係を作り，「彼が実際そうであるよりも（歳をとって見える）」となるのです。穴を意識しながら何度か繰り返し，コツをつかんでくださいね。ⓔの比較級と ever は定番コンビネーション。「どの時点をとっても（それより）」が「今までで一番」という意味を生み出しています。

●比較級を用いたフレーズ

比較級を使った慣用表現はたくさんあります。会話でこのレベルの表現が出るようになればかなりの上級者。解説をじっくり読んで何度も音読すれば必ずできるようになりますよ。

☐ 比較級 and 比較級 （ますます）

(1) It's becoming **harder and harder** to get a job.
　（就職するのはますます難しくなっている〈がんばれ〉）

(2) Hey, your English is getting **better and better.**
　（へぇ，君の英語，どんどんよくなってるよ）

(3) The situation is becoming **more and more serious**.
　（状況はますます深刻になっている）

比較級を重ねて「ますます～」。途切れなく変化する様子が目に浮かぶグラフィックな表現です。become, get など変化系の動詞が使われます。serious のように more を使って作る比較級の場合, more and more serious とします。

☐ **the 比較級～, the 比較級～**（～であればあるほど～）

(1) **The younger** you are, **the easier** it is to learn.
　　（若ければ若いほど，学ぶのはやさしい）
(2) **The more expensive** the hotel, **the worse** the service.
　　（ホテルは高ければ高いほど，サービスは悪くなる）
(3) **The sooner** you dump him, **the happier** you will be.
　　（彼を早く捨てるほど，幸せになれるよ）
(4) **The more** we have, **the more** we want.
　　（もてばもつほど欲しくなる）

the more ... , the more ...

比例関係をあらわす形です。法則めいた内容ですよね。2つの the のおかげで，比較級同士がガッチリ縛り合って，「すればするほどその分～」となっていることにも注意。対比をあきらかにするため，「the 比較級」を文頭に置いていることにも注意しましょう。

☐ **all the 比較級**（その分だけ）

(1) I like her **all the better** because she is shy and modest.
　　（内気で控えめな分彼女が好きだ）
(2) The fact that I simply ignored his rude comments made him **all the more angry**.（彼の失礼なコメントを無視したことがそれだけ彼を怒らせた）

このパターンのミソは，文中に「理由」があること。そして the が「その分だけ」を示しています。

☐ **the 比較級**（2者間で「～の方」）

(1) Which of these 2 lines is **the shorter**?
　　――Ha! They're the same length!
　　（この2つの線分，どっちが短い？ ――はは！ 同じ長さだよ！）
比較級に the。時々目にするコンビネーションですが，「形容詞に the ?」と驚かないでくださいね。この shorter，実は

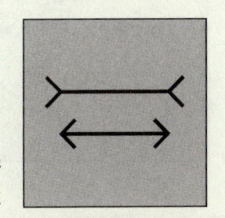

「shorter one (短い方)」ということ。名詞として使っているんです。2つのうち「短い方」なら「1つに決まる」から the shorter。

■ the shorter と shorter どっち？
(1)は Which of these 2 lines is shorter? でも大丈夫。形容詞として使っています。形容詞なら the は付きませんから。実はこちらの方がよく使われます。簡単だからね。the shorter の方がやや「厳密な言い方」だという印象を与えます。

□ 比較級 + any other ~ （ほかのいかなる〜よりも）

(1) John is **taller** than **any other** boy in his class.
（ジョンはクラスの誰よりも背が高い）

(2) Tokyo is **bigger** than **any** city in England.
（東京はイギリスのどの都市よりも大きい）

「ほかの誰よりも」「ほかのどこよりも」――「実質一番」を比較であらわすことは日本語でも多々ありますよね。any は、選択の自由をあらわす限定詞です。any other boy は「ほかのどの子を考えてもいいよ、それよりも」ということ。実質一番。other が使われているのは、「彼のクラスのどの少年よりも (than any boy)」と言ったら彼自身を含んでしまうから。不正確な表現になってしまうからです。同じ意味で every (any) ... else もよく使われますよ。

(3) John is taller than **everybody/anybody else** in his class.
（ジョンはクラスのほかの誰よりも背が高い）

□ more ... than ~ （〜というよりもむしろ…） `ADVANCED`

(1) She is **more** pretty **than** beautiful.
（彼女は美しいというよりかわいいんだよ）

(2) Getting a visa is **more** time-consuming **than** difficult.
（ビザ取得は難しいというより時間を喰う手続きなんだよ）

(1)は、彼女と誰かほかの人を比べているわけではありません（それなら prettier となるはず）。比べているのは beautiful と pretty という「表現」。そう、この形は表現の的確さを比較しています。
more は「よりピッタリ」ということ。「美しいっていうよりかわいい」、日本語でもよく使いますよね？
more ... than という型の中に比べたい表現をただ放り込んで作ります。この形はね、会話でもよく使われる必修表現。絶対マスター。

☐ **no more ... than**（全然違うよ）　ULTRA ADVANCED

特別なニュアンスがこもる表現。これが出てくるようだとネイティブ並の表現力。

(1) That is **no more** a Rolex **than** this plastic toy watch!
　　（あれはロレックス〔高級腕時計〕なんかじゃないよ！）
(2) He is **no more** an artist **than** I am.　（アイツは芸術家なんかじゃないよ）
(3) You, a detective?　Ha!　You're **no more** a detective **than** my grandmother!
　　（おまえが刑事だって？　ははっ！　お前が刑事なわけないだろ！）

え？　訳が半分しかない？　それは心外！　話し手が言いたいことはちゃんと訳していますよ。この文のポイントは than より前です。**「全然違うよ！」それがこの文のメッセージ**。強烈な否定文なんですよ。

than 以下はおまけ。それがどれほどとんでもないことかを，あり得ないことを引き合いに出して述べているにすぎません。直訳すれば「このプラスチックのおもちゃの時計以上にロレックスなんてことはないよ」。おもちゃの時計はロレックスじゃありませんからね。当然「全然ロレックスなんかじゃない」という意味になるというわけ。あり得ないことを引き合いに出している分，ただ That is not a Rolex.（あれはロレックスじゃない）と言うよりも，はるかにパンチの効いた表現となっているのです。この形を使いこなすのは実に簡単。単に not で否定する代わりに no more を使う。そしてありえないことを than で引き合いに出す――ただそれだけ。何度か音読してごらん。すぐに慣れてくる。

ついでにいくつか注意事項を述べておきましょう。

① **no more ... than の型にいろいろな表現を放り込もう**

(4) He's **no more** fit to do this job **than** a monkey!
　　（ヤツは全くこの仕事にふさわしくない！〔サル〈がこの仕事に相応しくない〉以上に〕）
(5) I could **no more** lie to you **than** fly to the moon.
　　（君に嘘を言うことなんてできないよ〔月に飛んでいく〈ことができない〉以上に〕）

② **ふつうの比較文と混同しない**

(6) He is **no more** intelligent **than** me.

この文は more intelligent（intelligent の比較級）を no で否定した文。「私より賢くなんてない」です。

☐ **less**（より程度が低い）

less は原級を伴って，「～ほど…じゃない」。程度がより低いことをあらわします。more と対になる表現。

(1) Lucy is **less intelligent** than Hanako.　（ルーシーは花子ほど賢くない）

同じ内容を not as intelligent as でもあらわすことはできます。ですが，less を使っている分，低さによりフォーカスがあたっている感触があります。

□ no less ... than ～　(～に劣らず) ULTRA ADVANCED

(1) I'm **no less confident** than before, just because I didn't win.
(試合に負けたというだけで，以前よりも自信を失ったわけじゃない)

no less（決して劣っていない）から，すぐに理解できる使い方ですね。さらに一歩進めて，次のような使い方もできるようにしましょう。

(2) He's **no less** a man **than** you, just because he refuses to fight.
(ケンカを断ったからといって，彼は男だってことに変わりはないよ)

この文は「彼は男です」が主たるポイント。than 以下に you を置いて，それを強調しています。「(君が男であるのに全く劣らず) 彼は男だよ」ということ。

□ no more than ～　(～にすぎない)

(1) The earth is **no more than** a little star.　(地球は小さな星にすぎない)

no more than はまとめて only の意味で使うことができます。「a little star 以上のモノではない = a little star にすぎない」ということ。no が強い否定であることを思い出しましょう。このフレーズには豊かな感情が乗っています。

(2) There were **no more than** ten people present.
(3) There were **not more than** ten people present.

no more than は「10人しかこなかった」――ちょっとガッカリというキモチが乗っていますが，not more than は「～を越えていません」――感情が込もらない平らな表現。単に「10人以下でした」ということです。not more than は，次のようなお役所的な表現がピッタリです。

(4) You must pay this fine **not more than** 12 days after the date written below.
(この罰金は下記の期日から12日以内で収めなければなりません)

□ no less than ～　(まさに・〈数量の大きさを強調して〉～も)

(1) You got Chris to pay for a drink? That is **no less than** a miracle!
(クリスに飲み代，払って貰ったって？　まさに奇跡だ！)
(2) A house in that area would cost **no less than** $500,000.
(あの地域の家は50万ドルは下らない)

やはり豊かな感情が乗っています。(1)は「奇跡というに遜色はない」「まさに奇跡だ」――単なる「奇跡より下ではありません」ではないんですよ。(2)は「500,000ドルも」。ためしに not を使ってみましょうか。

(3) We have to write a paper of **not less than** 5000 words.
(5000ワード以上のレポートを書かなくちゃならない)

ほら，今度はただの「5000ワード以下ではありません」となります。

☐ **more or less**（多かれ少なかれ・だいたい）

そのまんまの意味ですね。

(1) I've **more or less** made up my mind.　（だいたい決心がついたよ）

☐ **not ~ any more**（= **no more**）（もはや～ない・これ以上～ない）

(1) I do**n't** love her **any more**.　（もう愛してないよ）
(2) I ca**n't** take it **any more**.　（これ以上は耐えられないよ）

「これ以上は少しも」。(1)のように「もう終わり」、あるいは(2)のように「これ以上はムリ」という文脈が得意。not ... any longer も同じように使いますが、long（長く）があるので、時間的な「これ以上」をあらわすのが得意。次の文で多くのネイティブが選ぶのは not any longer の方ですよ。

(3) I ca**n't** wait **any longer**.　（もうこれ以上待てないよ）

☐ **know better**（もっと分別がある）

(1) That was a really stupid thing to do. You should **know better**.
（本当にバカげたことやったね。分別が大切よ）
(2) His bags were stolen? But he should **know better** than to leave his stuff unattended.
（彼、バッグ盗まれた？　でも誰にも見ていてもらわずに、モノを置きっぱなしにしちゃだめだろ）

know better は「もっと知っている」。ここから「もっと物事をわきまえている」「～するほどバカじゃない」となります。should / ought to（すべき）と結び付いて、相手を諫める場面でよく使います。

You should know better.

☐ **none + the 比較級**（（だからといって）少しも～というわけではない）

訳が複雑でごめんなさいね。でも否定の none（0）と「その分だけ」を示す the があることに注意すれば、キモチがわかるはず。

(1) She explained how to do it 3 or 4 times to me, but I'm still **none the wiser**.
（彼女は3、4回説明してくれたが、だからといって少しも賢く〔できるように〕なったわけじゃない）

副詞の nonetheless（にもかかわらず）も同じですよ。

(2) **Nonetheless**, he shouldn't have lost his temper like that.
（それでもなお、そんな風にキレるべきじゃなかった）

「ある一定の事情があるからといって、少しも減るわけじゃないよ」ということ。

SECTION 3 最上級表現:「最も〜」

▶「最も〜」。最高レベルを示す,それが最上級という形です。基本型を押さえ,さらに展開型に進んでいきましょう。

Ⓐ 最上級を使った基本型

ⓐ Cheryl is **the cleverest**. (←Cheryl is **clever**.)
（シェリルが最も頭の回転がいいよ）

ⓑ Oh, that's **the best idea**. (←Oh, that's a **good idea**.)
（うん,それは最高のアイデアだな）

ⓒ Which engine runs **the most efficiently**?
(←Which engine runs **efficiently**?)
（どのエンジンが最も効率よく動く？）

形容詞・副詞のもとの形（原級）の代わりに,最上級（-est の付いた形）を使えば,「最も〜」のできあがり。**最上級にはふつう the が伴うことに注意しましょう。**

●最上級には the

最上級に the が伴うのは,「最も〜」「一番〜」が the の感触——1つ（あるいは1グループ）に決まる——を伴うからです。the が付くのはふつうは名詞。ですが同じ感覚が形容詞や副詞にも引き継がれているのです。この the は感覚的なものであるだけに,気軽な会話や文体では省略されることも多いことを覚えておきましょう。

(1) Who stayed awake **longest**? （誰が一番長く起きていたの？）

もちろん,私たちは「常に the を付ける」ことを心掛けておけば間違いはありません。ただ,最上級であっても次のケースには「the を用いない」ことを覚えておきましょう。

◆ある1つのモノの状態について述べる

(2) The road is **narrowest** at this point. （この道はここが一番狭い）

(3) This road is **the narrowest** in the whole town. （この道は町中で一番狭い）
(4) I'm **happiest** when I'm surrounded by my family. （家族と一緒のときが一番幸せ）
(5) I'm **the happiest** guy in the world. （僕は世界で一番幸せ者だよ）

　(2), (4)はどちらも「複数のモノの中で一番」ではありません。「1つに決まる」の the は必要ないのです（the を付けても間違いではありませんが，付けない方が好まれます）。

◆最上級 most が「とても」の意味で使われる

(1) Well done. Your performance was **most impressive**. （= very impressive）
　　（よくやった。君の演技はすごく印象的だったよ）
(2) She kissed my cheek **most tenderly**. （= very tenderly）
　　（彼女はホッペにすっごく優しくキスしてくれたんだ）

　よく目にする使い方。most を very（とても）の意味合いで使っています。そもそも「一番」を意味していないのですから，the を付けないのはあたりまえですね。
　最上級は the が基本。「1つに決まる」が意味されていない場合は the を省く。覚えることはたったこれだけですよ。

ⓓ **Tom is the tallest of the three / of all.**
　（トムは3人のうち／全体で最も背が高い）

ⓔ **Tom is the tallest in his class.**
　（トムはクラスで最も背が高い）

　最上級表現は，「どの中で一番なのか」――比較範囲を具体的に示すことがしばしばあります。of, in のうち，どちらを使うかに注意しておきましょう。

●最上級に伴う「中で」を示す前置詞

　「～の中で最も～」。最上級に伴う前置詞に注意しておきましょう。ここにも繊細な選択が生きています。代表は in, of。それぞれを的確に使い分けてください。

(1) Can you name the longest river **in the world**? （世界で最も長い川の名前言える？）
(2) Your bar is definitely one of the liveliest **in this city**.
　　（君のバーは間違いなく，この町で一番活気があるバーの1つだよ）
(3) Your dog is the noisiest **in the neighborhood**.
　　（おまえの犬は近所で一番うるさい）

in が使われるのは，基本イメージ（☞P.393）どおり「範囲」が強く意識されているケースです。the world, this city という範囲。ほかに class（クラス）や company（会社）などの組織も範囲と考えてくださいね。

(4) She is the youngest **of the three**.
（彼女は３人の中で一番若い）
(5) This resort is the best **of all**.（このリゾートは最高だ。〔全部の中で〕）

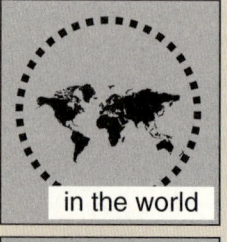

一方 of が使われるのは「one of them（彼らの中の１人）」と同じ，「部分―全体」の関係です。

in the world　　in the class
of the three　　of all

ᴮ 最上級を限定語句と共に使う

ⓐ This is **by far** the best book we've written.
（これは断然僕らがこれまで書いた最高の本です）

ⓑ This site has **the very** best free online games.
（このサイトには，まさに最高の無料オンラインゲームがあります）

ⓒ Her grades are excellent, but they are only **the second best**.
（彼女の成績はすばらしいけど，まだ１人上がいるんだよ）

ⓐの by far は「他とかけ離れて」。the best を限定しています。ⓑ・ⓒもよくある言い回しです。× very the best，× second the best とならないことに気をつけてくださいね。

ⓒ 最上級の応用型：「これまで」とのコンビネーション

ⓐ This is the most moving film **I've ever seen**.
（これはこれまで見た中で最も感動的な映画だよ）

ⓑ This is the most hair-raising roller-coaster **ever created**.
（これはこれまで作られた最も怖いジェットコースターです）

　最上級と ever はパンチのあるコンビネーションを作ります。「食べたことのある最強の福神漬け」「これまでで最弱の関取」など，日本語でもよく使うテクニック。ever は「いつのことでもいいんだけどね」。つまり all-time best（これまでで最高）だと言っているんですよ。

●最上級を用いたフレーズ・言い回し

□ 最上級を譲歩で使う（最も〜なモノでさえ）
(1) **The best players** can sometimes lose.
（最も優秀なプレーヤーでも時には負けることがある）
(2) **Even the most competent professionals** make embarrassing mistakes.
（最も力のあるプロでも，身が縮こまるようなミスをするよ）
(3) **The most patient teachers** lose their cool once in a while.
（最も我慢強い教師でも，時々冷静さを失う）

　「たとえ〜でも」と譲歩をあらわす，最上級テクニック。なにやら格言的ですね。文の雰囲気が。

□ at (the) 最上級（〜の点では）
　at のイメージがイキイキした表現。詳しくは at の項をご覧ください（☞P.384）。

「You may…」

はいっ

CHAPTER 6

否定

NEGATION

この章の目標は、not の征服。not は「～ではない」と打ち消す単語。not を使ったさまざまな形をマスターしていきましょう。

PART 2 - CHAPTER 6：否定

■否定とは

否定とは「~ではない」と，内容を打ち消すことです。英語では not を用いて，否定を表現します。

ⓐ Most kids don't like carrots. （ほとんどの子どもはニンジンが好きじゃない）
ⓑ This is not for sale. 　　　　（これは売り物ではありません）
ⓒ Not me! 　　　　　　　　　（僕じゃないよ！）

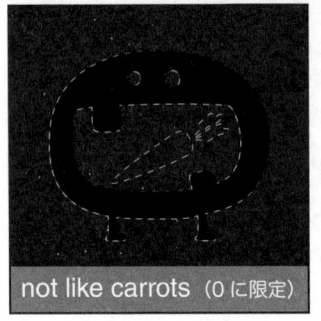

like carrots

not like carrots （0 に限定）

　さあ，気がつきましたか？　そう，**not は常に後続の内容を否定**するという事実に，です。for sale を否定して「売り物ではない」，me を否定して「僕じゃない」。否定はみなさんがすでにマスターした，限定ルールの 1 例です。「限定するなら前に置け」——not は後続を「~ではない」と，否定的内容（0）に限定する要素。だから前置きとなるのです。
　not には，「~ではない」と日本語訳を覚えるだけでは届かない，繊細な使い方がいくつかあります。この「常に後続を否定」をしっかりつかんでおいてください。それができれば, not の表現力は100% みなさんのもの。

　さあ，始めましょう。

SECTION 1 not は前から

▶ 助動詞 not (〜ない) はいつも，打ち消したい語句の前に置く単語です。文の否定をはじめ，さまざまな要素を自由に否定できるようにしましょう。

A 否定文の作り方

まずは基本。文全体を否定する方法を身につけましょう。「私は犬が好きです → 私は犬が好きではない」の作り方です。動詞以降を not で打ち消すこの形には，3つのケースがあります。

【助動詞あり】 I **can't** play the piano. （動詞原形）
【助動詞なし】 He **doesn't** speak English. （動詞原形）
【be動詞】 He **isn't** happy.

ルールは単純です。「助動詞（be動詞を含む）＋ not」を動詞の前に置く。さあ，それぞれ詳しく見ていきましょう。

１ 助動詞あり

ⓐ I **can't** play the piano. （僕にはピアノは弾けません）
ⓑ You **mustn't** cheat in the test. （テストでカンニングをしてはダメ）
ⓒ I **won't** let you down. （君をガッカリはさせないよ）

「助動詞のある」文は，助動詞に not を加えて動詞の前に置きます。not は動詞以降を否定。文の「時」は助動詞があらわすので，**動詞は常に原形**です。

■助動詞＋not の短縮形

- □ will not（= won't）
- □ must not（= mustn't：[mʌ́snt]と最初の t を発音しません）
- □ may not（短縮形はありません）
- □ cannot（= can't：短縮されない場合は cannot と続けるのがふつうです）

■② 助動詞なし（do ＋ not）

ⓐ Most kids **don't** like jazz.
（ほとんどの子どもはジャズが好きじゃない）

ⓑ He **doesn't** speak English.
（彼は英語を話しません）

ⓒ He **didn't** erase his private data.
（彼は個人情報を消しておかなかったんだよ）

　文に助動詞がない場合は、助動詞 do を補って「助動詞＋not」を作ります。助動詞 do は、三単現の場合には does（ⓑ）、過去の場合には did（ⓒ）と適宜変化させましょう。

　助動詞 do が「時」をあらわすので**動詞は常に原形**です。

※ do を補う理由については☞P.514を参照。

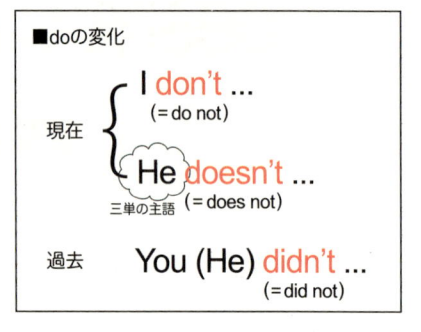

■doの変化

現在 { I don't ...（= do not）
　　　He doesn't ...（= does not）
　　　三単の主語

過去　You (He) didn't ...（= did not）

■ 3 be動詞

ⓐ I'm **not** happy. （満足してないよ）
ⓑ They **weren't** sophisticated. （上品な人たちじゃなかったね）

be動詞文の場合，「be + not」とし，否定したい説明語句（happy, sophisticated など）の直前に置いてください。be動詞は文の形を整える補助要素。否定文，疑問文では助動詞と同じように扱います。

■ be + not の短縮形

are not, is not（その過去形の were not, was not）は，aren't, isn't（weren't, wasn't）と短縮されます。am not に短縮形はありません。また，We are not（= We're not），I am not（= I'm not），He is not（= He's not）と，be動詞と主語を短縮することもできます。どちらの短縮形にするかは気分次第で決めてくださいね。

●否定文──語順どおりに文を作る

否定文は極端に頻度の高い形。自由自在に作れなければ英会話どころの騒ぎではありません。そのためのアドバイスを1つ──「語順どおりに文を作れ」。
英語初心者は，しばしば**肯定文から否定文を作り出す，誤った習慣**をもっています。
　× I speak English. → do not を加える → I don't speak English.
「否定文の作り方」どおりに作っていけば，こうした作り方になってしまいますが（ゴメンね），ネイティブは肯定文を変換して否定文を作るわけではありません。時間がかかって仕方がありませんからね。

ネイティブは，まず打ち消してしまうのです。「僕はしないよ」「君はできないよ」，I don't ... You can't ... と，まず文を始めてしまうのです。何をしないのか・何ができないのか──否定された内容は，その後にゆっくり続けていけばいいのです。いつも語順どおりに文を──これがネイティブの文作り。

この章にあげた例文を，語順どおりに作ることを意識しながら，読み込んでごらん。すぐにできるようになる。

6 否定

B 語句を否定する

not は文全体を否定するだけではありません。どんな語句でもその前に not を置き，自由に否定することができます。

> ⓐ Who let the cat out of the bag? —— **Not** me!
> （誰が秘密をもらしたんだ？ ——僕じゃないよ！）
>
> ⓑ This apartment is **not** for rent.
> （このアパートは賃貸用ではありません）
>
> ⓒ He'll win **not** because he's the better player but because he's stronger mentally.
> （彼が勝つよ，彼の方が上手だっていうんじゃなくて，ハートが強いから）
>
> ⓓ I was fired for **not** being punctual.
> （時間に正確じゃないという理由でクビになったよ）
>
> ⓔ I worked hard **not** to have credit card debt.
> （クレジットで借金しないように一生懸命働いた）

not は**常に否定したい語句**の直前。ⓔは「借金しないように」と，直後の to 不定詞の内容を否定していますね。次のように位置を変えると，打ち消す範囲が変わるので注意しましょう。

ⓕ He did**n't** try to win the match. （彼は試合に勝とうとはしなかった）
ⓖ He tried **not** to win the match. （彼は試合に勝たないようにした）

ⓕは not が「勝とうとした（try to win the match）」を否定。勝とうとがんばりはしなかったということですね。ⓖでは，彼がトライしたのは not to win the match（試合に勝たないこと）。八百長したってこと。それはいかんだろ。

> ●not は常に後続を否定　　　　　　　　　　ADVANCED
> not は常に否定したい要素の前——その重要性は，to 不定詞とのコンビネーションに限りません。ここでなぞなぞを出しましょう。次の意味の違いを考えてください。

| not .... deliberately | deliberately ... not |
| わざとじゃないよ | ふふふ　わざとしなかったのさ |

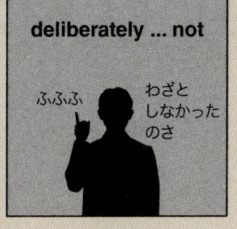

(1) I **didn't** open your email deliberately.
(2) I deliberately **didn't** open your email.

　deliberately（わざと）not の位置に注意しましょう。(1)は「メールをわざと開いた」全体が否定されています。だから「わざと開いたわけじゃないんだよ。ごめんよごめんよ」ということ。一方(2)は「メールを開いた」だけが否定されていますね。「わざと、メール開かなかったんだよ，君のことだから鬱陶しい内容かと思ってさ」となります。
　not の位置は，really のような「強い」意味をもつ単語とのコンビネーションで特に重要になってきます。次の項目で詳しく説明しましょう。

● 「not ... any」は語順に注意！

　「not + any（全く〜ない）」は大変ポピュラーなコンビネーションです。any の「なんでもいい」「どれを考えてもいい」が否定されて，「どんな〜もない」という表現。

(1) I **don't** have **any friends**〔**any money**〕.
　（僕には全然友達がいない〔全くお金がない〕）

　この表現には注意が必要です。次のような **any ... not** の語順は**不可**だということ。

(2) ✗ **Anyone** did**n't** attend the meeting.　（誰も会議には出席しなかった）
　（正しくは, **Everyone** didn't attend the meeting.）

not ➡ any
一方通行です

　not は常に後ろを否定することを思い出しましょう。「not + any」は any の示す選択肢すべてを not で否定することで，「全く〜ない」と意味を結ぶ表現。not の後ろに any が出てこなくてはならないんですよ。

■ not の自由度　ULTRA ADVANCED

　not の自由を身につけましょう。前に置けばどんな要素でも否定します。次のような面白い文だって作ることができますよ。

(1) We can**not** not communicate.
　（人はコミュニケーションしないことはできない）

SECTION 2 「強い単語」とのコンビネーション

▶ really（本当に），always（常に）など「強い」意味をもった単語を not で否定して，「それほど〜ではない」「いつも〜とは限らない」などといった表現を作ることができます。大人の英会話，必須のテクニックです。

ⓐ-1 **I don't really like your new car.**
（君の新しい車，それほど好きじゃないよ）

ⓐ-2 **I really don't like your new car.**
（君の新しい車，本当にキライなんだ）

ⓑ-1 **My girlfriend is not always on time.**
（僕のカノ女いつも時間どおりにくるとは限らないんだよ）

ⓑ-2 **My girlfriend is always not on time!**
（僕のカノ女，いつも時間どおりにこない！）

---

　really（本当に）と always（いつも）など「強い単語」と not の位置関係には注意が必要です。大きく意味が変わるから。
　ⓐ-1，ⓑ-1ではこれら「強い単語」が not で否定されていますね。「本当に好きなわけじゃない＝それほど〜じゃない」「いつも時間どおりというわけじゃない」。ⓐ-2，ⓑ-2では，逆に，否定されてはいません。「本当に，好きじゃない＝大嫌いだよ」「いつも，時間どおりじゃない」となります。ほら，意味が大きく変わる。
　一見複雑に見えるかもしれませんが，たいしたことはありません。**not は常に否定したい要素の前**だとわかっていればすぐにマスターできる区別ですよ。

文法用語解説　　部分否定

　ⓐ-1，ⓑ-1のように「本当に・いつも・全く〜というわけではない」と，強い単語が否定されるケースを＜部分否定＞とよぶことがあります。

　「not →強い単語」のコンビネーションは，日常会話では頻繁に使われます。

ⓒ That's **not** necessarily true.
(それは必ずしも本当ではない)

ⓓ You are **not** totally right.
(君は完全に正しいわけじゃない)

ⓔ **Not** all the students handed in their paper.
(学生全部が論文を提出したわけじゃない)

ⓕ **Not** many students flunked.
(落第した学生はあまり多くない)

ⓖ I do**n't** like her very much.
(彼女のことあまり好きじゃない)

どの例も「あまり・必ずしも〜ない」と一歩退いた表現になっていますね。

● 表現上の価値

「not → 強い単語」は大人の会話では頻繁に使われます。それは,「婉曲」という表現価値があるからです。言いたいことを直接言わず遠回しに言う——良好な対人関係を築くためにこのテクニックは欠かせません。

⑴ She is **ugly**. (彼女は醜い)

大人はこんなこと,決して言えません。人を傷つけるドギつい発言だから。そこで,「not → 強い単語」に言いかえるんです。

⑵ She is **not very beautiful**. (彼女はあまりキレイじゃないね)

ほら,ずいぶんやわらかい言い方になりましたね。
同じように,

⑶ That's **wrong**.
→ That's **not exactly right**.
(それ間違っているよ → 必ずしも正しくないな)

⑷ Your son is **stupid**.
→ Your son is **not the brightest student**.
(息子さんアホですな → 最も優秀な学生というわけではありません)

耳障りな単語を避け,軋轢を回避するのが大人の英会話。そこに「not→強い単語」のテクニックは欠かせません。会話巧者を目指すみなさんなら見逃せませんよ!

SECTION 3 notのクセ

▶ not にはいくつかの独特なクセがあります。しっかりマスターするんだよ！

A 「思う」文で前倒し

ⓐ I **don't** think it's right.　　（それが正しいとは思わない）
ⓑ I **don't** believe we've met.　（お目にかかったことはありませんよね）

ⓐの文と次のⓒの文，どちらが自然な英語だと思いますか？

ⓒ I think it's **not** right.　（それは正しくないと思う）

実は，英語ではⓐの方が**圧倒的に自然**です。本来言いたいことは「正しくない」ですから，ⓒの方がよさそうに見えますが…。これが not のもつ重要なクセ。思う系の動詞では，**思った内容を否定する代わりにその動詞自身を否定するのがふつう**だというクセです。

I **don't** think it's ~~not~~ right.
「思う系」動詞

日本語でも「それは正しくないと思う＝それが正しいとは思わない」は同じ意味で使いますね。英語は「思わない」をはるかに優先するということです。

この「否定の前倒し」は，imagine（想像する），suppose（〜と思う），expect（予期する），seem（見える・思える）などで頻繁に使われます。

ⓓ I **don't** expect that they'll show up.　（彼らがくるとは思わないな）

これらの動詞は，いわば意味が軽い動詞。「思う」と同等の，詳しい意味をもたない動詞です。be afraid（恐れる＝〔悪いことを〕思う），fear（恐れる），hope（望む）などでは意味が変わってしまうので，前倒しは行われません。

ⓔ I **fear** that they will **not** accept our offer.
　　（彼らは我々の申し出を受け入れないと思う）

→ × I **don't fear** that they will accept our offer.
　　（彼らが我々の申し出を受け入れることなんて怖くない）

ほら，意味が変わってしまいますね。

●考えてみれば，便利なクセなんだよ

　どうして英語にはこうした不思議なクセがあるのでしょうか。それは実用上とっても便利だから。I don't think と not が前倒しされると，それを聞いただけで，その後の内容について**話し手が支持しているのか，それともしていないのかが一目瞭然**となります。その後の展開に心構えができる，大変便利なクセなのです。
　また，直接的な言い方を避け**「アタリをやわらかにする」**という効用もあります。
(1) I think it's **not** right.　（正しくないと思う）
(2) I **don't** think it's right.　（正しいとは思わない）
　(1)では，「それは正しくない」が強調されて刺激的ですが，(2)は若干マイルドに響くでしょう？　逆にガツンと強く否定したいとき，便利さややわらかさよりも内容をしっかり否定しておくことが優先されて，not がそのままの位置に置かれることもあります。
A: I can't believe they sacked Tom.　（トムがクビになったなんて信じられないよ）
B: Yeah, I don't think it's fair.　（うん，公平じゃないよな）
A: I know he made some mistakes.　（いくつか失敗したみたいだけど）
B: Maybe. **But I still think it's NOT fair.**　※ NOT は強く読まれています
　（かもしんない。だけどやっぱり全然公平じゃないと思うよ）
ここまで使い分けられればネイティブ並！

B not を含んだ文に対する受け答え：not は勘定に入れない

まずは否定疑問文（☞P.517）に対する応答を見てみましょう。

ⓐ **Do** you like your school uniform? （自分の制服好き？）	Yes, I do. No, I don't.	（好きだよ） （好きじゃないよ）
ⓑ **Don't** you like your school uniform? （自分の制服好きじゃないの？）	Yes, I do. No, I don't.	（好きだよ） （好きじゃないよ）

気がつきましたか？　英語では，**ふつうの疑問文でも否定疑問文でも答え方はまるで変わりません**。つまりね，「受け答えで not は勘定に入れない」ってことなんです。

> ●**yes/no が日本語と逆転**
> 日本語では否定で尋ねられると「はい／いいえ」が逆転します。
> **好きじゃないの？　（Don't you like it?）**
> 　――いや，好きだよ。（―― **Yes**, I do.）
> 　――うん，好きじゃないんだよ。（―― **No**, I don't.）
> 英語ははるかにシンプル。日本語に引きずられて Yes/No を交換しないこと。いいね！

ⓒ not を含んだ文に対する受け答え：not を明示する

ⓐ **You're not leaving me, right?　―― Of course not!**
（僕と別れたりはしないよね，そうだろ？　――もちろんよ！）

ⓑ **I didn't go to work today.　―― Why not?**
（僕今日仕事行かなかったんだ。　――なんで？）

ⓐの文は Of course. で止めると，「もちろんお別れするわよ」になってしまいます。英語は not を勘定に入れないから。Of course. が you are leaving me を受けたことになってしまうのです。別れたくないならしっかり **not を明示**してください。

ⓑも同じ。Why? ではなく，「なぜ行かなかったのですか？」としっかりと not を明示すること。英語では相手の not を勘定に入れず，キチンと示さなくてはならないのですよ。

⒟ 文の代わりに not

> ⓐ Did you manage to get tickets for tonight's game? ——I'm afraid **not**.
> （今夜の試合のチケット手に入れた？ ——残念ながら手に入れてないよ）
>
> ⓑ Do you think it will rain tomorrow? ——I hope **not**.
> （明日雨が降ると思う？ ——降らないといいなぁ）
>
> ⓒ Have you finished your homework? ——**Not** yet.
> （もう宿題終えた？ ——まだ終えてないよ）
>
> ⓓ I'm afraid I've been wasting your time. ——**Not** at all.
> （君の時間を無駄にしてるように思うんだけど。 ——そんなことは全くないさ）
>
> ⓔ I should be able to fix it by tomorrow. If **not**, you'll have to wait till Monday.
> （明日までに直せるはずだよ。そうじゃなかったら，月曜日まで待ってもらわなくちゃ）

前の文と**重複を避けるために**，**not** だけを残すテクニックです。次のようにすべてを繰り返すよりよほどスマートですね。慣れると大変便利です。

ⓐ' I'm afraid I did **not** manage to get tickets for tonight's game.

> ■ so で受ける
>
> not を加えず，前の文をそのまま受けるときには so を用います。
> (1) Do you mean we have to start again from scratch? ——I'm afraid **so**.
> 　　（また最初からやらなきゃならないって言ってるの？ ——そのとおり）
> (2) Will they give you a loan? ——I hope **so**.
> 　　（君ローン組めるの？ ——そう思ってるよ）
> 　そのほか，so を使った代用テクニックについては（☞P.269）を参照してください。

●not を使ったさまざまな表現

not を含んだ常用表現は数多くあります。not とそれぞれの語句の意味を組み合わせれば意味はカンタンにわかりますが，コンビネーションとして使えるまで例文に習熟してください。「文を覚えろ」ってことだよ。必ず使う機会がある便利なフレーズですからね。

☐ **not ... without ～（～なしで…しない）**

not ... without ～（～なしで…しない）と，否定を意味する表現が重なるフレーズ。

(1) One thing's for sure, I will **not** give in **without** a fight.
（1つだけ確かなことは，闘いもしないで降参などしないということだ）

☐ **not ... until ～（～まで…ない）**

until は「～まで」でしたね。

(1) The game is **not** over **until** the final whistle.
（最後のホイッスルがなるまで，試合は終わったわけじゃない）

☐ **not only A but (also) B（A だけではなく B も）**

「それだけじゃないんだ，ほかにもあるんだ」の頻出表現。A と B にくる表現は，**同じ種類のものを使うのがコツ**。

(1) Hey, these chocolates are **not only** for you **but** for your sister too!
（あのね，このチョコレート君にだけじゃなくて妹さんにもなんだけど！）

(2) The doctor told me **not only** to quit smoking **but also** to go on a diet.
（医者は禁煙だけじゃなくて，ダイエットもしろって言ったんだ）

(3) He **not only** directed the movie **but** starred in it.
（彼は映画監督だけじゃなくて主演もしたんだよ）

(4) She is **not only** talented **but** confident —— she'll go a long way.
（彼女は才能があるだけじゃなく自信にあふれている ——大物になるよ）

☐ **not A but B（A ではなく B）**

否定するだけではなく，正解を付け足す表現。

(1) Look, he messed up **not** once **but** 3 times, so I had to fire him!
（いいかい，彼は一度ではなく三度も失敗したんだよ，だからクビにしたんだ！）

but はそれまでの内容を「打ち消す」ことば（☞P.617）。once ではないと言ってから，but（そうではなく）3 times だと言っているのです。not only ... but (also) ... と同様，さまざまな要素を従えることができます。

(2) My teachers don't put me down **but** give me self-confidence.
（私の先生方は私を縮こまらせず自信を与えてくれる）

☐ **cannot ... too ～, cannot help -ing, cannot but ～**（can ☞P.349）

CHAPTER 7

助動詞

AUXILIARY VERBS

助動詞は，話し手の心理をあらわす文の要素。助動詞を使いこなすには，日本語訳だけではなく，それぞれの助動詞のもつイメージをしっかり理解する必要があります。

助動詞とは

助動詞は文中でどのような働きをしているのでしょう。次の文を比べてみてください。

ⓐ She is pregnant. 　【助動詞なし】
　（彼女は妊娠している）

ⓑ She **may** be pregnant. 　【助動詞あり】
　　　助動詞
　（彼女は妊娠しているかもしれない）

　ⓐの文は事実を述べているのに対し，ⓑは「かもしれない」——そう，助動詞は話し手の**心理**を文に加える働きをもっているのです。
　助動詞は「動詞の前」が絶対の定位置です。「限定したいなら前に置け」——限定ルールが働くから。助動詞は動詞以下が「どういった種類の事柄か」を示します。事実ではなく「かもしれないって話だよ」などと限定する——だから助動詞は常に動詞の前に置かれるというわけです。

● 助動詞のいろいろ

助動詞には，次の3種類があります。

(1) do … 一般動詞の疑問文や否定文などで使われる。
(2) have … 完了をあらわす。
(3) must, may, will, can など … 話し手の心理をあらわす。

　この章で扱うのは，(3)の心理をあらわす助動詞たち。do と have の働きについては，それぞれの解説をご覧くださいね。
※ do：疑問文・否定文の do （☞P.514），強調の do （☞P.358），先行文脈を受ける do （☞P.647）
※ have：完了形（☞P.565）

■ 助動詞の難しさ

助動詞は，心理が直接反映する要素。だから難しいのです。

ⓐ **Can** I pay by credit card?
（クレジットカードで払っていいですか？）

ⓑ **May** I pay by credit card?
（クレジットカードで払っていいですか？）

同じ「許可」をあらわす can と may。だけど話し手の心理は異なります。日本語訳に頼ったおおざっぱな理解だけでは，ネイティブのように助動詞を使いこなすことはできません。

また，ふつう助動詞にはいくつかの意味が同居しています。

ⓒ 6 o'clock? I **must** start getting dinner ready.
　（6時？　夕食の準備始めなくちゃ）

ⓓ You walked all the way here?　You **must** be exhausted.
　（ここまでずっと歩いてきたの？　疲れてるよねぇ）

must は「～しなくてはならない」「～にちがいない」。日本語訳を理解するだけでは，この２つの意味は無関係に思えるでしょう。ですが，ネイティブの中ではつながっているのです。日本語訳に頼らず助動詞の感触をつかむこと。それができなければ決してネイティブの助動詞は手に入りません。

この章の大部分は，助動詞の心理解説にあてられています。助動詞は，日常会話頻出。しっかりと心理を理解して，ネイティブの表現力に近づいていきましょう。

苦しいけど，内容はとってもエキサイティングだよ。がんばって。

PART 2 - CHAPTER 7：助動詞

助動詞・意味の連関

心理をあらわす助動詞。それぞれの繊細なニュアンスをまとめて復習しましょう。

have to 必要・必然
- □ しなければならない【客観的な必要性】
- □ ちがいない【客観的な証拠あり】
- □ not have to は「必要がない」

客観的 ／ 自分が禁止（ダメ）

- □ must not は禁止（＝Don't）
- □ You must 〜（＝命令文）

shall 進むべき道
- この2つでじゅうぶん。
- □ Shall I 〜?【申し出】
- □ Shall we 〜?【勧誘】
- □ 法律の条文
- Let's 〜, shall we?

死にかけ

主観的

MUST 圧力
- □ しなければならない【義務】
- □ ちがいない【確信】

ああああ

ought to ── 同じ意味 ── **should** 進むべき道 マイルド
- should は must のマイルドバージョン
- ほら、マストと同じ意味だけどいちいち弱いぢゃん。
- □ すべき【義務・アドバイス】
- □ はず【確信】

雨です！ みえました　クワッ
It will rain.

よくわかんねーよ。
It may rain.

WILL 精神力

確信のある will・半信半疑の may

- □ だろう【予測】
- □ 法則（するものだ） ── □ 習慣（よくするよ）
- □ するよ【意志】

カチッ　するよ

would 過去の習慣（したもんだ）
好きでやってたかんじ。

コントラスト

used to
昔は小さかったなぁ
ただのコントラスト

MAY

開かれたドア

→ maybe

□ 神様文
（しますように）

May God bless you!
お許しください

□ かもしれない【推量】
大した可能性じゃないよ 50%くらい

□ してよい【許可】

□ may not は禁止
公的な禁止

よろしー、許可します
You may...
はいっ

be able to
能力

□ できる
できた！

「実際やった」ならこれ。could だと「できる潜在的な力があった」になっちゃうからだよ。

さんきゅ

You can...
いーよーん

潜在

CAN

権威の may・気楽な can

□ できる【能力】
□ してもいい【許可】
□ しうる【潜在的な性質】

潜在的な性質 → ときどきこんなふーになる

そんなことあるのか？そんなあけねーよ。

□ Can that be true?【強い疑念】
□ That cannot be true.【強い否定】

had better
緊迫感

や、やばい

7 助動詞

SECTION 1 助動詞基礎

▶助動詞に共通する使用上の注意です。

助動詞は限定表現，動詞の前に配置します。助動詞のある文では，**動詞は常に原形**。現在・過去などの文の「時」は助動詞によって示されるため，動詞を変化させる必要はないのです。

She **can**（〜できる（現在））／**could**（〜できた（過去））speak English.

（助動詞／動）

※助動詞は，（☞P.59）三単現で形は変わりません。
I can／She can ... と同じ形を使います。

A 疑問文と否定文

ⓐ **Can** she speak English? 【疑問文】
（彼女は英語を話せますか？）

ⓑ She **cannot** speak English. 【否定文】
（彼女は英語を話せません）

英語の疑問文・否定文は，助動詞が起点となります。助動詞を主語の前に動かして疑問文（☞P.513）を，助動詞の後ろに not を付けて否定文（☞P.317）を作ります。

She **can** speak English.
（疑 → 文頭へ、not → can の後ろ [否]）

B 助動詞の変化形

ⓐ Next week I will **be able to** [×can] give you more information.
（来週には君にもっと詳しい情報を伝えることができるだろう）

ⓑ I want to **be able to** [×can] play golf like Ryo Ishikawa!
（石川遼のようにゴルフができるようになりたい！）

ⓒ I enjoy **being able to** [×canning] play sports again.
（またスポーツができることを楽しんでいるよ）

　助動詞の変化形は，現在形・過去形しかありません。原形や -ing形，過去分詞形はありません。ⓐのようにほかの助動詞の後や to 不定詞ⓑの後のように原形や，ⓒのように -ing形が要求される場所では，助動詞ではなく，近似の意味をもったフレーズを使います（can → be able to）。同じように，must が使えない場合には have to を使います。

ⓓ You'll **have to** [×must] get permission from your mother.
（お母さんの許可をもらわなくちゃならないだろうね）

　さてこれで基礎は終わり。カンタンだった？　はは。大変なのはこれから。個々の助動詞の解説に進みましょう。

SECTION 2 主要助動詞の意味① MUST

▶ must は「〜しなければならない（義務）」・「〜にちがいない（確信）」をあらわす助動詞。この２つの意味は「圧力」というイメージから流れ出ています。この「圧力」を感じとることが，must を自然に使う最短距離です。

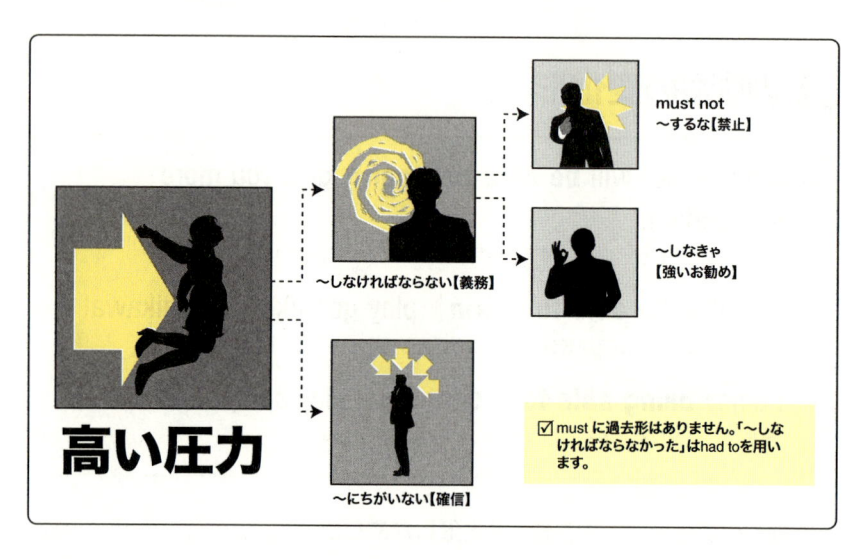

〜しなければならない【義務】
must not 〜するな【禁止】
〜しなきゃ【強いお勧め】
〜にちがいない【確信】

高い圧力

☑ must に過去形はありません。「〜しなければならなかった」はhad toを用います。

A 〜しなければならない（義務）

ⓐ **I must** get back home by midnight. My parents will be mad if I don't!
（私は夜12時までに帰らなければいけないの。そうしないと両親が怒るから！）

ⓑ The boss is really strict about deadlines, so you **must** finish the report on time.
（ボスは〆切に本当に厳しい。だからレポートは時間どおりに仕上げなければいけないよ）

　ある行為に駆り立てる非常に高い圧力，それが「しなければならない」の must には常に感じられています。ⓐの話し手は「どうしても帰らなければならない」高い圧力を感じています。ⓑの you must 〜 は相手に高い圧力をかける表現。「君は〜しなければならない」，命令文と同じ強さが感じられる

表現です。

B ～しちゃダメ（禁止）

ⓐ You **mustn't** [**must not**] do that! You'll lose all your data.
（そんなコトしちゃダメだ！　データ全部消えちゃうぜ）

must に not が加わると「～してはいけない」, つまり**禁止**をあらわす表現となります。「ダメ！」という強い圧力が感じられています。Don't ～（命令文 = ～するな）と等価の強い禁止。

※ mustn't は [mʌ́snt] と発音します（t は読みません）。

C ～しなくちゃいけないよ（強いおすすめ）

ⓐ You **must** go see Tokyo Sky Tree. It's amazing!
（東京スカイツリー見に行かなきゃ。すごいよ！）

「～しなくちゃだめだ」── must のもつ高い圧力が, 逆に非常に好意的な「おすすめ」につながっています。

D ～にちがいない（強い確信）

ⓐ The injury isn't serious? You **must** be relieved.
（ケガはたいしたことない？　ホッとしたにちがいないね）

ⓑ You won a scholarship to study abroad? You **must** be delighted. （留学の奨学金もらったんだって？　ものすごく嬉しいにちがいないね）

「確信」の must にも高い圧力が感じられています──間違えようのない結論に押し出す強い圧力。「A, B, C ときたら，次は D だ」と同様の,「それ以外は考えられない」という強い確信です。

PART 2 - CHAPTER 7：助動詞　SECTION 2：主要助動詞の意味① MUST

●must は過去形がない：今ここにある圧力

(1) I **had to** [×**must**] call my parents every night. That was one of their conditions for allowing me to go on holiday alone.
(両親に毎晩電話をかけなければならなかったんだよ。それが一人旅を許してもらう条件の1つだったから)

　must には過去形がありません。みなさんには奇妙に感じられるかもしれませんが，ネイティブはなんら不思議に思うことなくそれを受け入れています。

　それは，must は「今ヒシヒシと感じられる圧力」だから。ある行為や結論に今強烈に駆り立てる，それが must なのです。「～しなければならなかった」と**過去をあらわしたいときには，had to（have to の過去形）**を使います。「そうしたことをする必要があった」——過去のできごとは一歩引いて客観的に眺めるものですからね。must に過去形がないのは自然ななりゆきなんですよ。

SECTION 3 主要助動詞の意味② MAY

▶ may は「〜してよい（許可）」・「〜かもしれない（推量）」をあらわす助動詞です。may は「開かれたドア」をイメージしてください。

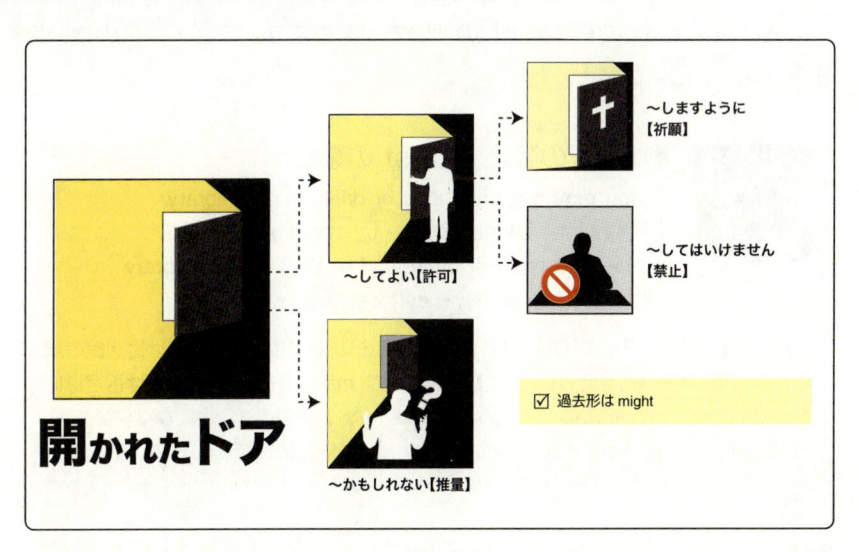

〜しますように【祈願】
〜してよい【許可】
〜してはいけません【禁止】
開かれたドア
〜かもしれない【推量】
☑ 過去形は might

A 〜してよい（許可）

ⓐ **You may smoke only in the designated area.**
（指定された場所でのみ喫煙することができます）

ⓑ **May I take your order?**
（〔レストランで〕ご注文よろしいでしょうか？）

　may は「上から目線」——目上の者が下に与える許可。「〜してもよろしい」に近い，堅苦しい感触です。権威ある者がドアを開き，相手に通行を許可しているのです。ⓐのようにお役所的な発言が典型的です。ⓑの May I 〜？（〜してよろしいでしょうか？）は，逆に「下から目線」。相手に権威を認め，許可を請う感触で使われます。

B ～してはいけません（禁止）

> ⓐ You **may not** take photographs inside the museum.
> （当美術館では写真の撮影は禁止されています）

must 同様，may にも「禁止」の使い方があります。ニュアンスの違いに注意しましょう。

> ● may の禁止・must の禁止
> (1) You **may not** bring food or drink into the library.
> （図書館に食べ物や飲み物をもち込んではいけません）
> (2) Hey, you **mustn't** bring food or drink into the library.
> （おい，図書館に食べ物や飲み物をもち込んじゃダメだよ）
>
> may not は「許可しません・禁じられています」。公の権威（ここでは図書館の規則）が許可していない，そうした感触が漂います。may の「上から目線」は否定形になっても生きているんだよ。一方 must not は「ダメ。絶対ダメ。とにかくダメ」。命令文 Don't smoke here.（ここでタバコを吸うな）と同様の，個人的で高圧的な禁止です。

C ～しますように（祈願）

> ⓐ **May** all your dreams come true!
> （あなたの夢が全部叶いますように！）
>
> ⓑ I hope that she **may** find the courage to face this tough challenge.
> （彼女がこの厳しい逆境に向き合う勇気をもてるように望んでいます）

「祈願文」とよばれる，「神様どうかお願いします」文は，許可の延長線上にあります。神様は圧倒的な権威者。それに対する願い事は「～をお許しください」というニュアンスとなるからです。ⓐで助動詞が主語の前にあるのは，感情が乗っているから。典型的な倒置表現（☞P.536）ですよ。

Ⓓ ～かもしれない（推量）

ⓐ We **may** go skiing in Hokkaido this winter.
（僕ら，今年の冬は北海道にスキーをしに行くかもしれないよ）

ⓑ There are so many exciting countries to visit. I **may** go to Malaysia, or Singapore, or then again I **may** go to Indonesia. I'm just not sure yet.
（行かなくちゃいけない胸躍る国はたくさんあるよ。僕は，マレーシアに行くかもしれないし，シンガポールかもしれないし，いや待てよ，インドネシアに行くかもしれないなぁ。まだよくわかってないけどね）

「かもしれない」──推量の may も「開かれたドア」から生まれています。may の「かもしれない」はそれほど大きな可能性を示しているわけではありません。「閉じられていない」程度の可能性。だいたい50％。そうかもしれないし，そうじゃないかもしれない──**話し手はよくわかっていない**のです。ネイティブはよく，小首をかしげながら may を使っていますよ。

● may を使ったさまざまな表現

☐ **may ～ but ...**（～かもしれないが…）
「かもしれないが…」──譲歩をあらわすフレーズ。

(1) He **may** be rich, **but** he is incredibly boring!
（彼，お金持ちかもしれないけど，信じられないくらい退屈な人なの！）

もちろん意味の焦点は but 以下にあります。日本語も同じですよね。「顔はいいかもしれないけど，性格がねぇ」「頭はいいかもしれないけど，顔がねぇ」。may は批判の前置きです。

☐ **may[might] well ～**（たぶん～だろう・～するのももっともだ）
この well は強調（たくさん・十分）。次の well の例文と同じ well です。

(1) We are **well** behind schedule. （私たちはスケジュールからかなり遅れている）
(2) That movie is **well** worth watching. （あの映画は十分に鑑賞に足る）

may[might] well は may を強調して「十分な可能性・理由がある」ってこと。

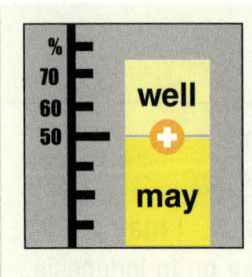

(3) The dollar **may well** weaken further.
（ドルはもっと弱くなりそうだなぁ）

(4) Why isn't John here? —— You **may well** ask.
（なんでジョンはここにいないの？ ——君が尋ねるのももっともだ）

　may は 50% 程度の可能性しかありませんが，(3), (4) の may well となると 80% 程度にまで上がります。
　ちなみに might は may よりも主張を弱めたマイルドな形（☞P.556）。

□ **may[might] as well ～**（〜してもいいな）

　その場の状況を判断することば。as well（同じように）が含まれているところがミソ。いくつかの選択肢があるのです。ほかの選択肢にも目を配りながら「〜してもいいな」。飛び抜けておすすめというわけではありませんが，「とりあえずやってもいいな」。それが may as well。

(1) They **may just as well** be married since they've been living together for years.
（彼らはもう何年も一緒に住んでるんだから，結婚するのも悪くないね）

(2) Come on now, you **may as well** tell us.
（さあもう，私たちに話してくれてもいいんじゃないかな）

(3) Well, you're here now, so **you may as well** stay.
（うん，もうきちゃったんだからさ，ここにいてもいいんじゃない）

　このフレーズには，際立った使い方が１つあります。「せざるをえない」。**しょうがないなぁ，という感情と一緒に吐き出される使い方**。見渡す限りどこにもいい案はありません。ロクな選択肢がないのです。「(ほかも同じようにダメだから)〜するのも仕方ない」という使い方。

(4) The guy I'm playing is a really good golfer? Well, I **may as well** give up before I start.
（僕の相手，ものすごく上手なゴルファーなのかい？　始める前に降参するのも仕方ないよなぁ）

SECTION 4 主要助動詞の意味③ WILL

▶ will は「〜だろう（予測）」・「〜するよ（意志）」をあらわす助動詞です。will は「精神の力」。精神の力でいまだ見えぬものを予測したり，ある状況を実現しようとします。

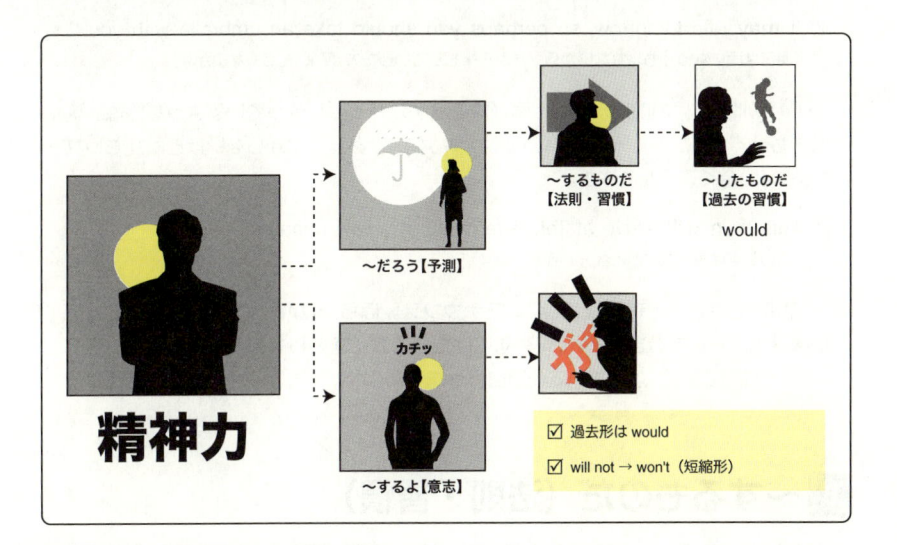

精神力

〜だろう【予測】
〜するよ【意志】
〜するものだ【法則・習慣】
〜したものだ【過去の習慣】would
カチッ
ガッ

☑ 過去形は would
☑ will not → won't（短縮形）

A 〜だろう（予測）

ⓐ You **will** feel much better tomorrow.
（〔病人に〕明日にはずっとよくなってるよ）

ⓑ You **will** soon get the hang of it, if you concentrate hard.
（一生懸命集中すれば，すぐにコツがわかるようになるよ）

ⓒ I've tried to convince him, but he **won't** change his mind.
（彼を説得しようとしたけど，決心は変わらないだろうな）

予測をあらわす will は「〜だろう」と訳されることも多いのですが，実際はそんなにあやふやなものではありません。**鮮明に見通す感覚**を伴っています。まだ見ぬ事態。だけど話し手には確信があり，自信があります。

● will の予測・may の推量

「予測」と「推量」。似たような用語を使っているので，似たような働きだと思ってしまう人もいそうです。ごめんね。だけどこの２つから受ける感触はまるで違います。

(1) It **will** rain tomorrow, so make sure you take an umbrella with you.
（明日は雨だから，必ず傘をもっていきなさいね）

(2) It **may** rain tomorrow, so perhaps you should take an umbrella with you.
（明日は雨になるかもしれないから，たぶん傘もっていった方がいいんじゃないかな）

(1)の will は，目の前の水晶玉に雨が降る様子がハッキリ映っているような感触。確信をもって「雨だよ」。(2)の may は「わかんないけど」。「わからないけど雨かもしれないな」。全く違うんですよ。

(3) This train **will** arrive at Tokyo terminal in a few minutes.
（この電車は東京駅にあと数分で到着します）

品川駅を過ぎると新幹線ではこのアナウンス。ほら，「かもしれない」なんて不安定な感触は一切ありません。「東京駅には数分で着くかもしれませんねぇ」なんてアナウンスされたら，落ち着いて仕事に行けませんよね。

B ～するものだ（法則・習慣）

ⓐ **Accidents will happen.** （事故は起こるものだ）
ⓑ **A true friend will stick by you in good times and bad.**
（本当の友達は，いいときも悪いときも近くにいてくれるものだよ）
ⓒ **My boyfriend's funny. He will spend hours in front of his computer and forget I'm even there!**
（私の彼，ヘンなのよ。パソコンの前に何時間も座ってて，私がいるのさえ忘れちゃうの！）

法則は予測と目と鼻の先にあります。法則とは「必ず起こると予測できるもの」だからです。ⓒの習慣も人についての法則。この用法は，**A → B への強い流れが意識されています**。「A ならば B するものだ」という強い流れが意識されたときに出てくる表現なんですよ。

　will の過去形 **would** を使ったら「過去の習慣（したものだった）」。
ⓓ **My dad would often take us fishing.**
（父はよく僕たちを釣りに連れていってくれたものだった）

■ **少年はそうしたものだ。**

　Boys will be boys. はよく使われる慣用句です。法則の will。おニューの服を汚して帰った息子に怒り心頭の母親。とりなして父親が、「少年ってそんなもんだよ」。法則の will は難しいものではありません。何度かこの文を読んでくださいね。すぐに慣れますよ。

ⓒ 〜するよ（意志）

ⓐ I've left my wallet at home. ——Don't worry. I'll lend you some money.
（財布を家に置いてきちゃった。——大丈夫, いくらか貸してあげるよ）

ⓑ I **WILL** marry him, Dad! ※WILL は強く発音されています。
（私, 彼と絶対結婚するわ, お父さん！）

　「〜するよ」という意志, これも will の代表的な使い方。**頭の中で「カチッ」とクリックが鳴る感触を伴っています。**

　「ここ暑いね」と言われて I'll open the window.（窓開けるよ）, 電話が鳴って I'll get it.（僕が取るよ）。その場でカチッと「するよ」と決める。それが will の意志です。will は, 軽い「するよ」から非常に強い「〜するんだぁ！」まで, 幅広く意志をあらわすことができます。ⓑの例は, カチッじゃなくてガチッ！　強力な意志を強く発音する **WILL** であらわしています。反対を押し切って意志を押し通すときによく使われます。イザ！というときのために慣れておきましょう。

●**will は未来専門ではない**

　「未来をあらわす助動詞」として紹介されることの多い, 助動詞 will。ですが決して未来専門ではありません。
(1) They **will** be in Hawaii by now.
　　（彼らは今頃ハワイについているだろうな）
　この文は「今の状況」について予測している文。未来に限らず will は使うことができるのです。will は最も頻繁に用いられる未来表現。ですがそれは「専門だから」ではなく, この助動詞が「予測」「意志」をあらわすからなのです。未来は「予測」したり「意志」によって引き起こすもの。だからこそ will が多用されるのですよ（未来表現 ☞P.581）。

SECTION 5 主要助動詞の意味④ CAN

▶「can＝できる」程度の理解でも，初心者のうちなら不便はないでしょう。ですがネイティブ並に使いこなしたいと思うなら，そのイメージ「潜在」に着目してください。

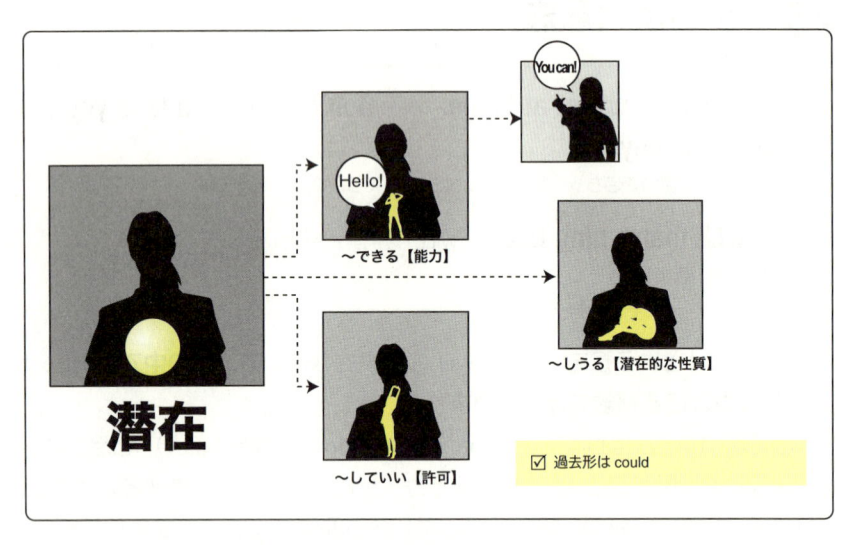

潜在

～できる【能力】
～しうる【潜在的な性質】
～していい【許可】

☑ 過去形は could

　can は，何かの内部に潜む力・性質をあらわす助動詞です。ここから「～できる（能力）」「～しうる・ときに～することもある（潜在的な性質）」「～していい（許可）」など，can の用法すべてが生まれているのです。

Ⓐ ～できる（能力）

ⓐ Junko **can** speak English. （ジュンコは英語を話せるよ）
ⓑ Come on! You **can** do it. （がんばれ！　君ならできる）

　能力とは内に秘めた力――「潜在力」です。この文はジュンコの中に秘められた，やろうと思えばできる力を見通す意識を伴っています。can は「励まし」によく使われるのもこのため（ⓑ）。君にはそうした秘められた力があるんだよ――それが「励まし」につながっているというわけ。**内部に及ぶ視線**が can という助動詞なのです。

ⓑ 〜していい（許可）

> ⓐ **You can** borrow my racket, if you like.
> 　（僕のラケット借りてもいいよ，そうしたいなら）
>
> ⓑ **Can** I use your car, Dad?　（お父さん，車借りていい？）
>
> ⓒ **Can** I help you?　（お手伝いしましょうか？）

　can の許可は**フレンドリーな軽さをもった許可**。「君にはそうした自由があるんだよ」と，相手が（潜在的に）もつ自由度に焦点を当てている。だから気軽な許可となるのです。ⓒは相手に申し出を行うときのポピュラーな表現。許可を求める表現が申し出に。自然な流れですね。

●may の許可・can の許可

　ネイティブが反射的に使う「許可」は can。特に気の置けない間柄では can が圧倒的にふつうです。権威主義的な「上から目線」は現代では流行らないのです。ただ may にも，使われるべき適したタイミングがあります。例えば，

(1) **May** I take your order?
　　（〔レストランで〕ご注文よろしいでしょうか？）

　may が使われる場合には，心理上のブレーキが働いています。「相手が自分よりも上だな」「これはちょっと厚かましいかな」あるいは「礼儀正しい雰囲気を文に加えておこうかな」。レストランで客からオーダーをとる——この状況ではそうした心理上の「ブレーキ」が can を思いとどまらせ，may を選ばせているのです。「上から目線・堅苦しさがふさわしい場所」それが may の生息場所なのですよ。

■ 助動詞の自由　ADVANCED

(1) If you've come asking for another loan, you **can** take a hike!
　　（もしまたお金借りにきたんなら，あっち行っていいよ！）

　「許可の can」です。ただこれはストレートな許可ではなく——もちろん——イヤミですよね。この種の一歩進んだ使い方は，日本語とほぼ同じ。

(2) If you **must** smoke, please go outside.
　　（どうしてもタバコ吸わなくちゃならないなら，外行ってくれないかな）

　本書で基礎を固めた後は日本語と同じイマジネーションで自由に使いこなしてくださいね。

ⓒ ～しうる・ときに～することもある（潜在的な性質）

ⓐ **My boss can be so selfish at times.**
（ボスは時々ものすごく自分勝手になることがあるんだよ）

ⓑ **Saitama can be very hot.** （埼玉はとても暑くなることがある）

内部に向かう視線，それが can を使いこなすコツです。ⓐで話し手は，ボスの内部に潜在する自己中心的な性質を見通しています。ⓑは，埼玉はとても暑くなる性質を内に秘めているということ。やはり埼玉の性質を見通した表現となっています。

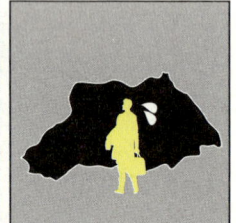

●～のはずがない・～なんてことあるのかい？（強い否定・強い疑念） ADVANCED

can の「潜在」がつかめると，なぜ can の否定や疑問が，非常に強い意味を生み出すことがあるのかが理解できます。

A: Here's your bill, sir. （これがお勘定になります）
B: 550 dollars! **That can't be right.** （550ドル！ そんなはずないよ）

感情的色彩の濃い，強い否定を can は作ります。「そんなはずはない」——なぜこうした意味になるのでしょう。それは，can が「潜在」だから。「レストランで定食を食べただけなのに…」。どう目を凝らしてもそんなことが起こる理由が見えてこない。そんな可能性は潜在していない。ここから強い否定が生まれているのです。

A: A woman has 7 children and half of them are boys.
（ある女の人は7人子どもがいて，その半分は男の子なんだ）
B: **Can that be possible?** （そんなことありえるのかい？）

Is that possible? よりはるかに強い疑念をあらわすこの文も，全く同じメカニズム。「どう目を凝らしても可能性が見えてこない→そんなことありえるのかよ？」という意識の流れです。can はいつも「潜在」。このポイントをおさえれば，ネイティブと同じ語感が手に入るのですよ。

● can を使ったさまざまな表現

□ **cannot ... too 〜**（〜しすぎることは〔でき〕ない）
　too は「〜すぎる」。

(1) You **cannot** be **too** careful when it comes to drugs.
　（麻薬に関しては，注意しすぎることはない）

□ **cannot ... enough**（十分…することはできない）
　enough は「十分」。やってもやっても十分じゃないってことですよ。

(1) I **cannot** thank you **enough**.　（お礼の言いようもありません）

□ **cannot help -ing**（〜せざるをえない）

help は「（困った状況にいるのを）助ける」ということですね。このフレーズは「〜せざるをえない」。ある状況から助ける・のがれることはできない，変更・コントロールすることができないということです。

(1) She **couldn't help crying**.　（彼女は泣かずにはいられなかった）
(2) I **cannot help feeling** it was a mistake to let him go.
　（彼をクビにしたのは間違いだったと思わざるをえませんね）

cannot help が使われるのは -ing だけではありません。

(3) You know what his temper's like. He just **cannot help** himself.
　（彼の気性知ってるだろ。彼自分をおさえることができないんだよ）

自身をコントロールできない，ということですね。

□ **cannot but 〜**（〜せざるをえない）
　but は「〜をのぞいて」。「〜をのぞいてできない→〜せざるをえない」。

(1) I **couldn't but** marvel at the trapeze artists' skill.
　（そのブランコ曲芸師たちの業に驚かないではいられなかった）

僕自身の受験時代が懐かしくて「つい」入れてしまいました。ごめんね。これはね，覚えなくてもだいじょーぶ。妙に堅苦しいし，使わないし，聞かないし。こいつはそろそろ退場って感じの表現です。

7 ▼ 助動詞

SECTION 6 主要助動詞の意味⑤ SHALL

▶「進むべき道」——束縛。それが shall のイメージ。21世紀現代英語で shall は極端に頻度が低く，もはや死にかけと言ってもいいでしょう。

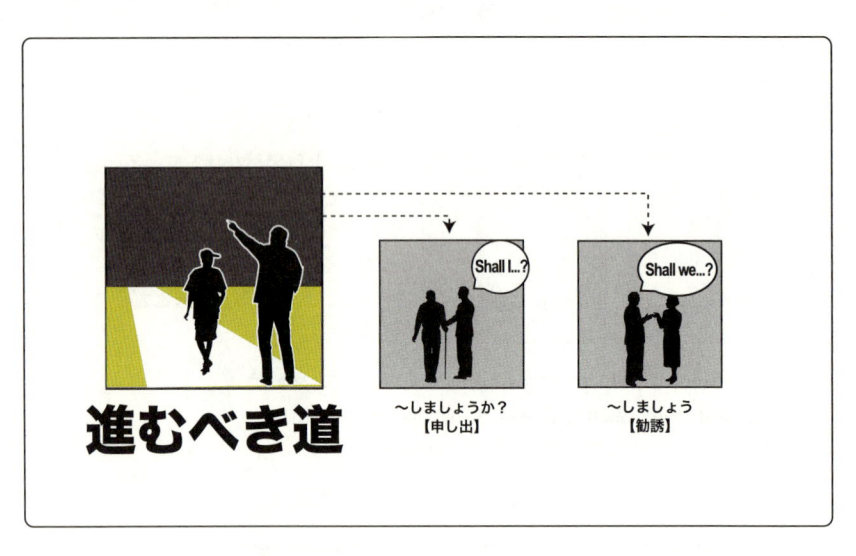

古めかしく，法律の条文などにその使い途が限られつつあり，それだけに大変フォーマルな感じを与える助動詞。それが shall です。日常の英語には Shall I ...? / Shall we ...? だけ覚えておけば十分ですよ。

A 法律

ⓐ You **shall** not steal. （盗んではならない〈モーゼ十戒〉）

ⓑ Neither slavery nor involuntary servitude ... **shall** exist within the United States, or any place subject to their jurisdiction.
（奴隷制もしくは自発的でない隷属は，アメリカ合衆国内およびその法が及ぶ如何なる場所でも，存在してはならない〈アメリカ合衆国憲法修正第13条〔抜粋〕〉）

それ以外に道はない。そうするしかない。ある一本道に束縛——それがshallです。法律の条文で用いられるのは,「そうするしかない」とかたくかたく束縛するから。

B 必ず〜になる（確信）

ⓐ **We shall** all die. （私たちはみな死ぬことになるのだよ）
ⓑ **We shall** never forget your kindness.
（私たちは君の親切を決して忘れないだろう）
ⓒ **You shall** regret this! （後悔するぜ！）

「進むべき道」が「それ以外にない」「必ずそうなる」と,確信のニュアンスを生み出しています。ⓐはいわば「運命」。必ずそうなる一本道が意識されているのです。ⓑ・ⓒも「必ずそうしたことになる」という確信があふれていますね。ⓒの「後悔するぜ！」には「オレが後悔させてやるからな」という意志が見え隠れするので,脅し文句にもなります。

C Shall I 〜?・Shall we 〜?（〜しましょう）

ⓐ **Shall I** help you? （お手伝いしましょうか？）
ⓑ **Shall we** dance? （ダンスしましょうか？）

死にかけ助動詞のshallであっても,この2つの表現は必ずマスターしてください。Shall I 〜? は助力を申し出る表現。このフレーズのキモはその「温かさ」にあります。

同じ助力の申し出 Can I help you? と比べるとその差はあきらかです。Shall I 〜?（〜しましょうか？）には,発言と同時に相手に手を差し伸べる,温かさが感じられるのです。これも「進むべき道」から。自分の「進むべき

道」を相手に問いかけるということは，相手の判断に間違いなく従う用意と思いやりを示すことになるからです。

　Shall we ~?（~しましょうか？）にも Let's ~とは異質の温かさを感じとってください。Let's dance.（踊ろうよ）が，相手を引っぱり出す勢いをもっているのに対し，Shall we dance? は，温かい表現。「自分たちの進むべき道」を，相手に疑問文で問いかける。そこに，相手の心情を尊重する温かさが生まれているのです。

■Let's ~, shall we?

　Let's と shall we のコンビネーションにも慣れておきましょう。
(1) **Let's** go to the party, **shall we**?
　「パーティーに行こうぜ」と強く誘い，その後「そうしませんか？」と優しくうながしています。よく使われますよ（☞P.519）。

SECTION 7 主要助動詞の意味⑥ SHOULD

▶ should は shall の過去形から独立した助動詞です。shall の「進むべき道」のマイルドバージョン。shall の「そうするよりほかに道はない・必ずそうなる」がマイルドになって「～すべき」「そうなるはず」を生み出しています。

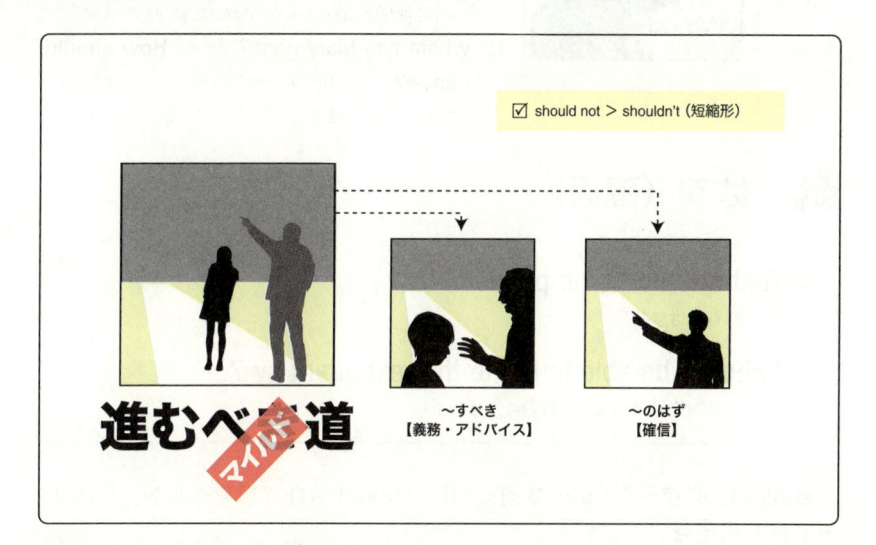

☑ should not > shouldn't（短縮形）

進むべき道【マイルド】

～すべき【義務・アドバイス】

～のはず【確信】

A ～すべき（義務・アドバイス）

ⓐ You're always broke. You **should** be more careful with your money.
（君はいっつも一文無しなんだね。お金にもっと気をつけるべきだよ）

ⓑ You **should** definitely get an iPhone. They're great.
（iPhone 絶対買わなきゃ。すごいよ）

ⓒ You **should** watch your weight.
（体重に気をつけなくちゃいけないよ）

shall が「そうするよりほかに道はない」と強く束縛するのに対し、should は「すべき」。義務・助言・アドバイスが得意分野。義務・アドバイスは「この道を進んだ方がいい」ということですよね。

■How/Why should ...?

ADVANCED

「〜しなきゃ」の should と How/Why はいいコンビネーションを作ります。「なんで〜しなくちゃいけないの？」と、**心外なキモチ**をうまくあらわしてくれますよ。

(1) **Why should** I apologize to him?
（なんで僕が彼に謝らなくちゃなんないの？）

(2) Where has Mary gone? —— **How should** I know?（メアリどこに行ったの？ ——なんで私が知らなきゃならないの？）

B 〜はず（確信）

ⓐ That **should** be no problem.
（問題はないはずだ）

ⓑ I **should** be able to get to the restaurant by 7.
（レストランには7時までには着くはずだよ）

shall の「必ず〜だ」の一本道に対し、should はかなりマイルド。「〜のはず」となります。

■should が shall のマイルドバージョンである理由

助動詞の過去形は一般に、単に過去をあらわすだけでなく、現在形のマイルドバージョンとして働くから（☞P.556）です。

(1) I **can** do that.（僕、それできるよ）
(2) I **could** do that.（僕、それできるんじゃないかなぁ）

should は shall の過去形から独立した形でしたよね。

■ought to

「ought to ＋ 動詞原形」は should よりもグッと頻度が落ちますが、ほぼ同じ意味で使われます。

(1) You **ought to**［**should**］call the police.【助言・アドバイス】
（警察をよぶべきだよ）

(2) She **ought to** know the rules. She's been working here long enough.
【確信（〜はず）】
（彼女は規則がわかってるはずだよ。もう十分長いあいだここで働いているんだから）

ought は主語によって変化しません（You ought to ... / He ought to ...）。

また，疑問文・否定文は次のようになりますが，滅多に使われません。
(3) **Ought** I to attend the meeting?（ミーティングに出るべきでしょうか？）
(4) You **ought not** to attend the meeting.（ミーティングに出るべきではない）

● should の高度な使い方　ULTRA ADVANCED

should には大変繊細な使い方がいくつかあります。使えなくてもみなさんの英語力にはいささかも響きません。だって，この感性で英語が話せたとしたらもはや外国人ではないよ，ってレベルだから。でもね，やろうと思えばすぐに身につきます。どの使い方も should の「進むべき道」が生み出した使い方だから。

◆感情・判断をあらわす語句と共に使われる should

(1) I'm <u>surprised</u> that you **should** feel so upset.
　（君が腹を立てるなんて驚きだよ）
(2) It's <u>strange</u> that she **should** call us at 2 in the morning.
　（彼女が午前2時に電話をかけてくるなんて奇妙だ）
(3) It's only <u>natural</u> that students **should** lose concentration in this heat.
　（学生たちがこの暑さで集中力を失うのも，もっともなことだよ）

　この should のもつ質感がわかりますか？

(4) I'm <u>surprised</u> you **feel** so upset.（君が腹を立てているんで驚いてるよ）

you feel upset　　you should feel upset

　should のないただの現在形を使った(4)は，「あなたが気分を害している」という事実に対して「それはびっくりだ」と驚いています。(1)は，「あなたが気分を害することになるなんてびっくり」。単なる事実ではなく，どうしてあなたがそうした状況に立ちいたったのか――その道程・プロセスまでを含んだ表現。should のもつ「道」が意味に反映されているのですよ。(2)も同じです。彼女が午前2時に電話をかけてくる，そうした事のなりゆきが「奇妙」だと言っているのです。それがわかれば(3)の only natural が should を「よび込んでいる」のもハッキリ理解できるでしょう？　only natural は「当然のなりゆきだよ」とプロセスについて述べる表現。そういったなりゆきになるのは，とプロセスを示す should がベストマッチなのです。

◆条件と共に使われる should：低い確率と丁寧な雰囲気

(1) If the travel agent **should** phone, tell him I want to change the date of my flight.　（もし旅行会社から電話がくるようなことがあれば，フライトの日どりを変えたいと伝えてくれないかな）

355

(2) Don't worry. If it **should** rain, we'll hold the event indoors.
（大丈夫。もし雨が降るようなことになれば、イベントは屋内でやるから）

ifなど「もし〜なら」といった条件を述べる文でshouldが使われると、常に比較的低い確率であることが意識されます。それはやはりshouldの「道」から。「もし〜なら」と直接可能性に言及するより「もし〜することになったら」とそこにいたるプロセスが意識されることから、低い可能性につながっています。

また次のような相手に投げかける文では、丁寧なニュアンスが加味されますよ。

(3) If you **should** change your mind, do let me know.
（もし気が変わるようなことがあれば、お知らせくださいね）

単に「気が変わったら」と無骨に言うより、「（おそらくそんなことはないだろうけれど）気が変わるようなことがあれば」とプロセスを加味することによって、相手の状況に思いを寄せたいくぶん丁寧な表現になっているのです。

ところで、この条件であらわれるshouldには倒置形が存在します。

(4) **Should you** need to cancel, make sure you do so at least 24 hours before your arrival date.
（キャンセルされたいときには、少なくとも到着予定日の24時間以前にお願いいたします）

(5) **Should you** fail your driving test, you can take it again within a month.
（万が一運転免許試験に落ちるようなことがあっても、1ヵ月以内に再度受けることができるよ）

助動詞が主語の前に出た倒置形ですね。**倒置形には常に意図・感情が伴います**（☞P.536）。(4)はみなさんがホテルなどで耳にする、非常に丁寧な物言い。shouldのもつ丁寧さが倒置で増幅されているのです。そして(5)は「万が一」。shouldのもつ可能性の低さが倒置によって強調されているというわけです。

●must — should ライン

次の文を見てみましょう。ネイティブはしばしば、mustと言いたいところをshouldに置きかえることがあります。

(1) The flight starts boarding at 10:45, so you **should** be at gate 18 by 10:25.
（搭乗は10:45に開始です。第18搭乗口に10:25までにお集まりください）

もちろん「10:25までに集まらなくてはならない」のです。それを過ぎたらほかの客に迷惑がかかってしまう——この状況に最もふさわしいのはmust。ですが「ねばならない」は高圧的で往々にして不快なもの。高圧的でないマイルドな「〜べき」のshouldがその代わりに使われています。

次の例も同じ。

(2) You **must** ... er ... you **should** wear a jacket and tie for the awards ceremony.
(授与式にはジャケットとネクタイを着用しなければ，あーいや，着用してください)

must と言いかけて，慌ててやわらかな should に言いかえていますね。

ネイティブの助動詞選びの中で，**should** は **must** と同一ラインにあります。同じ系統。兄弟。「**must** のマイルドバージョン」として should は感じられているのです。「shall のマイルドバージョン」のはずの should がなぜ「must」とタッグを組んでいるのでしょうか。

それは，shall が死にかけているから。日常会話表現としてその命脈が尽きているからです。「そうするよりほかに道はない」——束縛の shall は，「高圧」の must と非常に似通った意味をもっています。そこで must と should がラインを作るというわけ。shall 兄さんが入院中の should は，兄と顔のよく似た must 兄さんと仲良くなった——ってことなんですよ。

● その他の助動詞（need と dare）

need（必要とする）と **dare**（あえて〔＝恐れずに〕～する）。この２つはほぼふつうの動詞として使いますが，(イギリス英語では）ごくたまに助動詞として使うことがあります。

助動詞としての need には過去形はありません。現在のことについて，しかも疑問文・否定文に限って使われます。次の例文を見てください。（　）内の例文は動詞としての使い方です。

(1) She **need not** [**needn't**] put up with his outrageous behavior.
(彼女は彼のひどいふるまいをガマンする必要はないよ)

  (＝ She doesn't **need** to put up with ...)

(2) **Need** you really play the music so loud?
(ホントにそんなうるさく音楽をかける必要があるの？)

  (＝ Do you really **need** to play ...?)

助動詞として使われる dare（過去形：dared）がありますが，やはり疑問文・否定文にほぼ限られます。

(3) He **dared not** look me in the eye.
(彼はあえて私の目を見なかった)

  (＝ He didn't **dare** (to) look me in the eye.)

(4) **Dare** you eat fried ants?
(アリのフライを食べる勇気ある？)

  (＝ Do you **dare** to eat fried ants?)

めんどくさい？　はは。もちろんみなさんは，こうした強い制限を気にしながら助動詞として使う必要はありません。単純に動詞として扱えばいいのです。動詞としてなら，肯定文でも過去の文でもなんでも気楽に作ることができます。

みなさんにはおそらくあまり見慣れない単語の dare。実際それほど使われるわけではありませんが，この単語ならではの使い方を紹介しましょう。

(5) **How dare** you talk to me like that?
（よくもそんな口のきき方ができるな？）

(6) Slap me **if you dare**!
（叩けるもんなら叩いてみろよ！）

(7) Don't **dare me**!
（俺を怒らせるなよ！〔キレるぜっ〕）

「恐れず～する」から，「よくも…」「（恐れずに）できるもんなら…」「挑戦（挑発）する」。特に(5)の使い方は dare ならでは。僕も１年に数回は使います。めらめら。

●助動詞による文全体の強調

ここで，文を強調する効果的な会話テクニックを１つ紹介しましょう。それは「助動詞を強める」。will を強くする文（☞P.345），もう紹介しましたね。それがこのテクニック。

(1) I know you don't like him, but I **WILL** marry him, Dad!
（彼を嫌っているのは知ってるわ。だけど父さん，絶対私彼と結婚するわ！）

(2) We **MUST** finish this assignment by tomorrow, or the teacher will kill us!
（この課題は絶対明日までに終わらせなくちゃ。じゃなかったら先生に殺されちゃう！）

(3) Everyone is telling you that you'll never make the school baseball team, but you **CAN** make it!
（誰もが野球チームに選ばれるのは無理って言うけど，君なら絶対選ばれるよ！）

ほら，気楽に文全体を強調できるでしょう？　同じテクニックを be 動詞文でも使うことができますよ。疑問文・否定文では be 動詞は助動詞と同じようにふるまうことを思い出しましょう。ここでも同じ。

(4) I'm sorry, but I want to talk to the manager. ── I **AM** the manager!
（すいません，マネージャーと話がしたいんだけど。──私がマネージャーですよ！）

(5) I wish I could be a good role model for my students. ── Hey, you **ARE** a good role model!（僕が学生のいいお手本になれればいいのになぁって思ってるんだよ。──なーに言ってんだか。おまえは実際いいお手本だよ！）

さて,それでは助動詞もbe動詞もない文ではどうやって強調するのでしょうか。ここでも疑問文・否定文と同じですよ。「助動詞がないときにはdoを使え」。

I love him. → I **DO** love him!
He loves me. → He **DOES** love me!
I loved him. → I **DID** love him!

主語や時に応じてdo, does, didを使い分けてくださいね。相手の思惑や意見に反駁するときによく使われる便利な形。必ず会話で役に立ちますよ！

(6) My girlfriend's mad at me because she thinks I don't trust her. But I **DO** trust her! (僕のカノ女,僕が彼女を信頼してないって怒っているんだよ。だけどさ,僕はカノ女のこと本当に信頼してるんだぜ！)

SECTION 8 助動詞相当のフレーズ

▶英語には助動詞と似た意味をもつフレーズがいくつかあります。助動詞同様，しっかりとマスターしてくださいね。

A have to

have to は「〜しなければならない・〜にちがいない」。must と同じレベルの高い圧力をもった表現ですが，ニュアンスは違います。have to は「〜する必要性・必然性がある」ということ。**そうしなければならない・そうにちがいない，強力な必要性・必然性があるということ**です。

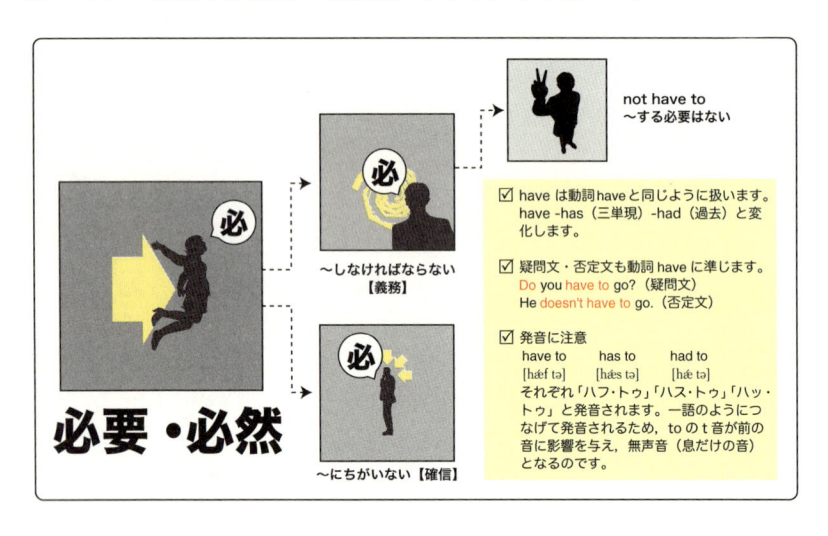

必要・必然
〜しなければならない【義務】
〜にちがいない【確信】
not have to 〜する必要はない

☑ have は動詞haveと同じように扱います。have -has（三単現）-had（過去）と変化します。

☑ 疑問文・否定文も動詞 have に準じます。
Do you have to go?（疑問文）
He doesn't have to go.（否定文）

☑ 発音に注意
have to   has to   had to
[hæf tə]   [hæs tə]   [hæt tə]
それぞれ「ハフ・トゥ」「ハス・トゥ」「ハッ・トゥ」と発音されます。一語のようにつなげて発音されるため，to の t 音が前の音に影響を与え，無声音（息だけの音）となるのです。

■ 1 〜しなくてはならない（義務）

ⓐ You **have to** have your hair cut.（髪の毛切らなくちゃいけないよ）

ⓑ You **have to** send your resume and a cover letter.
（履歴書と添え状を送らなくてはなりません）

ⓒ We may **have to** cancel our trip because grandmother is very ill.（旅行はキャンセルしなくちゃいけないかも。おばあちゃん病気重いから）

「しなければならない」と単に強く思うだけなら must で十分ですが、そうしなければならない（客観的）必要性が強く感じられるなら have to の出番。「（明日が面接だから）髪の毛切らなきゃ」「（長髪は校則で禁止されてるでしょう？）髪の毛切らなきゃ」。必要性を原動力にした「しなければならない」、それが have to なのです。

● 助動詞は重ねて使えない！

ⓒの例に注目しましょう。「助動詞は重ねて使うことができない」、覚えていますか？　×We may must ... は許されません。have to でなくては困るんですよ。We may have to ...（しなくてはならないかもしれない），We will have to ...（しなくてはならないだろう）などは、イチイチ「must はダメ」などと考えず口癖にしてください。

2 ～にちがいない（強い確信）

ⓐ She **has to** be the culprit.　（彼女が犯人にちがいない）
ⓑ This **has to** be the happiest day of my life.
　（今日は僕の人生で最良の日にちがいないな）

同じ「ちがいない」でも、must と have to は受ける感じが違います。単に「ちがいないな」と確信するだけなら must。must は話し手のキモチをあらわしているにすぎません。have to の「ちがいない」は、（客観的）必然性に裏打ちされた「ちがいない」。ⓐの発言の裏には、そう結論づけるに足る十分な証拠の積み重ねが感じられます——名探偵ホームズが言いそうな発言ですよね。

私の祖母が「家政婦は見た！湯煙旅情殺人事件」を見ながら、「彼女が犯人だね」と言うなら must。人相だけで判断してやがるんだもんなぁ、ばあちゃん。

英語初心者のうちは，must と have to の細かなニュアンスの違いに神経質になる必要はありません。どちらを使おうが誤解は生じませんから！ ただ，次のポイントは初心者でもマストですよ。

● must の禁止・not have to の「必要がない」

must/have to 間の繊細なニュアンスの差は，否定文にするとよりいっそう際立ち，全くの別物となります。

(1) You **don't have to** like your teachers, but you **mustn't** insult them!
（先生を好きになる必要はないけど，侮辱してはダメだ！）

mustn't は禁止，「ダメ」でしたね。一方 **not have to** は「必要がない」ということ。必要性が否定されているのです。すっごく大切なポイントだからもう１つ。

(2) If someone invites you to their home, you **don't have to** take anything expensive, but you **mustn't** turn up empty-handed.
（誰かが君を家に招待してくれたら，何も高価なものをもっていく必要はないが，手ぶらはだめだ）

■ have got to ADVANCED

have got to は have to と同じ意味のフレーズ。イギリス英語，特に会話で多用されます。ロンドン行ったら必ず耳にするポピュラーな表現。

(1) He**'s got to** go. (= He has to go.)
（彼，もう行かなくちゃ）

(2) You**'ve got to** be joking! (= You have to be joking!)（冗談でしょ！）

She's got a boyfriend!

イギリス英語ではもともと have の代わりに have got を使うことがよくあるんです。

(3) He**'s got**[**has got**] a car. （彼車もってるよ）

この have は現在完了形の have。have got は「get した（その結果**今もってる**）」ということ。ほら have と同じ意味になりますね。そんなわけで have to = have got to。ぜひ使ってみてくださいね。

B be able to

☑ able は形容詞「できる」。何ができるかを to 不定詞があらわしています。

☑ 疑問文・否定文はほかの be 動詞文と同じ。
Is a mouse able to swim? （疑問文）
A mouse is not able to swim. （否定文）

ⓐ **I'm able to** speak 4 languages. （4ヵ国語話せるよ）
ⓑ **I was able to** catch the last train. （終電つかまえることができた）
ⓒ I've always wanted to **be able to** speak Japanese fluently.
（日本語を流暢に話せればいいなとずっと思ってるんだよ）

　　able は「能力がある・できる」。be able to は**何かをやってのけることができる**ということ。can の「潜在」のような深みはなく，ごく単純な意味合いです。また，ⓒでは can ではなく be able to が使われていることにも注意してくださいね。

■ can 優先　ULTRA ADVANCED

　「～できる」の標準は can。be able to よりも can が圧倒的に優先されます。
(1) **I can**[**am able to**] speak English. （僕は英語を話せます）
　この文で自然なのは can。「キャン」と簡単に言えば済むところで，わざわざ「ビー・エイブル・トゥ」なんて言う必要はありません。
　can は「潜在」。「できる」に特化した単語ではありませんが，be able to は able（できる）が含まれた「強い」表現。「できるのだ」が強調されたフレーズ，それが be able to なのです。
(2) **I am able to** play the piano. （ピアノが弾ける）
　can が使えるケースであえて be able to を使うと，ネイティブは「できる」を強調した理由を探します。「ああ，指をケガして弾けなかったんだな。で，今は弾けますということなんだろうな」等の類推を働かせるのです。

(3) Now that **I'm able to** drive, I feel much more independent.
（もう運転できるから，今までよりもずっと自立した感じがするなぁ）

(4) **I'm able to** speak 4 languages. (4ヵ国語が話せる)

特別なニュアンス伝わりましたか？ (3)からは「今まで不可能であったことができるように」という「やったぞ」感。(4)からは「こんなすごいことができるんだよ」。どちらの文も「できる」にハイライトが当たっていることが感じられますよね。単に「できる」と言いたいだけなら can を使ってください。「できる」を前面に押し出したかったら be able to。上級者へのヒントでした。

■ **実際にやったことなら be able to**　ULTRA ADVANCED

ネイティブだってうっかり間違うことがあるポイントです。それは「**実際にやったなら can ではなく be able to を使え**」──過去のできごとの扱いが微妙に違うのです。次の文を比べてみましょう。

(1) My grandad **could** fix any kind of machine.
（僕のおじいちゃん，どんな機械でも直せたんだよ）

(2) The washing machine is OK now. Grandad **was able to** fix it.
（洗濯機は今は大丈夫。おじいさんが直せたから）

(1)は「やろうと思えば直すことができた」──実際にやった，ということは意味していません。can はあくまで「潜在」。そうした力をもっていた，そこまでしか言ってはいません。一方 was able to は「実際に直すことができた（＝直した）」。実際に「何かをやってのけた」とき，使われるのは be able to です。

●助動詞はなぜ重ねて使うことができないのか

冒頭で触れた「助動詞は重ねて使うことができない」。have to, be able to をマスターしたみなさんには，もう少し深く説明してもいいでしょう。

まずは有名な右の図を見てみましょうか。見方によっては「老婆」に見えたり「少女」に見えたり。だけど，老婆と少女は**同時には見えてこない**はずです。助動詞を重ねて使うことができないのも，これと同じことなんですよ。

(1) Jane may **be able to**[× may **can**] babysit for us.
　（ジェーンが子守できるかもしれないよ）
(2) You'll **have to**[× You'll **must**] grin and bear it.
　（笑ってこらえなくちゃならないだろうな）

　助動詞は，話し手のモノの見方・心理をあらわします。(1)の may は「かもしれないなぁ」，(2)の will では「だろうなぁ」という見方を文に加えているのです。(1)の文でもし can が使えるとしたら，それは「かもしれないなぁ」という may の見方と，相手に潜在する力を見通す can の心理が「同時に」心をよぎっていることになります。そんな器用なことはできないんですよ，誰にもね。

　can，must の代わりに使われる be able to，have to は，助動詞と訳は似ていても話し手の心理を示す語句ではありません。He is able.（彼はデキる人です）は He is happy.（彼は幸せです）と同じ。単に事実を述べているにすぎません。have to は「(〜する) 必要があります」という事実を述べているだけ。must のように切羽詰まった心理状態をあらわしているわけではないのです。だからこそ，助動詞と共存できるというわけですよ。

ⓒ had better / had best ＋ 動詞原形

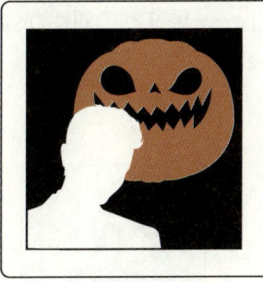

緊迫感

- ☑ had better［best］→ 'd better［best］（短縮形）
- ☑ had better［best］＋ 動詞原形の形で使います。
  He had better go home now.
- ☑ 否定文（〜しない方がいい）は not の位置に注意しましょう。
  He had better not go.

ⓐ **You'd better** call the ambulance!　（救急車よんだ方がいいよ！）

ⓑ **You'd best not** snitch on us, or we'll beat you up.
　（告げ口しない方がいいぜ。さもないとひどい目にあわすからな）

　「早く救急車よんだ方がいい」。had better（best）の「した方がいい」は，同じ緊迫感で使われるフレーズです。「宿題やるより遊んだ方がいい」などの，お気楽な「方がいい」ではありません。そうしなければヤバイ。えらいことになる。「さもないと（or else ...）」という声が聞こえてくる表現です。

D used to

コントラスト

- ☑ used to ＋動詞原形の形で使います。
  I used to box when I was young.
- ☑ 常に過去をあらわし現在形はありません。
- ☑ 疑問文・否定文は可能ですがあまり使われません。used は動詞の過去形として扱います。(Did he use to ...?/ I didn't use to ...)
- ☑ [júːstə]（ユース・トゥ）と濁らず発音します。

ⓐ **There used to be a movie theater right here.**
（ちょうどここに映画館があったんだよな）

ⓑ **I used to get into trouble all the time when I was a kid.**
（子どもの頃はいつだって問題児だったさ〈あーそーだったよ〉）

「以前は…だったなぁ」。過去の習慣や状態をあらわすのが, この used to。イメージは「コントラスト」。「今はそうではないが」——現在との対比が強く意識されています。

● would と used to

過去の習慣は would を使ってあらわすこともできましたね。

(1) My grandfather **would** entertain us for hours with his magic tricks.
（おじいちゃんは手品で何時間も僕たちを楽しませてくれたんだよ）

would は「そうしたことをよくやった」ということ。現在とのコントラストは意識されていません。この would の使い方には will のもつ「意志」も感じられます。「好きこのんでやっていた」というニュアンス。上の例文ⓐのように単に状態が変化したことをあらわすことはできません。ご注意くださいね。

× There **would** be a movie theater right here.

CHAPTER 8
前置詞
PREPOSITIONS

前置詞は，位置関係をあらわす「小さな単語」です。説明・限定ルールを身につけたみなさんなら，使い方も単純。ですが，位置関係という単純なイメージしかもたない前置詞は——単純であるがゆえに——実に豊かな表現力があるのです。英語学習の最難関の1つ前置詞。しっかりとマスターしてくださいね。

■ 前置詞とは

前置詞とは in, at, on など、位置関係を示す「小さな単語」。これら前置詞は――名前がそう示すように――名詞の「前に置く」のが特徴。

ⓐ The apple is **on** the refrigerator.
(りんごは冷蔵庫の**上**にあります)

ⓑ The apple is **in** the refrigerator.
(りんごは冷蔵庫の**中**にあります)

ⓒ The apple is **behind** the refrigerator.
(りんごは冷蔵庫の**後ろ**にあります)

ⓓ The apple is **by** the refrigerator.
(りんごは冷蔵庫の**側**にあります)

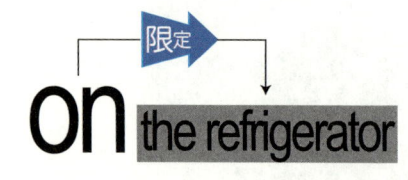

前置詞が「前」に置かれるのは、やはり限定ルール。ただ「冷蔵庫」ではなく「冷蔵庫の上」「冷蔵庫の中」と、冷蔵庫の何が意味されているのかを限定して示す働きがあるからです。

前置詞が難しいのは、文内での使い方ではありません。非常に簡単な位置関係をあらわすだけに、そのイメージが爆発的に広がること。それを使いこなすことなのです。例えば、at。at は「点」をあらわす前置詞です。この「点」がⓔ 時点、ⓕ 地点、ⓖ 価格、ⓗ その他の比喩的な点などに広がっていくのです。

ⓔ I woke up **at** 7. (7時に起きた)

ⓕ My favorite band is playing **at** the Budokan next week.
(僕の好きなバンドは来週武道館でコンサートをする予定)

ⓖ I got these jeans **at** a really good price.
(このジーンズとってもお買い得だったんだよ)

ⓗ She is really good **at** English.
(彼女は英語が本当に得意 [=英語という点で good] だ)

この意味の広がりをとらえ、前置詞を自由にそして豊かに使いこなすこと。それが本章の最も大切なポイントなのです。

SECTION 1 前置詞基礎

▶前置詞を支配するのは限定ルール(限定は前から)——名詞の前に置いてその意味を限定していきます。また, 前置詞を中心とするフレーズ(前置詞句)の働きも理解しておきましょう。

A 前置詞の位置と働き

ⓐ There's an apple **on** the table.
(そのテーブルの上にリンゴがあるよ)

ⓑ Come and have some fun **with** us.
(おいで。僕たちと一緒に楽しもうよ)

限定
in Japan

限定
with us 〔代名詞〕
目的格

すべて「前置詞＋名詞(句)」となっていますね。これが前置詞のとる標準の形です。前置詞は名詞の前——ただ「そのテーブル」ではなく,「そのテーブルの上」と, テーブルの何が問題となっているかを限定するからです。前置詞の後ろの名詞は「前置詞の目的語」。ⓑのように代名詞を使う場合,「目的格」となります。

■ 前置詞句(前置詞＋名詞)の働き

ⓐ There are a lot of Brazilians **in Japan**.
(日本にはたくさんのブラジル人がいる)

ⓑ I can't sleep **at night**.
(夜, 眠れないよぉ〈実話：じじーだから〉)

ⓒ The tropical depression is headed **towards the Bahamas**.
(その熱帯性低気圧はバハマ諸島に向かっている)

ⓓ I can pick a lock **with a paper clip**.
(僕ね, ペーパークリップでカギを開けられるんだよ)

369

ⓔ **All the kids** **in my class** donated money to the Haiti Disaster Relief Fund.
（僕のクラスの子たちはみんなハイチ災害救済募金に寄付したよ）

　さあ，もう「前置詞＋名詞」は作れますね。それでは今度はそれ全体（前置詞句）の使い方を学びましょう。前置詞句も——もうおなじみになった——限定ルール・説明ルールだけで使いこなせます。

　上の文を見ましょう。「説明はすべて後ろから」という意識で作られています。ⓐ・ⓑは文の説明。「たくさんのブラジル人がいる」がどこで起こっているのかの説明が in Japan。ⓒでは「向かっている（be headed）の説明。どこに向かっているかを towards 以下が説明しています。ⓔでは「どんな子どもたちなのか」の説明が in my class。前置詞句はほかのすべての修飾要素と全く同じです——**手軽に後ろに置く，それだけで気軽に説明ができる**のです。

● **前置詞句のさまざまな位置**

　英語は位置がすべて。置く場所によって働きが決まることばです。前置詞句も同じ。ターゲットの後ろに置けば常に「説明」。それでは前に置いたらどうなるでしょう。もちろん「限定」となります。

(1) **behind-the-scenes** negotiation （舞台裏の交渉）
(2) **in-depth** explanation （深く掘り下げた説明）
(3) **under-the-table** dealings （裏取引）

　単なる「交渉」ではなく「舞台裏の交渉」と，その種類を限定するように働きます。また，主語に置けば，名詞として働きますよ。

(4) **Behind the sofa** is a good place to hide. （ソファの後ろはいい隠れ場所）

　基本配置・修飾方向，みなさんが身につけた配置の知識で前置詞句もまた，自由に使いこなすことができるのです。

■ 前置詞の目的語になる要素

前置詞の後ろには，標準的な名詞だけでなくさまざまな要素を置くことができます。その際は常に名詞的な意味合いで使われることに注意しましょう。

ⓐ Our situation went **from bad to worse**.
（僕らの置かれた状況はさらに悪化した）

ⓑ He lived in Paris **until quite recently**.
（彼はかなり最近までパリに住んでいた）

ⓒ The cat came out **from under the sofa**.
（ネコはソファの下から出てきた）

ⓓ She insulted me **by calling me a liar**.
（彼女は僕を嘘つきとよんで侮辱した）

ⓔ Your success depends **on how you make decisions**.
（君の成功はどういった決定をするかにかかっている）

ⓕ It's a bit awkward to invite Helen to the party **in that her ex is also coming**.
（ヘレンをパーティーによぶのはちょっとまずいな、彼女の前の旦那さんもくるからね〔＝くるという点において〕）

ⓐの bad（悪い），worse（さらに悪い）はそもそも形容詞。ですが「悪い状態**から**さらに悪い状態**へ**」と名詞的意味で使われています。ⓒは「ソファの下」という場所。ⓓは「嘘つきとよぶこと」。ほらすべて名詞。目的語は名詞の位置ですから必然ですね。

● 「前置詞」は前置詞としてだけ使うわけではない

英語は配置がすべて。表現の働きが，置かれる位置によって決まってくる——そうしたことばです。in や on など，ふつう前置詞とよばれる単語も同じ。前置詞としてだけ使われるわけではありません。

(1) Your cell phone is **in** your bag. （前置詞として）
（君のケータイは君のバッグの中だよ）
(2) Miniskirts are **in** this year. （主語を説明する形容詞として）
（今年はミニスカートが流行ってる）

(3) Please drop **in** any time. （drop を修飾する副詞として→句動詞）
（いつでもおいでくださいね）

(1)は前置詞。ですが, (2)では, be動詞の後ろに置かれているから主語の説明（形容詞）として働いていますね。(3)は動詞の後ろに置かれているから動詞を説明する副詞。置く場所を工夫すればいろいろ使えます。「前置詞」とよばれるからといって, in を前置詞としてしか使わなかったら**宝のもち腐れ**なんですよ。ちなみに, (3)の drop in は「立ち寄る」。こうした「動詞 + α」でまとまった意味をなすものは「句動詞 (phrasal verb)」とよばれ, 特に口語で多用されます。「句動詞」については下のコラムで詳しく説明しますね。

また,「前置詞」とよばれる単語だけが, 前置詞の働きをするわけではありません。次のようにフレーズ全体が前置詞として働いているケースも数多くあります（☞P.409）。名詞の前に置かれる, だからこそ前置詞として機能するのです。

(4) **According to** Mom, I have zero fashion sense!
（母さんによると, 僕はファッションセンス, ゼロ！）
(5) The final was postponed **because of** rain.
（決勝戦は雨で延期された）

大切なのは, 配置。もうみなさんには言うまでもありませんね。

●句動詞

句動詞 (phrasal verb) とは, look for（探す）, put off（延期する）など,「基本動詞 + α」のフレーズのこと。前置詞として使われる in, on, at や up, down, out, off（上・下・外・離）など「軽い」単語が使われます。句動詞は会話で大変重要な要素。ゆっくり解説しておきましょう。

◆句動詞の重要性

「基本動詞 + α」は大変軽く響きます。

> I ascertained how to get to the Tokyo Dome!
>
> Huh?
>
> Oh, you mean you **found out** how to get there?
>
> あ゛

ascertain（突き止める）なんてビッグワードは会話ではなじみません。それよりも find out（見つける）を好んで使う——こうした強い傾向が英語ではあるのです。

◆句動詞の種類

句動詞は，それ専用の辞書があるほど数多くあります。とにかく数を覚えて慣れる以外にはありません。ただ，1つだけ重要なポイントがあります。それは，句動詞には大きく分けて3種類あるということ。

A：句動詞全体で自動詞と同じ使い方

(1) He didn't **show up** for the meeting.
（彼、ミーティングに現れなかったんだよ）

(2) My car **broke down** in the middle of the freeway.
（僕の車、高速乗ってる最中で壊れちまった）

(3) All the students **stood up** when the Principal entered the classroom.
（校長先生が教室に入ってきたとき学生は全員立ち上がった）

句動詞が全体として「単なる動作」をあらわすもの。自動型の文で使われます。目的語はありませんよ。

He didn't show up 🈳 for the meeting.

B：句動詞全体で他動詞と同じ使い方

(1) I **ran into** an old friend of mine.（昔の友達にバッタリ会った）

(2) I'm **looking for** my car keys.（車のカギ、探しているんだよ）

(3) It's wrong to **pick on** somebody.
（誰かをいじめるのは間違っている）

行為の対象が視野に入っています。目的語を忘れずに。

I **ran into** <u>an old friend of mine</u>.
　　　　　　　　　目

C：句動詞全体で他動詞と同じ使い方（分離されるもの）

(1) I think I'll **put** the green sweater **on**.（僕、緑のセーター着ることにするよ）

(2) Let's **put** that decision **off** until our next meeting.
（その決定は次のミーティングまで延期しよう）

(3) **Put** the box **down** next to the desk.（その箱、机のわきに置いてね）

このグループ C は，下の①と②どちらの形でも使うことができます。

① I'll **put** the green sweater **on**.（分離）

② I'll **put on** the green sweater.

▼前置詞

（注）ただし代名詞を目的語とする場合には必ず①の分離した形となります。
○ I'll put <u>it</u> on.　× I'll put on <u>it</u>.

　このタイプの句動詞は、まとまりが薄いのが特徴。「動詞 + α」が強固なまとまりではなく、目的語に軽い説明を付け加える修飾語として、+ α の軽い単語が感じられている——だから**分離が定位置**なのです。「セーターを on の状態に置く→セーターを身につける」、「決定を off の状態に置く→決定を延期する」ということ。

I'll put the green sweater on.　It's wrong to pick on somebody.

　この事情は、B の分離できない句動詞とは全く異なります。pick on somebody（誰かをいじめる）の、pick と on は強固なまとまり（1つの動詞）として機能しているのです。
　こう考えると、分離タイプの句動詞に代名詞が使われる場合、必ず分離するのも自然に理解できるでしょう。分離しない②の形は配慮から生まれています。ふつうの名詞は「長くなる」ことがあるから。put と on が離れすぎてしまえば「put + on（身につける）」は理解しづらくなってしまいます。put と on のつながりを保つために **put on** the green sweater と分離しない形が使われるのです。代名詞には長いものはなく、すべて短く・軽く発音されます。そうした配慮をする必要がないことから「いつも（分離された）定位置」になるというわけなのです。

◆ **句動詞の意味**

　句動詞の多くは、もとの単語と無関係な意味をもっているように見えます。だけどね、動詞や + α の単語がもつイメージを正しくつかんでおけば、全く偶然無関係な意味をもつようになったわけではないことが理解できるでしょう（☞P.70）。例えば、find out（見つける）や先程の pick on は、左図のような意味のコンビネーションが起こっているにすぎません。イメージを駆使して句動詞、征服してくださいね。句動詞は、会話が上達したいなら必須学習事項。出会ったらすぐに覚える習慣をつけてくださいね。

SECTION 2 前置詞の選択

▶前置詞の選択はイメージで。それが前置詞を気軽に，豊かに，ネイティブのように使いこなすコツなのです。

　適切な前置詞を文を作りながら上手に選択するのは，一度でも英文を書いたことがあれば，大変な難題であることがわかると思います。この選択は日本語訳を覚えるだけでは全く歯が立たないからです。

ⓐ Unbelievable! Apples are selling **at just ¥200** a kilo.
　（信じられない！　リンゴがキロあたりたった 200 円で売ってる）

ⓑ I bumped into Cathy **at the bank** this morning.
　（今朝銀行でばったりキャシーに会ったよ）

ⓒ Their flight is due to arrive **at 10 a.m**.
　（彼らの飛行機は午前 10 時に到着予定です）

ⓓ Mommy, look **at my drawing.**
　（ママ，僕の絵を見てよ）

　日本語訳は違っていても，使われているのは at。日本語訳を手がかりに前置詞を選択することはできないのです。また，「用法を覚える」のも頼りになりません。「値段は at」「場所は at」「時間は at」などといった具合に at を理解しても，覚えられないくらいたくさんの「用法」があるからです。しかも，「場所は at」に限るわけでは全くありませんよね。

ⓔ They got married **in a church**.（彼らは教会で結婚した）
ⓕ Every classroom has a big clock **on the front wall**.
　（どの教室にも前の壁に大きな時計がかかっている）

　in a church も on the front wall も「場所」。「場所は at」では区別できません。
　さて，それでは前置詞はどうやって選択すればよいのでしょう。それは

「イメージ」。前置詞はそれぞれ固有の，単純な位置関係のイメージをもっています。at は「点」，in は「内部」，on は「上に乗っている」。

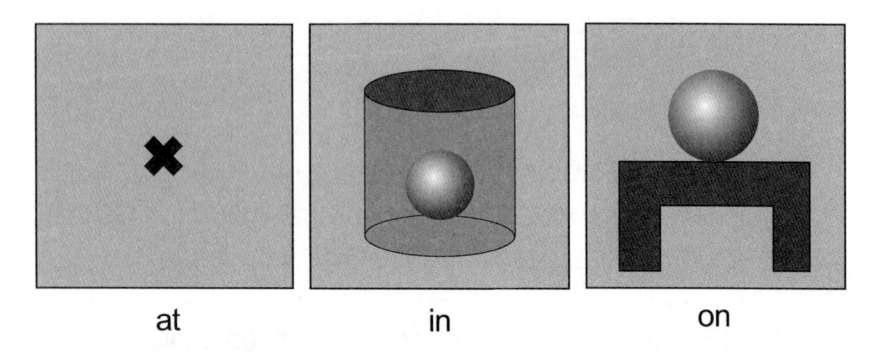

at　　　　　　　in　　　　　　　on

ⓐ〜ⓒでは，値段や場所，時刻が「点」として感じられているから at。ⓓでも，「ある点に視線を投げる」という意味から at が選択されています。ⓔの in は「教会で結婚」が「教会に包み込まれる」感覚をよび起こす文脈だから。on がⓕで選ばれるのは，「上に乗っている」という位置関係が「くっついている」を想起させるから。ほら，カンタン。イメージを使えば，前置詞はかなり正確に選ぶことができるんですよ。

> ⑧ We had to change planes **at Heathrow Airport**.
> （私たちはヒースロー空港で飛行機を乗りかえなくてはならなかった）
>
> ⓗ We enjoyed some last-minute shopping **in Heathrow Airport**.
> （私たちはヒースロー空港で最後のショッピングを楽しんだ）

　前置詞の選択はイメージだけで十分です。「広い場所」なら in を選び「狭い場所」なら at を選ぶ——そうした使い分けが推奨されることもありますが，それは正確ではありません。イメージなしの「規則」で前置詞を上手に選択することはできません。上では，同じ「ヒースロー空港」なのに，at と in が使い分けられていますね。前置詞の選択は感じ方の問題なのです——「点なら at」，「内部なら in」。
　「ヒースロー空港で乗りかえ」——⑧でヒースロー空港は地図上の1点として考えられているので at が適当な選択。一方ⓗでは「ヒースロー空港でお買い物」——空港内部が彷彿とされる文脈だから in が選ばれているのです。

ちなみに「点」として考えられるなら，都市ですら at で受けることもできます。

ⓘ We refueled **at Naples**. （僕たち〔の飛行機〕はナポリで燃料補給した）

とはいえ，東京・ロンドン・パリ・ニューヨークのような大都市には in が標準。その大きさ，豊かさから「内部」が瞬時に想起されるからです。
　前置詞の選択は，「その状況がどう感じられるのか」がすべてなのです。イメージをしっかりつかむこと。大切なのはそれだけです。

> ⓙ My Dad often **sits in** his favorite chair and watches TV all night.
>   （父はよく，お気に入りの椅子に座って一晩中テレビを見る）
>
> ⓚ My Dad usually **sits on** that chair.
>   （父は普段あの椅子に座っているよ）

「椅子に座るのなら sit on」。こうした杓子定規な丸暗記も不要です。イメージどおり。もうみなさんなら情景が浮かぶのではありませんか？ そう，座る椅子が違うのです。ふかふかなアームチェアなら in の囲まれ感が生まれますよね。そうでなければ，「上に乗っている」on となるわけです。

in　　　on

> ⓛ My ball hit a tree and landed **in the fairway**. Lucky!
>   （僕のボール，木に当たってフェアウェーに落ちたんだ。ラッキー！）
>
> ⓜ When I played golf in Thailand, there were monkeys **on the fairway**!
>   （タイでゴルフやったとき，フェアウェーにサルがいたんだよ！）

PART 2 - CHAPTER 8：前置詞　SECTION 2：前置詞の選択

　さあ，最後の例です。もうなぜ前置詞が使い分けられているかわかりますね。感じ方の違いです。⓵は「フェアウェー（という範囲の中）に落ちた」が意識されているから in。⓶は単に「フェアウェーにサル」。ほら何も囲まれてる感じがしない。だから「上に乗っている」on となるんですよ。

　前置詞の選択は「感じ方」がすべて。杓子定規に考えず，妙な規則にとらわれず，ネイティブの感じ方──イメージ──をさまざまな例文を通して身につけることが大切なのです。章末に主要前置詞のイメージを詳しく解説しておきました。ぜひお読みくださいね。

BASIC WORDS

基本前置詞

前置詞は日本語訳では学べない単語の筆頭です。簡単な位置関係から、無数の日本語に対応する意味が生まれるからです。

ここでは前置詞の基本イメージとそこから派生する、代表的な用法を解説しました。しっかりと身につけていきましょう。

ABOUT
〜について・約・およそ

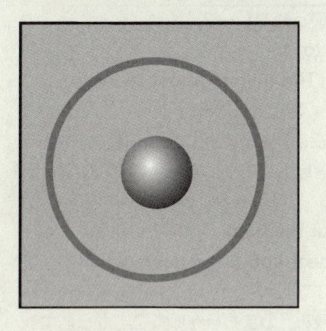

基本イメージ 【まわり】

▶ about のイメージは「まわり」。around とほぼ同じイメージです。

派生イメージ

ⓐ 【約・およそ】

(1) I weigh **about** 58 kilos.
（僕はだいたい 58 キロ）
(2) Midnight? Gosh, it's **about** time we went home.（夜中の 12 時？ げ。そろそろ帰る時間だ）

▶「まわり」から「近い」は自然な連想ですね。

ⓑ 【〜について】

(1) He gave a talk **about** cats.
（彼はネコについてトークをした）

▶「ネコについて（いろんなことを）話した」ということ。ネコにまつわるさまざまな内容を意味しています。「まわり」の about が使われるのは当然ですね。

● ざっくばらんな about cats とカタい on cats

「〜について」と訳されるのは about だけではありません。on も同じように訳されることがあります。

(1) He gave a talk **on** cats.

ただしこの場合「専門的な話をした」といったニュアンス。on は「接触」の前置詞——「ネコそのものについて」という感触を運ぶから。ざっくばらんな（アバウトな）about に対して、

カタく専門的な響きをもつ on。日本語訳「～について」だけでは前置詞は学べません。

▶ **about** を使ったフレーズ
(1) **be about to**（～しそう）
　例 Quick! The train **is about to** leave.
　　（早く！　電車行っちゃうよ）
　▶ to は「ここだよ」と指し示す前置詞。leave（去る）を指し示して「ここの近く（まわり）」ということ。
(2) **beat about the bush**（遠回しに言う）
　例 Don't **beat about the bush**.
　　（遠回しに言うな）
　▶ bush（茂み）のまわりを叩くことから。カンジンなところにいたっていないということ。

ABOVE
〜の上

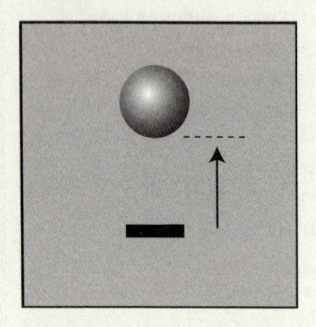

> 基本イメージ【高さが上】
▶ above は「高さが上」ということ。

> 派生イメージ
ⓐ【さまざまな「上」】
(1) There's lots of banging coming from the apartment **above**.
　（アパートの上の部屋から、ドンドンという音がたくさん聞こえてくるんだよ）
(2) Just one drink is enough to be **above** the legal limit.（お酒一杯だけでも法律の制限を超えてしまいます）
▶ above は物理的な「高度」だけでなく、「高さ」が思い起こされるさまざまなケース——例えば地位・年齢・重要度などなど——にも使えます。

▶ **above** を使ったフレーズ
(1) **above all**（とりわけ・何よりも）
　例 **Above all**, relax and enjoy yourselves.
　　（何より大切なのは、リラックスして楽しむこと）
　▶「すべての中で（重要度が）最も高いのは」ということ。

ACROSS
横切って

> 基本イメージ【十字】
▶ across は「横切る」。十字（cross）を作るように、ということ。

> 派生イメージ
ⓐ【さまざまな「十字」】 
(1) They swam **across** the river.
　（彼らは川を泳いで渡った）
(2) There's a convenience store just **across** the street.（通りを渡ってすぐの所にコンビニがある）
▶前置詞はほとんどの場合、動きと位置のどちらもあらわすことができます。(1)は十字を作るような動き。(2)は通りを渡ってすぐの所という、十字を作る位置関係をあらわしています。

ⓑ【〜中】
(1) I rode my motorbike **across** South America.
　（南アメリカ中をバイク旅行した）
▶ある物体を「横切る」。ハジからハジまでとい

うことになりますね。

▶ **across** を使ったフレーズ

(1) **come across**（偶然見つける）
　例 I **came across** my graduation album this morning.（今朝卒業アルバムを偶然見つけた）
　▶「偶然」というニュアンスは十字を作るから。

(2) **run across**（バッタリ出会う）
　例 I **ran across** Terry in town today.（今日町でテリーとバッタリ会った）
　▶「バッタリ」も同じ。示し合わせたわけでなく進行方向がクロス。

(3) **across the board**（全面的に）
　例 The economic crisis has hit businesses **across the board**.（経済危機はあらゆるビジネスに打撃を与えた）
　▶ board（板）は，比喩的に関連のあるすべての人（モノ）を指しています。そのハジからハジまで。

AFTER
〜の後

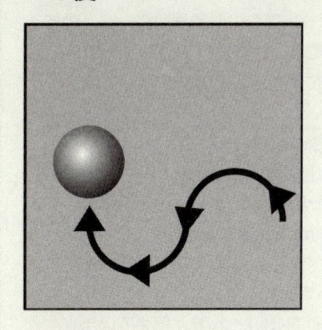

基本イメージ 【ついていく】
▶ after は「後ろからついていく」。「〜の後」の順序関係もそこから生まれます。

派生イメージ

ⓐ【さまざまな「ついていく」】
(1) The police are **after** him.（警察が彼を追いかけている）

(2) Are you **after** anything in particular?（特に何かお探しですか？）
　▶日本語訳はさまざまですが「ついていく」ということですね。

ⓑ【順序】
(1) How about going to karaoke **after** class?（授業の後カラオケどう？）
(2) Shibuya comes **after** Harajuku, right?（渋谷は原宿の次，だよね？）
　▶「ついていく」から順序関係。学校帰りにカラオケ行ってはいけません。

ⓒ【模倣】
(1) This is a painting **after** Picasso.（この絵はピカソの模倣です）
　▶「ついていく」から「やり方に従う（模倣）」は自然なつながり。

▶ **after** を使ったフレーズ

(1) **look after**（世話をする）
　例 Can you **look after** my son while I'm away?（私が出かけているあいだ，息子の世話をしてくれる？）
　▶誰かの世話をするとき，私たちは危険が及ばないように「後ろから」目配りをしますよね。だから look after。もちろん犬の世話にも使えます。

(2) **name ... after 〜**（…を〜にちなんで名づける）
　例 We **named** our daughter **after** her grandmother.（僕たち，娘をおばあちゃんにちなんで名づけたんだ）
　▶名前がおばあちゃんに「ついていく」。

(3) **take after**（似ている）
　例 Do you **take after** your Mom or your Dad?（君は母親似？ それとも父親？）
　▶顔だけでなく性格・行動にも使えます。「後ろをついていって，特徴を take する（とる）」というイメージ。

(4) **ask after, inquire after**（尋ねる）
　例 Rie **asked after** you at school today. I think she fancies you!（今日リエが学校で君のこと尋ねていたよ。彼女，君に気があるんじゃないかな！）
　▶「彼，どんな調子？」と尋ねていたってこと。「情報を追っかけている（after）」感触があります。inquire after は，よりカタい言い回し。

8 ▼前置詞

AGAINST
～に対して

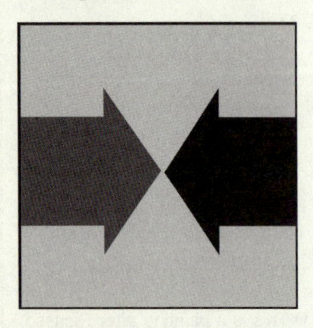

基本イメージ 【向かい合う力】
▶ against のイメージは「向かい合う力」。双方からグッと力がかかっています。

派生イメージ
ⓐ 【力がかかっている】
(1) He tripped and hit his head **against** a desk.
(彼，つまずいて机に頭ぶつけたんだよ)
▶頭と机，双方からかかる力を想像してください。ガツッ。それが against。

ⓑ 【反抗・反対】 
(1) He's been **against** me from the first moment he saw me.
(彼は最初に会ったときからずっと僕に敵対している)
(2) Are you for or **against** the plan?
(君はこの計画に賛成？それとも反対？)
▶「向かい合う力」からすぐに飛び出すのが，この使い方。

ⓒ 【備える】
(1) Save money **against** a rainy day? No way! I wanna spend it NOW! (まさかのときに備えてお金を貯めておく？ まさか！ 今使いたいんだよ！)
▶降りかかってくる災難に against。「備える」ということですよ。wanna は want to のくだけた口語体。

ALONG
～に沿って

基本イメージ 【細長いモノ】
▶細長い線状のものに「沿う」，それが along のイメージ。

派生イメージ
ⓐ 【さまざまな「沿う」】 
(1) I took my dog for a walk **along** the beach. (ビーチに沿って犬を散歩させた)
(2) There's an excellent restaurant **along** this street. (この道沿いに良いレストランがある)
▶ along は――ほかの前置詞同様――「動き・位置」両用です。(1)はビーチに沿った動き，(2)は道沿いの位置を示しています。

▶ **along** を使ったフレーズ
(1) **all along** （最初からずっと）
　例 You knew **all along** who was cyberbullying me, didn't you?
　(君は誰が僕をネットいじめしてたか最初からわかっていたんでしょ？)
▶事態の進行を「線」としてとらえています。そのすべて（all）ということ。
(2) **get along** （やっていく・…と仲良くやっていく〔with ...〕）
　例 How are you **getting along** at your new school? （新しい学校で調子はどう？）
▶ get は「動き」。学校生活の流れが「線」。そこを「どういう具合に進んでいますか」ということ。「仲良くやる」は，お互いに衝突せずに「沿って」

進んでいるということですね。
例 I don't **get along very well with** my parents.（両親とうまくいかないんだよ）

AMONG
～の中，～のあいだ

基本イメージ【ごちゃごちゃ】
▶雑然とした集合体がイメージされています。個々のメンバーが明確に分かれて意識されていないのです。

派生イメージ

ⓐ【ごちゃごちゃ】
(1) It'll be tough to spot her **among** all these people.（この人たちの中で彼女を見つけるのは大変だ）
▶ごちゃごちゃした集団を思い浮かべてください。「この人混みの中で」ということ。

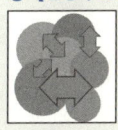

ⓑ【ごちゃごちゃ相互】
(1) Talk **among** yourselves until I get back.（私が戻ってくるまで君たちのあいだで話し合いなさい）
▶「ごちゃごちゃしているもの相互のあいだで」という使い方。

▶ **among** を使ったフレーズ
(1) **among other things**（とりわけ）
例 He talked about the present economic crisis, **among other things**.（彼はとりわ

け現在の経済危機について話をした）
▶ほかの（あまり重要でない）ごちゃごちゃから，とり出す感触です。

(2) **among 最上級～**（最も～なモノの１つ）
例 He is **among the best golfers** in the world.（彼は世界のトップゴルフプレーヤーの１人）
▶この場合 in the best golfers とはならないことに注意。in は「容器」。in the team（チームの中で）など，ワクが必要です。

AROUND(ROUND)
～のまわり

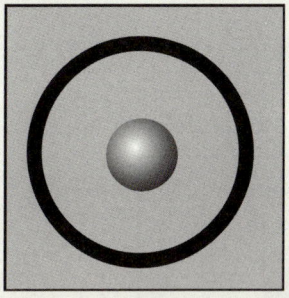

基本イメージ【まわり】
▶ around は「○（マル）」。前置詞で使われると「～のまわり」です。about よりもグルッと囲む感触がいくぶん強い感じ。

派生イメージ

ⓐ【「まわり」から「約・およそ」】
(1) We sat **around** the kotatsu to keep warm.（暖をとるためにこたつのまわりに座った）
(2) We got back **around** midnight.（僕たちは夜中の12時頃に帰った）
▶「まわり」から「約」はとても自然なつながり。about でも見ましたね。

▶ **around** を使ったフレーズ
(1) **get around**（動き回る・〔噂などが〕広まる・避ける）
▶フレーズは複数の使い方をすることもしばし

383

ば。ですが丸暗記の必要はありません。イメージさえ的確につかめば、自由にすべてを使いこなすことができます。get は「動」around は「まわり」。

ⓐ Here are some tips about how to **get around** in London.（ロンドンを動き回るには、いくつかコツがあるんですよ）
ⓑ News **gets around** fast here.（ここではニュースはすぐに広まる）
ⓒ Most kids know how to **get around** their parents!（ほとんどの子どもは、両親からのがれる方法を知っている！）

▶ⓐとⓑは「動き回る」からすぐピンとくる使い方。ⓒは「まわりを通る＝回避する」。カンタンカンタン。

AT
〜で・〜に，など

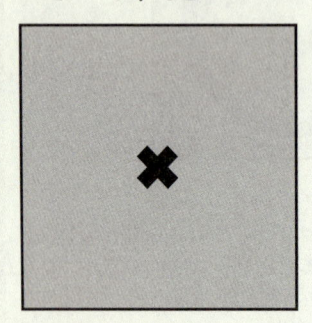

基本イメージ【点】
▶ at のイメージは「点」。

派生イメージ
ⓐ【さまざまな「点」】
(1) I got ripped off **at** that restaurant.（僕はあのレストランでぼられた）
(2) I got my car **at** a really good price.（僕の車とってもお買い得だったんだよ）
(3) He was driving **at** 120kph when he crashed.（彼、ぶつかったとき120キロ出してたんだ）
(4) You become an adult **at** 20 in Japan.（日本では20歳で成人する）

(5) I woke up **at** 7.（7時に起きた）
▶この前置詞の頻度が極端に高いのは、私たちが日常多くのものを「点」としてとらえているからです。

▶ **at** を使ったフレーズ
(1) **look at**（〜を見る）, **laugh at**（〜を笑う） 
例 They all **looked at / laughed at** the new student.（彼らはみんな転校生を見た／笑った）
▶フレーズというほどのことはありませんね。「点」が「点をめがけて」と方向の意味で使われているだけのことです。

(2) **be good at**（〜が得意）, **not 〜 at all**（全く〜でない）
例 She **is** really **good at** English.（彼女は英語が本当に得意）
例 She is **not** a genius **at all**.（彼女なんて全然天才じゃない）
▶どちらもやはり「点」。good at English は「英語という点では good（良い）」ということでしたね。good だけでなく、bad at, terrible at, perfect at（悪い・ひどい・完璧）などいろいろな単語が使えます。not 〜 at all は「すべての点に関して〜でない」から。

(3) **at present**（現在）, **at first**（最初は）, **at last**（最後に・とうとう） 
例 The situation **at present** is hopeless.（現在の状況は絶望的だ）
例 I didn't like English **at first**, but now I love it.（英語、最初は嫌いだったけど今は大好きだよ）
例 **At last**, the baby fell asleep.（やっと赤ちゃんが寝てくれた）
▶「時点」が意識されています。「現在（時）＝ at the moment」「最初の時点」「最終時点」。

(4) **at best**（せいぜいよくても）, **at most**（せいぜい多くても）, **at least**（少なくとも） 
例 Mari will get a C **at best** and, **at worst**, she'll fail.（マリはせいぜい C だな。で、最悪〔単位を〕落とすよ）
例 It's not far — a 10-minute walk **at most**.

（遠くないよ ——せいぜい徒歩10分）

例 I watch **at least** 4 hours of TV a day.
（1日に少なくとも4時間テレビを見るよ）

▶最上級と組み合わされたこれらの表現。最上級だけに「点」が意識されています。best（goodの最上級）、worst（badの最上級）、most（many, muchの最上級）、least（littleの最上級）であることに注意しましょう。at best は「最良の場合（点）で」、at most は「最も数・量が多い点で」ということです。

(5) **at a time**（一度に）、**at times**（時々）

例 The doctor will see you one **at a time**.
（お医者さんは1人［一度に1人］ずつ君たちを診療します）

例 Studying English is tough **at times**, but I still like it.（英語学習は時に大変だけど、それでも僕は好きだな）

▶ at a time は「1つの時点で＝1度に」。at times は time が複数形になっているところがミソ。「いろいろな時点で＝時々」。

(6) **at once**（同時に・すぐに）

例 Hey, don't all talk **at once**!
（おいおい、みんなで同時に話すなよ！）

例 Come back **at once**!（すぐに戻れ！）

▶ once は「いちど」。上は「同じ時点で（＝同時に）」ということ。下の例は、「この発言といちど（一緒）に戻れ」、ということ。「すぐに」となりますね。

(7) **at will**（思いのままに）

例 Chameleons can change their color **at will**.（カメレオンは思いのままに自分の色を変えることができる）

▶ will は「意志」。「やりたいと思った時点で」ということ。

BEFORE
〜の前

基本イメージ 【順序が前】
▶ before は順序関係に力点が置かれた前置詞です。

派生イメージ
ⓐ 【さまざまな「順序」】

(1) I often go jogging **before** breakfast.
（僕はよく朝食の前にジョギングするよ）
(2) Shin-Ochanomizu comes **before** Otemachi, right?（新御茶ノ水は大手町の前、だよね？）
(3) Ladies **before** gentlemen.（女性優先）
▶ before のあらわす順序は、時間の順序だけではなく、一般的な順序関係もカバーします。

●場所と before と in front of
誤用が集中するポイントです。
before は順序、ふつう場所の「前」には使いません。それは in front of の守備範囲です。
(1) Wait for me **in front of**（×before）the theater.
（劇場の前で待っていてね）
▶ before が「場所」に使われるのは、Wow! と声が出るような（驚き・壮大など）感情の昂揚が伴うケースです。
(2) Students have their whole lives **before** them.（学生たちの前には人生のすべてがひらけている）
(3) The police officer spoke **before** the entire

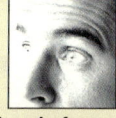

school.（その警察官は学校全体の前で話をした）
▶目の前に大きくひらけた未来。大勢の聴衆の前。どちらもただの, 平たい「前」ではなくドラマチックな感情の昂揚を含んでいます。before は場所にふつう使われないだけに，目を引く効果があるのです。

BEHIND
〜の後ろ

基本イメージ 【背後】
▶何かの背後にいる，それがイメージ。in front of（前）と逆の位置関係です。

派生イメージ
ⓐ【隠れて・遅れて】 
(1) My cat loves to hide **behind** the curtains.（僕のネコはカーテンの後ろに隠れるのが大好き）
(2) I have no idea what's **behind** his change of attitude.（彼の態度が変わったことの裏に何があるのか全くわからない）
(3) I'm always **behind** with my homework.（いつも宿題やるの遅れるんだよ）
▶「背後にいる」は「隠れている・遅れている」も生み出します。

BETWEEN
〜のあいだ

基本イメージ 【あいだ】
▶「あいだ」が between のイメージ。「2者間」が典型的。

派生イメージ
ⓐ【2者間に限られない】
(1) Let's share the responsibilities **between** the six of us.（6人で責任を分担しようよ）
▶ between は典型的には2者間ですが，必ずしもそれに限られるわけではありません。「あいだ」であれば数は選びません。

● between と among
どちらも「あいだ」と訳されることがあるからでしょう，よく混同されるこの2つの前置詞。使い方をキッチリ分けてください——意識は明確に異なります。between は，個々が明確に意識されています。ハッキリ・クッキリしたもののあいだ。among は雑多なごちゃごちゃです。
(1) Look. There are 2 monkeys **between** the trees.（見てみろよ。木のあいだにサルが2匹）
(2) Look. There are 2 monkeys **among** the trees.（見てみろよ。木のあいだにサルが2匹）
まるで異なった情景。まるで異なった前置詞なのですよ。

BEYOND
～を越えて

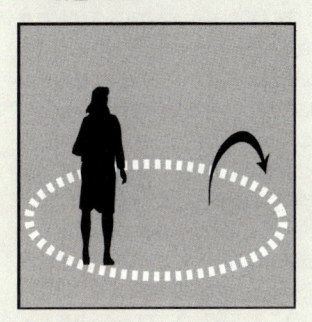

基本イメージ【範囲の向こう】
▶「範囲・境界線を越えて」が beyond のイメージ。

(1) The ship disappeared **beyond** the horizon.
（船は水平線の向こうに消えた）

▶ **beyond** を使ったフレーズ
(1) **beyond** description [repair / comprehension / doubt / recognition]（筆舌に尽くしがたい［直せない／理解できない／全く疑いがない／見分けがつかない］）
　例 My old school has changed **beyond** recognition.（昔の学校が見分けがつかないほど変わってしまった）
▶さまざまな範囲を「越えている」。

BY
～によって・近く，など

基本イメージ【近接】
▶ by のイメージは「距離が近い」。「近い」はさまざまな連想をよび，この単語の用法を豊かに彩っています。

派生イメージ

ⓐ【そば】
(1) I know a great coffee shop **by** my office.
（会社の近くにいい喫茶店を知っているよ）
(2) I just sat watching the people passing **by**.
（行き交う人々を座って見ていた〔pass by ＝ そばを通る〕）
▶「by ＝ そば」は，一見意外に思えるかもしれません。ですが，near by（そばに），close by（そばに）を思い出してください。by が「そば」だからこそ，同意語を反復したこうしたフレーズが存在するのです。by の広範な用法はすべて「そば」の延長線上に位置しているのですよ。

ⓑ【HOW（手段・方法・程度）】
(1) I go to school **by** bicycle.
（自転車で学校に行きます）
(2) Come **by** the back road —— it's quicker.
（裏道からおいで——その方がはやいから）
(3) Why do you always judge a girl **by** her looks?（どうしていつも女の子を外見で判断するのかなぁ？）
(4) Pencils are sold **by** the dozen.
（鉛筆はダース単位で売られています）
(5) The brilliant young Kenyan runner won the Honolulu marathon **by** a large margin.
（才能のある若いケニアの走者が，ホノルルマラソンで大差で優勝した）
▶ by の大変ポピュラーな用法は「**HOW（手段・方法）**」。何かの活動を想定したとき，目標は遠くに，それを達成するための手段・方法は手近に感じられる，だから by が使われるのです。(1)は手段・方法ですね。by car, by bus, by letter, by email（車で・バスで・手紙で・Eメールで）など，頻繁に使われます。どの名詞にも冠詞が付いていないことに注意しましょう。by bicycle には具体的な自転車でなく，形のない「自転車という交通手段」が意識されているためです（☞P.146）。by の HOW がわかると(2)・

8 ▼前置詞

(3)の意味もより鮮明に伝わってきますね。「裏道・見た目という方法で」、ということなのです。(4)・(5)は how というよりは、正確には how much（程度）。この使い方が比較での差をあらわす表現とつながっています。（☞P.301）

ⓒ【受動態の by（〜によって）】

(1) Ken was attacked **by** the dog.
（ケンはその犬に襲われた）

▶ by はしばしば受動態に伴って「誰がそれをやったのか」をあらわします。行為者が「間近」に感じられている、だから by が用いられているのです。「ケンが襲われた」そのそばに「犬」を想像してください。※受動態と前置詞について詳しくは（☞P.484）。

ⓓ【期限（〜まで）】

(1) If I'm not back **by** 10 p.m., my parents will kill me!
（10時までに戻らないと、親に殺されちゃうよ！）

▶「〜まで」と期限を切る表現は by。「10時までに終わらせる」と言うとき、私たちはそのできごとが「10時まぎわ」で起こるように感じます。この「近さ」が by が使われる理由なのです。

●「期限」の by と「継続」の until

「〜まで」と同じ訳語があてられる前置詞、by と until。やはり意味は全く異なります。by は「期限」——「〜までにやる」。デッドラインです。一方 until は、「その時点まで同じ状態でいるということ」。

I've got my club activity **until** 6:30.
（6時半まで部活があるよ）

全く違う2つの前置詞。お間違えなく。

▶ by を使ったフレーズ

(1) **pass by, go by, come by, drop by**（通り過ぎる・〔時間が〕経つ・手に入れる・立ち寄る）
例 Time **goes by**.（時は過ぎゆく）
例 How did you **come by** these documents?
（どうやってこの書類入手したの？）
例 I'll **drop by** for a coffee tomorrow

morning, OK?（明日の朝、コーヒーに寄るからね。いい？）

▶これらはすべて「そば」の意味で by が使われています。時は私たちを包んで（「そば」ですね）過ぎていくもの。come by はもちろん「近くにくる」でも使えますが、「モノや情報のそばにくる→手に入れる」ともなります。drop by は「ナンの気なしに立ち寄る」ということ。「そばにポテッと落ちる」から。

(2) **stand by**（味方になる）
例 My best mates always **stand by** me.
（親友たちはいつも私の味方になってくれる）
▶これも「そば」からの連想です。「そばに立つ→味方」ということ。「そばに立つ→スタンバイ（待機）する」ともなります。

(3) **by oneself**（1人で） 
例 When I enter university, I want to live **by myself**.
（大学に入ったら独り暮らししたいなぁ）
▶これも「そば」。そばに誰もいません。「○○のそば」と言いたくても「自分自身のそば」としか言えません。ポツン。

(4) **little by little, step by step, day by day, one by one**
（少しずつ・一歩ずつ・日ごとに・1つずつ）
例 My TOEIC score is improving **little by little**.
（TOEICの点数、少しずつ良くなってるよ） 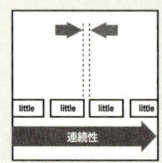
▶とってもリズムのいいフレーズたち。ですがどうして「ずつ・ごとに」となるのでしょうか。それはやはり「そば」だから。little（少し）と little がそばにある、そこから「少しずつ」と連続している感触が生まれているのです。

(5) **side by side**（隣り合って・協力して）
例 Look! Mami and Daisuke are walking **side by side** across the schoolyard.
（見て！ 麻美と大輔が並んで校庭歩いてるぜ） 
▶ side（側面）と side がそば。つまり「並んで」。ここから「協力して」ともなります。「肩を並べて〜する」わけですからね。

(6) **by hand, by means of, by way of**（手〔渡し〕

で・〜によって・〜を通って）

- 例 This carpet was made **by hand**.
 （このカーペットは手作りです）
- 例 We got to the roof **by means of** a long ladder.（長い梯子で屋根に登った）
- 例 We went home **by way of** Singapore.
 （シンガポール経由で帰った）

▶これらはすべて「手段・方法」の by。どうやってやるかというと, hand（手）, means（方法）, way（道・やり方）で, ということ。

(7) **by chance, by mistake**（偶然・間違って）
- 例 I met Asami **by chance** in Harajuku.
 （原宿で偶然麻美に出会った）
- 例 I phoned my ex-girlfriend **by mistake**!
 （間違って昔のガールフレンドに電話しちゃったよ！〈すんなよ〉）

▶これも「手段・方法」の by。どうやって（HOW）会ったかというと, 待ち合わせたのではなくて chance（偶然）でってこと。ちなみに by accident は「わざとじゃないよ」ということですから, どちらの意味にも使えます。

DURING
〜のあいだに

金もちなんだよねー！）

●for と during

どちらも期間をとる for と during。使い方は全く異なります。

I did volunteer work **during the summer / for 3 weeks**.
（夏に／3週間ボランティアした）

during は「できごとがいつ起こったのか」に興味がある表現。「夏」という期間の中で起こったということ。一方 for は「どれくらい続いたか」。「3週間続いた」ということなのです。

FOR
〜のため, など

基本イメージ【期間の中で起こる】

▶during の後ろには期間がきます。その期間の「中で起こった」ということ。during the summer（夏のあいだに）, during my lecture（私の講義のあいだに）。

(1) I had a part-time job **during** the holidays, so now I'm rich!（休みのあいだにバイトしたから

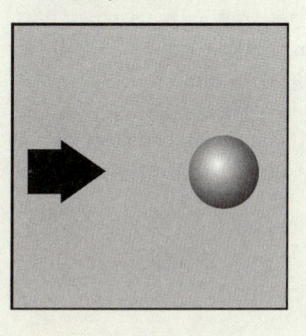

基本イメージ【向かう】

▶for は「向かって」。この単純な意味が, 単純であるがゆえに, 豊かな意味を広げます。

派生イメージ

ⓐ【単なる方向】
(1) These chocolates are **for** you.
 （このチョコ, 君にだよ）
 ▶you に「向かって」。単なる方向です。この単純な方向のイメージが豊かな意味を生み出します。

ⓑ【目的】
(1) This is a special knife **for** making sashimi.
 （これは刺身用の特別な包丁なんですよ）
 ▶「刺身を作るための」。「向かう」と「目的」は

389

すぐに結び付きますね。

ⓒ【求めて】

(1) I'm dying **for** an ice-cold drink.
（すっごく冷たい飲み物が死ぬほど欲しい）
▶何かに向かうという動作には、「求めて・欲しい」という気持ちが感じられます。dying は die の -ing形。「死にかけてる」ということ。なるほどって表現でしょ？

ⓓ【原因】

(1) I jumped **for** joy when I passed the entrance exam.
（入試に合格したとき喜んで飛び上がったよ）
(2) Other students sometimes teased her, **for** she was a bit slow.
（ほかの学生たちは時々彼女をからかった、というのはちょっと彼女、鈍かったから）
▶「原因・理由」も、for の守備範囲。「飛び上がった」がどうしてかというと…for joy。原因を指す感触で使われています。(2)のように接続詞として文をつなぐこともできますが、カタく響き、時代遅れの表現です。

ⓔ【賛成】

(1) Are you **for** or against the plan?（君はこの計画に賛成？それとも反対？）
▶何かに背を向ける動作は拒否・否認をあらわします（→ against）。「向かう」はその逆。「賛成」ということ。

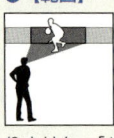

ⓕ【範囲】

(1) He is small **for** a basketball player.（彼、バスケットボール選手としては小さいんだよ）
▶彼は単に「小さい」わけではありません。「バスケットボール選手という範囲の中で」小さいのです。意識が向かっている範囲を述べる、それがこの用法。
(2) My Dad's pretty fit **for** his age.
（僕の父は歳の割にはとっても元気）
(3) The Deputy Principal is responsible **for** discipline.
（教頭先生は学生の躾けに関して責任がある）
▶何に責任がある（responsible）のか、その範囲を for discipline で具体的に限定してますね。
for は時間的な範囲（期間）や場所的な範囲（区間）にも使えます。

(4) I've been at this school **for** 3 years.
（この学校に 3 年間います）
(5) Come out of the station and keep going straight **for** about 200 meters.
（駅から出てだいたい200m〔のあいだ〕まっすぐ行ってごらん）

● for と to

for と to をしっかりと区別してください。どちらも「方向」ですが、for は到達点を含んではいません。

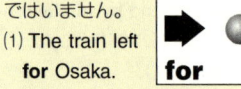

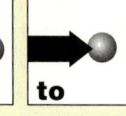

(1) The train left **for** Osaka.
（列車は大阪に出発した）
(2) The train went **to** Osaka.
（列車は大阪に行った）
for はあくまで「向かう」。大阪に向けて旅立ったというだけで、到着したことまでを含んではいません。一方 to は到達点を指し示す前置詞。この場合も大阪到着までを含んでいます。

▶ for を使ったフレーズ

(1) **care for**, **feel for**, **pay for**, **send for**, **stand for**（世話をする・同情する・払う・よびにやる・あらわす）

例 I love **caring for** animals.
（動物の世話をするのが大好き）
例 We all **feel for** you at this time.
（このたびは本当にお気の毒に）
例 My parents **pay for** my education.
（両親は僕の教育費を払ってくれる）
例 Quick! **Send for** a doctor!
（早く！ 医者をよんでくれ！）
例 What does ASEAN **stand for**?
（ASEAN って何をあらわしてるの？）
▶これらのフレーズには、すべて「向かう」が生きています。care はキモチ。キモチが向かうところから「世話をする・大切にする・好きだ・ほしい」などさまざまな意味で使うことができます。
例 Would you **care for** a cup of tea?

（紅茶はいかがでしょうか？）

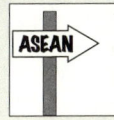

▶ feeling が向かえば「同情する」、お金がモノに向かえば「支払う」。send for の send は「メッセージを送る」ということ。医者に「向けて」ということです。最後の stand for もやはり「向かって」。ASEAN（という略称）がその意味に向かって立っています。stand for だけでなく Red is for danger.（赤は危険をあらわす）など、「あらわす」は、for のポピュラーな使い方の１つです。

(2) **for oneself**（独力で）

例 She's preparing dinner **for herself**.
（彼女は自分で夕食の準備をしている）

▶「向かっての for」です。ほかの誰のためでもなく「自分（の利益・喜び）のために自分で」ということ。「ポツンと独り」の by oneself と区別すること（☞P.388）。

(3) **prepare for, get ready for**（準備する）

例 I have to **prepare for** our school trip to Kyoto.（京都への修学旅行の準備しなくちゃ）

▶これも「向かって」。修学旅行に向かって prepare ということ。

(4) **for a rainy day, What ... for?, for a change, for sale**（まさかのときのために・なんのため？・いつもと変えて・売り物）

例 Let's keep this money **for a rainy day**.
（まさかのときのためにこのお金、とっておこうよ）

例 **What** did you say that **for**?
（なんのためにそんなこと言ったの？）

例 Hey, you wash the dishes **for a change**!
（ねえ、たまには洗い物してくんない！）

例 These used textbooks are **for sale**.
（この中古テキストは売り物ですよ）

▶「目的の for」。a rainy day は万一の事態。不運は雨のように空から降ってきます。What ... for? を短くして What for?（なんのため？）もよく使われます。change は「変化」。「変化を目的に→気分転換に・たまには」。for sale は「売るためのもの」、やはり「目的」ですね。

(5) **look for, search for, wait for**（探す・探す・待つ）

例 I'm **looking for** my locker key.
（ロッカーのカギを探しているんだ）

例 I spent hours **searching for** information.
（情報を何時間も探した）

例 I'm **waiting for** the train.
（電車待っているんだよ）

▶「求めての for」はフレーズの宝庫です。どの例にも、求める意識が感じられますね。look for は「求めて目をやる→探す」。「待つ」にも相手がくるのを「求める」意識が働きます。だから wait for。

(6) **hope for, long for, wish for, call for, ask for**（望む・切望する・望む・要求する・求める）

例 We're **hoping for** good weather during the school festival.（学園祭の期間中は良い天気だといいなと思っています）

例 I'm **longing for** this lesson to finish!
（このレッスンが終わるのを首を長くして待ってるんだけど！）

例 What do you **wish for**?（何をお望み？）

例 Teaching **calls for** a lot of patience.
（人に教えるのは多大な忍耐を必要とします）

例 Naomi is always **asking** me **for** help with her homework.（直美は僕に宿題の手伝いを頼んでばかりいる）

▶「求めての for」が理解できると、なぜこれら「望む」系の動詞と for の相性がいいのかが理解できるはず。long には「すぐには起こりそうもないことを望む」感触があります。そう「長い」が感じられているのです。「要求する」になぜ call（よぶ）が使われているかわかりますか。それは文字どおり「おいおい、必要なんだよ〜」と求めてよぶから。ask は「お願いする」。「求めてお願い」ということですね。

(7) **blame A for B, for lack / want of**
（B について A を非難する・がなくて）

例 My brother **blames** me **for** everything!
（僕の兄はなんでも僕のせいにする！）

例 He's bright, but he failed the test **for lack of** effort.（彼は賢いんだけど、努力しないからテストに失敗した）

▶「原因の for」。lack, want は「欠けている」ということ。「欠けていることが原因で」です。

(8) **for a long time, for a while, for the first time, for my part, for one's age**（長いあい

391

だ・しばらくのあいだ・初めて・私としては・歳のわりには）

例 I've been into hip-hop **for a long time**.
（長い間ヒップホップにコってます）

例 Can you stay here **for a while**?
（しばらくここにいてくれる？）

例 I talked with a foreigner **for the first time** yesterday.
（昨日初めて外国人と話したんだよ）

例 **For my part**, I'm happy to volunteer.
（僕としては，ボランティアにやぶさかじゃないよ）

例 My Mom's pretty cool **for her age**.
（母は歳のわりにはかなりカッコイイよ）

▶「範囲の for」です。for a long time, for a while は期間。for the first time はできごとを「初めての機会だよ」と限定。the second, the last も使えます。最後の例も，母親の年齢に範囲限定。

FROM
〜から，など

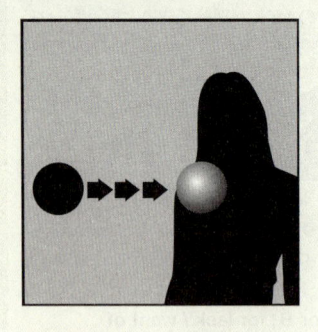

基本イメージ 【起点から離れる】

▶ from の基本イメージは「起点から出発する・離れていく」動きを示しています。

派生イメージ
ⓐ【さまざまな起点：分離・原料・原因・根拠】
(1) Our flight leaves **from** Terminal 2.
（僕たちの飛行機はターミナル2から出発します）
(2) I live far away **from** my school.
（僕の家は学校から遠くにある）

(3) Cheese is made **from** milk.
（チーズはミルクから作られる）
(4) My grandpa died **from** a heart attack.
（おじいちゃんは心臓麻痺で亡くなった）
(5) **From** what I hear, the team is really strong.
（聞いたところでは，そのチーム本当に強いぞ）

▶「起点から離れる」のイメージは容易に，(2) 離れている（分離），(3) 原料，(4) 原因，(5) 根拠，などの使い方を生み出します。覚える必要はありません。どれも起点から離れる動きを意識すればすぐに使えるようになります。made from milk では，ミルクからチーズができていくプロセスが思い浮かべられています。

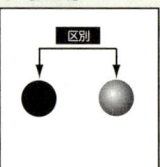

ⓑ【区別】

(1) Japanese rice is different **from** Thai rice.
（日本米はタイ米と違う）
(2) I can't **tell** diet coke **from** ordinary coke.（ダイエットコークとふつうのコーク，区別できないよ）

▶「起点から離れる」が生み出す距離感が，「区別」のニュアンスにつながっていますね。

▶ from を使ったフレーズ
(1) **hear from**（〜から連絡がある）
例 Have you **heard from** Kazue recently?
（最近和恵から連絡あった？）
▶ from の基本イメージそのまんま。電話でも email でもいいですよ。☞P.123 の例も参照してくださいね。
(2) **far from, a week from today**（遠く離れて・来週の今日）
例 **Far from** being safe, this area is actually very dangerous.（安全からほど遠いよ。このエリアは実際のところ非常に危険なんだよ）
▶距離を意識してください。far from は物理的な距離のほか，比喩的な「距離」もあらわすことができます。
(3) **prevent A from B, prohibit A from B, refrain from**（A が B するのを防ぐ［妨げる］・A が B するのを禁止する・慎む）

例 My broken arm **prevented** me **from** taking part in the final.
（腕の骨折で決勝戦に出られなかった）

例 Students are **prohibited from** wearing makeup.（学生の化粧は禁止です）

例 Students should **refrain from** any form of cheating.（学生はいかなる不正行為〔カンニング〕も慎まねばならない）

▶距離をとる意識が核となるフレーズです。

prevent / prohibit A from B は，A をできごと B から（妨害したり・禁止したりして）離しておくということ。

(4) **from one's point of view, judging from, suffer from**（〜の見地からすると・〜から判断すると・〜で苦しむ［病気に罹る］）

例 **From my point of view**, it's great to have international students.（僕の見方では，外国の学生を受け入れるのはすばらしいことです）

例 **Judging from** your face, I guess you didn't pass the test.（君の顔から想像するに，テストに合格しなかったみたいだね）

例 More and more young people **suffer from** depression.
（ますます多くの若者が鬱になっている）

▶根拠・原因ですね。

IN
〜の中，など

基本イメージ【容器の中】
▶ in は「容器の中」のイメージです。

派生イメージ
ⓐ【さまざまな「入っている」】
(1) There's ice cream **in** the fridge.
（アイスが冷蔵庫に入っているよ）
(2) She lives **in** Kyushu.（彼女は九州に住んでいる）
(3) Doesn't she look cute **in** her light pink top?（うすピンクのトップスを着てる彼女，かわいくなーい？）
(4) I'm really interested **in** photography.
（私は写真にとても興味がある）
(5) Sudoku puzzles vary greatly **in** difficulty.
（数独パズルは難易度に大変バラツキがある）
(6) You can do the test **in** pen or pencil.
（テストはペンでも鉛筆でもいい）
(7) I don't know how to say that **in** English.
（それを英語でなんと言うかわかりません）
▶ in は「容器の中」が典型例ですが「入っている」と感じられるなら，いつでも使えます。(2) 平面でも，(3) 上着（top）など体の1部に身につけていても，(4) あるジャンルでも，(5) ある観点においてでも，(6)・(7) 手段や方法であっても，なんでも OK。楽勝ですよね。

ⓑ【時間の in（以内・〜後）】
(1) I can swim 50 meters **in** less than 22 seconds.（50m を22秒以内で泳げるぜ）
(2) I'll be back **in** 5 days［**in** 2 hours／**in** 10 minutes］．（5日後［2時間後／10分後］に戻ります）
▶時間をあらわす in には注意が必要です。2とおりに使われていることがわかりますか？ (1) は「22秒以内で」。一方(2)は「5日以内」ではなく，「5日後」という時点を示しています。

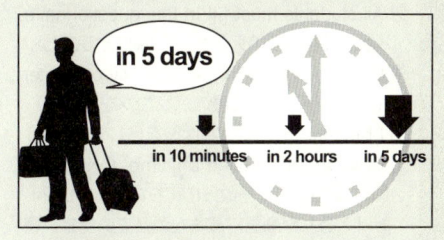

in 5 days
in 10 minutes　in 2 hours　in 5 days

▶これは単に注目するポイントの違い。示された期間の中を意識すれば「以内」。示された期間の最後の時点に注目すれば「〜後」。どちら

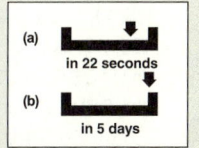

(a) in 22 seconds
(b) in 5 days

8 ▼前置詞

も「in」の位置関係であることに変わりはありません。え？「どうやって見分けるか」ですか？ それはね、文の意味から。ネイティブはカンタンに見分けます。日本語だったらみなさんだってやっていますよ。「22分でできるよ（22分以内）」「22分で戻ります（22分後）」。ほら、ね。大切なのは in に(2)の使い方があることだけ。しっかり覚えてくださいね。

●「〜後」と after
　　誤用が集中するポイントです。この時点をあらわす「〜後」というケース、実は after は使えません。
× I'll be back **after** 10 minutes.
（10分後に戻ります）
○ I'll be back **after** lunch.
（昼食後に戻ります）
after はできごとの順序をあらわす前置詞。「ランチの後にくる」とは言えても「10分の後にくる」とは言えません。「10分」はできごとじゃないからね。「〜後」は in の専売特許。しっかり練習してくださいね。

▶ in を使ったフレーズ

　in を使ったフレーズに難解なものはさほどありません。「入っている」意識をもてば十分。かけ足で説明しましょう。

(1) **fill in, break in, believe in, drop in**（書き込む・押し入る・信じる・立ち寄る）
　例 All students must **fill in** this questionnaire.
　　（学生は全員このアンケートに記入のこと）
　例 Someone **broke in** and stole my computer.
　　（誰かが押し入って僕のパソコンを盗んだ）
　例 I **believe in** him.（私は彼を信じています）
　例 **Drop in** for a coffee anytime, OK?
　　（いつでもコーヒー飲みに寄りなよ、いい？）
　▶「入る」が動詞に意味を添えています。書類の空欄に書き入れて満たす（fill）。「break（壊す）してある場所に入る」から「押し入る」。break in は「会話に割り込む（= cut in）」にも使えます。Sorry to **break in**, but the Principal wants to see you.（途中に割り込んですみませんが、校長先生がお会いに

なりたいそうです）。believe in は、信じるだけでなく、深く人格への信頼に及びます
（☞P.127）。drop in は「ある場所にポテッと落ちる」から「気ままに立ち寄る」。

(2) **consist in, lie in**（〜にある）
　例 Intelligence does not **consist in** knowing lots of facts.（知性は単にたくさんの事実を知っているということではない）
　例 The solution to bullying **lies in** more communication.
　　（いじめ問題の解決はより多くのコミュニケーションをとることにある）
　▶ -sist は「立つ」。「ある場所に立っている」から「〜にある」。

(3) **hand in, give in**（提出する・屈服する）
　例 Please **hand in** your assignment by next Friday.（次の金曜日までに課題を提出してください）
　例 We will never **give in**.
　　（僕たちは決して降参しないよ）
　▶どっかの場所に書類をポンと手で入れる。そこから「提出する」。give は「与える」でしたね。自分の陣地を相手に与えて敵を入れてしまうことから「降参する」。

(4) **set in**（[好ましくない天候・季節などが]始まる）
　例 A serious recession has **set in**.
　　（深刻な景気後退が始まった）
　▶複雑な意味内容ですね。でもイメージがわかればカンタンです。set は「ガッチリ」。動かない変わらないがそのイメージ。景気後退がガチッと入り込んできます。そして（しばらくのあいだ）どっかに行ってくれないのです。

(5) **take in**（吸収する・だます）
　例 Many people get **taken in** by Internet scams.（多くの人々はインターネット詐欺にだまされる）
　▶「吸収する」はすぐに理解できますね。「手にとって（take）入れる（in）」ですから。「だます」にはちょっとした想像力が必要です。嘘の世界に相手を「とり込む」ということなんですよ。

INTO
〜の中へ

基本イメージ 【内部へ】

▶ into は in＋to。「内部へ」の方向が基本イメージ。

派生イメージ

ⓐ 【さまざまな「内部へ」：衝突・変化】

(1) Toshi went **into** the girls' restroom by mistake. So embarrassing!（俊は間違って女性のトイレに入っちゃった。ハズカシー！）
(2) The kid crashed **into** the fence, trying to make the catch.（その子はボールを捕ろうとしてフェンスにぶつかった）
(3) I'm sure your son will grow **into** a fine young man.（息子さん，立派な若者になりますよ）

▶「内部へ」というイメージは，標準的な(1)のほかに，(2)衝突，(3)変化を生み出します。メリ込む（中に入る）感触が「衝突」へ，「別の状態の中に入る」が「変化」につながっているのです。

▶ into を使ったフレーズ

(1) **get into trouble, go into, go into detail, take into consideration**（トラブルになる・詳しく検討する・詳細に述べる・考慮する）

　例 I always **got into trouble** at junior high school.（中学校ではいつも問題を起こしていた）
　例 I can't **go into** that right now ── I have a class in 5 minutes.（今はそれを詳しく検討する時間はないな──5分後に授業だから）
　例 The Principal **went into detail** about the new school exchange program.（校長先生は新しく導入する交換留学生制度について詳しく説明した）
　例 We must **take into consideration** her academic record up until now.（彼女のこれまでの成績を考慮に入れなくてはなりません）

▶「内部へ入り込む」into です。take into consideration は「考慮」の中に手にとってポイ。

(2) **run into, bump into**（バッタリ出会う）

　例 I **bumped into** one of my old junior high school classmates at Tokyo Disneyland.（東京ディズニーランドで中学の同級生とバッタリ会った）

▶「衝突の into」が「バッタリ」のニュアンスを加えています。bump は「ドスンと当たる」。車の bumper（バンパー）を考えれば意味がわかりますね。

(3) **change into 〜, talk 〜 into ..., burst into 〜, put into practice**（〜に変わる・〜を説得して…させる・急に〜し出す・実行する）

　例 Junji has suddenly **changed into** a serious student. What happened?（ジュンジは突然真面目な学生になったね。何があったの？）
　例 Who **talked** you **into** doing such a thing?（誰が君にそんなことするようにそそのかしたの？）
　例 The teacher shouted at her and she **burst into** tears.（先生が彼女に大声を出したら，彼女が急にワッと泣き出したんだ）
　例 Now we're trying to **put** these new ideas **into practice** in the classroom.（現在この新しいアイデアを教室で実践しようとしているんです）

▶すべて「変化の into」です。talk into は，talk することによって into 以下の状態に変化させます。burst は「爆発する」，どんな変化かわかりますね。最後の例は，practice（実行・実践）に変えるということ。

PART 2 - CHAPTER 8：前置詞　基本前置詞

OF
〜の，など

基本イメージ【明確化】
▶ of には，ほかの前置詞のようなハッキリとした位置関係のイメージはありません。of はリンク（つながり）を張る前置詞。
▶「x of y」には，x だけではボンヤリとしている内容を，y にリンクを張ることによって明確化する意識が働いています。

派生イメージ
ⓐ【部分─全体】
(1) the last chapter **of** the book （その本の最終章）
　　　部分　　　　　全体
(2) the captain **of** the team
　（チームのキャプテン）
(3) a member **of** the volleyball club
　（バレー部のメンバー）

▶ of が典型的に使われるケース，まずは「部分─全体」。「本（全体）の最終章」という使い方です。難しくはありませんが，ネイティブの意識に注意することが大切です。「最終章」「キャプテン」「メンバー」。これだけでは十分に明確ではないと話し手は考えています。そこで of の登場。the team にリンクを張ることによって，「そのチームのキャプテン」とよりクッキリと示すことができます。リンクを張って明確化。of の機能はそこにあるのです。「〜の」でも最初は OK。ですが，徐々に明確化の意識に慣れていってください。それが of を征服する最短距離なんです。

ⓑ【分量】

(1) a cup **of** tea （カップ一杯の紅茶）
(2) a piece **of** apple pie （一切れのアップルパイ）
(3) the number **of** students （生徒の数）

▶次のケースは「分量」。分量を示すフレーズに of は多用されます。もちろんそこには明確化の意識。a cup だけでは不十分。なんの1カップなのかわかりませんからね。tea にリンクを張って「紅茶1杯」と明瞭な表現を作っています。

ⓒ【説明】
▶ of のもつ明確化の意識がわかると，次の文でなぜ of が使われるのか，クッキリとわかるはず。

(1) the death **of** the former Principal
　（前校長の死）
(2) the problem **of how to motivate students**
　（いかにして学生のモチベーションを高めるかについての問題）
(3) the invention **of the computer**
　（コンピューターの発明）

▶「死」だけでは漠然としていますね。そこにリンクを張って「前校長の死」。明確化の意識が働いているんですよ。of は「説明」にも便利に使える表現なのです。

ⓓ【性質】
(1) a man **of** courage （勇敢な人）
(2) a woman **of** compassion （情け深い女）
(3) an issue **of** importance （重要な問題）

▶これも明確化。どういった man なのか，その性質を，courage にリンクを張って説明しています。「勇気の，ね」。「**of ＋（性質をあらわす）名詞**」は，しばしば出てくる形。次のように前に修飾語を付けることもできます。

(4) This is an issue **of great [some / little / no] importance**.
　（この問題は大変重要である［ある程度重要である／ほとんど重要ではない／全く重要ではない］）
(5) This class is **of no use**.
　（この授業は全く役に立たない）
(6) Such comments are **of no help**.
　（そんなコメントはなんの助けにもならない）

▶さて，性質をあらわすのはふつう，形容詞の役割です。例えば(1)の a man of courage は形容詞を使ったふつうの形，courageous man（勇敢な男）とどう異なるのでしょうか。実は，a man of courage の方がはるかにインパクトのある強い表現。「勇敢な」と単に man を修飾しているだけの courageous man に対して，名詞の「勇気」がガツンと屹立（きつりつ）しているからです。「勇気の人」という日本語と同じ力強さがあります。また，この形は形容詞に比べ凝った形をしていますね。ここからフォーマルな感触も漂っています。

ⓔ【It's so kind of you.】

(1) It's so kind **of** you to help me.
（とってもご親切に手伝っていただいて）
(2) It's so generous **of** you to give up so much of your time.（そんなにたくさんお時間を使っていただいてなんて寛大な方なのでしょう）
▶「of ＝『〜の』」で越えられない壁はこうした使い方です。ただ，もうみなさんなら意識の動きを理解することができるはず。It's so kind では「大変親切です」。誰が親切なのか，決定的に漠然としていますよね。そこで you にリンク。「あなたが親切」と加えてあげているだけなんですよ。of にはいつも明確化の意識が伴っているのです。

ⓕ【形容詞などとのコンビネーション】

(1) Many students are **afraid of** making mistakes.
（多くの学生はミスすることを恐れている）
(2) I'm **sure of** your success.
（君の成功を確信しているよ）
(3) My brother only **thinks of** himself!
（僕の兄は自分のことしか考えないんだ！）
(4) I **informed** him **of** the news.
（彼にそのニュースを教えてあげた）
▶形容詞・動詞とコンビネーションを作る場合にも，明確化の意識が生きています。(1) Many students are afraid. それでは何を心配しているのかわかりません。そこでリンクを張り，「ミスするのがね（of making mistakes）」。同じように informed him（彼に知らせた）も「何を知らせたのか」がわかりません。そこで of the news（ニュースに関してだよ）とリンク。of のタイミングはいつも同じなのですよ。

ON
〜の上，など

基本イメージ 【上に乗っている】
▶ on のイメージは「上に乗っている」。この単純なイメージは極めて多くの意味を生み出します。前置詞のハイライト。さあ，がんばろう。

派生イメージ
ⓐ【接触】

(1) Put your homework **on** my desk.（宿題は僕の机の上に置くように）
(2) There's a big stain **on** the classroom ceiling.（教室の天井には大きなシミがある）
(3) How much money do you have **on** you?
（今いくらもってる？）
(4) **On** hearing her exam results, Sayaka screamed with joy.（試験の結果を聞いてすぐ，沙也加は喜んで大声を出した）
▶ on の「上に乗っている(1)」は，さまざまな意味を生み出します。まずは点線の部分に注目しましょう。「接触」です。on は「上」に限らず，横でも下でもヘリでも，接触しているなら使うことができます(2)。また，(3)の have ... on は「身につけている」。やはり接触です。「接触の on」がわかれば(4)の「するとすぐ」も理解できるはず。できごとが時間的に接触しているのです。

● 乗り物前置詞
　乗り物に「乗っている」をあらわす前置詞を整理しておきましょう。

(1)【自転車・馬など→ on】
例 He was **on** a bicycle [motorbike/horse].
（彼は自転車[バイク／馬]に乗っていた）
(2)【自家用車・タクシーなど→ in】
例 She got **in** the car [the taxi/the boat].
（彼女は彼女の車に[タクシーに／ボートに]乗った）
(3)【飛行機・電車など→ on】
例 I got **on** the plane [train/bus/ship] to London.（僕はロンドンへ飛行機[電車／バス／船]で行った）

▶もちろん丸暗記する必要などありませんよ。イメージがわかっていれば十分。自転車や馬は囲まれていませんよね。単に「上に乗る」on。車はどうでしょう。車は狭くて囲まれていますよね。「中に」乗り込む感触が強くします。だから in。それでは電車・バスなどの公共交通機関はどうでしょう。これらは十分な大きさをもっています。中に潜り込むというよりは「上に乗る」感覚となります。だから on。カンタンだよね。

ⓑ【線上】

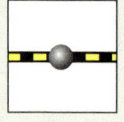

(1) My school is **on** the Chiyoda Line.（僕の学校は千代田線沿線にある）
(2) She lives **on** the river.
（彼女は川沿いに住んでいる）

▶ on は「線」と非常に相性がいい前置詞。線は点ではありませんから at は不可。面積をもたないから in も不可。「接触の on」が使われるのです。

ⓒ【活動中・進行中】
(1) He's gone to Vietnam **on** business.
（彼は仕事でベトナムに出かけてるよ）

▶「線上の on」は、大変頻繁に使われる「活動中・進行中」につながっています。英語で「活動・進行」は流れとして意識されています。例文は business という活動の流れ、その線上にある意識。だから「仕事で」となります。ほかにも on duty（勤務中）, on holiday, on vacation（休暇中）, on sale（売り出し中）など、「活動・進行の on」には非常に多くの例があります。
▶この on は単独で使うこともしばしば。
(2) The TV is **on**.（テレビついてるよ）
(3) The lights in the school gym are **on**.
（体育館のライトついてるよ）
▶「テレビやライトの活動」が漠然と想起され、そこに on! というわけですね。また動詞と自由にコンビネーションを作り「〜し続ける」の意味を添えることもできます（on の繰り返しは強調）。
(4) Life goes **on**.（人生はずっと続いてゆく）
(5) She talked **on** and **on** about her problems.
（彼女は自分の問題について話し続けた）

ⓓ【圧力】
(1) I think it's OK to put pressure **on** students.
（学生にプレッシャーをかけるのは悪いことじゃないと思う）
(2) I can't concentrate in class —— I have so many things **on** my mind.（授業で集中できないんだよ——たくさん悩みごとがある）
▶基本イメージをさらに（！）展開しましょう。基本イメージは、球体がテーブルに圧力をかけているように見えますね。「圧力の on」。グッと力が加わっています。pressure を学生に, so many things が my mind に、グッと圧力を加える様子を想像してください。concentrate on（〜に集中する）, emphasis on（〜への強調）, influence on（〜への影響）など、みなさんがよく目にするコンビネーションにもこの語感が生きています。

ⓔ【支える】 
(1) Spiders live **on** flies.
（クモは蠅を食べて生きている）
▶さてやっと最後の展開。基本イメージは、球体を下のテーブルが支えているようにも見ることができます。「支える on」。クモの life を蠅が支えているのです。この on も非常に頻繁に用いられます。be based

on（〜に基づく），depend on（〜に頼る）など，すぐに思いつくでしょう？

▶ on を使ったフレーズ

(1) **take on, on hand, call on, keep an eye on, insist on**（〔仕事などを〕引き受ける・手近〔手元〕に・訪問する・目を離さない・強く主張する）

例 I can't ask my teachers to **take on** more work.（先生方にもっと働けとは言えません）

例 The school nurse is always **on hand**.（〔何か起こっても〕保健室の先生はそばにいますよ）

例 Please **call on** us anytime.（いつでもいらしてくださいね）

例 It's Manami's first day at junior high school so **keep an eye on** her, OK?（今日はマナミの中学校最初の登校日なんだから目を離さないでちょうだい。いい？）

例 He **insisted on** paying.（彼は払うと言って聞かなかった）

▶ すべて「接触の on」。take on は「take（手にとって）くっつける」から。call on は人と on（くっつく）ことを想像してくださいね。また，insist は「立つ」イメージ。ある場所にくっついてどこうとしない。ここから「言い張る」。

(2) **on the spot, on board, dwell on, on the point of, on the verge of**（その場で・乗って・詳しく述べる〔くよくよ考える〕・〜しようとしている・〜しようとしている）

例 If you steal from the store, you will be fired **on the spot**.（店から何か盗んだら，その場でクビになるよ）

例 I was **on the point of** giving up, but the coach kept encouraging me.（僕はあきらめるところだったけどコーチが励まし続けてくれた）

▶ やはり「接触」。spot（場所）にくっついているから「その場で」。board は「板」。乗り物を比喩的にあらわしています。dwell は「住む」。同じポイントにずっと「住み続ける」ところから「詳しく述べる・くよくよ考える」。面白い表現でしょう？ point は「点」。「〜するポイントにいる」ということ。verge は「端・ヘリ」。もうちょっとで，してしまいそうだってこと。

(3) **on one's way, on good terms with, on the phone**（途中で・いい関係で・電話をもっている）

例 I fell in a puddle **on my way** home from school.（学校からの帰り道，水たまりに落ちた）

例 She's **on good terms with** all her classmates.（彼女はクラスメート全部といい関係を保ってますよ）

Are you **on the phone**?（電話もってる？）

▶ すべて「線上の on」。way はもちろん線ですね。そこに乗っているから「途中」。terms（関係）も，線に見立てられています。最後は厄介かな。on the phone では電話線（ネットワーク）が想像されています。そこに乗っているから「電話がある」。on the phone にはもう1つ，「電話中」があります。これは「活動中の on」。He is **on** the phone.（彼は電話中です）。

(4) **be based on, on purpose**（〜に基づく・わざと）

例 The movie we're going to watch in today's class **is based on** a true story.（今日みなさんが見る映画は実話に基づいています）

例 I didn't do it **on purpose**, sir!（先生，わざとじゃなかったんです！）

▶「支える on」です。「実話に基づいて」「目的に基づいて＝わざと」と，どちらの例でも on の「支える」ニュアンスがイキイキとしています。

(5) **on one's own**（独りで）

例 I prefer to study **on my own**.（独りで勉強する方がいい）

▶「支えるのが自分しかいない」ということ。「独りで」ですね。

(6) **count on / rely on / depend on**（頼る）

例 I know I can **count** [**depend** / **rely**] **on** my teammates.（チームメートを頼りにできるってわかってるよ）

▶「支える on」の典型例。count は「数える」。頼れるものとして勘定に入れるということ。

(7) **get on one's nerves**（いらいらさせる）
例 Nobuko really **gets on my nerves**.
（ノブコには本当にイラつくわ）
▶「圧力の on」。nerve は「神経」。神経に力が加わるところから「イライラ」。

(8) **impose ... on, be keen on**（課す・〜が好き）
例 Parents shouldn't **impose** too many rules **on** their kids.
（両親はあまりたくさんの規則を子どもたちに押しつけるべきではない）
例 I'm **not keen on** J-Pops.
（Jポップはそれほど好きじゃない）
▶「圧力の on」は impose（押しつける）にピッタリでしょう。keen は「したいよ〜」とうずうずするキモチの動き。そのキモチが対象にグリグリと向かいます。そのグリグリ感が on。

(9) **on fire, on holiday, on vacation, on a diet**
（火事で・休暇で・休暇で・ダイエット中）
例 It's amazing how many high school girls are **on a diet**.
（どれだけ多くの女子高校生がダイエットしているかについては驚くべきものがある）
▶「進行中・活動中の on」。できごとが進行しています。

(10) **turn on / switch on**（〔電灯などを〕つける）
例 Can you **turn on** the air-conditioner?
（エアコンのスイッチ入れてくれる？）
▶つまみを turn して「活動」状態にします。逆は turn off。

(11) **on the go, on and off, from now on**（働きづめ・断続的に・今後）
例 Teachers are always **on the go**.
（先生方はいつでも働き通し）
例 My boyfriend and I have been dating **on and off** for about 2 years.
（ボーイフレンドとは2年くらいのあいだ、付き合ったり付き合わなかったり）
例 I promise I won't be late for class **from now on**.
（これから絶対授業に遅刻しません、約束します）
▶ on the go は「常に go-go-go ... と進行中」ということ。from now on はなぜ on が付いているのでしょう。それは「今後ずっと」だから。やはり「続く」感触を添えているのですよ。

(12) **on time, in time, at times**（時間どおり・に合って・時折）

▶この3つのフレーズを使い分けましょう。前置詞イメージをつかんでおけばカンタンです。on は接触。だから on time は指定時間にピトッ。ここから「時間どおり」。in time は「時間の範囲内」だから「間に合って」。at times は複数形なところがミソ。「いろんな時点で」から「時折」。カンタンですね。

【時をあらわす at, on, in】
ここで「時」をあらわすポピュラーな前置詞、at, on, in の使い分けを整理しておきましょう。原則は単純。

at	「点」が意識される場合
	(1) 時刻 at 7:30（7時30分に）, at noon（正午に）, at midnight（零時に） ▶時刻は「点」と感じるから at。 (2)「点」と感じられる時間 at present, at the moment（現在）, at that time（そのとき）, at breakfast [lunch / dinner] time（朝食〔昼食／夕食〕時）, at night（夜に） ▶現実には時間幅があるでしょう。ですがこれらの表現は1日のスケジュールの中の「点」として感じられています。 (3) 年中行事 at Christmas（クリスマスに）, at Easter（イースターに） ▶これらも現実には時間幅（クリスマスは1日ですよね）があります。ですがやはりカレンダー上の「点」として感じられている、だから at。前置詞の選択は物理的時間の長さではなく、**感じ方の問題**なのです。

on	「日」が意識される場合
	(1) 日 on Monday（月曜日に）, on October 13（10月13日に）
	(2) 日が意識される場合 on Sunday afternoon（日曜の午後に）, on the following evening（次の日の夕方に） ▶「日曜日」「次の（the following）」によって, 日が意識されていることがわかりますね。
in	「時間幅」が意識される場合
	(1) 1日の中の時間幅 in the morning（午前中に）, in the afternoon（午後に）, in the evening（晩に）, in the day（昼に）, in the night（夜に）
	(2) 週・月・季節・年 in the next week（次週に）, in February（2月に）, in (the) spring（春に）, in 2009（2009年に） ▶幅のある時間帯。それが in の守備範囲です。

OVER
〜の上，など

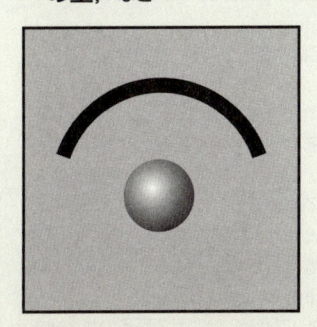

基本イメージ 【上に円弧】

▶上に「円弧」が over のイメージ。

派生イメージ

ⓐ【さまざまな「上」】

(1) Our school motto can be seen **over** the main entrance.
(我が校の校訓は正面玄関上で見ることができます)

(2) Most of my teachers are **over** 40.
(僕の先生, ほとんどは40歳以上)

(3) Our school bus can barely go **over** 30kph. It's soooo slow!
(僕らのスクールバス, ほとんど時速30キロ以上にならないんだ。ものすごくのろい！)

▶基本イメージからすぐに出てくる使い方は「上」。over は場所や年齢その他, さまざまな「上」をあらわします。もちろん単に場所だけではなく, 乗り越える「動き」もあらわすことができます。

(4) The thieves climbed **over** the school wall.
(泥棒たちは学校の壁を乗り越えた)

(5) She got **over** the breakup with her boyfriend.
(彼女はボーイフレンドとの別れを乗り越えた)

ⓑ【おおう】

(1) Put the cover **over** the projector.（プロジェクターにカバーをかけておいて）

▶ over の円弧は, 「おおっている」ようにも見えてきますね。

ⓒ【半分・倍】

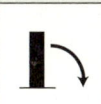

(1) All my team fell **over** in the tug-of-war game.（僕らのチームは綱引きで全員倒れた）

(2) On the first day of our school ski trip, I fell and rolled **over and over** down the slope.
(学校のスキー旅行, 初日に転んで坂を転がり落ちちゃった)

▶ over の円弧。(1)のように半分にすると「倒れる」動作となります。同じように2重に重ねてみると, 今度は「回転」。(2)のように over and over と2回繰り返すこともしばしばあります。ゴロンゴロン。

▶ **over を使ったフレーズ**

(1) **be over, look over, run over, take over**（終

わる・目を通す・〔車で〕ひく・引き継ぐ）
- 例 Come and see me when class **is over**.
（授業が終わったら僕のところにきなさい）
- 例 Could you please **look over** my paper?
（僕の論文に目を通してくれないかな？）
- 例 My poor cat was **run over** by a car.
（僕のかわいそうなネコは車にひかれちゃった）
- 例 My son will **take over** the company when I retire.（引退したら息子が会社を引き継ぐよ）

▶すべて基本イメージそのままを想像してください。「クラス（授業）を乗り越えている→授業が終わった」。視線（look）が書類の上を通ると「目を通す」。ざっと目を通す場合 run over を使います。run にはスピーディな感触がありますからね。車が上を通過すると「ひく」。take over は「over の立場を take（取る）→引き継ぐ」ということ。会社やクラスを経営したり，仕事を切り盛り・監督する立場は，図のような「over の立場」と感じられています。それを take するということ。oversee（監督する）も全く同じ発想で使われています。

(2) **all over**（いたるところ・〜中）
- 例 We have students from **all over the world** at my school.
（私の学校には世界中から学生がきている）

▶「おおう」から。all over the world は，世界中をおおうような地域からということ。

(3) **turn over, go over, do over, think over**（めくる［ひっくり返す］・繰り返す・繰り返す・よく考える）
- 例 **Turn over** the page, everyone.
（みなさん，ページをめくってください）
- 例 OK, let's **go over** what we studied in the last lesson.（オーケー。最後のレッスンで学んだことをもう一度復習しましょう）
- 例 This homework is terrible. **Do it over**.
（この宿題はひどい。もう一度だ）
- 例 Increase your allowance? Let me **think it over**.（小遣い値上げ？ よく考えさせてちょうだい）

▶「回転」です。turn over は，ページが作る軌跡を想像してくださいね。go over, do over は一度通ったところをグルっと回ってもう一度ということです。go は「行く」ではなく，単に

（作業の）進行をあらわしています。think over に限らず over は「よく」という語感と結び付いています。look over（よく吟味する），talk over（じっくり話す）など。それはやはり「回転」から。「あらゆる角度から考える・見る・話す」ということなんですよ。

TO
〜へ，など

基本イメージ 【（到達点を）指し示す】
▶ある行為がどこに到達するのか。到達点を指し示すのが to のイメージです。

派生イメージ
ⓐ【さまざまな「指し示す」】
(1) I went **to** the ball game with my Dad.
（父と野球を観に行った）
(2) Attach a recent photo **to** the university application form.
（大学の願書には最近の写真を添付のこと）
▶「私が行ったのは… to the ball game」と指し示す。それが to の基本です。「〜へ」という日本語訳からは，比較的長距離の移動が感じられますが，to に距離は無関係。単に到達点を指し示しているだけです。(2)は 10cm くらいしか移動しませんよね。写真を貼り付けるのは「ココ」と申込書を指し示しているだけなんですよ。
(3) I love dancing **to** hip-hop music.
（私，ヒップホップ音楽に合わせて踊るのが大好き）
(4) I prefer music **to** math.
（僕は音楽の方が数学より好き）

▶ to の指し示すのはモノだけではありません。(3)音楽を指して「ココに向けてダンス」、(4)の prefer は「より好む」という動詞。「音楽を何より好むかというと…」と、「数学（math）」を指し示しています。to は指し示すだけの単純な前置詞なのですよ。

▶ **to を使ったフレーズ**

(1) **listen to**（～を聴く）

例 I **listen to** my iPod on the way to school. （登校のとき iPod を聴いてます）

▶ listen（聞き耳を立てる）してるのはコレ，と指す表現。もちろん listen はほかの前置詞とも結び付きますよ。listen for（～を聴こうとして聞き耳を立てる：まだ聞こえていません。for の「求めて」が出ていますね），listen in（盗み聴きをする：ほかの人の会話に入り込むイメージ）など，状況に合わせて使い分けてください。

(2) **get to, keep to, keep ... to oneself, stick to, apply to**（到着する・離れない・人に話さない・くっつく・あてはまる）

例 The train was delayed, so I **got to** school 40 minutes late. （電車が遅れたから学校に40分遅れで着いた）

例 **Keep to** the right. （右側通行だよ）

例 I'll tell you if you promise to **keep** it **to yourself**. （黙ってるって約束してくれたら話してあげるよ）

例 If we all **stick to** the same story, we won't get in trouble. （みんなで口裏を合わせたら問題ないさ）

例 So, Saki, you think the rules regarding school uniforms don't **apply to** you? （それで沙紀さん，制服についてのルールは君には関係ないとでも思っているのかな？）

▶ すべて指し示す to。最初の文の get は「動き」。その到着点が to であらわされて「～に到着する」。keep to yourself は「君にくっつけたままにしておく→黙っておく」。みなさんは sticker（ステッカー）をご存じでしょう？ stick は「くっつく」。どこにくっつくかというと… to 以下。Stick to it!（がんばれよ！）は決まり文句。apply は「くっつく」。「規則が you にペタッ→あてはまる」ということ。

(3) **to the point, to one's 感情**（的を射ている・～したことに）

例 Your conclusion must be short and **to the point**. （結論は短く，的を射ていなければならない）

例 Much **to our disappointment**, Yuri didn't pass the entrance exam. （私たちがとってもガッカリしたことに，百合は入試に合格しなかった）

▶ point は「要点」。そこを指して「ココにくるんだよ」。「to ＋ 感情」については（☞P.268）を参照してくださいね。

(4) **to a certain extent, to the best of one's knowledge**（ある程度・私の知る限りでは）

例 Lessons should be fun, at least **to a certain extent**. （レッスンは楽しくなくちゃ。少なくともある程度はね）

例 **To the best of my knowledge**, the TOEIC test is held 8 times a year. （僕の知る限り，TOEIC は年に8回開かれる）

▶ extent（範囲・程度），knowledge（知識）の到達点を指し示しています。**to the best of one's ability**（力の及ぶ限り），**to one's heart's content**（心ゆくまで）なども覚えておきましょう。時々使う機会がありますよ。

TOWARD(S)
～へ

基本イメージ　【方向専門】

▶ -ward は「方向」を示します。forward（前に），backward（後ろに），homeward（ふるさと

PART 2 - CHAPTER 8：前置詞　基本前置詞

へ）などなど。toward は「〜の方向へ」。「方向」に特化した表現です。

(1) I saw Mayu heading **towards** the library.
（真由が図書館に向かっているところを見た）

THROUGH
〜を通して

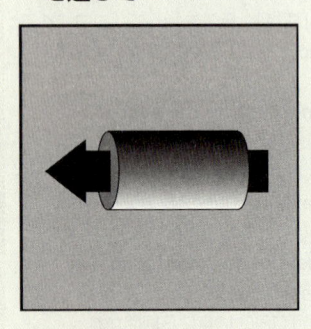

基本イメージ【トンネル通過】

▶ through は「通って」。トンネル状のものを抜けていくイメージ。

派生イメージ

ⓐ【さまざまな「通って」】

(1) I taught my dog to jump **through** a hoop.
（うちの犬にジャンプして輪をくぐるのを教えたんだ）

(2) I passed the exam **through** hard work.
（一生懸命勉強〔することを通〕して試験に受かったんだ）

(3) I found out about the bullying **through** one of his friends. （僕は、彼の友達を通じていじめのことを知った）

▶ 物理的に通る(1)以外にも、さまざまな「通る」が射程に入ります。

ⓑ【〜中（はじめから終わり・端から端まで）】

(1) We prepared for the school festival all **through** the night.
（夜中じゅう学園祭の準備をした）

▶ トンネルを「期間」と見立ててみてください。この場合、トンネルが「夜」という期間。その期間の「はじめから終わりまで

ずっと」。「夜中じゅう」ということになります。from April 1 through May 31（4月1日から5月31日まで）という使い方もできますよ。

ⓒ【終わって】

(1) Didn't you know? Asami and I are **through**.
（知らなかったの？　麻美と僕、終わっちゃったんだよね）

▶「通り抜けた」から「（お付き合いなどが）終わった」。自然な意味の展開ですね。

▶ **through を使ったフレーズ**

(1) **get through, put ... through, fall through**
（終える・電話をつなぐ・失敗する）

例 You can watch TV once you **get through** your homework.
（宿題終わったらテレビ見ていいよ）

例 Could you **put** me **through** to the Principal, please?
（〔電話で〕校長先生お願いできますか？）

▶ get は——もう何度も言いましたね——「動」。through 状態になったということ。「終える」ということですね。目的の人に「通して」が、put me through。fall through は図のような状態。あからさまに「失敗」していますね。

(2) **go through** （経験する・詳しく調べる・終える）

例 Kie's **going through** a bad time at school. （貴恵は学校で苦労している）

▶ go through というフレーズからみなさんは、何を想像しますか？　through して進んでいく、場面に応じてさまざまに使えることが予測できるはず。bad time を進んでいけば「経験する」となるでしょう。go through my bags では「端から端まで」、つまり「詳しく調べる」になるでしょう。

　フレーズの意味は1つに限りません。ですが正しくイメージをつかんでおけば、さまざまな意味で自由に使いこなすことができるのですよ。

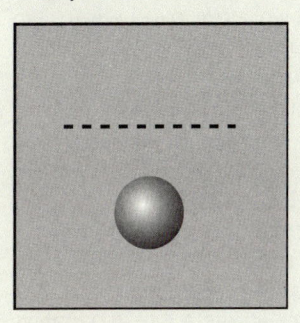

UNDER
〜の下

基本イメージ 【下】
▶イメージはもちろん「下」。「おおわれた」にもつながります。

派生イメージ
ⓐ【さまざまな「下」】
(1) I found my cell phone **under** my school bag.
（通学鞄の下から携帯が見つかった）
(2) If you're **under** 20, you're not supposed to drink.
（もし20才未満なら，酒を飲んではいけない）
▶ under は場所のほか，年齢，階級などあらゆる「下」に使えます。(1)には「おおわれた」というニュアンスが感じられています。

ⓑ【監督下・影響下】
(1) When I go to university, I want to study **under** the best professors.（大学に行ったら最良の教授の下で学びたい）
(2) I'm afraid my son has fallen **under** the influence of some bad boys at school.
（うちの息子が学校の悪い子たちの影響を受けているんじゃないかと思うのですが）
▶日本語でも「〜の下（もと）で学んだ」「影響下」などと言いますね。

ⓒ【未完成】
(1) Our new school gym is now **under** construction.（学校の新体育館は工事中です）
▶ある活動の「下（もと）」にあり，完成形に達していないということ。

▶ **under** を使ったフレーズ
(1) **under ... circumstances**（状況下）
例 **Under** no **circumstances** is anyone to use a cell phone in class.
（どういった状況にあっても，いかなる者も授業中携帯を使用してはならない）
(2) **under discussion, under repair, under way**（検討中・修理中・進行中）
例 The whole question of truancy is now **under discussion**.
（不登校の問題は現在検討されているところです）
▶全部「未完成の under」。カンタンかんたん。

● under 類
「下」をあらわす単語には，under 以外にもいくつかあります。時間があったら頭に入れておいてくださいね。

□ **underneath**
under と同じ「下」ですが，「隠されている」「おおわれて見えない」が強く感じられます。
The cat was hiding **underneath the stairs**.（そのネコは階段の下に隠れていた）

□ **below**
「低さ」をあらわす単語。「おおわれて」というニュアンスはありません。
His left leg was amputated **below the knee**.（彼の左足は膝から下を切断された）

□ **beneath**
under, below と同じですが，堅くフォーマルな表現です。文学的なにおいもします。
They danced **beneath a starlit sky**.
（彼らは星明かりの下で踊った）

8 前置詞

PART 2 - CHAPTER 8：前置詞　基本前置詞

WITH
〜と，など

基本イメージ　【つながり】

▶ with のイメージは「つながり（一緒）」。さまざまなつながりをあらわします。

派生イメージ

ⓐ【場所つながり】

(1) Do you want to go out **with** me?（私とデートしたい？）
(2) I haven't got my purse **with** me.（財布今もってないよ〔have got ＝ have〕）
(3) I like girls **with** blonde hair.（ブロンドの女の子が好きだなぁ） 
　▶場所の「つながり」——「一緒」ということです。日本語の「と」よりもはるかにバリエーション豊かな使い方ができます。

ⓑ【道具・材料】

(1) I tried to eat fish **with** chopsticks, but I failed miserably.（魚を箸で食べようとしたが大失敗した）
(2) I took lots of pictures **with** my new camera.（新しいカメラでたくさん写真を撮った）
(3) Rena made a bracelet **with** gum wrappers!（レナはガムの包み紙でブレスレットを作っちゃった！）
　▶「場所つながり」が「道具・材料」を生み出します。手近な道具・材料で何かを行うということ。

ⓒ【原因―結果のつながり】

(1) I couldn't play because I was in bed **with** the flu.（インフルエンザで寝てたからプレーできなかった）
　▶原因（the flu）と結果（I was in bed）とのつながりが見えましたか？

ⓓ【時間つながり】

(1) I guess I'll get to like my new part-time job **with** time.（時間が経てば僕，バイトが好きになると思うよ）
　▶時間の「つながり」です。同時性をあらわしています。「つながり（一緒）」が生み出す，さまざまな意味の派生。無理に全部覚えなくてもいいんですよ。イメージさえしっかりとつかめば，すぐに使えるようになります。

● **付帯状況の with**

with のとる一見風変わりな形に注意しましょう。「付帯状況の with」とよばれる形です。まずは例文から。

(1) She went back to her desk **with a big smile on her face**.
　　　　　　　　　　　　　　　説明語句
（彼女は満面のえみを顔に浮かべて机に戻った）
(2) She ran out of the classroom **with tears streaming down her face**.
　　　　　　　　　　　　　　説明語句
（彼女は涙を流しながら教室を走って出ていった）
(3) He left the soccer pitch **with his whole body covered in mud**!
　　　　　　　　　　　　説明語句
（彼は全身泥まみれでサッカー場を後にした！）

▶難しく見えるかもしれませんが，ネイティブは頻繁にこの形を作ります。単なる「ⓓ 時間つながり」の with。2つの状況を「同時ですよ」と結んでいるだけの with です。いつもの with と違うのは，with 以下が Tom のような，単純な名詞ではないということだけ。

a big smile（大きなえみ）を説明語句 on her face で説明する要領で作ります。(2) -ing（〜している），(3) 過去分詞（〜されている）などもご自由にどうぞ。

406

説明

with a big smile | on her face

▶ **with** を使ったフレーズ

(1) **share ... with, compete with ...**（…を共有する，…と競争する）
　例 I'll **share** my chocolate bar **with** you.
　　（君にチョコバーを分けてあげる）
　例 It's hard to **compete with** Kaito, he's so good.（魁斗と勝負するのは難しい。うますぎるよ）
　▶日本語の「と」で解決できるレベルのフレーズですね。connect 〜 with ...（〜を…とつなげる），identify（〜）with ...（[〜を]…と同じモノと考える），coincide with ...（…と一致する），compare 〜 with ...（〜を…と比較する）などなどいろいろありますが、カンタンですね。

(2) **agree with**（人と同意する）
　例 For once, I **agree with** you!
　　（今度ばかりは君に賛成だよ！）
　▶「つながり」です。誰かと「一緒」に同意。「ある物事について同意する」ときには，with ではありませんよ。I agree **to** your plan.（君のプランに賛成）。

(3) **together with**（〜と）
　例 He arrived at the party **together with** his girlfriend.（彼はガールフレンドと一緒にそのパーティーにきました）
　例 I'd love to get **together with** you some time soon.（君といつか近いうちに会いたいね）
　▶ with の「一緒」を together が強調。

(4) **have words with**（口論する）
　例 I **had words with** my daughter again about the way she dresses. She is so stubborn!（服装のことで娘とまた口論になった。ガンコなんだよ！）
　▶ word が複数形であることに注意。have a word with だと単に「話をする」。だけど，ここは複数。ことばがガンガン行き交っています。

(5) **go with**（合う・調和する）

例 Do you think this top **goes with** this skirt?（このスカートにこのトップスは似合うと思う？）
▶「一緒に行く」。ハーモニーを作っているということですよね。

(6) **to begin with**（まず第１に）
　例 **To begin with**, your sense of humor sucks!
　　（まずね，君のユーモアのセンス最悪だよ！）
　▶「以下の発言と共に始めましょう」ということ。

(7) **have ... to do with**（関係がある）
　例 Get lost, Toshi! This **has nothing to do with** you.（トシ，あっち行けよ！ おまえには関係ないから）
　▶「一緒」の with ですよ。「君と一緒にすることが何もない＝関係ない」ということ。have something to do with なら「何か関係がある」。

(8) **part with, dispense with**（手放す・止める［廃止する］）
　例 I couldn't stand to **part with** my iPod!（iPod 手放すことなんてできないな！）
　▶そんなことゆってないで勉強しなさい。動詞の part は「別れる」ということ。何と別れるかというと…というフレーズ。dispense も「別れる」がその意味の底にある単語ですよ。

(9) **with ease**（簡単に）
　例 She plays the piano **with** such **ease**.
　　（彼女はものすごく簡単にピアノを弾くよ）
　▶ ease（安楽さ）を伴って，ですね。「一緒」の with。with difficulty（やっと），with pleasure（喜んで）もおさえてくださいね。

(10) **provide ... with, be filled with ... , charge ... with, help ... with**（供給する・満たされている・告訴する・手伝う）
　例 How many of you **help** your Mom **with** the housework?（どれくらいの人がお母さんの家事をお手伝いしているかな？）
　▶「道具・材料の with」の延長線上にある使い方。手もちの材料・ネタで「供給する」「満たされている」「告訴する」「手伝いをする」という感じ。

(11) **What's the matter with you?**（どうしたの？）
　▶決まり文句です。「君と一緒にある（君の抱えている）問題はなーに？＝どうしたの？」。

8 前置詞

(12) **find fault with**（あら探しをする）
　　例 Our math teacher is always **finding fault with** us.（私たちの数学の先生、いつも私たちにいちゃもんつけるのよ）
　▶ us と一緒にある（＝私たちがもっている）欠点を見つけるということ。
(13) **be popular with, be familiar with**（人気がある・よく知っている）
　　例 How come you **are** so **popular with** the girls?（どうして君は女の子にそんなに人気があるんだい？）
　　例 To be honest, I'm not very **familiar with** classical music.（正直言うと、クラシックあんまりよくわかってないんだ）
　▶ girls と popular な関係、classical music と familiar な（慣れ親しんだ）関係にあるということ。
(14) **cope with**（〔仕事・困難に〕対処する）
　　例 How are your children **coping with** the divorce?（お子さんたち、君の離婚をどう受け止めてる？）
　▶子どもたちは苦しい状況と一緒にいます。そしてそれに対処しているのです。

WITHIN
～以内に

基本イメージ【範囲内】
▶基本イメージは「範囲内」。in に近いイメージですが、「境界線内」が明確に意識されています。時間・場所などさまざまな「内」に使うことができます。

(1) If you're not here **within** 5 minutes, I'm leaving.
　（もし5分以内にこなければ、私帰る）
(2) There's no smoking **within** the school grounds.（学校の敷地内は禁煙です）

WITHOUT
～なしで、など

基本イメージ【つながりなし】
▶「一緒じゃないよ」。以上。

(1) I can't believe they went to karaoke **without** me.（僕をおいてカラオケ行ったなんて信じらんないよ）

▶ **without** を使ったフレーズ
(1) **It goes without saying that ...**（言うまでもなく）
　　例 **It goes without saying that** a good education helps get a good job.
　　（言わずもがなのことですが、いい教育はいい就職の助けとなります）
　▶この go は「進む＝通用する」。「言わなくてもあたりまえのこととして通用するはずだけれど」ということ。

● そのほかの前置詞類

さあ, それでは最後にそのほかの前置詞類をかけ足で眺めていきましょう。熟語で前置詞の役割をするものも含んでいます。これらはほぼ単機能——複雑なイメージの展開はありません。ダッシュで覚えていきましょう。

□ according to ～

(～に応じて・～に従って・～によると)
▶ accord は「一致する」。そこからさまざまな使い方が生まれます。

(1) I think we should be paid **according to** our performance, not our age.
(僕らは年齢じゃなくて成果に応じて報酬をもらうべきだと思うよ)

(2) It was a difficult event to organize, but luckily everything went **according to** plan. (準備が難しいイベントだったけど, 幸運なことにすべては計画どおり運んだ)
▶ほら, performance, plan に「一致して」ということですね。このフレーズが目立って使われるのは次の, **情報のソース(発信源)をあらわす使い方。**

(3) **According to** an NHK survey, only 8% of high school students have part-time jobs.
(NHKの調査によると高校生の8%しかバイトをしていない)
▶その情報のソースが「＝ NHK の調査」ということですね。

□ apart from ～

(～は別にして)
▶話題の焦点からはずす感触。これは横に置いといて…。

(1) Your paper is very good **apart from** a few careless grammar mistakes.
(君の論文, いくつかの文法間違いを別にして, とっても良かったよ)

□ as for ～

(～については)

(1) **As for** you guys, you can clean the area around the school entrance.
(君たちには, 校門近くを掃除してもらおうかな)
▶このフレーズをうまく使うためには「視線が移る」感じをとらえてください。「太郎と二郎と三郎は教室掃除…」そこから視線が移ります。「で, 君たちは校門掃除」という感触。もう少し例を見てみましょう。

(2) Overall, I'm doing fine. **As for** my new school, er ... not so good.
(だいたいうまくやってるよ。で, 新しい学校については, んー, あんまり良くないな)

(3) I don't mind Mami joining us, but **as for** Noriko, no way!
(麻美がくるのはいいけど, 典子はゴメンだわ!)
▶ほら, 視線が移っていることがわかるでしょう? これで使えるね!

□ as to ～

(～については)
▶ as to のフィールは as for とは異なります。ほら, to はしっかり「指し示す」のでしたね。for の「関して(範囲)」という「広い」感触に比べ, しっかりと具体的に「この点について」を示します。

(1) I'm puzzled **as to** how I made such a silly mistake.
(どうしてそんなバカげた間違いをしたのか不思議です)

□ as of [from]

(ある特定の日[時]から)
▶「特定の日時から」を述べるために使われる表現。as of の方がいくぶんフォーマルです。

(1) **As of** next month, all classes will be held in the new building.
(来月から授業はすべて新しい校舎で行います)

□ because of ～

(～が原因で) (☞P.630)

□ besides ～, in addition to ～

(～に加えて)
▶ beside は「～の傍ら」。besides の「加えて」はストレートに出てくる意味合いですね。

(1) Did anyone else get punished **besides** you

and Tetsuya?
（君と哲也のほかに誰か罰せられたの？）
(2) Japanese high school teachers have to do so many other things **in addition to** teaching their classes.
（日本の高校教師は授業以外にあまりにもやるべきことが多い）

□ but 〜
（〜をのぞいて）
▶ but は「打ち消し」。考えから除外するということ。nothing but 〜（〜以外何も）, all but 〜（〜以外すべて）など，唯一の例外を述べるのが得意技。
(1) I'll date anyone **but** Saori.（サオリ以外だったら誰とでもデートするよ）（☞P.619）

□ but for 〜
（〜をのぞけば）（☞P.599）

□ by way of 〜
（〜経由で）
▶ある場所を通過して（行く）。ルート（route）を示す表現。
(1) Today, I came to school **by way of** the park.
（今日は公園を通って学校にきた）
▶このフレーズは「〜として」という意味でも使われます。注意しましょう。
(2) Let me tell a real-life story **by way of** illustration.
（実例として，ある実生活の話をとりあげましょう）

□ by means of 〜
（〜によって）
▶ HOW（どうやって）を意味します。何かをどうやって達成するのかということ。
(1) Our school team won the baseball tournament **by means of** hard training and a fighting spirit.（僕らの学校のチームは厳しい訓練と闘志で野球大会を勝ち抜いた）
▶ How は単に by だけでもあらわすことができますが，このフレーズでは強い焦点が方法（means）に当たっています。

□ due to 〜 / owing to 〜
（〜が原因で）（☞P.630）

□ except 〜
（〜をのぞいて）
除外をあらわします。
(1) We are open every day **except** Monday.
（月曜日をのぞいて毎日営業しています）

□ except for 〜
（〜をのぞいては）
▶ except と except for は多くの場合，どちらも使うことができますが, except が使えないケースもあります。
(1) The roads were clear **except for**（× except) a few cars.（数台の車をのぞけば，道路がガラガラだったよ）
▶「〜がなかったとすれば（…だ）」という条件節的な流れ。ここに except は使えません。ご注意くださいね。

□ for the sake of 〜
（〜のために）（☞P.633）

□ in front of 〜
（〜の前）
▶場所の「前」をあらわす，大変頻度の高いフレーズ。before との違いに注意します（☞P.385）。
(1) There is a park **in front of** our school.
（僕らの学校の前には公園がある）

□ in spite of 〜 / despite 〜
（〜にもかかわらず）（☞P.635）

□ instead of 〜
（〜の代わりに）
(1) Can I have soba **instead of** udon?
（うどんの代わりにそばもらえる？）

□ like 〜
（〜のような）（☞P.643）

□ on account of 〜
（〜のせいで）（☞P.631）

☐ on behalf of ~
(~の代わりに)
▶公的な文脈で「誰かに成り代わって（代表して）」。

(1) **On behalf of** all the students, I wish to thank the teachers for their patience and dedication.（すべての学生を代表して，先生方の忍耐と献身に感謝いたします）

(2) I've come to this PTA meeting **on behalf of** Kaya's parents.（カヤのご両親の代わりにこのPTA会合に参りました）

☐ opposite ~
(~の反対側)

(1) There's a bowling alley **opposite** the city hall.
（市役所の反対側にボーリング場があるよ）

☐ thanks to ~
(~のおかげで)（☞P.631）

☐ with regard to ~, with respect to ~
(~に関して)
▶ regard, respect はどちらも「見る」とつながった単語です。「~に目をやる＝~に関して」。

(1) **With regard to** discipline, I think we need to be much stricter.（躾けに関しては，今よりずっと厳しくする必要があると思います）

あああ

CHAPTER 9

WH修飾

WH-MODIFICATION

wh修飾とは what, who, how などの「wh語」を用いた文による修飾です。穴埋め関係による修飾パターン。1度コツをつかめば2度と手放せない便利なパターンですよ。

■wh修飾とは

「wh修飾」とは従来「関係（代名・副）詞修飾」とよばれてきた, wh語 (who, which, where など) を使った修飾です。

ⓐ This is the boy **who** loves Nancy.
　（この子が，ナンシーを愛している少年です）

この修飾は典型的な「穴埋め修飾」の例でしたね (☞P.29)。この文には次のように「穴」があいています。

This is the boy who ■ loves Nancy .
（穴埋め：the boy ↔ ■）

the boy と loves Nancy が穴埋め関係になるからこそ，「ナンシーを愛している少年」という修飾関係が生まれるのです。

> ●それいけ！　実験君。
> 　穴埋め関係の修飾は，私たちも日本語で毎日作っている形です。ためしに「ナンシーを愛している少年」を声に出してゆっくりと読んでみることにしましょう。
> 　「ナンシーを愛している」——はい, ストップ！　ここで読むのを止めると，なんだか中途半端でしょう？　「ナンシーを愛している誰なのよ」って感じがします。誰がナンシーを愛しているのかが抜けた, 穴ぼこ文だからですよ。そこに「少年」を入れてあげます。「ナンシーを愛している少年」——これでスッキリ！　「父さんが好きな犬」「いるかに乗った少年」など，穴埋め修飾は日本語でもとってもポピュラーなんですよ。

さてそれでは wh語 who は，この文でどういった働きをしているのでしょうか。ひとことで言えば，「結び付きをガッチリ」という働きです。

■ wh語の働き

　wh語の働きは常に「穴」に関わっています。それは**「穴の指定」**。文にあいた穴が「人」なのか「モノ」なのか「場所」なのか，などを指定する，それが wh語の働きです。次の wh疑問文（☞P.523）を見てみましょう。

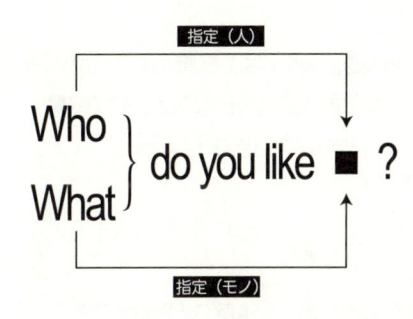

```
        指定（人）
  Who  ┐
       ├ do you like ■ ?
  What ┘
        指定（モノ）
```

　この文は like（〜が好き）の目的語を尋ねています。who は「尋ねているのは人だよ」と指定。what ならモノ一般。wh語によって，聞き手は話し手が「君は誰が好きなの？」なのか，「君は何を好きなの？」なのかを了解するというわけです。

　wh修飾でも，wh語は穴の指定を行っています。

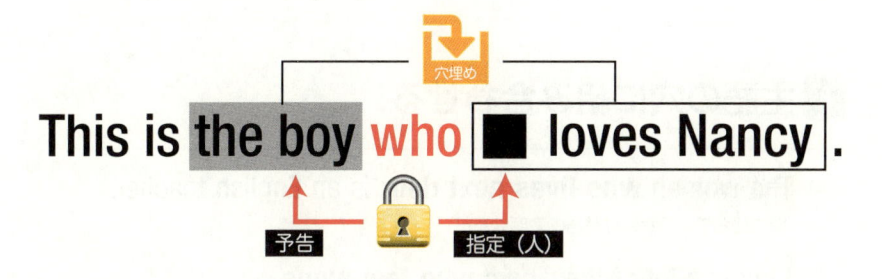

```
                  穴埋め
This is the boy who ■ loves Nancy .
         予告         指定（人）
```

　wh語 who は後ろの穴を「人ですよ」と指定しています。そしてそれは——とりもなおさず——その穴を埋めるのが「人」，つまり the boy だという予告にもなっているのです。who を介して，the boy と穴が——，ガッチリと結び付けられるということ。**who が the boy を受け，後続文の穴にガイドをする**と考えればいいでしょう。

　wh語は，wh修飾の中で補助的な働きをしています。**穴埋め関係が生み出す修飾を，わかりやすく・間違えなくガッチリと組み上げる。それが wh語の働き**なのです。

　wh修飾は，修飾のターゲットを穴あき文で説明するだけの簡単な形。日常会話でも頻繁に使われます。ぜひマスターしてくださいね。

SECTION 1 人指定の who

▶まずは who を用いた wh 修飾から始めましょう。who は「人」を指定する wh 修飾です。

who は「人」を指定する wh 語。who は，修飾のターゲット（先行詞）を受け修飾文の穴に導きます。修飾文のどこに穴（■）があるかに注意しながら作り方を学んでいきましょう。

文法用語解説　　　　　　先行詞

wh 修飾の被修飾語（修飾のターゲット）を特に「先行詞」とよぶ文法書もありますが，特別なよび方をする必要はありません。本書ではほかの修飾と同様，単に「ターゲット」とよびます。

A 主語の穴に組み合わせる

ⓐ **The woman** who lives next door is an English teacher.
（隣に住んでいる女性は英語の教師なんだ）

ⓑ I know **a lot of teenagers** who feel alone.
（孤独を感じている 10 代の若者をたくさん知ってるよ）

　修飾文の中で穴が「主語」の位置にあいていることに注意しましょう。主語が入るべき位置に何もありませんね。そこにターゲット（先行詞）が組み合わされ，ⓐでは「隣に住んでいる女性」となります。「女性」が「隣に住んでいる」の主語として組み合わされていますね。who の「受けて導く」ガッチリとした感触にも注意しておきましょう。

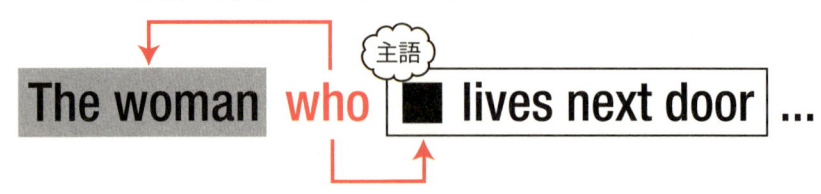

The woman　who　■〔主語〕 lives next door ...

● wh語は選びとる　　　　　　　　ULTRA ADVANCED

　wh語をただ漫然と使っていては，wh修飾はなかなかネイティブレベルになりません。上級を目指すあなたのためにめちゃめちゃ詳しくwh語の意識を解説しておこうか。

ⓐ The woman **who lives next door** is an English teacher.

　who をはじめ wh語は，大変目立つ単語。**選びとる強い意識**が感じられるから。

　例えば疑問文を考えてみましょうか。Who?，Where? は「誰?」「どこ?」と特定の人や場所をピックアップさせていますね。wh修飾で使われる wh語にも実は，同じ意識が通っています。

　上の文。the woman who ... は，いろいろいる女性の中から，どういう the woman なのか，その女性を**ピンポイントでつまみ上げてる意識**。そしてつまみ上げたその女性に「この人は隣に住んでんだけど」と説明を加えているんです。つまみ上げ——その人を説明。ほら，どれだけ強くwh語がターゲットと修飾文を結び付けているか，実感できるでしょう?

　who は人指定。初心者ならそれでいい。だけど上級を目指すならそこに「選びとる」「ピンポイントでつまみ上げる」この意識を加えてください。さ，何度か意識を動かしながら音読するんだよ。

Ⓑ 目的語の穴に組み合わせる

ⓐ That is **the guy** who **I met on the flight to London**.
　（あの人がロンドンに行くフライトで出会った男だよ）

ⓑ **The girl** who **I wanted to date** is now going out with my best friend!
　（僕が付き合いたかった女の子は，今は僕の親友と付き合ってる！）

ⓒ Is that **the teacher** who **you complained about**?
　（あの人が君が文句言ってた先生?　〈先生に文句を言ってはなりません〉）

　さあ，どこに穴があいているのでしょうか。ヒントは，ふつうなら当然名詞があるべき箇所に何もない場所。さあもうわかりましたね。

```
 ┌──────────┐                    ┌──────────────────┐
 ↓          │                    ↓                  │
the guy who │I met ■│  ...  the teacher who │you complained about ■│?
                 [目的語]                              [目的語]
```

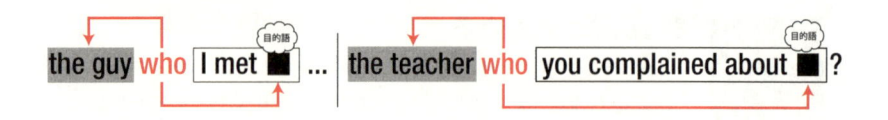

　ⓐは動詞 met の目的語の場所に穴があいています。meet はふつう I met Taro.（私は太郎に会った）など，目的語が必要でしょう？　そこに何もない。つまりは穴。そこに the guy を組み合わせて「私が出会った男」となるわけです。

　もちろん動詞だけではなく前置詞の目的語にも，穴をあけ組み合わせることができます。ⓒは「君が文句を言っていた先生」。「〜について文句を言った」と「先生」が組み合わされています。

> ●穴の位置に敏感なネイティブ
> ここで問題。意味の違いがわかりますか？
> (1) This is the boy **who your son punched**.
> (2) This is the boy **who punched your son**.
>
> 使っている単語は全部同じ。だけど穴の位置が違うと意味は変わります。(1)は「あなたの息子が殴った男の子」，(2)は「あなたの息子を殴った男の子」。それぞれ次の位置に穴があいています。
>
> (1)' This is the boy **who your son punched ■** .
> (2)' This is the boy **who ■ punched your son**.
>
> どこに穴があいているのか——それを見抜く力は wh修飾の理解には欠かせません。ネイティブなら当然もっている能力です。やり方は単純。「あるべき場所に名詞がない」，ただそれだけのことなんですよ。

ⓒ「whose＋名詞」の形

ⓐ A widower is a man **whose wife has died**.
（やもめというのは，奥さんが亡くなった男のことです）

ⓑ I just met a girl **whose brother I used to play soccer with**.
（たった今女の子に会ったんだけど，その女の子の弟と僕は昔サッカーやってたんだ）

whose は所有格（〜の）を示す wh 語です。名詞と結合して「大きな」wh 語を作ります（☞P.528）。下の文では whose car が borrow の目的語を尋ねています。

<u>**Whose car**</u> did you borrow ■ ？　（誰の車を君は借りたの？）
　　　誰の車

wh修飾でも, whose は「whose ＋ 名詞」で wh 語を作ります。

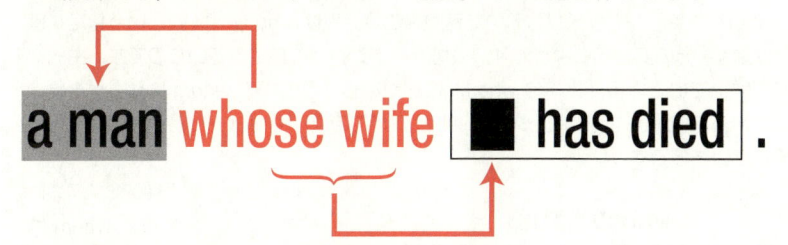

a man whose wife ■ has died .

whose は a man を受け,「a man's wife」が「〜が亡くなった」と組み合わされます。これで「奥さんが亡くなった男」のできあがりというわけ。

●whose の使い方

who と比べ, whose はちょっと使いづらそうですよね。でもコツさえわかれば，会話で反射的に使うことも容易です。次の文の作り方をスローで解説してみましょうか。

(1) I have a friend **whose father is a lawyer**.
（お父さんが弁護士やってる友達がいるよ）

ある人物（やモノ）を，その所有物──お父さんとか妹とか車とか──で説明したかったら，その人物（a friend）を受けて whose father と言ってしまう。それがミソ。あとはその所有物をいつものように，穴あき文（■ is a lawyer）をくっつけて説明してあげる。ただそれだけですよ。ほら，カンタン。

説明したいな。この人のお父さんを使って説明しよ。	これで「そのお父さん」あとは ...	穴あき文を付ければ説明完了！
a friend	friend whose father	ther ■ is a lawyer

9 ▼ WH修飾

●whom という wh語　ADVANCED

人指定の wh語は主語・目的語に穴がある場合は who。所有は whose と解説してきましたが、実は目的語に穴がある場合、whom も使うことができます。

(1) My father is the person **whom** I admire ■ most in the world.
（父は、世界で最も私が敬愛する人）

whom は英語がガッチリしていた昔のなごり。実は who は「人」という指定だけではなく、その変化形によって「穴の場所」まで詳しく指定していたのです。主語に穴が開いているなら「主格の who」。目的語なら「目的格の whom」といった具合に。who の変化形を通じて、ターゲットと穴がこの上なくガッチリと厳格に結び付けられていたのです。

who の格変化

主格	所有格	目的格
who	whose	whom

↓
who

しかし、21世紀現代英語では、フォーマルな文体を除き whom は徐々に退場しつつあります。口語ではほとんど耳にする機会もなくなってきました。というわけで、みなさんは「**人指定は who、所有格は whose**」と考えていいのです。

ただ、前置詞を wh語の前に出す形（☞P.527）では、whom がいまだに使われます。さすがに前置詞の後ろ、目的語の場所にくると「目的格を使わなくちゃ」という気がしてくるため。ご注意くださいね。

(2) I got a beautiful letter from the family **with whom** I stayed in Australia.
（オーストラリアでホームステイした家族から美しい手紙をもらった）

1950年代のイギリス。小学生だったクリスは学校で whom の使い方を教わっていました。だけど街に出ると誰も使ってない。「ぼくちん困っちゃう」とクリスが言ったかどうかはわかりませんが、whom の衰退はイギリスではそのあたりから始まっているようです。TV の放送が大きいのかな。ストリートの英語が一挙に広まったんですよ。

SECTION 2 モノ指定の which

▶次は「モノ指定」の which です。やはり修飾文のどこに穴（■）があるかに注意しながら，作り方を学んでいきましょう。

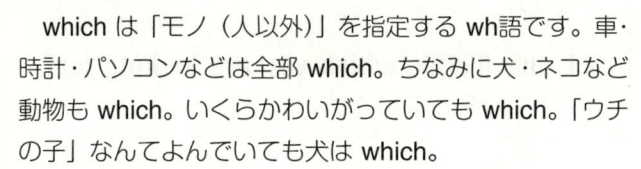

which は「モノ（人以外）」を指定する wh語です。車・時計・パソコンなどは全部 which。ちなみに犬・ネコなど動物も which。いくらかわいがっていても which。「ウチの子」なんてよんでいても犬は which。

やはり修飾文のどこに穴（■）があるかに注意しながら作り方を学んでいきましょう。

Ⓐ 主語の穴に組み合わせる

ⓐ Where is **the parcel** which arrived this morning?
（今朝到着した小包どこ？）

ⓑ **The house** which was for sale has now been sold.
（売りに出ていた家が今はもう売れてしまっている）

ⓒ I like **stories** which have happy endings.
（僕はハッピーエンドの物語が好き）

要領は who と全く同じです。上の例では主語の位置に穴があいています。「小包」が「今朝到着した」と組み合わされ，「今朝到着した小包」となります。the parcel をしっかり受けて，穴に導く which のガッチリした感触にも注意しておきましょう。

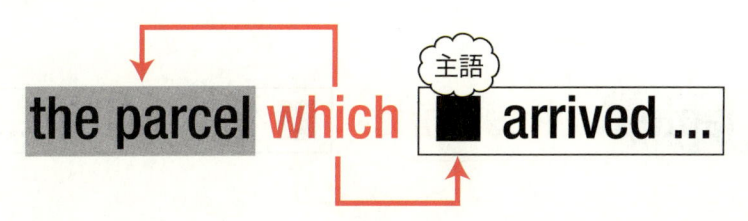

the parcel which ■[主語] arrived ...

B 目的語の穴に組み合わせる

ⓐ **The top which Ann bought** is sooo cute!
（アンが買った上着はものすごーくかわいい！）

ⓑ **The engagement ring which I want** is too expensive.
（僕が欲しい婚約指輪は高すぎる）

ⓒ Is this **the file which you are looking for**?
（これが君が探しているファイル？）

　動詞，前置詞の目的語に穴があいています。ⓒは「ファイル」と「君が〜を探している」が組み合わされ，「君が探しているファイル」。

The top which | Ann bought ■ ...　　the file which | you are looking for ■ ?

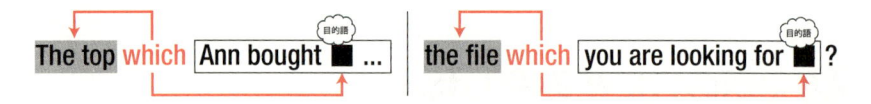

C 「whose ＋ 名詞」の形

ⓐ You can choose **a laptop whose price falls within your budget**.
（君の予算に合ったラップトップを選んでいいよ）

ⓑ This is **a smartphone whose new features are simply amazing**.
（これはね，新しい機能がホントにビックリのスマートフォン）

　所有格をあらわす whose は人・モノ共用です。注意しておいてくださいね。

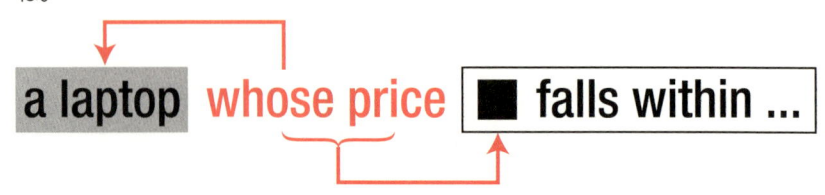

a laptop　whose price　■ falls within ...

●前置詞の前置き　ADVANCED

ここで1つ，フォーマルなニュアンスを醸し出すテクニックを学んでおきましょう。

(1) This is the hospital **in which** I was born.
（これが僕が生まれた病院です）

　この文はふつうに書けば，in が文末に残りますね。I was born in the hospital ということですから。

(2) This is the hospital which I was born **in**.

　この，文末でフラフラしている前置詞を wh語の前に送り込み，文の形を整える――このひと手間が，(1)の文にフォーマルな印象を与えています。次の例も同じ。

(3) The clerk **to whom** I handed the form said it was not properly filled in.
（その書類を僕が渡した係員は，キチンと書き込まれていないと言った）

　I handed the form to と，文末に残った to を前置きにして to whom。もちろんこんなこと初級者のうちはできなくてもかまいません。会話では，

(4) The clerk whom I handed the form **to** said it was not properly filled in.

とカンタンに言えばいいのです（whom は後述の理由〔☞P.424〕で省略した方が自然です）。英語に慣れるにしたがって徐々に身につけていけばいいテクニックですよ。
　look for（探す），be fond of（好き），take advantage of（つけ入る）など，**フレーズの一部となっている前置詞は動かすことができません**。まとめて「1つのパッケージ」なので，分離したら意味がわかりづらくなってしまうからです。

(5) × This is the file **for which** I was looking.（これは私が探していたファイルだよ）
　（○ This is the file which I was looking **for**.）

SECTION 3 wh語を使わないケース・thatを使うケースなど

▶ wh修飾の本質は「穴埋め修飾」です。wh語を使わない修飾も可能――というか，会話ではむしろこちらが好まれます。

A wh語を使わないケース

ⓐ **The car I want to get** is eco-friendly.
（僕が買いたい車は環境に配慮した製品です）

ⓑ **The guy you were talking to** is my boyfriend.
（あなたが話していたのは私のボーイフレンドなのよ）

wh語がないにもかかわらず，修飾が成り立っていますね。**目的語に穴がある場合には，wh語を使わなくてもOK** なんですよ。

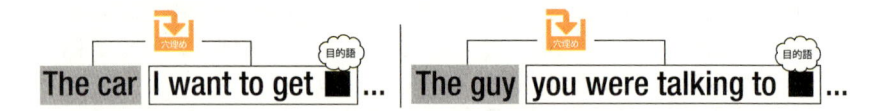

The car | I want to get ■ ... 　 The guy | you were talking to ■ ...
（穴埋め／目的語）

なぜwh語がいらないのかわかりますか？ このCHAPTER冒頭の説明を思い出しましょう―― wh修飾の中でwh語は補助的な働きしかしていません。この形はターゲットと修飾文が穴埋め関係にあることから，修飾関係ができあがっているのです。だからwhoやwhichがなくても大丈夫なんです。

● 主語に穴がある場合には wh語が必要

wh語を使わなくてもよいのは，目的語に穴がある場合に限られます。例えば主語。同じように穴埋め関係はあるのに，こちらはwh語（あるいは後述のthat）を必ず付けなければ文は成立しません。次のペアを比べてみましょう。

(1) I met the girl Tom loves ■ . （■＝目的語）（トムが愛している女の子と会いました）
(2) ✕ I met the girl ■ loves Tom. （■＝主語）（トムを愛している女の子と会いました）
　（◯ I met the girl **who／that** loves Tom.）

(A) I met the girl ← loves Tom .
　　　　　　修飾

(B) I met the girl loves Tom .
　　　文　　　　　　　　文

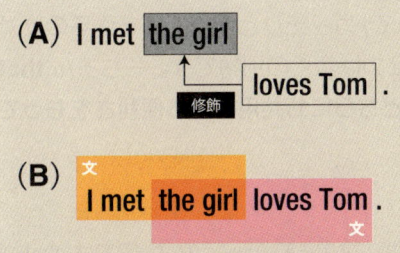

不思議ですか？　でもね，これは当然そうなんですよ。(2)のような文は単に「理解できない」からです。(2)の文は図 **A** の形を目指しているのですが，the girl と loves を続けてしまうと，図 **B** のように2つの文が重なっているように見えてしまうのです——これでは意味が全くわかりません。

だからね，「ここからは修飾だよ」を示すためにどうしても wh 語（あるいは that）が必要になるというわけ。

B that を使うケース

ⓐ The woman **that lives next door** is an English teacher.
ⓑ The car **that I want to get** is eco-friendly.

　　wh修飾の who, which を使うケースで，**that を用いることもできます**。日常会話では who, which よりも気軽に多用されるこの that。いったい何者なのでしょうか。

　　あはは。この that は**フツーの that** です。いつもの「なめらかに・正確に導く that」。wh修飾の基礎は穴埋め関係。that はそこに「導く」ニュアンスを加えているにすぎません。

the woman と言ってから「どういう女性かっていうとね…」，the car と言ってから「どういう車かっていうとね」と，なめらかに・正確に修飾文に導く気持ちと配慮。それがこの that なんです。

The woman that ▆ lives next door ...

PART 2 - CHAPTER 9：WH修飾　SECTION 3：wh語を使わないケース・thatを使うケースなど

　who, which は人・モノの指定によって, ガッチリと修飾関係を作るのに対し, that はゆるやかに導くだけ。この2つは全くの別物です。もちろん **that** には, 人・モノの指定はありません。どちらにも共用できる便利さをもっているのです。

> ■人＋モノ
> 　修飾のターゲットに, 人とモノが両方含まれているようなケースでは, that が唯一の選択肢となります。who でも which でもうまくいきませんからね。
> (1) I've seen a lot of people and things **that** I don't want to see again!
> 　（もう2度と見たくもない人やモノをたくさん見てきたよ！）
> もちろん that を省略してもかまいませんよ。

ⓒ Man is the only animal **that blushes**.
　（人間は顔を赤らめる唯一の動物だ）

ⓓ The simplest emotion **that we discover in the human mind** is curiosity.
　（人間精神の中に我々が見いだす最も単純な感情は好奇心である）

ⓔ This is everything **that I own**.
　（これが僕のもってる全部）

ⓕ Don't believe all the stuff **that you read in the papers**.
　（君が新聞で読んだことすべてを頭から信じてはいけないよ）

---

　that には, who や which に優先して使われるケースがあります。ターゲットが「唯一」の意味を含む, the only, the first/last, 最上級である場合（ⓒ・ⓓ）, all, any, every, no が付く,「全・無」を意味する場合（ⓔ・ⓕ）にはふつう that が選ばれます。

> ● 選びとる wh語・つなげるだけの that　**ULTRA ADVANCED**
> 　さてちょっと不思議に思いましたか？　どうして上のターゲットでは that が優先されるのでしょう。それはね,「選んでいない」から。
> 　wh語は誰（何）を示しているのか, ピンポイントでつまみ上げる・選びとる表現でしたね？　the woman **who** lives next door で, who はいろいろいる女性から1人をつまみ上げる意識で使われるのでした（☞P.417）。

426

さあ、もうわかったはず。上はすべて、**選ぶ必要のない表現**なのです。the only と言えば「1つ」だけ。いろいろあるうちから選ぶ必要はそもそもない。だから「選びとる」wh語は不自然に感じられ、単になめらかにつなげる that が使われるのです。ほかの表現も同じ。最上級も「1人（1つ）」だけ。everything, all the stuff は「全部」。そのうちの何かを選びとる必要は——やっぱり——ありませんよね。

実は that が好まれるのは、これまで述べたケースだけではありません。

(1) A team **that** doesn't have a good coach has no chance of success.
（いいコーチのいないチームに成功の見込みはないな）

ここで which はやや不自然です。a team が「チームというもの」——つまりチーム一般——を指しているからです。あるチームを「選びとっている」わけではない、だから that が自然な選択となるのです。

もちろん初心者の方は、that にするか which にするかを深刻に考えすぎないこと。この区別は絶対の規則ではなく「どちらが自然に響くか」の問題だからです。間違っても意味は伝わります。それにね、**迷ったときには常に that を使っておけばいいん**ですよ。イチオシです。これ。

● 使用頻度と that の勧め

さて、ここまでみなさんは who, which を使う wh修飾に「wh語を使わない」「that を使う」を加え、次の形を手に入れました。

(1) This is the girl Dave is going out with.
（この子がデーブの付き合ってる女の子）
(2) This is the girl **that** Dave is going out with.
(3) This is the girl **who** Dave is going out with.

(1)→(2)→(3)の順に、修飾関係がガッチリ感を加えます。そして使用頻度もこの順番です。(1)と(2)が支配的で who の出番はそれほど多くはないと考えていいでしょう。

さて、問題は which。

(4) The dress she was wearing didn't suit her at all.
（彼女が着ている服は全然彼女に似合っていなかった）
(5) The dress **that** she was wearing didn't suit her at all.
(6) The dress **which** she was wearing didn't suit her at all.

実は、SECTION 2 でみなさんが学んだ(6)の文を積極的に使うネイティブは、ごくわずかになってきています（せっかく学んだのにゴメンね）。ネイティブの多くは「間違ってはないと思うけど、僕は使わないよ」。which よりも**さらに圧倒的に(4)と(5)が好まれている**のです。ムリして which を使う必要はありま

せん！ that を常に使っておけばセーフだと考えていただきたいのです。

ただ，次のように注釈を加える「カンマ付 wh修飾（☞P.435）」の場合, that は使えません。who, which の独壇場になりますから注意してくださいね。

(7) Jim**, who speaks French,** works as a tourist guide.
（ジムはフランス語を話すんだけど，旅行ガイドをやっています）

(8) We stayed at the Grand Hotel**, which some friends recommended to us**.
（グランドホテルに泊まったんだよ。何人かの友達が僕たちに勧めてくれたとこ）

SECTION 4 where, when, why の wh 修飾

▶ wh修飾は，who と which に限るわけではありません。みなさんよくご存じの，ほかの wh 語——where, when, why——も，同様の修飾関係を作ります。

A 「場所」の where

ⓐ **This is the park where I go jogging every morning.**
（これが僕が毎朝ジョギングに行く公園だよ）

ⓑ **Kochi is the city where Sakamoto Ryoma was born.**
（高知は坂本龍馬が生まれた街だ）

ⓒ **I'd like to live in a city where there is a great nightlife.**
（夜遊びが楽しい街に住みたいなぁ）

where は「場所」を示す wh 語。
I met Mary there [at the bus stop / on the street / in the office / in London] ... （僕はメアリーにそこで［バス停で／道で／オフィスで／ロンドンで］会った…）

where が指定するのは，こうした**場所を示す修飾語句**です。後続文では場所を示す修飾語句が穴になっていることがわかれば，あとは who, which と同じ要領。ターゲットと穴を組み合わせるだけ。

the park **where** | I go jogging ■ every morning |.
（場所を示す修飾語）

ⓐは the park と I go jogging every morning が組み合わされ，「僕が毎朝ジョギングに行く公園」となります。いいですか。この穴は修飾語句。I go jogging in the park. のように，the park を修飾語句として意識するのが肝心なんですよ。

9 ▼ WH修飾

■ case, situation など

where がターゲットとしてとるのは、office, city など、純粋な「場所」だけではありません。case（場合）, situation（状況）, circumstance（状況）など、「場所」と考えることができるものにも使ってくださいね。

(1) I found myself in **a situation** where I just had to lie.
（自分が嘘をつかなくてはならない状況にいることに気がついた）

■ which を使って場所を示す

where だけでなく、which を使って場所を示すこともできますよ。

(1) This is the hospital **where** I was born. （これが僕が生まれた病院）
(2) This is the hospital **in which** I was born.

突然前置詞が出てきましたが、理由はわかりますね？ which はモノ（名詞）を受ける wh 語。後続文で修飾語として使いたければ in the hospital と、前置詞 in が必要となるのです。ちなみに——もちろん——ネイティブのファーストチョイスは(1)です。(2)はフォーマルな感触や正確を期す言い方となります。where でカンタンにつなげばいいってことだよ。

ⓑ 「時間」の when

ⓐ Can you pinpoint **the moment** **when you fell in love with her**?
（君が彼女に恋した瞬間を正確に言える？）

ⓑ **The exact time** **when the murder was committed** is still unknown.
（その殺人が行われた正確な時間はまだ不明だ）

ⓒ **The Christmas** **when the whole family got together** remains one of my fondest memories.
（家族全員が集まったクリスマスは、今でも私の最もいい思い出の1つだ）

when は「時」を示す wh 語。次のような、**時を示す修飾語句を指定**します。

I ran into her **just now** [**yesterday** / **at 3:00** / **last night** / **a couple of years ago**].
（僕は彼女にたった今［昨日／３時に／昨晩／２年前］バッタリ会った）

さあ，それではさっそくターゲットと穴を組み合わせてみましょう。

The exact time **when** the murder was committed ■
（時を示す修飾語）

「その殺人が行われた正確な時間」。やはり，the exact time を修飾語句として理解してくださいね。

（ターゲットを修飾語句として理解するのよ。いーい？　いてて。）

ⓒ 「理由」の why

ⓐ **The reason why I'm calling you** is to ask you a favor.
（僕が君に電話してるのは，ちょっと頼みごとがあるからなんだよ）

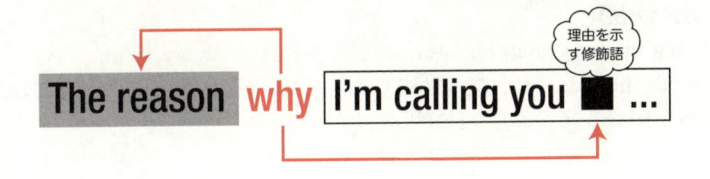

The reason **why** I'm calling you ■ ...
（理由を示す修飾語）

why は「理由」。理由をあらわす修飾語句として the reason を意識し，組み合わせます。「僕が君に電話してる理由」，となります。reason why ... は，セットフレーズとして頭に入れてください。瞬時にこの形が作れます。

PART 2 - CHAPTER 9：WH修飾　SECTION 4：where, when, whyの wh修飾

●wh語なしで修飾のできる表現

すでに決まり文句になっており，修飾にわざわざ where, when など wh語を使う必要がない単語がいくつかあります。すぐに頭に入れること。全部だよ。

A. day, year, time（日，年，時）

(1) I still remember **the day** (that) you were born.
（君が生まれた日のことをまだ覚えているよ）

(2) The last **time** (that) I saw her, she looked fine.
（最後に彼女を見たときは，元気そうだったよ）

「時」の印象が強烈な単語です。when がなくとも，十分伝わります。軽く that で文を導いてもいいでしょう。

B. everywhere など -where 付の単語（どこでも，など）

(1) She followed me **everywhere**（that）I went.
（彼女は僕が行くところ，どこでもついてきた）

ターゲットにすでに where がありますから，everywhere where I went なんて重ねない。

C. reason（理由）

(1) The **reason** (that) the students fall asleep is obvious ——his class is really boring. （学生たちが寝てしまう理由はあきらかだよ——彼の授業，本当につまんないんだ）

reason の後続文は，どう考えても「〜である理由」とならざるをえません。why が付かなくても OK。

D. way（方法）

(1) I hate the **way** (that) he talks.（彼の話し方が嫌い）

the way how ... などとつなげがちですが，それは不可。**how** には **wh修飾の使い方はありません。**そのまま文を続けるだけで大丈夫。

SECTION 5 ハイレベル wh修飾 ADVANCED

▶とうとうここまでたどり着きましたね。ここは上級テクニック。難しいけどがんばれ。ネイティブの英語は易々とこのレベルにあるからです。ネイティブのように英語が話したいのなら、絶対に負けるな。

A 深く埋め込まれた穴

ⓐ This is the video game that most of the kids in my school say is just awesome.
（これ、僕の学校の子たちのほとんどがホントにすごいって言ってるゲーム）

ⓑ The keys which my wife thought I lost were in her bag.
（僕がなくしたと家内が思っていたカギは彼女のバッグにあったんだよ）

ⓒ The people I really wanted to be at my party can't come.
（本当にパーティーにきてほしいと思っていた人たちがこれないんだよ）

すぐに意味がわかりましたか？ wh修飾は、ターゲットと修飾文の穴を組み合わせる修飾。理解のポイントは穴を上手に探すことにあります。ⓐの文は次の位置に穴があいています。

the video game | that | most of the kids in my school say ■ is just awesome

参考 Most of the kids in my school say *the video game* is just awesome.

修飾文は、レポート文（☞P.95）。Most of the kids in my school say の内容文の主語が■。「学校の子たちのほとんどがホントにすごいって言ってるゲーム」。レポート内容の中に■を置く、一見複雑なようですが、ネイティブは会話レベルでこれをやります。実際この例文、小学生がふつうに話す文なんですよ。こんなところでつまずくな。何度も読んで必ずこの文をモノにしてください。

ⓑも同じパターン。今度は目的語の位置に■。

PART 2 - CHAPTER 9：WH修飾　SECTION 5：ハイレベル wh修飾

> The keys　which　my wife thought I lost ■
>
> 参考　My wife thought I lost *the keys*.

　■の位置がわかりにくいもう１つのパターンは，「目的語 + to (☞P.93)」。ⓒの文は，次の位置に■があります。「私が本当にパーティーにきてほしいと思っていた」と the people が組み合わされているのです。

> The people　who　I really wanted ■ to be at my party
>
> 参考　I really wanted *the people* to be at my party.

　いかがでしたか？　ここから学ぶべきレッスンは１つだけ。文のどこに■を置いてもいい，ということですよ。

■穴の「読み方」

　穴を見つけ組み合わせる――この作業にはちょっとだけ習熟が必要です。ネイティブは■の前後をあけて読んだり，ゆっくり読んだりしないから（I really wanted ■ to be ... は，I really wanted to be ... と一気に読まれます）。「want + 目的語 + to ...」という形がしっかりと頭に入っていなければ■があいていることがわからないんですよ。そう，PART １で学んだ文のパターンが何より大切なのです。

■クリスから問題

　じゃ力試し。次の文の意味を考えてみて。穴（■）の位置に注意するんだよ。

(1) The data which I thought was lost had been put in the wrong document.
　レポート内容の主語が■（was の前）となっています。「僕がなくしたと思っていたデータは間違ったドキュメントの中に入ってた」となります。できたかな。それじゃ次は難問。

(2) This is the restaurant that I thought you said all the reviews you had read praised as the best in town.
　レポート内容の目的語（praised の後ろ）が the restaurant と組み合わされる■。「これが，読んだことのあるすべてのレビューで街一番だとほめてると君が言ったように思ったレストランだよ」。「I thought you said + 文」。しかも文の中に「all the reviews you had read ■（君が読んだすべてのレビューが）」と長い wh修飾を含んだ主語がある難問です。これがすぐにわかればネイティブ並！　（わかんなくてもいいよ，単なるなぞなぞだから。はははは。）

SECTION 6 カンマ付 wh 修飾

▶ wh修飾には,もう1つだけポイントがあります。もう少しだけお付き合いくださいね——カンマ付 wh修飾。カンマを付けるその気分がわかれば卒業です。

A カンマ付 wh 修飾は注釈を加える

ⓐ **The woman who designed my apartment** is a Feng Shui expert.
（僕のアパートをデザインした女性は風水の専門家なんだ）

ⓑ **My brother Geoff, who is a chef,** lives in Newcastle.
（兄のジェフはね,シェフをやってるんだけど,ニューキャッスルに住んでるんだよ）

カンマなしのいつものwh修飾（ⓐ）とカンマ付（ⓑ）。どちらもターゲットを説明していますが,気分はまるで違います。わかるかな？

カンマなしの場合話し手は,ターゲットがどういった人やモノを意味しているのかを説明します。ⓐでは,the woman だけではそれが誰なのかが聞き手に伝わらない,だから「僕のアパートをデザインした…」と**説明を加えて対象を絞り込んでいる**のです。

一方カンマ付の場合,修飾語句はターゲットを絞り込むために付けられているわけではありません。ⓑでは my brother Geoff だけで,十分誰のことかはわかりますからね。カンマ付は追加情報。エクストラな**追加情報を盛り込むのに使っている**のです。「兄のジェフ——シェフをやってるんだけど——彼は…」ほら,日本語でもこうした言い方をするでしょう？

My brother Geoff, **who is a chef by the way,** lives in Newcastle.
(兄のジェフはね，ところで彼はシェフをやってるんだけど，ニューキャッスルに住んでるんだよ)

カンマ付 wh 修飾は，「by the way（ところで）」が付け加えられることもよくあります。話の本筋から離れてエクストラな情報をねじ込む，その気持ちがよく伝わりますね。

●注釈をねじ込む

この形に使われるカンマ（,）には大きな意味があります。英語では文の本筋から離れた付加情報を加えるとき，「ねじ込まれた」ことを示すカンマでくくるのです（同格 ☞P.651）。

(1) Barbara Chang, **the hotel manager,** greeted us personally.
(バーバラ・チャン，ホテルマネージャーなのだが，直々に私たちに挨拶にきた)
(2) Alan Goldsmith, **the CEO of our company,** is retiring next year.
(アラン・ゴールドスミス，我が社の CEO，は来年定年です)

カンマ付 wh 修飾と全く同じキモチであることに注意してくださいね。**注釈を加える気分，それがカンマ付 wh 修飾**。いいね？　ちなみに，カンマ付 wh 修飾は，ねじ込んでいることがよくわかるように，**「, ... ,」の前後をあけて発音**されます。

B カンマ付 wh 修飾の実践　ADVANCED

ⓐ Jim, **who speaks French,** works as a tourist guide.
(ジムは，フランス語話すんだけど，旅行ガイドをやっています)

ⓑ We stayed at the Grand Hotel, **which some friends recommended to us.**
(グランドホテルに泊まったんだよ。何人かの友達が僕たちに勧めてくれたとこ)

ⓒ Amy, **whose date had just stood her up,** was in a foul mood.
(エイミィは，カレに待ちぼうけ喰わされたんだけどさ，ヤバイ雰囲気だった)

ⓓ I'm going to spend two weeks in New York, **where my daughter lives.**
(ニューヨーク，娘が住んでるんだけど，私はそこに2週間滞在する予定だよ)

みなさんが学んだ wh 語のほとんどは，この形で使うことができます。作り方はカンタン。**注釈を加えたいターゲットを wh 語で受け，穴あき修飾文と組み合わせる**。カンマなしと全く同じ作り方。「ジム，この人はフランス語話すんだけど」「グランドホテルに泊まったんだよ。そこはね，何人かの友達が勧めてくれたとこ」と, wh 語でターゲットをしっかり受ける感触があります。「しっかり受けてから注釈を加える」という意識を大切にしてくださいね。

●「wh 語を使わない」「that を使う」は不可

カンマ付 wh 修飾では，必ず wh 語を使ってください。wh 語を使わなかったり, that でつなげることはできません。

(1) × We stayed at the Grand Hotel, Ann recommended to us.
(2) × We stayed at the Grand Hotel, that Ann recommended to us.

wh 語を抜かすことができないのは，カンマで一度文が途切れているから。途切れているだけに，wh 語で強力にターゲットを受けておかないと修飾関係が維持できないのです。that が使えないのは当然のこと。that は「なめらかに・正確に導く」だけの機能です。ターゲットをしっかり受けることができないからですよ。

ⓔ The students gave an excuse for missing class, **the truth of which was dubious,** to say the least!
（学生たちは授業をフケた言い訳をしてたけど，その真偽は疑わしかったな。どんなに控えめに言っても！）

ⓕ **This watch, for which I paid 200 dollars,** is a fake!
（この時計，僕 200 ドル払ったんだけど，偽物だったんだよ！）

ⓖ I bought 2 kilos of apples, **half of which were rotten**!
（リンゴを 2 キロ買ったんだけど，その半分は腐ってたんだよ！）

ⓗ We looked at 2 apartments, **both of which were excellent**.
（2 件アパート見たんだけど，両方ともすごくよかった）

カンマなしでいまひとつ人気のなかった which。カンマ付ではバンバン使

われます。**ターゲットをしっかり which で受けることが肝心**ですよ。

ⓔは the truth of an excuse を意識しながら, the truth of which と受ける。ⓕは for this watch を意識しながら for which。それさえできれば,あとはカンマなしと全く同じ。しっかり音読して慣れてくださいね！

> ⓘ She was adventurous, which he was not.
> （彼女は大胆，でも彼はそうではなかった）
>
> ⓙ I had to play the piano in front of the whole school, which was really nerve-wracking.
> （全校生徒の前でピアノを演奏するはめになった，それはホントドキドキだったよ）
>
> ⓚ If he ever went out on the town, which didn't happen very often, he usually came home drunk.
> （街に出ることがありさえすれば，それはそんなによくあることじゃなかったけど，彼は酔っぱらって家に帰るのがふつうだった）

ここまでスラスラ出てくるようになると相当な英語力。which は**先行する表現や文内容全体も受ける**ことができます。ⓘは adventurous という表現を受けています。そして「彼はそうではなかった」。ⓙは文全体。「全校生徒の前で…」を受けて「それはホントドキドキだった」。大変便利なのでぜひともマスターしておくこと。

PART 3
自由な要素
FREE ELEMENTS

CHAPTER 10：動詞 -ING形
CHAPTER 11：TO 不定詞
CHAPTER 12：過去分詞形
CHAPTER 13：節

■ PART 3の内容

「PART 1：英語文の骨格」，「PART 2：修飾」をマスターしたみなさんは，すでに英語ということばの成り立ちを十分理解しています。

英語は「配置のことば」——配置が意味を決めることばです。そして，その基本的な配置はすべて理解していただきました。

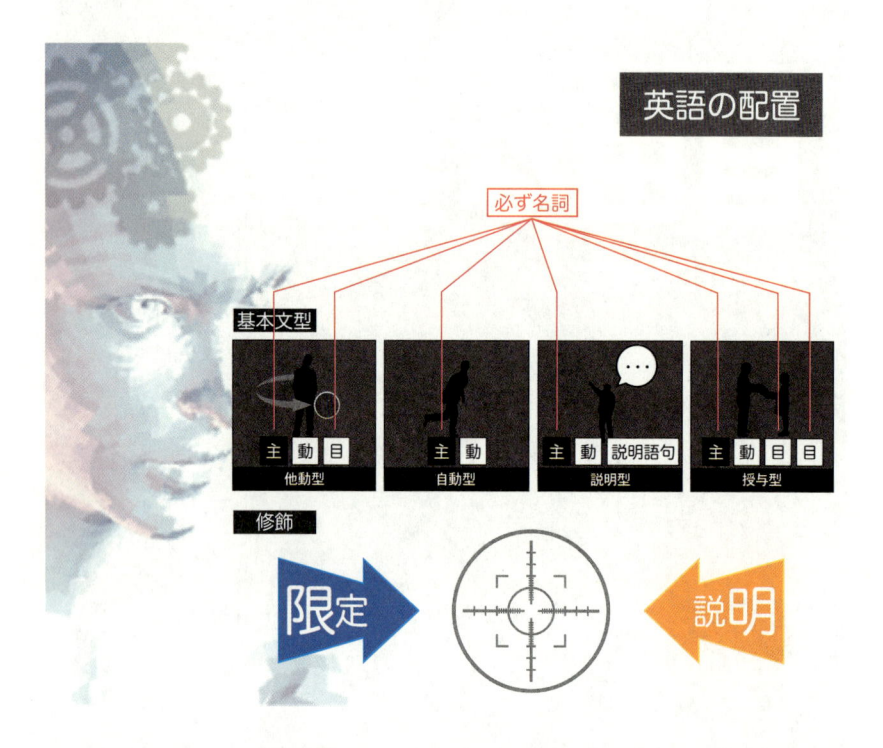

英語の配置

必ず名詞

基本文型

主 動 目	主 動	主 動 説明語句	主 動 目 目
他動型	自動型	説明型	授与型

修飾

限定　　　　　説明

英語文の基本的な配置は，主語・目的語（名詞）と動詞によって決められています。これが基本文型。そして各部の修飾は「前から限定（限定ルール）」「後ろから説明（説明ルール）」によって配置されます——これが英語ということばの絶対の基礎。　PART 3ではこの基礎をマスターしたみなさんが，さらに自由に複雑な文を作るためのトレーニングをほどこしましょう。

■ 自由な要素：動詞 -ing形・to 不定詞・過去分詞形・節

PART 3のターゲットは，動詞 -ing形・to 不定詞・過去分詞形・節。これらのフレーズは，**まとまったパッケージとして文の中でさまざまな機能を果たします。**

ⓐ **Running in the park** is fun.
（公園で走ることは楽しい）

ⓑ I like **running in the park**.
（公園で走ることが好きです）

ⓒ The boy **running in the park** is Ken.
（公園で走っている少年はケンです）

　訳に注意しましょう（こなれた日本語でなくてごめんなさい）。-ing形を中心としたパッケージ running in the park は，ⓐ・ⓑでは「公園で走ること」という名詞として，ⓒでは「公園で走っている少年」と the boy の修飾語として機能しています。どうしてこんなことが起こるのでしょう。もうみなさんならわかるはず。──英語が配置のことばだからです。

　-ing形のイメージは「躍動感のある行為（〜している）」，ただ1つだけ。running in the park は「公園で走っている」躍動的な情景が思い起こされています。このフレーズが，あるときには名詞として，またあるときには修飾語として使われるのは，文の中の配置によっているのです──名詞の位置なら名詞として使える，修飾語の位置なら修飾語として使える，ただそれだけのことです。ⓐは主語，ⓑは目的語。典型的な名詞の場所ですね。だから「公園で走ること」と生き生きとした情景が名詞として機能しています。ⓒではターゲット the boy の後ろに配置されています。だから「公園で走っている（少年）」と the boy の様子を説明する修飾語として働いているのです。-ing形は自由な要素。文のどこに配置するかによってさまざま

な機能をもたせることができるのですよ。

　to 不定詞や節も同じように自由な要素(過去分詞形は修飾にのみ用いられます)。みなさんはこれからの各章で,これら自由な要素を文のさまざまな位置に配置し,自由に使いこなす技術をマスターしていくことになります。そしてそれはみなさんにとって,赤子の手をひねるよりも簡単なこと。なぜならみなさんには,すでに英語文の基本的な配置――どこに名詞がくるのか,どこに修飾語がくるのか――を身につけているからです。

　この PART 3を終えたみなさんの英語は,「私はメアリーがとても好きです」をはるかに超えた複雑で繊細な文を生み出せるようになります。
　さあ,がんばっていきましょう。

CHAPTER 10

動詞-ING形

-ING FORM

動詞 -ing形は，文内のさまざまな場所で使えるパッケージ表現。トップバッターは動詞 -ing形です。文内での位置に注意しながら読み進めてくださいね。

PART 3 - CHAPTER 10：動詞 -ING形

■ 動詞 -ing形はパッケージ表現

動詞 -ing形（☞P.63）は常に**「生き生きとした躍動感」**をあらわします。進行形（☞P.558）でおなじみの形ですね。

ⓐ Look! Sarah is **biting her nails again**.
— Yeah, she always **bites her nails**.
（見ろよ！　サラ，また爪噛んでるぜ
——うん，彼女いつも爪を噛むんだよ）

現在形の「（習慣的に）〜します」に対して，現在進行形 is biting は「噛んでいるよ」と生き生きとした状況を描写する文となっています。

この章では，-ing形を文中のさまざまな位置に置き，自由に使いこなす技術を学んでいただきましょう。マスターする主な位置は次のとおり。

① 主語
② 目的語
③ 修飾として

主語と目的語は名詞の位置です。この位置に置かれた -ing は，常に名詞として「〜すること」といった日本語に相当する意味合いとなります。また，-ing は名詞，動詞句，文などさまざまなターゲットを修飾することができます。このテクニックも合わせ学んでいきましょう。

ただ1つだけ注意事項。どの使い方でも -ing は常に「生き生きとした躍動感」をあらわします。そう，位置にこだわらず「-ing は -ing」なのです。「〜すること」などの訳語に惑わされず，繊細なニュアンス・語感をつかんでくださいね。

SECTION 1 名詞位置での動詞-ing形

▶動詞 -ing形（-ing）は名詞位置に使えば名詞。気楽に名詞として使ってください。代表的なのは主語・目的語として。もちろん名詞として使われても -ing のイメージ「生き生き躍動感」は変わりませんよ。

A 主語として

ⓐ **Making new friends** is not so easy.
（新しい友達を作ることはそれほど簡単ではありません）

ⓑ **Talking in the library** is prohibited.
（図書館で話をするのは禁止だよ）

（吹き出し：Talking in the library is...）

-ing は主語として使うことができます。「～することは」。-ing のニュアンスは，文のどこにあっても同じ──生き生きとした躍動感。そこにはリアリティがあります。ⓑの文は実際に誰かが横でぺちゃぺちゃ話しているような状況がピッタリです。to 不定詞との，ニュアンスの違いも確かめておきましょう（☞P.455）。

■ -ing の意味上の主語

-ing に意味上の主語を加えたいなら，所有格を使ってください。

(1) **Crying** is natural. （泣くのは自然なことだよ）
(2) **My baby's** constant **crying** is pretty stressful.
（自分の赤ちゃんがずっと泣いてるのはかなりストレスだよ）

ほら，crying の意味上の主語が**所有格**で示されています。所有格の後ろは名詞（constant crying）。-ing が名詞として扱われていることがわかりますね。

B 目的語として

ⓐ I like **playing video games with my buddies**.
（友達とテレビゲームするのが好き）

ⓑ Stop **picking your nose!** （鼻をほじるのやめたら！）

10 ▼ 動詞 -ING 形

動詞の目的語にも使える -ing。もちろん名詞の場所ですから「〜することが（好き）」となりますね。ⓐは自分がテレビゲームをやって楽しんでいる様子をリアルに想像しながら，ⓑは実際ホジホジしている人に。リアリティあふれる表現ですよ。

■ go / come ＋ -ing

go fishing, skiing, hiking（魚釣り，スキー，ハイキングに行く）など，「〜しに行く・しにくる」をあらわす慣用表現です。

Ⓒ 前置詞の目的語として

ⓐ My kid sister is great at **dancing hip-hop**.
（僕の妹はヒップホップ踊るのがすごく上手だ）

ⓑ I'm proud of **being bicultural**.
（２つの文化を受け継いでいることを誇りに思っている）

ⓒ I got the booby prize for **coming last in my club's golf tournament**. （クラブのゴルフ大会で最下位になってブービー賞をもらったよ）

前置詞の目的語も名詞の位置。当然, -ing を使うことができます。He is great at math.（彼は数学が得意）と全く同じ要領で, at dancing hip-hop と使ってください。

■ 前置詞の目的語に to 不定詞は不可

この位置には to 不定詞が使えないことにも注意しておきましょう。
(1) × He is great at **to play golf**.
to 不定詞の to と前置詞の to は同じモノ。どちらも「方向」の位置関係をあらわします。前置詞を２つ重ねて使うことができないのと同じ理由で, to 不定詞を前置詞と重ねて使うことはできないのです。

SECTION 2 修飾位置での動詞 -ing 形

▶ここでは -ing を修飾語として使いましょう。さまざまな要素をターゲットにとることができますよ。もちろん「生き生き躍動感」は変わりません。

Ⓐ 説明型の -ing形（進行形）

ⓐ **My brother** is **acting like an idiot** —— as usual!
（僕の兄はバカみたいなことしてる——いつもどおりに！）

ⓑ **Lucy** is **putting on her make-up**.
（ルーシーは化粧してます）

putting...

　-ing を説明型（be動詞など）で使ってみましょう。-ing の「生き生きとした躍動感」が主語を説明しています——「〜している」。
　この形は「進行形」とよばれていますが，単に -ing が修飾語として使われている形です。

▼動詞 -ING 形　10

■「be + -ing」はいつも「〜している」ではない

　「be + -ing」を見たらすぐに「〜している」に飛びつく人がいますが，ちょっと待ってください。My hobby is **collecting antique watches**. という文は「僕の趣味君がアンティーク時計を集めまくっている」ではありません。「私の趣味は**アンティーク時計を集めること**」。
　説明型では説明語句として名詞が使われることがありましたね（例：He is Ken.）。それと同じ。collecting が「集めること」と名詞として使われているのです。また，The book is interesting. はどうでしょう。interesting は「興味深いということ」。-ing の中にはほぼ形容詞として感じられているものも数多くありました（☞P.242）。「be + -ing」だからといってすぐに「〜している」に飛びつかない。いいね！

447

Ⓑ 名詞句の説明

> ⓐ **The man** scolding those 2 boys is the headmaster.
> （あの２人の男の子を怒ってる男の人は校長先生だよ）
>
> ⓑ **The woman** driving the bus is my sister-in-law.
> （バスを運転している女の人は義理の姉です）

　-ing を名詞句の後ろに置けば、もちろんその説明。the man を「男の子を叱ってる、ね」と説明しています。名詞に「何をしているのか」説明を加えたいなら、後ろに -ing。カンタンですね。

Ⓒ 目的語説明

> ⓐ Sorry to keep **you** waiting.
> （待たせてゴメンね）
>
> ⓑ His jokes had **the entire audience** rolling in the aisles.
> （彼のジョークは観客全員を通路に転げ回らせた）
>
> ⓒ I saw **your girlfriend** getting into a taxi with a tall, good-looking guy!
> （君のガールフレンドが、背の高いカッコイイ男とタクシーに乗るところを見たよ！）

　-ing を目的語の後ろに置けば——当然——その説明となります。もう慣れてきましたね。それが -ing の自由なのです。
　ⓐの文は「あなたを保つ」ということ。you をどんな状態に保つのかを、waiting（待っている）と説明しているのです。ⓑの had（have）は「もつ」。「観客が大笑いで転げ回る」という状態をもった、ということですね。知覚をあらわす動詞とのコンビネーションもポピュラーな形。気軽にポンポン並べていけば説明になる。それが英語の自由さなのです。

● -ing を前から使う

今まで -ing を後ろに置いて説明する例を眺めてきましたが、もちろん -ing が前から修飾する場合もあります。もちろんその場合、種類限定。「限定したければ前から」――限定ルールですね。

(1) the **working** class （労働者階級）
(2) **English-speaking** countries （英語を話す国々）

working class は「ミドルクラスじゃなく労働階級」と class の種類を限定しています。English-speaking countries も「英語を話す国々」と，countries の種類を限定しています。「種類限定」とはいっても、そこは -ing。無味乾燥に「英語を話す国」と分類しているのではありません。がちゃがちゃ話している様子が感じられる表現になっているのでしたね（☞ P.242）。

さて、それでは問題。次の文の意味を考えてくださいね。

(3) A **barking** dog seldom bites.

前から barking。もちろん Look at the dog **barking**.（あの吠えてる犬を見てごらん）のように後ろから犬の状況を説明しているわけではありません。「吠える（タイプの）犬は、滅多に噛まない」です。前置きはやはり限定の意味合いです。もちろん単に「そうしたタイプの犬」と平板に限定しているわけではありません。「わんわん吠えている犬」がほんのりと想像されています。

D 動詞句の説明

ⓐ The player **fell to the ground clutching his ankle**.
（その選手は足首をかかえて地面に倒れ込んだ）

ⓑ I've **spent all morning cleaning up after the party**.
（パーティーの後片づけをしながら午前中を過ごした）

ⓒ I **was busy sweeping up the fallen leaves**.
（落ち葉を掃除して忙しかった）

-ing 修飾の自由。そろそろつかめてきましたね。後ろに置けばどんな要素にも説明を加えることができます。ここでは動詞句。ⓐは倒れ込んだ様子を「足首をかかえながらだよ」と説明しています。自由に置け！

📘 文の説明

ⓐ **He broke his collarbone** playing rugby on Saturday morning.
（土曜の朝ラグビーをやっているときに，彼は鎖骨を骨折した）

ⓑ **A huge hurricane hit the city**, causing untold destruction.
（巨大なハリケーンが街を襲い，そして莫大な破壊をもたらした）

ⓒ **She left a note on the door**, finding nobody home.
（誰も家にいなかったので彼女はドアのところに置き手紙をした）

　-ing は自由。文を修飾することもできます。文修飾の -ing は従来「分詞構文」とよばれてきましたが，特別なことは何もありません。文で示したできごとに，-ing で説明を加えているだけ。ⓐは「彼は鎖骨を骨折した」を「土曜の朝ラグビーをやっているときね」と説明していますね。

　-ing がどういった説明を与えるかについては，多少のバリエーションがあります。もちろん -ing ですから，基本は同時性。ある状況と同時に -ing で示されたできごとが起こっているということ。そこから上の例のように「土曜の朝ラグビーをやっているとき」「そして莫大な被害をもたらした」「誰もいなかったので」などの意味合いが類推されます。

　ただし，話し手は「〜のとき・〜だから」なんて**意味関係をクッキリと意識しているわけではありません**。生き生きと同時進行するできごとを加えて，その状況にどんな付随的なできごとが起こっているのかを説明しているだけ。ターゲット文と -ing の関係は「常識でわかるだろ」ということ。みなさんも「いい加減に」-ing形を加えればいいだけのことなんですよ。

■ 接続詞の付加　ADVANCED

ターゲット文と -ing の関連を「支える」ために，ネイティブはしばしば接続詞を加えます。

(1) We met some wonderful people **while** holidaying in France.
（フランスでホリデーを楽しんでいるあいだ，私たちはすばらしい人々に会った）

これでハッキリクッキリ while（～のあいだ）ということがわかりますね。while we were holidaying in France. と冗長に述べるより，はるかにコンパクトな勢いのある形です。

● -ing の位置を変えるテクニック　ADVANCED

次の文を見てみましょう。

(1) **Pushing open the front door**, I was shocked to see a body lying on the floor. （玄関のドアを開けたそのとき，床に転がっている死体を見てショックを受けた）

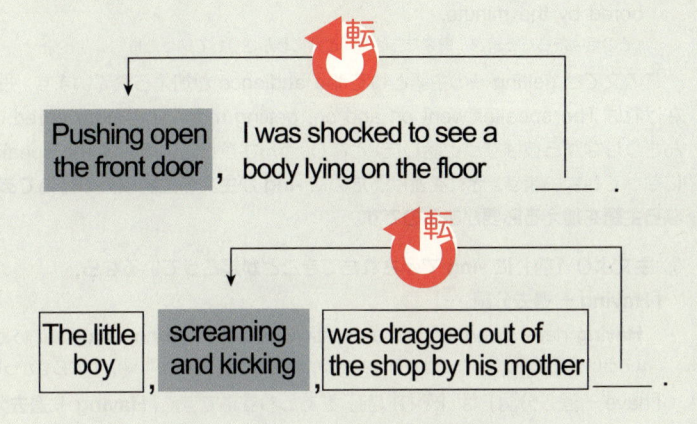

| Pushing open the front door | , | I was shocked to see a body lying on the floor | . |

| The little boy | , | screaming and kicking | , | was dragged out of the shop by his mother | . |

(2) The little boy, **screaming and kicking**, was dragged out of the shop by his mother. （その男の子は，叫んだりじたばたしながら，母親に店の外へ引きずり出されていった）

これらの文では，本来の文末の位置から -ing が移動されています。

ここで思い出していただきたいのが**配置転換ルール**（☞P.32）です。「配置が動かされるときには，感情・意図がある」のでしたね。

(1)の文頭は，大変ドラマチックな印象を与えます。ほら，pushing open the front door, と躍動感あふれる形から文が始まると，臨場感と共に「ドアを開けたときに何が起こったのだろう？」と読み手はその後の展開に興味をそそられますよね。文に物語的な抑揚を与えるためのテクニックなんですよ。この**テクニックは書き言葉で主に使われます**。話し言葉は，単純に When I opened the front door, ... などと使っても，声の抑揚で十分臨場感を出すことができますからね。

(2)は -ing が文末から，the little boy の後ろへ。こんな割り込みは日本語でもよく使

いますよね。「叫んだりじたばたしながら，その男の子は母親に店の外へ引きずり出されていった」→「その男の子は，叫んだりじたばたしながら，母親に店の外へ引きずり出されていった」。-ing を定位置の文末に置くと，男の子の描写という感じが薄れるので，男の子の直後に移している——そうした文体上の意図で移動されているというわけです。

■ 文修飾 -ing のとるその他の形　ULTRA ADVANCED

　文修飾の -ing には，時折使われるテクニックがあります。ただ，こうした形はほぼ書き言葉。よほどどっぷり英語環境にいなければ使う機会はありません。上級の方はマスターしましょう。それ以外の方は，「見ればわかる」程度で十分ですよ。

① **-ing が主文の主語以外の行為であるなら -ing に主語を加える**

　　The speaker went on and on, **the audience** getting more and more bored by the minute.
　　（その話はだらだら続き，聴衆たちは時間と共にうんざりしていった）

　この文では getting 〜の主語として the audience が加えられています。もしなければ The speaker went on and on, getting more and more bored.（うんざりしながら彼はずっと話した）となり，うんざりしているのは the speaker になってしまいます。それを避けるために **-ing が主文の主語以外の行為であるなら主語を加える**必要があるのです。

② **主文より「前」に -ing で示されたできごとが起こっているなら，「Having ＋ 過去分詞 …」**

　　Having never been in such a situation before, I had no idea what to do.
　　（そういった状況になったことがそれまでなかったので，何をしていいのかわからなかった）

　「have ＋ 過去分詞」は「それ以前」をあらわす形です。「**Having ＋ 過去分詞**」と，-ing の形にすれば，主文より以前に -ing のできごとが起こったことを示すことができます。

CHAPTER 11

TO 不定詞

TO-INFINITIVES

to 不定詞は「to ＋動詞原形」で使われるパッケージ表現。文のさまざまなところに自由に使うことができます。to のもつ「指し示す」というイメージはどんな意味をもたらすのか。楽しみながら読み進めてくださいね。

■ to 不定詞

to不定詞

　to 不定詞は「to ＋動詞原形」を中心とした，ひとまとまりのフレーズ。to には，前置詞の to とまるで同じ「指し示す」が常にイメージされています。

　この章では，to 不定詞を文中のさまざまな位置に置き，自由に使いこなす技術をつかんでいただきます。次の位置で to 不定詞を使いこなすことができたなら，この章は卒業です。

① 主語
② 目的語
③ 修飾として
④ it などと共に

　動詞 -ing形と同じように，主語・目的語の位置に置かれた to 不定詞は常に名詞として働きます。日本語では「～すること」など，-ing形と同じ訳になることが多いのですが，醸し出されるニュアンスは大きく異なります。また, to 不定詞は―― -ing形同様――名詞, 動詞句などさまざまなターゲットを修飾することができます。
　to の「指し示す」イメージは，前後の文脈によってさまざまなニュアンスをもたらします。to のニュアンスを正しく解釈するテクニックも合わせて学んでいきましょう。

SECTION 1　名詞位置での to 不定詞

▶ to 不定詞は名詞の位置に使えば名詞として使うことができます。主語・目的語の位置にあらわれる使い方。to のイメージ「指し示す」に注意しましょう。

A 主語として

ⓐ **To make new friends** is not so easy.
（新しい友達を作ることはそれほど簡単ではありません）

ⓑ **To talk in the library** is prohibited.
（図書館で話をするのは禁止です）

　　to 不定詞を主語として使ってみましょう。「〜することは」。-ing と訳は変わりませんが，そのニュアンスは大きく異なります。**主語に置かれた to 不定詞の持ち味は「一般的な内容」**。「こーゆーことは」と，漠然とそういった種類の行為を指し示します。
　　ⓐは「新しい友達を作るということは簡単ではないのです」という一般論。教育評論家がテレビで一般論を論じているような感じ。もしこれを making new friends とすると，途端に文にリアリティが生まれます。転校で苦労している娘に「新しい友達を作るのはね」など，実際に起こっている感触が伴ってくるのです。
　　ⓑの文に注目しましょう。この文には，規則（ルール）を述べている感触があります。これも主語に置かれた to 不定詞特有の語感です。規則は具体的なできごとではなく「〜することは」と一般的な内容について述べるからです。リアリティの -ing ではなく，一般的な内容を述べる to 不定詞が最適なのです。

ⓒ **To sell drugs to minors**, ladies and gentlemen, is not only morally despicable but also a criminal act, and anyone caught doing this should be given the severest of punishments.
（未成年者に麻薬を売ること。みなさん，それは道徳的に許されないのみならず，犯罪行為でもあります。こうした行為により逮捕された者には最も厳しい処罰を下す必要があるのです）

　to 不定詞は文頭に置くとかなり目立つということも覚えておきましょう。この文では to 不定詞の「指し示す」イメージが，大きな内容を大上段に構えて語る感触につながっています。

■ 意味上の主語

to 不定詞では，意味上の主語を for を使って加えることが可能です。
(1) **To drink and drive** is unforgivable.
(2) **For anyone to drink and drive** is unforgivable.
　(2)には「誰にとっても飲酒運転することは」と，to drink の主語の働きをする for anyone が加わっています。
(3) It is difficult **for us to speak English**.（(私たちが) 英語を話すのは難しい）
　後述の「it ＋ to 不定詞」でも，for 〜 で意味上の主語を示すことができます。

● 「これから」のニュアンス

　主語に置かれた to 不定詞は，「これから」のニュアンスをもつこともしばしばあります。

(1) **To sell the house now** would be crazy.
　（今家を売るのはバカげているよ）
(2) **To apologize to her** is not such a bad idea, I think.
　（彼女に謝るっていうのはそれほど悪いアイデアじゃないと思うよ）

　(1)の「今家を売ることは」は，「これから」行う内容ですね。指し示す意識は容易に「(ある行為に) 向かっていく」にも結び付くのです。「一般的内容」か「これから」か——区別は難しくありませんよ。前後関係からどちらの意味かすぐにわかるから。お気軽に使ってくださいね。

B 目的語として

ⓐ I like **to play video games with my buddies**.
（友達とテレビゲームするのが好き）

ⓑ I want **to be a policeman**.
（僕, おまわりさんになりたい）

　名詞が出てくる, もう1つの大切な場所は目的語。この場所に to 不定詞を置けば「～すること」となります。動詞 -ing 形と同じ——ああ, なんて簡単。初心者ならこの理解で十分ですが, 上級者に注意してほしいのはそのニュアンス。

　この位置の to 不定詞は, 動詞の意味によって2とおりのニュアンスをもちます。まずは「一般的な内容」。ⓐの like や love が典型的です。ただ「そーゆーことが好き」という平たい表現です。この漠然とした感触は playing video games ... と置きかえると一目瞭然。この場合「ゲームをやりながら」あるいは「生き生きとゲームをやっている状況を思い起こしながら」と, リアリティあふれる表現になりますからね。

　注意が必要なのは「これから動詞」。want（したい）など,「これから行う」を強く含意する動詞と共に出てくる to 不定詞には「(ある行為に)向かっていく」感触が生まれます。「to 以下の行為に向かっていく」, そんなキモチでⓑの文をとらえてみてください。

●to 不定詞 / -ing, 動詞との相性

to 不定詞と -ing。どちらも動詞の目的語として使うことができますが, 動詞によってはそのどちらかしか使えない場合もあります。動詞と to 不定詞 / -ing の相性を身につけておきましょう。

◆ to 不定詞だけしかとらない動詞（これから動詞）

agree（同意する）, decide（決める）, expect（予期する）, hope（望む）, want（したい）, wish（したい）, promise（約束する）, plan（計画する）, mean（本気でするつもり）, offer（申し出る）, refuse（拒否する）, manage（なんとか～する：努力して～を実現する）など

この動詞グループ，共通点は「これから」。「(これから〜することに)同意する」「(これから〜することを)約束する」と，どの動詞にも「これから」が強く感じられます。「これから」を意味する to 不定詞と相性がいいのはあたりまえですね。

(1) I promised not **to tell a lie**.
　　(嘘をつかないことを約束した)

(2) If you wish **to smoke**, please go to car number 3.
　　(もし喫煙されたいのなら，3号車にお移りください)

◆ -ing だけしかとらない動詞（リアリティ動詞）

admit（認める），deny（否認する），consider（よく考える），imagine（想像する），enjoy（楽しむ），finish（終える），stop（やめる），quit（やめる），give up（諦める），avoid（避ける），mind（いやがる），miss（しそこなう），practice（練習する），suggest（提案する），recommend（薦める）

-ing は躍動感の形——ある具体的な状況が思い浮かべられます。-ing だけしかとらない動詞はどれも強く具体性を要求します。具体的な状況が想定されて初めて「認める」「否認する」「楽しむ」「やめる」「避ける」「いやがる」ことができる，というわけ。「よく考える」「想像する」「提案する」も同じですよ。ある具体的な状況に思い巡らすという行為だからです。

(1) Just stop **calling me**, OK?
　　(私に電話してくるの，やめてくれない？)

(2) Would you mind **opening the window**?
　　(窓を開けていただけますか？)

◆ to 不定詞か -ing かによって意味が異なる動詞

remember（覚えている），forget（忘れる），regret（残念に思う），try（試みる）

to 不定詞と -ing のどちらをとるかによって意味が異なる動詞があります。

(1) Remember **to lock the door when you go out**.
　　(外出するときにはドアを閉めることを忘れるな)

(2) I remember **meeting her at a party**.
　　(彼女にパーティーで会ったことを覚えている)

remember は to 不定詞を伴うと「これから〜することを覚えている（＝忘れない）」、-ing は「〜したことを覚えている」——もう不思議ではありませんね？　そう、to 不定詞の「これから」と「覚えている」が結び付いているのが remember to。-ing はリアリティ。実際に起こったことを覚えているというわけ。

(3) He regrets **breaking up with me**.
　　（彼，私と別れたことを後悔してるの）

(4) I regret **to inform you that your application was rejected**.
　　（残念ながらあなたの申し込みが受け入れられなかったことをお知らせしなければなりません）

　「残念に思う」は，過去に起こったリアルな状況を残念に思う場合と，「これからしなくちゃならないこと」を残念に思う場合があるということです。

(5) Have you tried **pressing both buttons**?　That might work.
　　（両方のボタン押してみた？　うまくいくかもしれないよ）

(6) Have you tried **to press both buttons**?　It's quite difficult to do that.
　　（両方のボタン押してみようとしたことがある？　かなり難しいよ）

　-ing は「実際にやってみた」ことについて言っています。一方 to 不定詞は「やろうとしてみた」。カンタンかんたん。

　それでは最後になぞなぞ。次の文の意味を考えてください。

(7) He stopped to smoke.

　もちろん答えは「タバコを吸うために立ち止まった」。何かを「やめた」なら，後ろは具体的な状況。つまり -ing となるはず。ここから stopped は「やめた」ではなく，単に「ストップした（立ち止まった）」であることがわかるはず。何のために立ち止まったのかを to 不定詞は補って「タバコを吸うために」。簡単すぎましたか？

stopped
to smoke

SECTION 2 修飾位置でのto不定詞①

▶ to 不定詞は修飾位置に置けば修飾語。大変自由な要素です。ここではポピュラーな to 不定詞修飾を集めました。必ず全部使えるようにすること。いいね。

A come / get ＋ to 不定詞

ⓐ He **came** to appreciate his parents.
(彼は両親に感謝するようになった)

ⓑ We **got** to know Tokyo very well.
(私たちは東京をよく知るようになった)

come / get とのコンビネーション。次の文とまるで同じ気持ちで使われています。

ⓒ She **came to** this country last year. (彼女はこの国に去年きた)
ⓓ John **got to** Phoenix at 3:00. (ジョンは３時にフェニックスに着いた)

どこに「きた・到着した」のかを説明しています。それが場所ではなく「両親に感謝する」という状況だという違いだけ。前置詞の to も不定詞の to も意味するところは同じ——それがよくわかる文ですね。

Ⓑ 説明型の to 不定詞

ⓐ **To see** is **to believe**. 【一般的内容】
（見ることは信じること）

ⓑ **Our goal** is **to find a cure for AIDS**. 【これから】
（私たちの目標はエイズの治療法を見つけることです）

ⓒ If **you** are **to get her back**, you need to do more than just apologize. 【意図】
（もし彼女をとり戻すつもりなら，ただ謝る以上のことをする必要があるな）

ⓓ **You** are all **to be here by 7 a.m. sharp**, understood? 【命令】
（諸君は全員午前7時ちょうどにここにくるように。わかったか？）

ⓔ **4 kids from Liverpool** were **to form the most famous rock band in the world**. 【運命】
（リバプール出身の4人の子どもは，世界で最も有名なロックバンドを作ることになるのだった）

ⓕ **The President** is **to visit Japan next week**. 【予定】
（大統領は来週訪日の予定）

　　be 動詞と共に使われる to 不定詞。to 不定詞が主語の説明語句となっています。たくさんの使い方があるからってウンザリしないでくださいね。何も覚えなくてもみなさんには，全部簡単に使いこなせますよ。だって，すべて「指し示す」からの見慣れたバリエーションなんですから。

　ⓐは漠然と一般的な内容を述べています。主語の to 不定詞で説明しましたね。ⓑは「これから」。our goal がありますからね。ⓒも「指し示す」が「〜に向かう」，意図を生み出しています。ⓓも同じ。相手に目標を指し示すところから「命令」。ⓔの「運命」も，ⓕの予定も楽勝ですね。「こっちの方向に進む」から生まれた使い方。ほら，すぐに使える。大切なのは「指し示す」だけなんですよ。

■NISSAN TO LAUNCH A BRAND-NEW CAR
（日産は新車を発売する予定）

新聞の見出しです。be動詞が省略されていることがわかりますか。be動詞がなくても「これから」の意味になっていますね。この形を「be + to 不定詞」という熟語として紹介している文法書もありますが，be動詞はこの形の意味に寄与してはいません（be動詞に積極的な意味はないんでしたよね？）to の「指し示す」がこの形の意味を作りあげているのです。

ⓖ **The flight attendant** seems／appears **to be stressed out**.
（そのフライトアテンダントはストレスで参っているように思える［見える］）

ⓗ **Her prediction** turned out **to be right**.
（彼女の予測は正しいことが判明した）

ⓘ **His plan** proved **to be successful**.
（彼の計画は成功の運びとなった）

ⓙ **We** happened **to be wearing the same dress**!
（私たちは偶然同じドレスを着ていたのよ！）

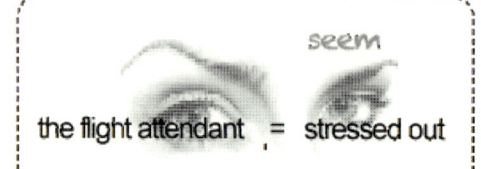

---

be動詞以外の説明型にも to 不定詞を使うことができます。上の動詞「〜のように思える／見える（seem／appear）」「〜だと判明する／わかる（turn out／prove）」「偶然〜となる（happen）」が典型例。「the flight attendant = stressed out に見える」ということ。え？「to はどんなキモチで付いてるの」ですか？　はは。なかなか鋭い。次のコラムの宿題とさせてくださいね。

■It seems that 〜 の形

上の例文ⓖは **It seems that** the flight attendant is stressed out. と it seems that 〜 の形で述べることもできます。

ⓒ 目的語説明

> ⓐ I thought him to be an honest person.
> （彼は正直な人だと思った）
>
> ⓑ I consider him to be open-minded.
> （彼，心が広い人だと思うなぁ）
>
> ⓒ I found her to be a most capable assistant.
> （彼女がとても有能なアシスタントだとわかった）

目的語の説明語句としての to 不定詞。think（思う），know（知る），believe（信じる）など，思考系の動詞によく見られる形です。ⓐは「彼を考える」が文の基本。彼をどう考えるのかを，to 以下が示しているのです。

■ to be 効果　　　　　　　　　　　　**ULTRA ADVANCED**

先の例では，to be を使わず説明語句を直接並べることもできます。

(1) I consider him **open-minded**.

会話ではこちらの方がファーストチョイス。カンタンですからね。さて，それではわざわざ to be を加えるのはどうした理由からなのでしょうか。それは「思慮」。him = open-minded と直接「＝」で結ぶのではなく，him **to be** open-minded と to の「指し示す」が加わることによって，文に慎重な思慮やフォーマルな感触を与えているのです。

さて，それじゃ宿題の回答。先の seem, turn out などでも，to be を使わず直接説明語句を並べることができます。

(2) John seems (to be) **happy**. （ジョンは幸せそうに見える）
(3) Everything turned out (to be) **fine**. （何もかもうまくいった）

だけど to be がある方が，「ん…」とよく観察している感じ，慎重に結論づけている感じがしているのですよ。

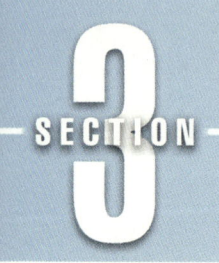

SECTION 3 修飾位置でのto不定詞②

▶ to 不定詞は修飾したい要素（ターゲット）の後ろに置いて「説明」を加える万能修飾表現。今まで紹介した以外にもまだまださまざまなターゲットを修飾します。

A 動詞句の説明と「足りないを補う」

ⓐ **I'm going to Egypt** to do some scuba diving. 【目的：〜するため】
（ちょっとスキューバダイビングやりにエジプトに行くんだよ）

ⓑ **I was excited** to hear about your new project. 【原因：〜したので】
（君が新しいプロジェクトやるって聞いてワクワクしたよ）

ⓒ He **grew up** to be a famous architect. 【結果：その結果〜】
（彼は大きくなって有名な建築家になったんだ）

ⓓ She **must be out of her mind** to walk around such a dangerous area alone. 【判断の根拠：〜するなんて】
（そんな危ない場所を1人で歩き回るなんて，彼女正気じゃないよ）

動詞句を説明する to 不定詞の代表的な使い方。ⓐは「エジプトに行く予定」を「ちょっとスキューバダイビングをしに，ね」とその目的を説明しています。同じように，to 不定詞は動詞句の「原因」「結果」などを説明することができます。

●足りない情報を補う呼吸

さて，それではどうして to 不定詞はこうした多彩な意味関係をあらわすことができるのでしょうか。to 不定詞自身にいろいろな意味や「用法」があるのでしょうか？ いいえ，そうではありません。
実は，to 不定詞は今までと全く同じように「指し示して」いるだけ。「目的」「原因」など，意味のバリエーションは to 不定詞からではなく文脈から生じているのです。下のⓐを考えてみましょう。

ⓐ I'm going to Egypt to do some scuba diving.
　　　　　　　　　　　　補う

「エジプト行くんだよ」、これじゃ説明不足。だって「どうしてそんなところに行くの？」と聞き手は知りたいだろうから。話し手は to 不定詞を使って、**その足りない情報を「指して」補っている**のです。目的が知りたくなるような文脈で「スキューバダイビングをする」を指すから、「～するために」という意味が生まれる、それだけのことなんですよ。

ⓑ〜ⓓも同じです。

ⓑ I was excited. （ワクワクしたよ）
ⓒ He grew up.　（育ちました）
ⓓ She must be out of her mind.
　　（正気じゃないにちがいない）

それぞれの文、ここで終わってしまったら「足りない」でしょう？「ワクワクした」なら「どうしてワクワクしたのか（原因）」が知りたいはず。「彼が育ちました」なら「育ってどうなったのか（結果）」が気になります。「正気じゃないにちがいない」なら「どうして『ちがいない』と思ったのか（判断の根拠）」を教えてほしくなりますね。文脈に足りない情報、それを補うのが to 不定詞なんですよ。

to 不定詞はただ「指し示して」いるだけのこと。一見いろいろな意味をもっているように思えるのは、文脈によってさまざまな補い方をしているからなのです。

さあ、「足りない─補う」のリズムでここにあげた文をすべて音読してください。すぐに身につけることができますよ。

■「目的」を明確に示すフレーズ

「目的」を強くあらわすのがこの２つのフレーズ。

(1) I had to fill out loads of forms **in order to** get a visa.
　　（ビザを取得するために山ほど書類を書かなくちゃならなかった）

(2) I suggest we leave around 6:30 **so as to** ensure we get good seats.
　　（いい席とるために6:30くらいに出発しようよ）

to 不定詞だけでも「目的」をあらわすことができますが、さらにまぎれなく伝えたいときにお使いください。

■感情とその「原因」

to 不定詞は感情をあらわす動詞句としばしばコンビネーションを作ります。「嬉しい・かなしい・落胆した」など、感情は「どうしてそう感じたのか（原因）」がいつも伴うものだから。「ビックリしました」だけではもの足りませんよね。

(1) I'm relieved **to know that she is safe and sound**.
　　（彼女が無事だってわかってホッとしたよ）

(2) I'm sorry **to trouble you**. （ご面倒かけてごめんなさい）

(3) I'm so thrilled **to get first prize**. （一等賞をとって大喜びしています）

■「結果」を強調するフレーズ

only to, never to は色濃く「結果」を示すフレーズ。

(1) We stood in line for over 2 hours, **only to** discover that it was the wrong line!
（僕たち2時間以上行列に並んでいたんだけど，結局間違った列に並んでいたんだった！）

(2) Her husband disappeared. One day he was here and the next he was gone, **never to** be seen again.
（彼女の夫は失踪したのだ。ある日彼はここにいたのだが次の日にはどこかに行ってしまい，二度と目撃されることはなかったのだった）

only to は「(その結果) 〜しただけだった」。ガッカリ感に焦点が当たっています。

■判断の根拠を示す，さまざまな例

to 不定詞が判断の根拠（〜するなんて）を補うのは——もちろん——話し手の判断が含まれる文脈。次のような文が含まれます。

(1) You must be rich to **buy a Ferrari**.
（フェラーリ買うなんて金持ちにちがいない）

(2) What a fool I was **to ask him for help**!
（彼に助けを頼むなんて私はなんてバカだったんだ！）

(3) It's so kind of you **to lend me a hand**.
（私に手を貸してくれるなんてあなたはとっても親切だ）

どの文にも話し手の判断が感じられますね。

●補い方は自由

動詞句の to 不定詞修飾を解説してきましたが，最後に1つだけ注意しておきますね。それは「縛られるな」ということです。

A: Over 20 people are coming to the party!
（20人以上パーティーにくるのよ！）

B: Don't worry. I'll help you **to prepare everything**.
（大丈夫。準備するの，すべて手伝ってあげるよ）

これまで「目的・原因・結果・判断の根拠」と，典型的な例を解説してきましたが，もちろん文脈によっては to 不定詞は別の意味関係を作ります。

この例では，I'll help you（助けます）だけでは「どう助けるのか」が足りません。だから to prepare everything（準備するのを，ね）と補っているのです。大切なのは「目的・原因…」を丸暗記することではありません。「足りない—補う」のリズムを身につけること。あとは典型例に縛られず，自由に使えばいいだけなんですよ。

ⓑ 名詞句の説明

ⓐ I don't have **the right tools** here **to fix your bicycle**.
（君の自転車直すいい道具がここにはないんだよ）

ⓑ Michelle was **the first female golfer to play in a men's tournament**.
（ミシェルは男子のゴルフ大会で初めてプレーした，女性ゴルファーでした）

ⓒ I need **someone to drive me to the station**.
（誰か私を車で駅に連れていってくれる人，いないかなあ）

「足りない―補う」は，名詞句の説明にも使われる大切なリズム。right tools（適した道具）だけでは何のための道具なのかわかりません。それを補うのが to fix your bicycle（君の自転車を直す，ね）。

ⓑの文を見てみましょう。to 不定詞は，first, last, only（最初の，最後の，唯一の）などが付いた名詞句に頻繁に使われます。もちろんそれは「最初の女子ゴルファー」などと言っただけでは明瞭な意味を結ばないから。何をした最初なのかを示す必要があるのです。

またⓒのように，-body（one）で終わる名詞句（somebody, anybody, nobody：誰か，誰でも，誰も〜ない）や -thing で終わる名詞（thing, something, anything, nothing: もの，何か，なんでも，何も〜ない）も，to 不定詞といいコンビネーションを作ります。こうした単語は意味が漠然としているから。ⓒの文, I need someone. では漠然としすぎていて意味が伝わりません。どういった誰かなのかを to 不定詞で補ってあげる必要があるんですよ。

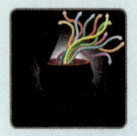

PART 3 - CHAPTER 11：TO 不定詞　SECTION 3：修飾位置での to 不定詞②

● **to 不定詞を前から使う**

修飾に使われる to 不定詞は，ほとんどターゲットを「後ろから説明」。前に置かれる例はあまりありません。ですが前に置かれた場合はやっぱり種類限定として働きます。

(1) to-do list （やるべきことリスト）

「これからやるべき（to-do）項目を書いたリスト」と，リストの種類を限定していますね。

ⓒ 形容詞の説明

ⓐ He is easy [hard / difficult / impossible] to fool.
（彼をだますのは簡単[難しい／難しい／不可能]）

ⓑ She is sure [certain / likely / unlikely] to lose her cool.
（彼女は必ずキレる[必ずキレる／キレそう／キレそうにない]よ）

ⓒ The new recruits are eager to show their worth.
（新入社員たちは仕事ができることを見せたがっている）

難易（ⓐ）や可能性（ⓑ）をあらわす形容詞を筆頭に，形容詞も to 不定詞としばしばコンビネーションを作ります。これまで同様，「足りない─補う」のリズムです。どの文も，to 不定詞がなければほとんど意味が通じません。「彼はハードです」「彼女は確かです」では困りますよね。そこを補ってください──「だますのが」「キレるのが」ね。

■ 穴埋め修飾　**ADVANCED**

上の例文ⓐには wh修飾でおなじみの「穴埋め関係」があることに注意してください。fool は「だます」。ふつう fool him （彼をだます）という形をとる動詞です。つまりこの文は，

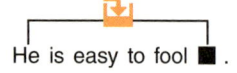

He is easy to fool ■ .

という意味関係になっているのです。難易をあらわす形容詞はいつもこのパターン。「彼をだます」という意味関係を常に頭に置いて作ってくださいね。to 不定詞はこのテの文に限らず穴埋め関係と相性のいい形。

(1) She doesn't have anyone **to turn to** in times of trouble.
（彼女には困ったときに頼りになる人が誰もいない）

(2) I have 3 kids **to feed**.
（僕には養わなくちゃならない子どもが3人いる）

それぞれ anyone と turn to ■, 3 kids と to feed ■ が穴埋め関係となり「頼みにするべき人」「養うべき子ども」という意味を作っています。ここまで自在に作れるようになれば, 相当の英語力ですよ。

●enough と to 不定詞

enough（十分）は to 不定詞と特に相性がいい単語です。「十分な」と言ったとき, しばしば「何をするのに十分なのか」を添える必要があるからです。

(1) Your Mom has **enough** to worry about already.
（君の母さんはすでに十分心配することがあるんだよ〔これ以上心配かけるな〕）

(2) I finally have **enough money** to buy a car.
（とうとう車を買うのに十分なお金が手に入ったんだ）

(3) My boss was **kind enough** to give me the day off.
（ボスは親切にも休みをくれたんだ）

(3)は kind とコンビネーションを作り「～するのに十分なくらい親切だった→親切にも～してくれた」ということ。old enough to ...（…するのに十分なくらい歳をとっている）など, 便利に使える表現です。

D wh語 + to 不定詞

ⓐ I have no idea **what to say**. （なんて言うべきかわからないよ）

ⓑ Tell me **when to start**. （いつスタートすればいいのか教えてね）

ⓒ I know **where to find them**. （どこに行けば彼らが見つかるか知ってるよ）

ⓓ Could you tell me **which way to go** for the post office?
（郵便局に行くにはどちらの道を行けばいいか教えていただけますか？）

「wh語＋to不定詞」のコンビネーションにも慣れておきましょう。やはり「足りない─補う」のリズム。Tell me when. で止まっては意味がなかなか通じませんよね。when を「(いつ) スタートするか，だよ」と補う。それが when to start のコンビネーション。もちろん wh語単独だけでなく which way (どちらの道) などかたまりに使うこともできますよ。

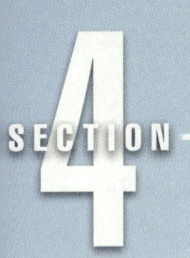

SECTION 4 to不定詞が使われるその他の形

▶ to 不定詞が作るその他の重要な形をマスターしておきましょう。

A 「it + to 不定詞」のコンビネーション

ⓐ **It's difficult to get up in the morning.**
（朝起きるのは大変だよ）

ⓑ **It's tough for the unemployed to make ends meet.**
（失業者がやりくりしていくのは大変だよ）

ⓒ **I find it difficult to get up early.** （早起きするのは大変だ）

ⓓ **I thought it wise to let you know in advance.**
（前もってお知らせした方がいいと思いまして）

　it で詳しく説明した，「it + to 不定詞」は大変頻度の高いコンビネーションです（☞P.212）。それは it が「足りない」単語だから。it は「状況を受ける単語」──ほぼ何も具体的な情報はありません。だからこそ「補う」to 不定詞が多用されるのです。

　ⓐの文は心に浮かんだ状況を it で受け，まず it is difficult（難しいんだよ）で文を始めています。もちろんそれでは「足りない」のです，聞き手は何が難しいのかがわかりません。そこを to 不定詞が追いかけ補っているのです。

　ⓒのように it を動詞の目的語として使うことも，もちろんできますよ。I find it difficult（難しいと思うんだよ）。何が難しいのか，it の内容を急いで to が追いかけていきます。to get up...（早起きするのがね）。

PART 3 - CHAPTER 11：TO 不定詞　SECTION 4：to不定詞が使われるその他の形

> ●「先送り」で文の形を整える
>
> 「it ＋ to 不定詞」は，文の形を整えるのに大変有効な手段です。to 不定詞はとかく長くなりがちです。それをそのまま主語や目的語の位置に置けば，(1)のように，頭でっかちになったり，(2)のように，文の意味がすぐにとれないケースが出てきてしまいます。
>
> (1) To manage such a big hotel is not easy.
> → It is not easy to manage such a big hotel.
> 　（こんなに大きなホテルを経営するのは簡単ではない）
>
> 　主語の大きな頭でっかちな文は，特に会話では好まれません（受動文：☞P.478）。it を使い主語を「先送り」することによって，頭の小さな自然な文となります。
>
> (2) × I make to wake up at 6:30 a rule.
> 　→ I make it a rule to wake up at 6:30.
>
> 　もとのままでは大変理解しづらい文。I make 〜 a rule（私は〜を決まり事にしている）に，長い to wake up at 6:30 が割り込んでしまい，文の形が見えにくくなってしまっているからです。it で先送りすればスッキリ理解できますね！

B too 〜 to ...（〜すぎて…できない）

> ⓐ I was **too** shocked **to** speak.
> 　（ショックを受けすぎて口をきけなかった）

　このフレーズ，なぜ not もないのに「できない」という意味になるのでしょうか。

　それは，too の「〜すぎる」が，「できない」など否定的なニュアンスにつながるから。下の会話を見てみましょう。

A: Can Johnny come to school today?
　（ジョニーは今日学校これる？）

B: He's still **too sick**.
　（彼，まだ調子悪すぎ）

　He's still too sick. は，「学校にはこれないよ」という意味で使われていますね？

さあ，もう too ~ to ... がなぜ「~すぎて…できない」になるか，わかりますね。too shocked は「ショック受けすぎた」。ここから「何かができないのだろうな」が感じられるのです。何ができないのかというと… to speak（話すのが）というわけですよ。

ⓒ to ＋ 完了形　ADVANCED

> ⓐ It was good **to have reserved** seats.
> （席をあらかじめとっておいてよかったね）
>
> ⓑ She pretended **to have been** working.
> （彼女はそれまでずっと仕事してたフリをした）

to 不定詞に完了形の have を加えた，「それ以前」をあらわす形（☞P.474）。文全体があらわす時点以前に to 不定詞の内容が起こったということ。

ⓐはオペラに出かけたときのことを思い出しながら話している文。「(それ以前に) 席をとっておいてよかったね」ということです。ⓑも同じ。職場でマンガを読んでいるときに上司が帰ってきたのです。そして彼女は「(そのときまで) ずっと仕事してたフリをした」。ダメだろ，そんなことでわ。

> ● 「to have 過去分詞」はしっかり示す形　ADVANCED
>
> 「それ以前」をあらわすこの形は，それほど頻繁に出てくるわけではありません。to 不定詞の内容が「それ以前ですよ」としっかりと示したいときに使われる形なのです。
>
> (1) I'm really happy **to win** this tough match.
> 　（この厳しい試合に勝つことができ，大変嬉しい）
> (2) He is the first Japanese **to travel** in space.
> 　（彼は宇宙旅行をした最初の日本人です）
>
> 　厳密に言えば to 不定詞の内容は「以前」に起こっているはず。「勝ったことが嬉しい」のですからね。ですが，to have won this tough match（to have traveled in space）とすると，「必要以上に厳密に言いすぎだよ」という印象を受けます。そうした時間関係は言わなくても十分伝わるから。
> 　「それ以前」をしっかり示したいなら「to have 過去分詞」。そうでないならふつうの to 不定詞。神経質になることはないってことですよ。

D to 不定詞の否定

> ⓐ It would be crazy **not to accept** their offer.
> 　（彼らのオファーを受けないなんて頭おかしいよ）
> ⓑ We'll try **not to make** too much noise.
> 　（私たちあんまり大きな音を立てないようにしますね）

　not はそのターゲットの前に置く。それが基本でしたね（☞P.316）。to 不定詞の内容を否定したいときには，その前に not を置きます。

CHAPTER 12

過去分詞形

PAST PARTICIPLES

過去分詞形は文のさまざまなところに修飾語として自由に使うことができるパッケージ表現。「～される」が主なイメージです。

■ 過去分詞

動詞過去分詞形（☞P.64）の**イメージは「〜される」**。この形は次の位置のマスターが目標となります。

① 修飾として

過去分詞は to 不定詞や動詞 -ing形と異なり，主語や目的語といった名詞の位置に使うことはできません。**常に修飾語として働きます。**

過去分詞による修飾で最も重要なのは，be動詞と共に使われる「受動文（〜される）」です。しっかりと乗り越えていきましょう。

※過去分詞は，「have ＋過去分詞（完了形）」でも多用されます（☞P.565）。

SECTION 1 受動文とは?

▶「受動文」とは，日本語でもよく使われる「〜される」の形です。まずは，受動文の特徴をつかみましょう。

A 受動文という「視点」

「犬が男を襲った」「太郎が純子にキスした」。行為が対象物に向かうこうした状況は，「視点」を「対象」に移すと，「男は犬に襲われた」「純子は太郎にキスされた」とあらわすことができます。

犬が男を襲った【能動文】
The dog attacked the man.
目

男は犬に襲われた【受動文】
The man was attacked by the dog.
主

行為を受けている対象（目的語）が主語に置かれる――これが受動文とよばれる形です（対象が目的語に置かれた通常の文を「能動文」とよびます）。

B 受動文が好んで使われるケース

日本語の「される」を考えてみましょう――それほど頻繁に使われるわけではありませんね。英語でも受動文の頻度は高くありません。特に会話文ではふつうの形（能動文）が圧倒的に優先されます。受動文は，行為の受け手にハイライトを当てる特別な形。好んで使われる「タイミング」があるのです。

■ ① 誰がやったのかわからない・言う必要がない場合

ⓐ The Egyptian pyramids **were built over 4,500 years ago**.
（エジプトのピラミッドは4500年以上前に建てられたんだよ）

ⓑ English **is spoken worldwide**.
（英語は世界中で話されている）

能動文は，常に行為者——誰がやったのか——を主語として必要とします。さて，ⓐの文で「誰がやったのか」を述べることができるでしょうか。はは。それはムリ。ピラミッドを誰が作ったのか言える人はなかなかいませんからね。また，ⓑの文の主人公は「英語」。誰が話しているのかに話し手の興味はありません。こうした，行為者を述べることができないとき，述べる必要がないとき，受動文は便利に使われる形なのです。

■ ② 頭でっかちな文を避ける場合

ⓐ **The tremendous support I have received from all my family and friends** has encouraged me.
（家族や友人みんなから受けた多大な助力が，私を励ましてきた）

ⓑ I have been encouraged by **the tremendous support I have received from all my family and friends**.
（私は家族や友人みんなから受けた多大な助力によって，励まされてきた）

受動文は，文の形を整える意図で使われることもあります。英語は「頭でっかち」を嫌うことば。ⓐのような，主語が大きく述語が小さな形はバランスが悪く感じられます。そこで受動文。主語と目的語を入れかえることによって，めでたく述語の大きなバランスのよい文のできあがり。文の形を整える工夫は「it + to 不定詞 (☞P.472)」にも見ることができます。

■3 話題の中心をそらさない場合

話の流れの中で，受動文が求められることもしばしばあります。これはいささか高度なポイント。下の2つの文章を読み比べてみましょう。

ⓐ よい文章	ⓑ たいしたことのない文章
Our internet marketing company was founded by Tony Brown in 2002. Since that time, **it** has produced over 1000 custom web sites. (**我々のネットマーケティング会社は**2002年にトニー・ブラウンによって設立されました。そのときから現在まで**我が社は**1000以上のウェブサイトを作ってきました)	**Tony Brown** founded our internet marketing company in 2002. Since that time, **it** has produced over 1000 custom web sites. (**トニー・ブラウンは**2002年に我々のネットマーケティング会社を設立しました。そのときから現在まで，**我が社は**1000以上のウェブサイトを作ってきました)

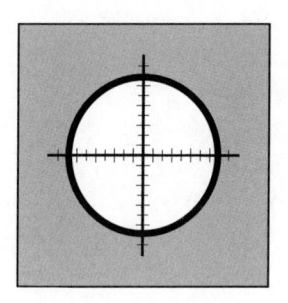

受動文を使った左の方が読みやすく，焦点がしっかりと定まった文となってはいませんか？それは一貫して our internet marketing company を主語に置くことによって「文章の主題」がブレていないから。ⓑの能動文では, Tony Brown → it (our internet marketing company)。主語が移され，文章の焦点がぼやけてしまっていますね。受動文を工夫することによって，「我が社は…その会社は…」と一貫した流れができあがっている，というわけです。

■4 話に一般性をもたらす場合

これは日本語でも使われるテクニック。
ⓐ **It is** often **said** that English is a difficult language.
　(英語は難しいことばだとしばしば言われる)

「太郎君は英語が難しいことばだと言った」というよりも，はるかに一般性がある内容に聞こえてきませんか？

PART 3 - CHAPTER 12：過去分詞形　SECTION 1：受動文とは？

　受動文にすれば，「誰が言ったのか」を省略することができます。そして発言者を伏せることによって，「一般に」そうしたことが言われているという印象を作り出すことができるのです。また，言いづらい内容を伝えるとき，発言者を特定せず一般の意見として相手に提示するテクニックとしても使うことができます。

ⓑ **It is said that** there is a lot of match fixing in sumo.
（相撲では多くの八百長試合が行われていると言われています）

　さて，長々説明してきましたが，これら受動文特有のタイミングを特に暗記する必要はありませんよ。日本語の「～される」の使い方とほぼ同じだから。ただ注意すべきは受動文には受動文の出番があるということ。能動文とどちらを使っても同じ，というわけではないこと。それだけは覚えておくこと。いーね？

受動文基礎

SECTION 2

▶受動文は主語を過去分詞で修飾する，ただの be動詞文。受動文の基礎はそれだけですよ。受動文は，本来目的語である名詞を主語に置いた文。

A 受動文の基本型

ⓐ **John was attacked by the dog.** （ジョンは犬に襲われた）
ⓑ **100 students were chosen for their leadership qualities.**
（100人の学生がリーダーの資質を評価されて選ばれた）

John was | attacked | by the dog .
主　　　動　　過去分詞（襲われる）　　行為者

　受動文は，主語を過去分詞（〜される）で説明する be動詞文です。ⓐでは，主語 John を attacked が説明しています。「行為者」を示したいときには by 〜を加えます。襲ったのは犬だということですね。

■ by が行為者をあらわす理由

受動文と共に用いられる by が行為者をあらわすのは，by が「近さ」をあらわす前置詞だから。
(1) **The politician was killed by a terrorist.**
（その政治家はテロリストに殺された）
(2) **Many family problems are caused by bad communication.** （多くの家庭問題はコミュニケーション不足から起こっている）

　テロリストの「近く」で killed（殺された）というできごとが起こっているということ。直接手を下していることが「近さ」で示されているのですよ。
　ちなみに，受動文は必ず by を伴うというわけではありません。「行為者を示したいときには」です。受動文を作る動機の1つに「誰がやったか（行為者）を述べることができない・述べる必要がない」がありましたね。by を伴う受動文は実際にはそれほど多くはないのです。

▼過去分詞形　12

PART 3 - CHAPTER 12：過去分詞形　SECTION 2：受動文基礎

　受動文は単なる be動詞文。I am happy. と変わるところはありません。ただ説明語句が過去分詞だというだけの形です。それが理解できれば，現在・過去などの時表現，あるいは疑問文・否定文の作り方も，苦もなく理解することができるでしょう。

🅱 受動文のあらわす「時」・疑問文・否定文

> ⓐ Smoochy **is buried** in the pet cemetery.
> 　（スムーチーはペット墓地に眠っている）
>
> ⓑ We **have been invited** to Pat's New Year's party.
> 　（僕たちパットの新年会によばれてるんだ）
>
> ⓒ Our school cafeteria **is being renovated**.
> 　（学校のカフェテリアは改装中だよ）

　受動文での時のあらわし方は，通常の be動詞文と全く同じです。be動詞の形を変えて，現在・過去, have been で現在完了をあらわします。上級を目指すなら進行形と組み合わせたⓒの形にも慣れておきましょう。受動をあらわす be renovated が -ing形になっているだけですよ。複雑に感じるようであれば，何度か口慣らししてくださいね。

> ### ■ 状態と行為　　ADVANCED
>
> 　受動文ワンポイントです。上の例文ⓐに注目しましょう。この文は「埋められている」という「状態」を示しています。一方，次の文は「行為」です。
>
> (1) Smoochy was **buried** in the pet cemetery.
> 　　（スムーチーはペット墓地に埋葬された）
>
> 　つまりね，受動文は「行為」にもその結果生じた「状態」にも使えるということ。日本語と同じです。頭の片隅に置いておいてくださいね。
>
> (2) I wanted to get some fruit, but the shop was **closed**.
> 　　（果物を買いたかったが，その店は閉まっていた）
>
> (3) The shop was **closed** at 10:00 as usual.
> 　　（店はいつものように10時に閉められた）

ⓓ **Your report must be typed**, not **handwritten**, OK?
（レポートは手書きじゃなくてタイプされなくてはいけません。いいかな？）

ⓔ **Tokyo Sky Tree will be completed** in 2011.
（東京スカイツリーは 2011 年に完成する）

助動詞を加えたいときにも，通常の be 動詞文と同じ。be の前に加えてください。もちろん使うのは原形の be ですよ。

ⓕ **When was** this school **established**?
（この学校はいつ設立されたの？）

ⓖ **The fans were not pleased** with their team's performance this evening.
（ファンたちは，チームの今夜のパフォーマンスに不満だった）

疑問文・否定文も，通常の be 動詞と同じです。be 動詞（was）を主語（this school）の前に置いて疑問文。be 動詞（were）の後ろに not を置いて否定文。

●受動文を使う思いがけないケース

英語の受動文には，日本語の「〜される」と対応しない場合がいくつかあります。

(1) My son **was born** in 1999. （息子は1999年生まれです）

「生まれる」は be born。bear は「生を与える」という意味だから，受動態 born にして「生を与えられる→生まれる」。ちょっとカンタンでしたね。大切なのは次。

(2) John **was surprised** [pleased / delighted / satisfied / disappointed / annoyed]. （ジョンは驚いた[喜んだ／大喜びした／満足した／落胆した／腹が立った]）

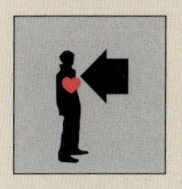

「驚く」「喜ぶ」など，主語の感情をあらわすのは受動文です。英語では感情は，外からくるモノ——ある原因が心を動かすと考えるのです（☞P.244）。「彼は驚いた」が，He was surprised と受動文になるのはそのため。ある原因によって彼は驚かされた，ととらえられているのです。

●受動文を使わなくて済むケース　ADVANCED

多くの他動詞にはみなさんが頭に入れておいてよい，大変便利なクセがあります。それは「性質をあらわすことができる」というクセ。例えば「このバッテリーはすばやく充電できますよ」と言ってみましょう。These batteries を主語とすると——それは charge する対象ですから——受動文を使って，次のようになるはずですよね。

(1) These batteries are charged quickly.

　だけどこれ，いまひとついい文とはいえません。「この電池はすばやく充電されます」——日本語でもこんなこと言いませんよね？　より自然なのは

(2) These batteries **charge** quickly.

　ほら，これがクセ。本来「（電池を）充電する」と行為をあらわす他動詞 charge が「（電池は）充電できますよ」と，電池の性質をあらわすために使われているのです。

　この「行為→性質」への意味の広がりは，日常私たちが感じるとても自然な意識の流れです。例えば，ある電池を充電してみたら，とってもすばやく充電できたとしましょうか。感動したみなさんが友達に薦めます。「この電池ダッシュで充電するんだよ」。ほら，電池に対する「行為」が電池の「性質」につながりましたね。

　このクセを使えば，(1)のような妙な受動文を作らずに，性質をあらわす文を作ることができるのです。ほかにも例は盛りだくさん。

(3) These juice cartons **open** easily.
　　（このジュースの箱，カンタンに開くんだよ）
(4) Does your new car **drive** well? 　（君の今度の車よく走る？）
(5) Green peppers don't **peel** easily. 　（ピーマンは簡単にはむけないよ）
(6) Our books are **selling** well. 　（僕たちの本はよく売れているよ）

　どれも受動文ではなかなか表現しにくい内容ですよね。大変便利なこの形，どんどん使ってください。

●受動文の前置詞はイメージどおり

　行為者をあらわす by については，すでに述べました。受動文に by は必須ではありませんし，by があるからといってすべて「〜によって」というわけでもありません。

(1) The well was deepened **by** 20 meters. 　（その井戸は20メートル掘り下げられた）

　受動文で by になんら特別なステータスがあるわけではないのです。「行為者をあらわしたいときには by」。ただそれだけ。「受動文なら by」などと決して考えないこと

が重要です。

(2) × One of my co-workers was badly injured **by** a traffic accident.
(僕の同僚の1人は交通事故で重傷を負った〔正しくはin〕)

よくある間違いですが，もちろん正しくは in。事故は行為者ではありません。その「中で」同僚はケガを負ったのです。

受動文で使われる前置詞に特別な注意は何もありません。イメージどおりの選択をしていけばいいだけ。いくつかほかの例を眺めてみましょう。

(3) French is spoken **in** Quebec. (ケベックではフランス語が話されている)
(4) I had ice cream covered **with** chocolate —— yummy!
(チョコでコーティングされてるアイス食べたよ——おいしかった！)

(3)は「ケベックの中」では，(4)はチョコで（→道具・材料）。ほらイメージどおりですね。known（知られている）と前置詞のコンビネーションもいい頭の体操になるでしょう。

(5) He is known **to** everybody in the town. (彼は街のみんなに知られている)
(6) Kyoto is known **for** its beautiful temples. (京都は美しい寺で知られている〔有名だ〕)
(7) A man is known **by** the company he keeps. (付き合う仲間を見れば，その人がわかる)

これも暗記など必要としない，あたりまえの選択です。(5)は「誰に知られているかというと」と everybody を「指し示して（to）」います。ちなみに「みんなによって」と know の行為者を強調したいときには by でもかまいませんよ。(6)の for は「原因」。(7)の by は HOW（どうやって）。「付き合う仲間という観点で」ということ。やはりイメージどおりの選択です。最後に先程の感情をあらわす受動文。

(8) John was **surprised** [pleased / delighted / satisfied / disappointed / annoyed].

さて，この文に「その結果に（驚いた，など）」を付けてみましょうか。前置詞は？ ——答えは「(どの動詞についても) by でも at でも with でもよい」です。

(9) John was surprised **by** the result.
(10) John was surprised **at** the result.
(11) John was pleased **with** the result.

ニュアンスは選ぶ前置詞によってかすかに異なります。by は「行為者」が色濃く強調された前置詞。その結果に「わっ」と驚かされた感じ。at のイメージは「点」でしたね。「その結果を聞いた時点で」といった感触。with は「一緒」。「結果と一緒」にいて喜んでいる感じが漂っています。受動文用に特別な前置詞選択の技術があるわけではないんですよ。大切なのは前置詞のイメージを身につけることだけです。いいね！

SECTION 3 受動文のバリエーション

▶受動文の基礎ができたところで，やや複雑なタイプの受動文に進みましょう。とはいっても，代表的な文の形を暗唱で頭に入れればすぐに作れるようになりますよ。

A 授与をあらわす受動文

ⓐ Mary **was given a trophy**.
（メアリーはトロフィーを与えられた）

ⓑ **I was offered the job**, but I turned it down.
（僕は仕事をオファーされたけど断った）

文が少しだけ複雑になりました。given a trophy（トロフィーを与えられた）。どうしてこんな文が生まれるのでしょうか。

受動文が「能動文（通常の文）では目的語となる，行為が向かう対象を主語に置く」文だということを思い出しましょう。授与型は通常次のような形をしていましたね。そう，授与型の目的語（メアリーに）を主語にしたから，given a trophy となったというわけ。

give **Mary** a trophy
 動　　目(〜に)　　目(〜を)
（主 ←）

ただ，ネイティブはこうした複雑なプロセスを意識して受動文を作っているわけではありません。Mary を主語に置き，given a trophy（トロフィーを与えられた）とダイレクトに過去分詞で説明を加えているだけです。さあ何度も音読。「目的語を主語に」なんて考えないでダイレクトに作れるようにするんだよ！

ⓒ A trophy was **given to Mary**.
（トロフィーはメアリーに与えられた）

ⓓ A love letter was **handed to the teacher**.
（ラブレターが先生に渡された〈げ〉）

さあ，今度は授与型の「モノ（〜を）」を主語に受動文を作ってみましょう。作り方は2とおり。①授与型の「モノ（〜を）」を主語に置く，②授与型の代替形（☞P.78）を使う，です。

① 主←
give Mary a trophy
　　動　目(〜に)　目(〜を)
A trophy was given Mary.

② 主←
give a trophy to Mary
A trophy was given to Mary.

この2つの可能な形のうち，圧倒的にポピュラーなのは②。この文の意味の力点は「メアリーに与えられた」。そしてさらに文末。応分の目立つ形を後ろに置きたいという意識が代替形を選ばせています。こちらの方を口慣らししてください。

■ 代名詞の場合

代名詞の場合，上記①の形もしばしば見られます。
(1) This was **given me** by my late grandfather.
（これは亡くなった僕の祖父からもらったんだよ）

ただ given me となるのは後続フレーズ（by my late grandfather）が付くのがふつう。意味の軽い代名詞であり，意味の力点が「亡くなった祖父がくれたんだ」にあれば, given me と軽く述べることも十分可能になるのです。

B 目的語説明の受動文

ⓐ I think the guy **was called Peter**, but I can't be sure.
（その男はピーターとよばれていたと思うけど，よくわからないや）

ⓑ Her nails **were painted bright pink**.
（彼女の爪は明るいピンク色で塗られていた）

ⓒ Two students **were seen necking** in an empty classroom.
（2人の学生が誰もいない教室でキスしているところを見られた）

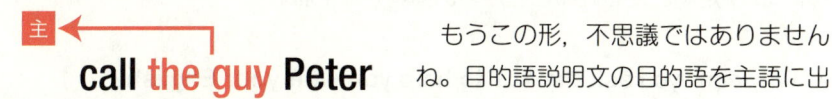

主←
call the guy Peter

もうこの形，不思議ではありませんね。目的語説明文の目的語を主語に出

して受動文，同じ操作ですよ。ただ，ネイティブはやはりダイレクトにこの形を作ります。みなさんもしっかり口慣らし。いいね。

■ make のとる形

目的語説明の文には動詞原形をとるものがありましたね（知覚をあらわす動詞，「させる」の動詞 ☞P.88）。

(1) I made my student **clean** the toilet.　(2) I saw Mary **cross** the street.
　　　　　目　　　動詞原形　　　　　　　　　　　目　　　動詞原形

この形に対応する受動文には，to 不定詞を使います。

(3) My student was made **to** clean the toilet.（学生はトイレを掃除させられた）
(4) Mary was seen **to** cross the street.（メアリーは通りを渡るのを見られた）

ただね，これはあまり重要な文法事項ではありません。そもそもあまり使われる形ではありませんし，be seen と組み合わされるのは -ing が圧倒的だから。be made + to の形だけマークしておけば十分でしょう。

作り方は単純です。My student was made（学生はさせられた）。これでは意味を成しません。何をさせられたかを to 不定詞で補います。... to clean the toilet.　これでできあがり！

❻ to 不定詞と受動文のコンビネーション

「足りないを補う」働きをもつ to 不定詞は，受動文にも頻繁に使われます。受動文は過去分詞（～される）で止めてしまうと，意味が尻切れトンボになってしまうことが多いから。次の典型的な形をマスターしましょう。

ⓐ **I was asked to make a speech** at my ex-student's wedding.
（私は卒業生の結婚式でスピーチを頼まれた）

ⓑ We **were** all **told to stay calm**.
（僕らはみんな，落ち着くように言われた）

まずは「**相手に働きかける動詞**」とのコンビネーション（☞P.93）。次のように to 不定詞と使われることが多い動詞でしたね。

ⓒ Why don't you **ask the ALT to help you with your English**?

例文ⓐはまず，過去分詞 asked で主語を説明しています。I was asked（僕は頼まれたんだよ）。何を頼まれたのか，このままでは不十分ですよね。そこで to 以下を付け加えて「スピーチすることを，ね」。この要領で作り出しましょう。ⓑも同じように，We were told（僕たちは言われた）に to stay calm（落ち着くように）と加えます。

■ この形で want は使えない

want は残念ながらこの形で使うことはできません。
(1) The boss **wants** you **to** deliver this parcel.
（上司は君にその小包を届けてもらいたがっている）
(2) × You **are wanted to** deliver this parcel by the boss.

(1)の文は言えるが，(2)はダメということ。want（欲しい・したい）は非常に生々しい欲望をあらわす動詞です。(1)のように主語が「〜させたがっている」にはピッタリでも，受動文にした (2)のような，「〜することを求められています」といった間接的な物言いはこの生々しさにふさわしくないんですよ。

wanted は，次のような「（誰かにくることを）求められている」といった使い方が支配的。

(3) Hey, Chris! You'**re wanted** on the phone. （クリス！　電話だよ）
うん。西部劇の「指名手配」の張り紙の使い方ですよ。

ⓓ **One of last year's Nobel Prize winners is thought to be in jail.** （昨年のノーベル賞受賞者の1人は刑務所にいると思われている）

ⓔ **Her new book is expected to become an immediate bestseller.** （彼女の新刊はすぐにベストセラーになると期待されている）

ⓕ **Jericho is said to be the oldest city in the world.**
（ジェリコは世界で最も古い都市だと言われている）

ⓖ **The hostages are reported to be in good health.**
（捕虜たちの健康状態はいいとレポートされている）

「思う」「言う」など思考・伝達系動詞と to 不定詞のコンビネーションもマスターしておきましょう。作り方のコツは同じ。ⓓは ... is thought（思われ

ている)。そこにどう思われているかを to 不定詞で補います。⑥は ... is said（言われている）。どう言われているかを to 不定詞。一般に流布している情報を述べる際日本語でもよく使われる会話テクニックです。

■It is said that ...

it ～ that ...（☞P.214）と受動文を組み合わせるのもポピュラーです。

(1) **It is said that** Jericho is the oldest city in the world.

it is said で「言われている」。it の内容を that 以下で展開。これもあわせて口慣らしをしておきましょう。

●be supposed to（ということになっている）

思う系の動詞の中で，特に意味を理解しにくいのがこの suppose。この機会にマスターしておきましょう。suppose のイメージは「心に置いた土台」。「下に置く」が語源ですからね。動かないものとして考えているってこと。

(1) He'll pay me back one day, I **suppose**.
（彼いつかはお金を返してくれると思うよ）

ほら，「僕はそういうものとして考えている」ということですよ。

(2) **Suppose** you get fired, what will you do?
（首になったと考えてごらん，どうする？）

「仮定してみてごらん」の使い方も，「土台」から。そうした前提に基づけば，ということですね。さて，be supposed to は「〜ということになっている」——決まり事についてよく使われるフレーズ。

(3) We **are supposed to** be there by 7.
（僕たちは7時までにそこに着くことになっている）

(4) Sorry, but you **are not supposed to** park here.
（申し訳ありませんが，ここは駐車禁止です）

「〜することがあたりまえのこととして考えられている」——ルール・法律・約束事など，それに基づいて行動すべき土台を示した表現なんですよ。

D 句動詞の受動文

複数の単語が集まり1つの動詞として機能する句動詞（☞P.372）。もちろん受動文を作ることができますよ。

> ⓐ My kids have been **brought up** to respect their elders.
> （私の子どもたちは年長者を敬うように育てられています）
>
> ⓑ The match has been **called off**.
> （その試合は中止になった）
>
> ⓒ The big event will be **talked about** for years.
> （その大イベントは何年も語り継がれるだろう）
>
> ⓓ Don't worry. The tickets have already been **paid for**.
> （大丈夫。チケットはもう支払い済んでるから）

句動詞を，あたかも1つの動詞のように，まとめてとり扱うのがコツですよ。ⓑは call off をまとめて called off と過去分詞にしていますね。

主 ← call off the match

SECTION 4 　過去分詞で修飾

▶受動文以外の過去分詞の使い方をマスターします。過去分詞を使った多彩な修飾を身につけましょう。

Ⓐ be動詞以外の説明型で用いる過去分詞

ⓐ Your mom **looked disgusted** when she saw my tattoos!
（君のかあさん，僕の入れ墨を見たとき，ゲッとなったみたいだよ！）

ⓑ They **became frightened**.
（彼らは怖くなった）

ⓒ John **got arrested** for harassment.
（ジョンはハラスメントで捕まった）

　受動文は be動詞を使った文。つまり「説明型」の文です。説明型にはbe動詞以外の動詞を使った例もありましたね。この場合にも，もちろん過去分詞を使うことができますよ。ⓐは「she ＝ disgusted に look（見える）」ということ。

　口語でよく使われるのが，「get ＋ 過去分詞」です。get は「動き」をあらわす動詞（☞P.118）。be動詞を使った受動文よりも，**「予期せぬ・突然・驚き」**といった，事態が急に動いたニュアンスが強く感じられる表現となっています。

ⓓ I **got asked** for my autograph on the train.
（電車でサイン頼まれちゃった）

■ get のニュアンス

get の「急に動いたニュアンス」は、「get ＋ 過去分詞」特有のものではありません。

(1) He was angry.（彼は怒っていた）
(2) He got angry.（彼は怒り出した）

ほら、ふつうの形容詞でも get には同じような感触が伴っていることがわかりますね。この「急に事態が動いた」ニュアンスのため、次のような文で get は使えません。

(3) × English gets spoken in Canada.
（英語はカナダで話されている）
(4) × The book got written by Hiroto and Chris.
（その本はヒロトとクリスによって書かれた）

正しくは is, was。事態が急に動いた感じはありませんからね。

B 目的語修飾

ⓐ **Keep** the door **locked**.
（ドアにはカギをかけておくように）

ⓑ **Would you like** your fish **grilled**?
（魚は焼いた方がよろしいでしょうか？）

ⓒ **We found** two windows **smashed**.
（我々は窓が2枚割られているのを見つけた）

ⓓ **I thought I heard** my name **called**.
（僕の名前がよばれたと思った）

ⓔ **It's difficult to make** myself **heard** over all this noise.
（こんなにうるさくちゃ声が届かないよ）

ⓕ **I got** my car **washed** yesterday.
（昨日クルマ洗ってもらったよ）

12 ▼ 過去分詞形

目的語説明（☞P.86）で使われる過去分詞。目的語を後ろから説明します。ⓐの文は「ドア ＝ locked（カギをかけられた）のままにしておけ」ということ。the door の説明が locked ということですね。ⓒとⓓのように知覚をあらわす動詞、あるいは make, get, have とのコンビネーションもポピュ

ラー。使い方は単純だよ。「myself = heard（聞かれる）ように make（する）」「my car = washed（洗われる）という状況を get（する）」。目的語を過去分詞で修飾——会話には欠かせないこの形，何度も口慣らしして，必ず使えるようにしておくこと。

ⓒ 過去分詞，その他の修飾

ⓐ **The man** pictured in the newspaper article is my grandfather.
（新聞記事で写真が載った男の人，私のおじいちゃんなんだ）

ⓑ **The things** stolen from my room were not very valuable.
（私の部屋から盗まれたものはそれほど貴重なものじゃありません）

過去分詞を名詞の後ろに置けば，名詞を「〜された」と説明。説明ルールです。

ⓒ My daughter **came home** disappointed.
（私の娘はガッカリして家に帰ってきた）

ⓓ We **arrived at our destination** exhausted.
（僕たちは目的地に疲れ切って到着した）

ⓔ The fans **left the stadium** overjoyed.
（ファンは大喜びしながらスタジアムを後にした〈巨人が勝ったのです〉）

今度は動詞句の後ろ。やっぱり説明です。ⓒでは，came home（家に帰った）を「ガッカリした状態でね」と説明しています。

●過去分詞を前から使う

過去分詞は説明のためにだけ使われるわけではありません。前に置けば——当然——種類限定として働きます。

mashed potatoes（マッシュポテト）, **boiled** eggs（ゆでたまご）, **written/spoken** English（書かれた／話された英語）。ほら、種類限定。「書かれた英語」と、どんな英語なのか、その種類を限定していますね。「前から限定」「後ろから説明」さえわかっていれば、英語の修飾は自由自在。

●過去分詞のもう１つの意味　ADVANCED

今までご紹介した過去分詞の意味は、すべて「〜される」でしたね。次の例を見てみましょう。

(1) She is **gone**. She'll never come back.
　　（彼女は行ってしまった。もう決して戻ってはこない）
(2) There are lots of leaves **fallen** from the trees.
　　（木から落ちてしまった葉っぱがたくさんある）
(3) Life can be tough for **retired** people.
　　（定年した人々の人生は厳しくなることがある）

go（行く）・fall（落ちる）・retire（退職する）。「行かれた」なんて意味ではありません。「行ってしまった」「落ちてしまった」「退職してしまった」——**あるできごとが終わってしまったこと**をあらわしています。この現在完了での過去分詞（☞P.565）を彷彿とさせる用法は、ある状態から別の状態への移行をあらわす動詞に現れます。頭の片隅に置いておいてくださいね。

ⓕ **Our situation is healthy, compared with many companies.**
　（我々の状況は健全だよ。ほかの多くの会社と比べるとね）

ⓖ **This apartment is ideal for young couples, situated very close to lots of shops, restaurants, and leisure facilities.**
　（このアパートは若いカップルには理想的ですよ、付近にお店もレストランもレジャー施設もたくさんあって）

最後は文修飾の過去分詞。文全体を過去分詞で説明。カンタンだよね。

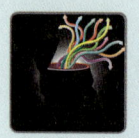

●過去分詞を前に送るテクニック

文修飾の過去分詞も，定位置から文頭に移動することができますが，-ing と同様に，口語ではあまりこの位置はとりません。「ビジネスや講義などでフォーマルな印象を与えよう」「格調高く文を述べよう」など，意図をもち感情が動いたときに，前に送られているのです。

(1) **Surrounded** by glorious white beaches, this private resort is perfect for a honeymoon. （美しい白い海辺に囲まれていて，この個人用別荘は新婚旅行に最適です）
(2) **Founded** in 1905, our company has been a global leader in this industry for more than 100 years.
（1905年に創設されて以来，我が社は100年以上この業界の世界的リーダーであり続けています）

●「〜されること」の作り方

過去分詞は常に修飾語として働きます。-ing形や to 不定詞のように，主語や目的語として（単体で）使うことはできません。「be動詞＋過去分詞」全体を -ing形や to 不定詞にします。ご注意くださいね。

(1) × **Bullied** is a horrible experience. （いじめられるってのは，ひどい経験だよ）
  → **To be bullied** is a horrible experience.
  → **Being bullied** is a horrible experience.

(2) × I don't like **bullied**. （僕，いじめられたくはない）
  → I don't like **to be bullied**.
  → I don't like **being bullied**.

CHAPTER 13

節
CLAUSES

パッケージ表現の最後は「節」の登場です。「節」とは，大きな文の一部として使われる「文」のこと。節も自由に使うことのできるパッケージ表現。表現の幅がグッと広がりますよ。

■ 節は自由な要素

　主語，動詞を兼ね備え，文としての体裁をもった「節」は，文中のさまざまな位置に置き，自由に使いこなせる要素です。節は次の3種類。

ⓐ I think **Liz is the person for the job**. 【節】
　（リズがその仕事の適任者だと思うよ）

ⓑ **Whether he stole the money or not** remains a mystery.【whether/if 節】
　（彼がお金を盗んだかどうかはいまだになぞだ）

ⓒ I have no idea **where Natasha is at the moment**. 【wh節】
　（ナターシャが今どこにいるか僕は知らないよ）

　ⓐはタダの節。that が加えられることも頻繁にあります。ⓑは「〜かどうか」。二択をあらわす節。ⓒの wh語で始められる節を wh節とよびます。これらの節は文中に置かれる場所によって機能が決まります。みなさんがマスターする主な位置は次のとおり。

① 主語
② 修飾として

　さあ始めましょう。節の自由を味わってください。みなさんの表現力が爆発的に広がりますよ！

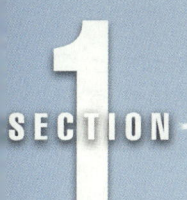

SECTION 1 主語位置での節

▶まずは主語。名詞位置で使う例から紹介しましょう。

A タダの節

ⓐ **That he is hiding something** is plain to see.
（彼が何かを隠してるのはカンタンにわかるよ）

ⓑ **That she was only after his money** was obvious to everyone.
（彼女が彼の金だけを求めてることは，誰にでもわかった）

タダの節が主語位置に置かれた例。that を付けるのが標準です。

ⓒ ✕ He is a spy is clear.
ⓓ ◯ **That** he is a spy is clear.
（彼がスパイなのはあきらかだよ）

ⓒを見てみましょう。「He is a spy」まで聞くとそこで文が終わる気がしますよね。で，急に「is clear.」。これじゃ文の形がわからない。

そこで that の登場です。that は「導く」。この場合，文の主要テーマに相手を導いています。この that によって聞き手は初めて「あ．文の主題はこーゆーことなんだな」と，それを受ける動詞を待つことができるというわけ。大切な that なんですよ。

■ 主語の節に that が付かない例　ULTRA ADVANCED

アメリカ英語で時々見かける 〜 is all（〜で全部だよ）。これは主語の節に that を付けない希有な例です。

(1) Calm down. **I just asked her if she wanted a drink** is all.
（落ち着けよ。僕は彼女に飲み物欲しいかどうか尋ねただけだよ）

〜 is all は，後付け感覚で使われてます。I just asked her if she wanted a

drink.（僕は彼女に飲み物欲しいかどうか尋ねた）がメイン。「それだけのことだよ」をくっつける感覚で使われているのです。だから that がいらないというわけ。こんな言い方覚えなくても大丈夫。とっても珍しい例だから説明したくなっただけなんです（^^）。

B 二択の whether 節

ⓐ **Whether our plan will work or not** is in the lap of the Gods!　（我々のプランが成功するかどうかは神のみぞ知る，だ！）
ⓑ **Whether we buy the house** will depend largely on the selling price.　（僕らがその家を買うかどうかは大部分，売値によるね）

whether は「二択」をあらわす表現。「A か, not A か」ということ。節の前に付けて「彼が成功するかどうか」と二択を作ることができます。or not はダメ押しです。付けなくても意味は通じますよ。

● **二択の if は主語の位置に使えない**

二択をあらわす単語には if もあります。ただし, if は**主語位置には使えません**。
(1) ✗ **If our plan will work or not** is in the lap of the Gods!
if は「もし」。二択の意味はファーストチョイスではないからです。文頭に現れると「もし〜」がまず最初に浮かんでしまうのです。

C wh 節

ⓐ **What the government decides** affects all of us.
　（何を政府が決定するかは我々全員に影響を及ぼす）
ⓑ **When she gets married** is her business.
　（いつ結婚するかは彼女の勝手だろ）

ⓒ **Where she got all that money from** is a mystery.
（彼女がどこからそのお金を得たのかはなぞだ）

ⓓ **How you treat others** will determine how others treat you.
（君がどうやって人を扱うかによって，君がどう扱われるかが決まるよ）

ⓔ **Who my son goes out with** doesn't concern me at all.
（息子が誰と付き合ってるかは，全く僕には関係ないな）

ⓕ **Why he has so much trouble finding a girlfriend** is beyond me.
（なぜ彼がガールフレンドを見つけるぐらいでそんなに苦労してるのか，僕にはわからない）

wh語に後続しているのは，ただの文。**倒置を伴った疑問文**（CHAPTER 14：疑問文 ☞P.511）**ではない**ことに注意しましょう。

【wh疑問文】　What **does he** have?　（彼は何をもっているのですか？）
【wh節】　　　what he has　　　　（彼が何をもっている〔のか〕）

疑問文は「～ですか」と相手に尋ねる文。一方，wh節は相手に尋ねるキモチは1ミリもありません。単に「何をもっている（のか）」。大きな文に組み込んで初めて意味をなす表現なのです。

●**目的語としての節**

節は名詞の位置で名詞として使うことができる，理解できましたね。主語だけでなく，もちろん目的語としても使うことができます。次の例は，前置詞の目的語となっている例。よく使いますよ。

(1) I think you should definitely apply for that job **in that you've got nothing to lose**.（君は絶対その仕事に応募すべきだよ，何も失うモノがないという意味でね）
(2) This suit is quite satisfactory, **except that the sleeves are a little too long**.
（このスーツはかなり満足。袖がちょっと長すぎること以外はね）
(3) Your success depends **on whether you make the right decisions**.
（君の成功は正しい決定ができるかどうかにかかっています）
(4) The quality of a presentation depends **on how well you prepare**.
（プレゼンテーションの質はどれくらいキチンと準備するかによる）

SECTION 2 修飾語位置での節

▶修飾語として節を使いこなすテクニックに進みましょう。いくつかのバリエーションがありますよ。

A 説明型の節

ⓐ The simple fact is **that we lost the game**. End of story.
（単純な事実はね、オレらが試合に負けたってこと。それだけ）

ⓑ The question is **whether/if our business can survive or not**.
（問題は僕らの商売が生き残れるかどうかってことだよ）

ⓒ This is **where I hang out**.
（ここが僕のよくフラフラする場所）

be動詞を使った説明型の文。主語の内容を節で説明しています。

B 動詞(句)を説明（レポート文）

ⓐ I love **that I live within walking distance of my university**.
（大学から歩ける範囲に住んでいるのがとても嬉しい〈クリス談〉）

ⓑ He told me **that he doesn't want to lose me**.
（彼は、私を失いたくないと言ってくれた）

ⓒ I'm afraid **that your plan doesn't work**.
（君の計画ダメだと思うよ）

CHAPTER 1ですでにご紹介したレポート文。love, told me, am afraid の内容を節で説明しています。覚えているかな？　重要な形です。しっかりとマスター。that の有無によるニュアンスの違いも復習しておきましょう。

ⓓ I don't know **whether I can afford to go clubbing this weekend**.
（今週クラブ遊びに行ける金があるかどうかわからないよ）

ⓔ He asked me **if I wanted to go to Guam with him**.
（彼，私が彼とグアムに行きたいかどうか尋ねたの）

同じように動詞句を whether/if 節で説明します。

ⓕ I asked her **what she was planning to wear to the wedding**.
（僕は彼女に結婚式に何を着ていくつもりかを尋ねた）

ⓖ He didn't tell me **what kind of restaurant he would like to go to**.
（彼はどんな種類のレストランに行きたいのか教えてくれなかった）

ⓗ I don't have a clue **where I put my keys**.
（どこにカギを置いたのか全くわからない）

動詞句を説明する wh 節。もう簡単ですね。

●wh 節の 2 つの解釈

(1) He asked me **where I live**. （彼はどこに僕が住んでいるのか尋ねた）
(2) It's far from **where I live**. （ここは僕が住んでいる場所から遠いよ）

訳に注意してください。2 つの別の解釈が where I live にあてられているように見えるでしょう？ だけど結局は同じことを言っているのです。「どこに僕が住んでいるのか」から「僕が住んでいる場所」は自然な意識の流れだからです。ほかの wh 節も同じです。

(3) She wanted to know **why I stood her up**.
（彼女はなぜ私が彼女を待ちぼうけさせたのか知りたがった）
(4) That's **why I stood her up**. （それが私が彼女を待ちぼうけさせた理由です）
(5) I don't know **who snitched on me**. （誰が僕を告げ口したのかわからない）
(6) That's **who I met at the meeting**. （あれが僕がミーティングで会った人）

PART 3 - CHAPTER 13：節　SECTION 2：修飾語位置での節

訳すときには，どちらの解釈でも文脈に応じて適宜選んでくださいね。使うときには…もちろんどちらの意味でも自由に使えばいいんですよ！
さて，この意識の流れが特に重要なのは what。

(7) He asked me **what I wanted for my birthday**.
（彼は私が何を誕生日に欲しかったのかを尋ねた）

(8) This is exactly **what I wanted for my birthday**.
（これはまさに私が誕生日に欲しかったものです）

「何を欲しかったのか」から「欲しかったモノ」への流れ，見えましたか？　what はさらに「コト」にもつながります。

(9) How can I forget **what you did for me**?
（どうやったら君が僕にしてくれたこと〔＝何を君が僕にしてくれたか〕を忘れることができるだろう？）

what ... を「モノ・コト」と使えるようになると，グッと表現の幅が広がります。

(10) **What is cheap** is not always nasty.
（安いモノはいつも悪いってことはない）

(11) I love who you are, not **what you have**.
（あなたの人となりが好きなんだよ。あなたがもっているものじゃない）

(12) **What he told me** was a load of rubbish.
（彼が私に言ったことは大嘘だった）

🅒 名詞句の説明

ⓐ I heard a rumor **that you had dumped your boyfriend. So what about me?**
（君がボーイフレンドを捨てたって噂を聞いたよ。で，僕なんてどう？）

ⓑ **The question whether an afterlife exists has been debated for centuries.**
（死後の世界が存在するかという問題は，何世紀にもわたって議論されてきた）

さあ，これで最後。名詞内容を説明する節です。もう解説の必要はありませんね！

●文の修飾方向

節はほとんどの場合説明に使われます。つまり後ろからの修飾。だけどね,前から修飾することだって——やっぱり——あるんですよ。

(1) **will-she-or-won't-she-get-the-guy** romantic comedy
（彼女はその男をゲットするかしないのかというロマンチックコメディ）

(2) **whodunit** detective story（whodunit ＝ Who done it?）
（誰が犯人かという刑事モノ）

カタマリで修飾することを示すハイフン（-）がありますが,節が名詞を前から修飾していますよね。もちろん限定。どんなお話か種類を限定しているというわけ。日本語でも若者ことばに「どや顔」というのがありますね。「どや顔」は,「どーやって言いそうな顔」ってことですよね。節が名詞を修飾しているんです。同じ意識ですよ。

どや顔。
顔かいて
ないけど。

●疑問詞を使ったさまざまな表現

◆wh語＋ever

「どれをとってもいい」と選択を開く ever（☞P.274）。wh語と結び付くと whatever（なんでも）, whoever（誰でも）などとなります。

(1) You can have **whatever** you fancy.
（なんでも好きなものを買ってあげるよ）

(2) Please choose **whichever** you need.
（どれでも必要なものを選んでください）

(3) **Wherever** you go, I will follow you.
（君がどこに行こうが,僕はついていくよ）

(4) I'll be here for you **whenever** you need me.
（君が僕を必要ならいつでもそばにいてあげるよ）

この表現は,譲歩をあらわす際によく使われます。「どんな〜でも,（依然として）〜だ」。

(5) **Whoever** you decide to marry, I will be happy for you.
（君が誰と結婚すると決めようとも,僕は祝福してあげるよ）

(6) **Whatever** you may think about John, he is certainly a gifted pianist.
（ジョンについて君が何を思っていようが,彼は確かに才能に恵まれたピアニストだよ）

(7) **However** hard I tried, I couldn't break the code.
（どんなに一生懸命がんばっても,その暗号を解くことはできなかった）

(7)の however は「程度」。hard の程度を述べているため,その前に置かれています。

◆no matter + wh語（どんなに〜でも）

譲歩の「wh語 + ever」と同様に使われるのがこの**「no matter + wh語」**です。matter は「重要だ」ということ。It doesn't matter. は「重要じゃない・どうだっていいよ」。ここからこのフレーズの意味はすぐに理解できますね。「どんなに〜でも（重要じゃないよ／変わらないよ）」ということ。

(1) **No matter what** I do, my parents never seem to be satisfied.
（僕が何やったって,僕の両親は決して満足しているようには見えないよ）

(2) **No matter how** hard I try, I just can't get the hang of it.
（どんなに一生懸命やっても,コツがわからない）

(3) **No matter where** he goes, he always gets a warm welcome.
（彼はどこに行こうが,いつも温かい歓迎を受ける）

☐ **what we call [what is called] 〜/what we (may/might) call 〜**
（いわゆる〜）

「みんながよぶ（call）ところの」「一般によばれているところの」ということ。

(1) He is **what we might call** the dark horse in this election campaign.
（彼はこの選挙戦でいわゆるダークホースだ）

what we call [what is called] はすでに世間でそうした言い回しが十分定着している場合に使います。what we may [might] call は,「〜とよんでもいいかもしれないね」。自分がそう思ったという感触。

☐ **what is worse**（さらに悪いことには）

worse は bad の比較級。

(1) My car broke down on the way to the airport, and **what's worse**, I missed my flight!（僕の車,空港への途中で故障。さらに悪いことに,飛行機乗り遅れた！）

☐ **what is more**（その上・さらに）

(1) No, I haven't invited her yet, and **what's more**, I have no intention of inviting her!（いや,まだ彼女は招待してないよ。さらに,僕には彼女を招待するつもりもないんだよね！）

☐ **what with ... and ...**（…やら…やらで）

(1) **What with** the house loan, the car loan, **and** food prices going through the roof, I can hardly make ends meet.
（家のローンやら,車のローンやら,食べ物の価格は天井知らずやらで,ほとんど帳尻が合わないよ）

PART 4
配置転換
DISLOCATION

CHAPTER 14：疑問文
CHAPTER 15：さまざまな配置転換

■ 配置転換とは

みなさんは英語のエッセンスをすでに身につけています。基本文型, 修飾ルール, さらには配置によって機能を変える自由な要素の学習を終え, 配置のことば英語で最も大切な「どこに配置するのか」を身につけています。PART 4では, この配置を「崩す」ことを学んでいただきましょう。

疑問文はなぜ疑問文の形をしているのでしょう。感嘆文はなぜ感嘆文の形をしているのでしょう。その疑問を解くには「配置転換ルール」を思い出していただく必要があります。

配置転換ルールとは**「配置が動かされるときには, 感情・意図がある」**でしたね (☞P.32)。まずは疑問文の作り方を復習してみましょう。

疑問文の作り方

助動詞 (be動詞含む) を主語の前に出した, 倒置形を作ります。

A 文に助動詞がある場合

May I __ enter the room?

Have you __ finished your homework?

（助動詞を主語の前に）

B 文に助動詞がない場合

Do you __ speak Spanish?

do は助動詞。主語・時によって does (三単現), did (過去) と変化。

（助動詞 do を主語の前に）

C be 動詞の場合

Are you __ OK?

be 動詞は, 疑問文・否定文において助動詞と同じように扱います。

（be 動詞を主語の前に）

さあ、気がついていただけましたね？　疑問文の命は、配置を転換することにあります。「主語─助動詞」という英語の基本配置を崩す、そうした大きな操作「(主語─助動詞) 倒置」を文に加えるということです。

　　　　　配置のことば──英語のネイティブは、配置の崩れに非常に敏感です。そして配置の崩れから、「なぜその配置になったのか」──話し手の感情・意図を察知するのです。特に助動詞は話し手のモノの見方・感情をあらわす要素。それが主語を飛び越え移動するところに、大きな感情の動きを見るのです。疑問文は「知りたい・教えて！」と、話し手の感情が動く文。だからこそ「(主語─助動詞) 倒置」の形をとるのです。

　疑問文は偶然そうした形になったわけではありません。実に自然な、英語のことばとしての性質から生まれた形なのです。

　感情が大きく動くもう1つの例、**感嘆文**も見ておきましょう。

> **What a snazzy T-shirt** you have there!
> (君はなんてしゃれたTシャツをもっているんだろう！)

この文にも配置転換が起こっていることが、もう見えますね。

What a snazzy T-shirt you have _ there!

　本来 have の目的語にあるはずの a snazzy T-shirt が、文頭に移されています。そこに大きな感嘆のキモチが宿っているのです。what は感嘆のキモチの「ダメ押し」。what を使わなくても配置転換だけで感嘆のキモチをあらわすことはできます。

A snazzy T-shirt you have __ there!
（しゃれたTシャツ，もってんなー！）

感嘆文の本質も，疑問文と同様，配置転換にあるのです。

このパートでは，まず疑問文。そして感嘆文。さらにそのほかの感情を動かすテクニックを学んでいきます。大切なのは，配置転換の後ろに感情・意図を見る，自分が作るときには感情を動かしながら作る，ということなのです。

さあ，がんばっていきましょう。

CHAPTER 14

疑問文

QUESTIONS

（主語—助動詞）倒置によって，配置を崩す。そして感情の動きを示す。疑問文の本質はそこにあります。疑問文は会話必須の形。しっかりマスターするんだよ。

PART 4 - CHAPTER 14：疑問文

■ 疑問文とは

　疑問文とは「相手に尋ねる文」。疑問文という形よりも，相手に尋ねるという「キモチ」の方が大切です。相手に尋ねるキモチさえ文に乗っていれば，

Do you love me?
(私のこと愛してる？)

なんて，正式な形じゃなくても

You love me(♪)?

と文末を上げながら相手の目を見つめるだけで十分用を足せるのです。逆に，形式は完璧でも心が込もっていなければ，実際のコミュニケーションではつまずいてしまうでしょう。

　疑問文で必要なのは，キモチを乗せること。**「(主語─助動詞) 倒置」という形と，心の動きをシンクロさせること**です。それができれば，より高度な疑問文を作ることもできるようになっていきます。

　疑問文は難しくないよ。この章は，「実際に自分が尋ねているキモチになりながら」例文の音読を重ねてくださいね。

SECTION 1 基本疑問文

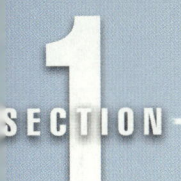

▶助動詞や be動詞を主語の前に移動する――「倒置」だけで疑問文が成り立ちます。疑問文への応答の仕方もひととおりマスターしましょう。

■疑問文の作り方

助動詞を主語の前に出す（＝[主語―助動詞] 倒置）

Can you click your fingers? 〔助動詞あり〕

Do you speak English? 〔助動詞なし〕

Are you happy? 〔be動詞〕

（主語―助動詞）倒置は，主語の前に助動詞を動かす操作のこと。これだけで疑問文を作ることができます。いくつかのケースに分けて説明しましょう。

A 助動詞あり

ⓐ **Can** you click your fingers?　（君，指鳴らせる？）
ⓑ **Should** I dump him?　（彼のこと捨てるべきかしら？）
ⓒ **Have** you read my e-mail?　（僕のメール読んだ？）

助動詞を含む文では，助動詞を主語の前に出せば OK。カンタンかんたん。

PART 4 - CHAPTER 14：疑問文　SECTION 1：基本疑問文

Ⓑ 助動詞なし

> ⓐ **Do** you speak English?　（あなたは英語を話しますか？）
> ⓑ **Does** he speak English?　（彼は英語を話しますか？）
> ⓒ **Did** he speak English?　（彼は英語を話しましたか？）

　can などの助動詞を含まない文では，助動詞 do を補い主語の前に出します。do には変化形（does, did）があることに注意しましょう。現在の文では，主語が三人称・単数である場合は does（三単現）で，それ以外は do。過去の文では did を使います。

　どの場合でも，do/does/did がすでに現在・過去など「時」をあらわしているので，動詞は常に原形です。

■doの変化

現在 { Do you ...
　　　Does he ... （三単の主語）

過去　Did you(he) ...

● 疑問文・否定文ではなぜ do を補うのか？

疑問文・否定文で加えられる助動詞 do。ネイティブは，この do を機械的に付けているわけではありません。

(1) You speak English.　→　**Do** you speak English?（疑）
(2) I speak French.　→　I **don't** speak French.　（否）

　実は，そこには「する」という意味が感じられています。「君は speak English するのかな？」「僕は speak French しないよ」。だから do を付けるんです。
　みなさんもこのキモチで使ってくださいね。

Ⓒ be動詞

> ⓐ **Are** you happy?　（幸せですか？）
> ⓑ **Was** he happy?　（彼は幸せでしたか？）

be動詞文は，be動詞を主語の前に出します。be動詞は love, kick などといったふつうの動詞とは，大きく性質が違います。主語と説明語句を結び付けるだけの補助要素。**疑問文や否定文を作るときには「助動詞」とみなします**。

> ●**いつも「正式な」疑問文ばかりじゃない**
>
> 　ネイティブはいつも「正式な」疑問文形ばかりを使うわけではありません。日本語でも「あなたは英語が好きですか？」の代わりに「英語好き？（↗）」と簡単に済ませる場合もたくさんあるでしょう？英語だって同じ。**文末を上げれば疑問文**になるんだよ。
>
> (1) You had a good time（↗）？（楽しかった？）
>
> 　上昇調（↗）に気をつけるだけ。カンタンだよ。「ちょこっと疑問文仲間（☞P.518)」もごらんくださいね。簡単に疑問文を作るテクニックを紹介しています。

D 疑問文への応答

Can Julie dance salsa?　── Yes, she **can**. / No, she **can't**.
(ジュリーはサルサ踊れる？)　　　　　(はい，踊れます／いいえ，踊れません)

Do you ┐
Does Lucy ├ get enough exercise?　── Yes, ┌ I **do**.
Did your kids ┘　　　　　　　　　　　　　　│ she **does**.
(運動十分やってる[やってた]？)　　　　　　　　└ they **did**.
　　　　　　　　　　　　　　　　　　　　　(うん，やってる[やってた]よ)

　　　　　　　　　　　　　　　　　　── No, ┌ I **don't**.
　　　　　　　　　　　　　　　　　　　　　│ she **doesn't**.
　　　　　　　　　　　　　　　　　　　　　└ they **didn't**.
　　　　　　　　　　　　　　　　　　(いや，やってない[やってなかった]よ)

Are you thirsty?　── Yes, I **am**. / No, I'm **not**.
(のどかわいた？)　　　(うん，かわいた／いや，かわいてないよ)

　応答パターンが理解できましたか？　疑問文へは「軽く答える」のが標準ってことです。次の2点がポイント。

PART 4 - CHAPTER 14：疑問文　SECTION 1：基本疑問文

① **Yes/No を述べる**　（これはあたりまえ！）
② **しつこく言わない**（he, she など人称代名詞を使う・繰り返さない）

Can Julie dance salsa?
「できるか」には「できるよ」で十分
— Yes, she can dance salsa.
代名詞で簡潔に！

Did your kids get enough exercise?
「したか」には「しなかった」で十分
— No, they didn't get enough ....
代名詞で簡潔に！

　人称代名詞は「受ける」単語。相手の言った内容を軽く受ける単語です。Julie, your kids としつこく繰り返さず she, they と受けるだけで文はずいぶん軽くなります。また、Yes, she can dance salsa. などと、すべて言い直す必要もありません。Yes, she can.（はい，できますよ）, No, they didn't.（いいえ，しませんでしたよ）だけで十分に伝わります。

●いつも「正式な」応答ばかりじゃない

　ここで説明したのはあくまでも「正式な」答え方。僕自身，Yes, I can. などとキチンと答えることはあまりありません。Yes.（はい）／ Yeah.（うん）／ Right.（そうだね）がふつうかな。いつでも正式に答える必要はないということですよ。

　答えがわからないときにムリして Yes/No を言う必要もありません。あたりまえだけど。

　　I don't know.　　（よくわかりません）
　　I wouldn't know.　（よくわかりません）
　　I couldn't say.　　（よくわかりません）
　　I'm not sure.　　（よくわかりません）

　また、No.（いいえ）にもいろんなバリエーションがあります。

　　No way!　（まさか！）
　　Who cares?
　　　（誰が気にするんだよそんなこと？〔＝知るか，そんなこと〕）

　要するに理解できればなんでもいいってことなんです。正式な答え方を覚えたら，あとはお気楽に！

SECTION 2 否定疑問文

▶ notを加えた否定疑問文。応答に注意すること。

A 否定疑問文の作り方

ⓐ **Can't** you find a job?　（仕事見つけられないの？）
ⓑ **Don't** you love me?　（私のこと愛してないの？）
ⓒ **Isn't** this disgusting?　（これってひどくない？）

　意外・心外・同意を求めるキモチなど，感情が際立つ疑問文。「英語話せないの？」「君は学生じゃないの？」など，日本語の「ないの？」と同じようなニュアンスになります。助動詞要素（can, do, be など）に not を加えただけでできあがり。

※否定疑問文への応答（☞P.325）

SECTION 3 付加疑問文

▶文の後ろに「ちょこっと疑問文」を付け加えるテクニック。「〜でしょ？」と軽い疑問のキモチを加えたり「〜だよね」と念押ししたりします。疑問か念押しかを分けるイントネーションにも気をつけてくださいね。

A 付加疑問文の基本

ⓐ You can play golf better than me, **can't you**?
（君は僕よりゴルフうまいんだよね？）

ⓑ So, Sayuri doesn't want to go out with me, **does she**?
（で，サユリは僕と付き合いたくないんだね？）

ⓒ It's a beautiful day, **isn't it**?
（すばらしい天気［日］だねぇ？）

付加疑問文とは，軽い疑問（〜でしょう？）・念押し（だよね？）の意味を付け加える疑問文です。作り方は簡単。

① 前の文を軽い疑問文にして後ろに加えます（肯定文なら否定疑問文／否定文なら肯定疑問文を加えます）。
② 代名詞を使って，軽く作ります。

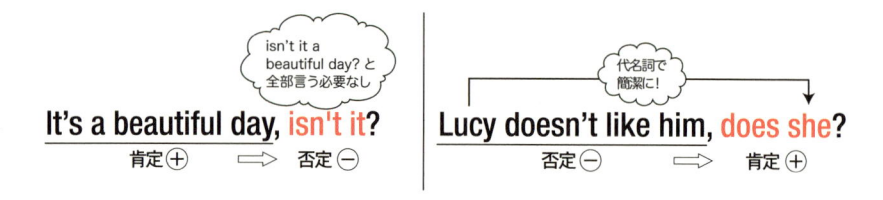

> isn't it a beautiful day? と全部言う必要なし

It's a beautiful day, isn't it?
肯定 ⊕ ⇒ 否定 ⊖

> 代名詞で簡潔に！

Lucy doesn't like him, does she?
否定 ⊖ ⇒ 肯定 ⊕

　…isn't it a beautiful day? なんて完全な疑問文を加えないでくださいね。「軽く」がポイント。だっておまけでちょこっと付けているだけなんだから。発音の際イントネーションにも注意しておきましょう。上昇調にすると疑問のキモチが強くなり，下降調になると念押しの意味が強くなります。

でしょ？
You love me, don't you?
私のこと好きでしょう？　上昇調

よね！
You love me, don't you?
私のこと好きだよね？　下降調

● 肯定→否定／否定→肯定と入れかえるキモチ

付加疑問文は肯定（＋）と否定（－）を入れかえます。その理由がわかりますか？　それは**相手に選ばせているから**です。前ページの例文ⓒは

ⓒ It's a beautiful day, isn't it?
（すばらしい天気［日］だねぇ？）

「今日は晴れているよね，それともそうじゃない？」と軽く付け加えることによって相手に是か非かを選択させ，そこに同意を求めるキモチが宿っているんですよ。

■ I am ... の付加疑問文

付加疑問文には，上の規則に従わないものもあります。I'm gorgeous.（あたしってキレイ）の付加疑問文，ポピュラーなのは I'm gorgeous, aren't I?/isn't it?（× amn't I）という形。付加疑問文にふさわしい軽い短縮形がないからでしょう。もしかするとみなさんは，I'm gorgeous, am I not? という文を聞いたことがあるかもしれません。とってもスノービッシュな言い方です。まぁ，ここまで鼻にかかった表現だと，ほとんど冗談の部類だったりもするのですが。I am の付加疑問，ご注意くださいね。

Ⓑ ちょこっとくっつけるテクニック

ⓐ You remembered to bring the key**, right**? ── Er...!
（カギもってくるの覚えてたよね？──えーと…！）

ⓑ Get off my back**, OK**?
（ほっておいてくれないかな，いい？）

14　疑問文

ⓒ So, you fancy my girlfriend, **huh**?
(で，君は僕の彼女が好きというわけなんだね？)

ⓓ That's a good idea, **don't you think**?
(それいいアイデアだと思わない？)

ⓔ Quit pestering me, **will you**?
(しつこくしないでくんない？)

ⓕ Let's break for lunch, **shall we**?
(昼休みにしよう，ね？)

ちょこっと最後に疑問の意味を付け加えるのは，付加疑問文だけではありません。ⓐ〜ⓓを見てみましょう。正式な疑問文でなくても，こうした語句を付け足すだけですぐに疑問文を作ることができます。ネイティブは実に気軽にやってますよ。また，ⓔとⓕのように命令タイプの文に，軽く添えるのも大変ポピュラー。ⓔは，

Will you quit pestering me?

のバリエーション。少し丁寧な ... would you? / could you? / won't you?（してくれませんか？）などを付け加えることができます。

Let's 〜（〜しよう）によく加えられるのは ... shall we?。Let's で「〜しようよ！」と強く相手を誘い，その後「そうしない？」とソフトに終わる感触の文に仕上がります（shall ☞P.352）。

付加タイプの疑問文を堅苦しく考える必要はありません。定型的な形にこだわらず，**さまざまなフレーズを自由に・気楽に付け足してくれればいいの**ですよ。

● **無敵の付加疑問 innit?**

みなさんがイギリスに行くとすぐに気がつく付加疑問の形があります。それが innit?。これは isn't it? がなまったもの。innit は、イギリス英語では付加疑問文の帝王なんですよ。

(1) It's fine, **innit**? (晴れてるね？)

という形ばかりではなく，文法規則を無視した，

(2) You love me more than her, **innit**?
　　(あなたは彼女より私が好き，そうよね？)

なんて形を使う人すらいます。まぁここまでくると「おいおい, innit（isn't it）じゃなくて don't you だろが」と，眉をしかめる人もいそうですが。気が向いたら使ってみてください。「日本人がなんでこんな表現を！」って感動されること請け合いだから。一杯奢ってくれるかもしれないよ。はは。

innit?

14 ▼ 疑問文

SECTION 4 あいづち疑問文

▶「へぇ,そーなんだ」。会話を盛り上げる気軽な合いの手。疑問文のテクニックを使えば簡単に作れます。

A 発言を受ける疑問文

ⓐ I can give you a ride, if you like.
　—— Oh, **can you**? That would be great!
（お望みなら車で送るけど。——え，そうなの？　そうしてくれたらありがたいな！）

ⓑ I never wear any make-up. —— Oh, **don't you**?
（私決して化粧しないの。——え，しないんだ？）

ⓒ I'm a bit drunk. —— Oh, **are you**?
（私ちょっと酔っぱらってる。——え，そうなの？）

相手の発言を受ける疑問文です。会話を盛り上げるために必須のテクニック。「化粧しないの」と言っても相手が「・・・」と無反応なら話は続きませんからね。軽く受けることによって，話は円滑に流れ出していくのです。

作り方は単純。相手の発言を軽い疑問文にして返してやる。ただそれだけ。効果的に相手にどんどん発言をうながすことができる便利な表現です。しっかり口慣らしして，ぜひマスターしてくださいね。

■ 同じことが…

もちろん同じことが Oh, really?（え，本当？）でも Wow! でも Great! でもできますよ。とにかく相手の発言に無言で応対しないということが肝心なんです。

SECTION 5 wh疑問文① しくみ

▶さあ，疑問文のハイライト。wh疑問文のマスターです。ゆっくり学んでいきましょう。

A wh疑問文

wh疑問文とは，what（何），who（誰）などのwh語を使った疑問文のこと。「誰が好き？」「いつ出かけたの？」などと，**相手から具体的な情報を引き出すときに使います**。wh語には以下のものがあります。

疑問詞	例文	引き出す情報
what	**What** is that? （あれ何？）	「何」 モノなど
who	**Who** is that girl? （あの女の子誰？）	「誰」 人
which	**Which** do you like? （どれが好き？）	「どれ」 選択
when	**When** are you leaving? （いつ立つの？）	「いつ」 時
where	**Where** were you born? （どこで生まれた？）	「どこ」 場所
how	**How** did you do that? （どうやってやった？）	「どう」 程度・方法
whose	**Whose** is this? （これ誰の？）	「誰の」 所有
why	**Why** didn't he come? （なぜ彼はこなかったの？）	「なぜ」 理由

※ how は wh- ではありませんが，wh語。だって w と h 入ってんじゃん（ヘリクツ）。

PART 4 - CHAPTER 14：疑問文　SECTION 5：wh疑問文① しくみ

それではさっそく wh疑問文を作っていきましょう。

●wh疑問文の作り方

①尋ねたい箇所を穴（■）にする

②何を尋ねたいのかを wh語で指定する

③倒置形を用いる（主語を尋ねる場合以外）

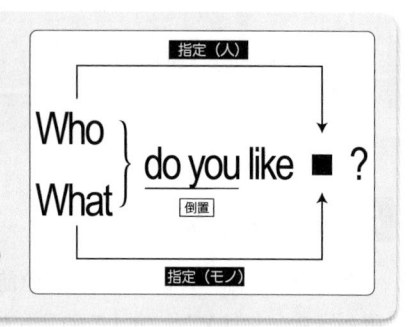

```
            指定（人）
       ┌─────────┐
       │         ↓
  Who  ┐
       ├ do you like ■ ?
  What ┘   倒置       ↑
       │            │
       └─────────┘
            指定（モノ）
```

さあ、もうピンときましたね。**wh疑問文は、穴あき疑問文**。文に穴をあけることによって、相手にそこを埋めてもらう――そこにあてはまる情報を求めるのです。上の文では like（〜が好き）の目的語があいていることから、好きな対象を尋ねていることがわかります。

wh修飾で wh語が果たした役割を思い出してください。それは穴の指定。wh疑問文でも同じです。欠けている情報が「人」なのか「モノ」なのかを指定することによって「誰が好きなのか」「何が好きなのか」など、要求している情報の種類を相手に知らせるのです。

また、wh疑問文には（主語を尋ねる場合以外）倒置が起こります。ほかの疑問文と同じように「知りたい・訊きたい」という感情が動くから。倒置が起こらなければ――もちろん――疑問文とはなりません。

　　I don't know **what you like**. （君が何が好きなのかわからない）

what you like は wh節。疑問のキモチを含まない、文の一部にすぎません（☞P.500）。

さあ、準備は万端。さっそくさまざまな wh疑問文をマスターしていきましょう。

SECTION 6 wh疑問文② 基礎

▶まずは基礎的な wh 疑問文の練習です。

Ⓐ wh疑問文の基礎

ⓐ **What** do you like? —— I like hamachi.
（何が好きなの？ ——ハマチが好き）

ⓑ **Who** did you meet? —— I met Hanako.
（誰と会ったの？ ——ハナコと会ったよ）

ⓒ **Which** do you like, dogs or cats? —— I like cats.
（犬と猫，どっちが好き？ ——猫が好き）

ⓓ **Whose** is this car? —— It's my Dad's.
（この車誰のもの？ ——私のお父さんの）

まずは標準的な wh 疑問文です。話し手のキモチになってみましょう——話し手は尋ねたい箇所に穴（■）をあけていますよ。what はモノを尋ねる wh 語。ⓐでは like の目的語に穴をあけ「何が好きなのか」と，モノを尋ねています。ⓑの who は人。やはり動詞 meet の目的語に穴をあけ，「誰と会ったのか」。ⓒも like の目的語。ⓓの whose は「誰のもの」。所有者を尋ねています。穴をあけて尋ね，聞き手はその穴を埋めるように答えを返す。これが wh 疑問文の基本，いいですね？

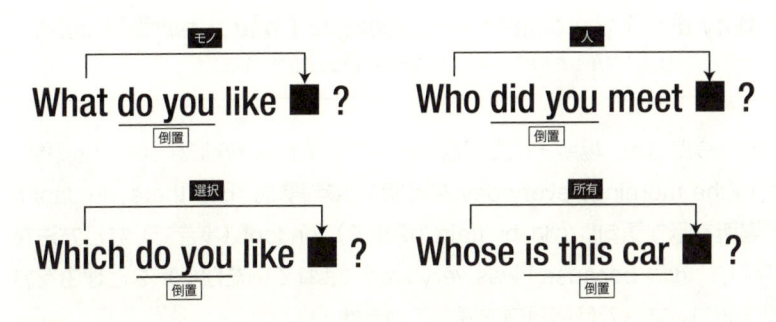

```
        モノ                          人
    ┌─────────┐                ┌──────────┐
What do you like ■ ?      Who did you meet ■ ?
       倒置                         倒置

        選択                         所有
    ┌─────────┐                ┌──────────┐
Which do you like ■ ?     Whose is this car ■ ?
       倒置                         倒置
```

■ Which ... , A or B?

選択を求める基本的な形です。イントネーションに注意しましょう。最後は下降調（↘）になりますよ。

Which do you like (↘), dogs (↗) or cats (↘)?

> ● wh疑問文のイントネーション
>
> wh疑問文の基本イントネーションは，文末を下げます（↘）。
> What do you like (↘) ?
> ただ，相手に反射的に聞き返す場合には（↗）になります。
>
> (1) I hate you, Chris. —— WWWhat??? **What did you say** (↗) **?**
> （僕，君が大嫌いなんだよ，クリス。——な，なんて言った？）
> (2) I bumped into Mary at the bank. —— **You bumped into who** (↗) **?**
> （銀行でメアリーにバッタリ会ったよ。——君が誰に会ったんだって？）
>
> 聞き返すときには，「な，なんてった？ ん？ ん？」と答えをうながしますよね。このキモチが文末を上げさせるんですよ。(2)の，聞きのがした箇所にwh語を入れて聞き返すテクニックについては ☞P.532をご覧ください。

B 「時・場所・方法・理由」を尋ねる場合

ⓐ **When** do you work out? —— I work out **every morning**.
（いつトレーニングするの？ ——毎朝だよ）

ⓑ **Where** do you live? —— I live **in Urawa**.
（どこに住んでるの？ ——浦和だよ）

ⓒ **How** did you come here? —— I came here **by car**.
（どうやってここにきたの？ ——車できたんだよ）

ⓓ **Why** didn't you come? —— **Because I had a terrible cold**.
（どうして君はこなかったの？ ——ひどい風邪ひいたからだよ）

さあ，今度は時・場所・方法・理由を尋ねてみます。穴になっているのは，ⓐは in the morning, every day など**時**を示す語句。ⓑは there, in Japan など**場所**を示す語句。ⓒは by train（電車で）, on foot（歩きで）など**方法**を示す語句。ⓓは because I was very tired（疲れていたから）など**理由**をあらわす語句。すべて修飾語句を尋ねています。

```
        時                              場所
When do you work out ■ ?    Where do you live ■ ?
                    in the morning                there
                    every day                     in Japan

        方法                             理由
How did you come here ■ ?   Why didn't you come ■ ?
                   by train                    because ...
                   on foot
```

C 前置詞の目的語を尋ねる

ⓐ **What** did you do that for? （なんのためにそんなことやったの？）
ⓑ **Who** are you going drinking with? （誰と飲みに行くの？）

　wh疑問文は尋ねたい箇所を穴にする。前置詞の後ろだって同じこと。自由に穴をあけてかまいません。

■ whom の使用

　who の目的格，つまり「誰を」と目的語を尋ねる whom は，日常語としてはあまり使われません（☞P.420 も参照）。Who do you like?（あなたは誰が好きなの？）など，目的語を尋ねる場合でも使う wh 語は who が圧倒的（☞P.525）。Whom do you like? は古くさく奇妙に感じられます。前置詞の目的語を尋ねる上の例文ⓑのケースも，who で十分です。

■ 前置詞を繰り上げる　ADVANCED

　wh修飾に，文末に残った前置詞を wh語の前に出す操作がありましたね。疑問文でもそれは可能です。
(1) **To whom** did you send the e-mail?（誰にそのメール送ったの？）
(2) **To which universities** are you applying?（どの大学に願書出してる？）
(3) **By when** does this paper need to be done?
　　（この論文いつまでに仕上げなくちゃいけないの？）

　(1)の whom を使った形は大変フォーマルで，会話ではほとんど使われないまれな形です。(2)，(3)はやはりフォーマルな感触がありますが，会話でも使われます。
　ちなみに，前置詞の直後だけに，(1)では who ではなく目的格の whom が使われています。

D 主語を尋ねる

ⓐ **Who** told you that? —— A little bird did!
（誰が君にそんなこと言ったんだよ？ ——ある小鳥がさ！〔＝言いたくないよ〕）

ⓑ **What** makes you happy? —— Hanging out with my friends does.
（何しているときが幸せ？ ——友達とフラフラしているときだよ）

主語を尋ねる場合は，主語の位置に wh 語を置きます。とってもカンタンですね。この場合倒置が起こらないことに注意しましょう。また，主語の wh 語は単数としてとり扱います（現在形の場合三単現の -s が付きます→ⓑ）。

●なぜ主語を尋ねる場合には倒置が起こらないのか

もちろんこんなこと理屈で考えても仕方ないんだけど，気になる人もいるかもしれませんね。じゃちょっとだけ。

主語を尋ねる疑問文は，詳しく言えば，次のような形をしています。

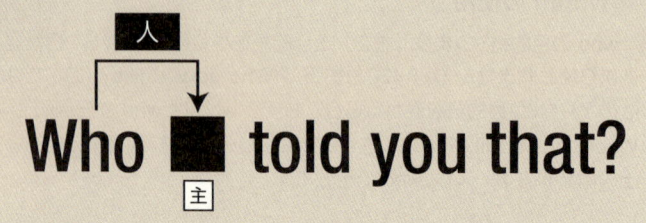

人
↓
Who ■ told you that?
主

主語を尋ねるから主語位置が穴。そこを who が「人だよ」と指定。さて，この形には主語がありませんよね。倒置は「主語と助動詞を入れかえる」形です。そもそも主語がなければ，入れかえることはできません。つまり，倒置が起こらないのです。

E 「大きな」wh 語

ⓐ **How old** are you? —— I'm seventeen (years old).
（君はいくつ？ ——17〔歳〕です）

ⓑ **How tall** are you? —— I'm 5 foot 8.
（背はどのくらい？ ——5 フィート 8 インチです）

ⓒ **How much** is this? —— It's $5.
（これいくら？——5ドルです）

ⓓ **How many CDs** do you have? —— Too many to count!
（CD何枚もってる？——多すぎて数えられないよ！）

ⓔ **What kind of music** do you like? —— I like rap music best.
（どんな音楽が好き？——僕はラップ音楽が一番好きだよ）

ⓕ **Whose rollerblades** are those? —— They're my brother's.
（あれ，誰のローラーブレード？——弟のだよ）

まとめて扱う！

wh語は単体だけでなく，how（どれくらい）＋ old（歳をとった）＝「いくつ？」など，ほかの語と自由に組み合わせることができます。使い方は簡単。**「大きなwh語」と考えてまとめて文頭に置く**，あとはふつうのwh疑問文と同じです。

背の高さ

How tall are you ■ ?

音楽の種類

What kind of music do you like ■ ?

実はネイティブは，こうしたポピュラーなものばかりでなく，場面にそくしてさまざまなwhフレーズを作ります。ご自由にってことなんですよ。

ⓖ **Which MP3 player out of these four** would you choose?
（この4つのうち，どのMP3プレーヤーを選ぶ？）

14 ▼ 疑問文

SECTION 7 wh疑問文③ 応用

▶ wh疑問文,仕上げです。やや複雑な wh 疑問文ですが,穴をあけ指定する——このリズムをつかんでいれば問題はありません。

A レポート文内を尋ねる

ⓐ **Who did you say called Cindy?**
（誰がシンディに電話かけたって言ったの？）

ⓑ **Who did you say Cindy called?**
（シンディが誰に電話かけたって言ったの？）

wh疑問文は知りたい箇所を穴にして尋ねる,そして（主語以外は）倒置形を使う,単純なメカニズム。同じことをやや複雑な文でも行えるようにしておきましょう。上のⓐ・ⓑの意味の違い,わかりましたか？

Who did you say ■ called Cindy?   参考 I said *Nancy* called Cindy.
Who did you say Cindy called ■ ?   I said Cindy called *Ken*.

この文はレポート文（☞P.95）。そして said に後続する文のそれぞれの主語と目的語を穴にして,疑問の焦点にしています。「誰がシンディに…？」「シンディが誰に…？」となりますね。

ⓒ **What do you think was the cause of the accident?**
（君は何が事故の原因だったと思う？）

ⓓ **Who do you suppose was behind the fraud?**
（誰がその詐欺事件の後ろにいたと思う？）

ⓔ **When do you imagine you'll get the results of the scan?**
（いつ精密検査の結果が手に入ると思う？）

さあ，もう慣れてきましたね？　前ページの例文ⓒ〜ⓔは次のように穴をあけています。

ⓒ What do you think ■ was the cause of the accident?
ⓓ Who do you suppose ■ was behind the fraud?
ⓔ When do you imagine you'll get the results of the scan ■ ?

> ●**主語を尋ねる場合には that を使えない** ULTRA ADVANCED
>
> レポート文では that が使われましたね。レポート内容に丁寧に間違いなく「導く」that です（☞P.97）。
>
> (1) I think **that** the school will suspend the 3 boys for cyber-bullying.
> 　（学校はネットいじめの件で3人の少年を停学にすると思います）
>
> 　レポート文内を尋ねる疑問文で，主語を尋ねる場合にはこの that を使うことはできません。
>
> (2) × What do you think **that** ■ was in the mysterious parcel?
> 　（その得体の知れない小包の中に何が入っていたと思う？）
> 　○ What do you think ■ was in the mysterious parcel?
>
> that が使われると，was の主語と考えられてしまうからです。ご注意くださいね。

B その他の複雑な wh 疑問文

ⓐ **What time do you want me to come round?**
　（何時に僕にきてもらいたい？）

ⓑ **Where in the whole world would you choose to go for your honeymoon?**
　（ハネムーンに行くとしたら，世界中でどこを選ぶ？）

ⓒ **Who would you like to be as famous as?**
　（誰と同じくらい有名になりたい？）

すぐに意味がわかりましたか？　ⓐは come round する時間，ⓑはハネムーンに行く場所，ⓒは「誰と同じくらい有名に」なりたいか（as famous as の後ろ), をそれぞれ尋ねています。

　このレベルの文はネイティブにとっては日常会話。理屈は単純, あとは何度も口慣らししてマスターするだけだよ。万が一ピンとこないようなら, まだ英語文の「型」がしっかりと身についていないということ。型がわかればどの要素が抜けているのかがわかるはずだから。CHAPTER 1を読み返してくださいね。

Ⓒ wh語を使った聞き返し

ⓐ **I went to Estonia.**　――**You went where?**
（エストニアに行ったよ。――君はどこ行ったって？）

ⓑ **I bought a loofah.**　――**You bought what?**
（ヘチマ買ったよ。――何買ったって？）

ⓒ **I've been a vegetarian for 20 years.**　――**You've been a vegetarian for how long?**
（もう20年もベジタリアン［菜食主義者］だよ。――何年ベジタリアンだって？）

　日常会話の中で相手に発言内容を確認する, 聞き返すケースはよくありますね。wh語を使った効果的な聞き返しのテクニックをマスターしましょう。

　作り方は単純。聞きもらした部分をwh語に変えて, オウム返しにすればOK。

　Sorry? / Excuse me?（すみません／なんて言いました？), I beg your pardon?（もう一度おっしゃっていただけますか？）など, ポピュラーな文句よりも, 聞きとれなかった部分がピンポイントでわかる表現です。2箇所をwh語に置きかえることもできますよ。

　I heard that Terry broke up with Lisa.
（テリーはリサと別れたってさ）

　―― What?? **Who** broke up with **who**?
（――何？　誰が誰と別れたって？）

SECTION 8 疑問ではない疑問文

▶はは。妙なタイトルですね。疑問文の中には相手に尋ねる意図をもたないモノが数多くあります。「修辞疑問」とよばれるこの仲間には会話の決まり文句が数多くあります。

疑問文，最後の項目は気楽に行きましょう。疑問文の中には，疑問文の形をしていても本当は疑問の意味ではなかったりする疑問文もあるのです。

例えばみなさんの，いつものように散らかったお部屋にお母様が入ってきたとしましょう。

「どうしてこんなに部屋が散らかっているの？」は，もちろん理由を尋ねているわけではありません。「掃除しろ」という命令。英語だってこの呼吸は同じだよ。

　　Why is your room always in such a mess?
　　（なんであなたの部屋はいつもそんなに散らかっているの？）

ここでは，このタイプの疑問を意図しない疑問文を集めました。どれも会話ですぐに使えるものばかり。部屋掃除が終わったらさっそくマスターだっ。

A 依頼の疑問文

ⓐ **Can you** talk some sense into my son?　He won't listen to me.
　　—— Well, I can try!
　　（息子に言い聞かせてくれない？ 私の言うことは聞かないの。——うーん，やってみるよ!）

ⓑ **Will you** call me as soon as you get there?　I'll be worried about you.　—— Sure, Mom.
　　（着いたらすぐに電話くれない？ 気になるから。——わかったよ，母さん）

Can/Will you ...? を文字どおり訳せば「できますか？／する意志はありますか？」ですが，もちろん意図されているのは「依頼」です。この種の疑問文には，バカ正直に Yes, I can.（はい，できます）なんて答えても意味をなしません。Sure.（いいよ）／Certainly.（いいですよ）などを使ってくださいね。

Ⓑ 疑問の意味ではない疑問文

ⓐ **Why don't you** stay a little longer?
（なぜもう少し長い間泊まらないのですか？ →もう少し泊まっていきなよ）

ⓑ **Why don't we** take the kids to the zoo on Saturday?
（なぜ私たちは土曜日に子どもたちを動物園に連れていかないのですか？ →連れていこうよ）

ⓒ **Why must you** always leave the toilet seat up?
（なぜあなたはいつもトイレのシートを上げたままにしなくてはならないの？ →上げたままにしないでちょうだい）

ⓓ **What do you say** we go catch a movie tonight?
（今夜映画を見に行くのに対してなんと言いますか？ →映画を見に行こうよ）

ⓔ **Would you like** a cup of coffee?
（コーヒーお飲みになりたいですか？ →コーヒーはいかがですか）

ⓕ **How / What about** going for a bike ride along the river?
（川沿いに自転車で行くことについてどう思いますか？ →行きませんか？）

ⓖ **Who are you to** give me advice?
（私にアドバイスするなんて、君は誰なのですか？ →そんな口きくなんて何様？）

ⓗ **Who do you think you are?**
（あなたは自分のことを何だと思っていますか？ →何様だよ）

ⓘ You need to apologize to her. —— **Why should I?**
（彼女に謝らなくちゃ。——なぜ私はそうすべきなのですか？ →やだよ）

疑問文の体裁はしていても、中身が疑問の意味ではない文もよくある、ただそれだけのことです。もとの文の意味がわかり文脈さえつかんでいれば、悩むことはほとんどありません。日本語と同じ。英語も日本語と同じように気楽に使えばいい、ってことですよ。

CHAPTER 15

さまざまな配置転換

Various Types of Dislocation

配置が動かされるときには感情・意図がある――配置転換ルールの例は，疑問文だけではありません。この章ではネイティブが典型的に行う配置転換の例をいくつかご紹介しましょう。

SECTION 1 主語―助動詞倒置

▶「(主語―助動詞) 倒置」は，疑問文専門の形ではありません。この形がフルに使いこなせるようになれば，ネイティブの英語力にまた一歩近づくことができます。

Ⓐ (主語―助動詞) 倒置形の活用：基本

ⓐ Oh, man. **Am I** angry!
（あああ，オレすっげー怒ってんだよ！）

ⓑ **Did I** put my foot in my mouth!
（ヘタなこと言っちまったぁ！）

ⓒ I love banana pancakes. ── **So do I!**
（私，バナナパンケーキが好きなの。──僕もだよ！）

ⓓ I've not seen his latest movie yet. ── **Neither have I.**
（私まだ彼の最新映画見てないの。──僕も〔見てない〕）

すべて助動詞が主語の前に置かれた倒置形です。疑問文とまるで同じ形をしていますが，実は疑問文ではありません。**感情の大きな高揚**をあらわす形。話し手のモノの見方・感情をあらわす助動詞が主語を飛び越え移動する──そこにネイティブは感情の動きを見るのです。

ⓐの文は，I'm very [so/really] angry.（大変怒っています）でも同様の意味をあらわすこともできるでしょう。ですが「あああ，すっげー怒ってんだよ！」と，**ここ一番大きな感情の抑揚をつけたいとき，ネイティブは倒置を使う**のです。so, neither を使ったⓒ・ⓓも同じ。同意をあらわす典型的な形ですが，単に Me too.（僕もです）よりもはるかに勢いがある「僕も僕も！」。この２つ，しっかり覚えておきましょう。日常会話にもすぐに使える表現です。

■ **So ...**（…もそうだよ）／ **Neither ...**（…もそうじゃない）

相手の発言が肯定文のときは So ... , 否定文のときは Neither ... で受けることに注意します。

(1) I love Justin Bieber. —— **So** does Momoe.
（僕ジャスティン・ビーバー好きなんだよ。 ——百恵もだよ）

(2) I've not prepared for this test. —— **Neither** have I.
（この試験の準備できてないんだよ。 ——僕もだよ）

Ⓑ 否定的語句＋倒置

ⓐ **Never have I** seen such terrible behavior!
（こんなひどい態度，見たことないっ！）

ⓑ **Rarely have I** laughed so hard.
（滅多にこんなに笑ったことなかったよ）

ⓒ **Little did they** know how tough this challenge was going to be.
（この試練がどれほど厳しいものになるかを彼らはほとんど知らなかった）

ⓓ **No sooner had I** entered the interview room **than** I knew I had no chance.
（面接室に入るやいなや，自分にチャンスがないことがわかった）

「否定語句＋倒置」は大変強力なコンビネーション。文頭に置かれた否定語句の後ろに倒置を続けると，文に大きな感情の抑揚を込めることができます。no sooner ... than 〜は「…するとすぐに〜」。2つのできごとが間髪を入れず起こったことをあらわすフレーズです。

もちろん「否定語句＋倒置」と丸暗記する必要はありません。否定語句は感情が込もりやすい。だから倒置を伴うコンビネーションが頻繁に起こる，ただそれだけのこと。否定語句以外でも倒置を伴うケースはよくあります。

ⓔ **So boring was his lecture** that almost all the students fell asleep!
（彼の講義はあまりにもつまんないので，学生はほとんど全員寝てしまった！）

ⓕ **Only after thinking about the problem for days** did I manage to find a solution.
(何日もその問題について考え続けた後初めて解決策をなんとか見つけた)

ⓖ And there, **right next to me,** was David Beckham. I couldn't believe it!
(そして僕のすぐ隣にはデイヴィッド・ベッカム〔＝サッカー選手〕がいたんだぜ。信じられなかったよ！）

　この形は日常会話でよく使われるとは言えません。だけどね。いざというとき出すことができる、それがネイティブの力、本当のことばの能力です。口慣らししてごらん。すぐにできるようになる。

●「否定的語句＋倒置」の心理

この形がしっかりと使えるように、少しだけネイティブの心理を説明しましょう。前ページの例文ⓐは次の形がふつう。

I have **never** seen such terrible behavior.
（こんなひどい振る舞いは見たことがありません）

だけど話し手は、これじゃ言い足りないと感じています。「決して～したことないよ!!!」と never を強調したい。だからガツン！　と Never で文を始めている、それがこの文の最大のポイント。

× **Never** I have seen such terrible behavior.

だけどね、この形はまだ不十分。だって、never で文を始めるくらいキモチは高まっているのに、I have と抑揚のないふつうの形が使われているから。バランスを欠いているのです。そこで、have I と大きな感情が込もる倒置を使うのです。

Never have I seen such terrible behavior!

否定語句でガツンと始める。その感情を倒置でさらに追いかける。それが、この形の意識です。さあ、同じキモチで口慣らしだよ。

ⓒ 仮定法 + 倒置

ⓐ **Had he** not braked so quickly, he would have run over the child.
（ブレーキをすばやく踏んでいなかったら，彼は子どもをひいていただろう）

ⓑ **Had there** not been a doctor nearby, my son might have died.
（もし近くに医者がいなかったら息子は死んでいたかもしれない）

ⓒ **Were I** to lose my job, we would have enough to survive for a year or two.
（仮に仕事を失ったとしても，我々が1年や2年くらい生きられる蓄えはある）

ⓓ **Were it** not for Bill, there would be no soccer club.
（ビルがいなかったら，サッカークラブはなかったろうな）

仮定法（☞P.590）の文で見られる，決まり文句となった倒置形です。had/were は時に，倒置され文頭に引っぱり出されます。**if が使われない**ことに注意しましょう。

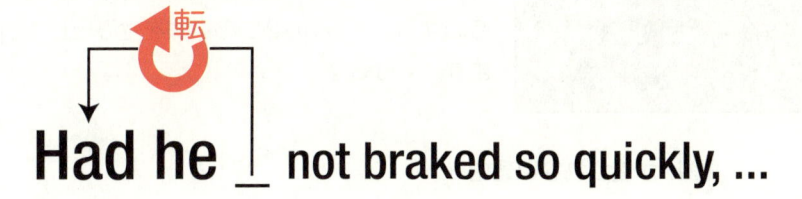

転

Had he ⌴ not braked so quickly, ...

この倒置には，Am I angry!（オレすっげー怒ってんだよ！）ほどクッキリとした，感情の起伏は感じられません。定型的な文であるだけに，**文に勢いを与える程度の効果**だと考えてくださいね。

かなり一般に使われる形ではありますが，文の形が凝っていることもあり，if ... の**フォーマルなバージョンとして意図される**こともしばしばあります。

ⓔ I firmly believe that, **had the police** acted more decisively, far fewer lives would have been lost.
(もし警察がより断固たる態度を示していたなら、失われた命ははるかに少なかったと確信しています)

D Should ＋ 倒置

> ⓐ **Should you** incur any additional costs, we'll reimburse you.
> (もし少しでも余計にかかるようでしたら、私どもが返金させていただきます)
>
> ⓑ I've repaired everything, and it's working fine now, but **should there** be a problem, just bring it back, OK?
> (修理終わりました。今はちゃんと動いていますが、万が一問題があれば、またもってきてくださいね。いいですか？)

If ... should の形も、倒置することがあります（if は使われません）。そしてここにも——もちろん——意図が隠されています。それは**丁寧なニュアンス**（ⓐ）と**低い可能性**（ⓑ）。should がもつ「事態がそのような方向に向かうのなら」が、この2つの意味を生み出しています（☞P.355）。

■ if が使われない理由

仮定法文や should の倒置形で if が使われない——不思議ですか？ それは「if を使わなくても条件をあらわせるから」なんです。実は、条件をあらわす文で if が使われないことは——口語では——頻繁にあります。

(1) You answer me back one more time, you'll be out of the team.
(もう一度でも口答えしたら、君をチームから外すよ)

(2) We don't pay by next month, the bank will repossess our house.
(来月までに支払わないと、私たち銀行に家をとりあげられてしまうよ)

ほら、倒置形で if が使われなくても、十分「条件だ」とわかるんですよ。

SECTION 2 感嘆文・その他

▶「なんて~なんだ」。感嘆文は，典型的な配置転換の形です。

A 感嘆文

> ⓐ **What a nice camera** you have!
>   （なんてすばらしいカメラを君はもってるんだろう！）
> ⓑ **How fast** he runs!
>   （なんて速く彼は走れるのだろう！）

感嘆文とは，「なんて~なんだろう！」と感動をあらわす形です。次のような語順で作られています。

(A) 名詞が感動の焦点
What a nice camera you have!
 What＋名詞　主　動

(B) 形容詞・副詞が感動の焦点
How fast he runs!
 How＋形／副　主　動

さて，この2つの文になぜ感動のキモチが乗るのか，もうみなさんならすぐにピンとくるはずですね？

それは配置転換が起こっているから。英語文の配置をマスターしたみなさんなら，a nice camera，fast が本来の位置から前に引き出されていることがわかるはず（a nice camera は have の目的語。fast は runs を説明しているのでその後ろ）。

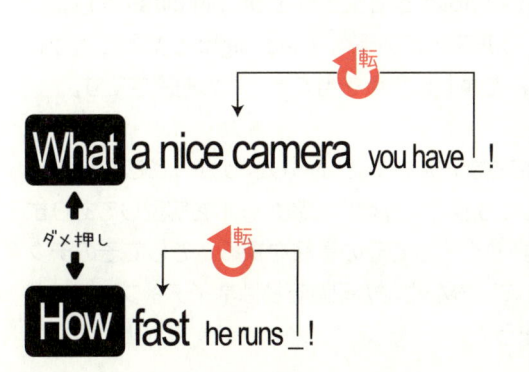

本来文中に埋もれている要素を，目立つ前の位置に

転
What a nice camera you have ＿!
↑
ダメ押し
　　　転
How fast he runs ＿!

15 さまざまな配置転換

541

引っぱり上げる。その**配置の転換に感動の気持ちが宿るのです。what, how**はいわばダメ押し。感嘆文であることを，まぎれもなく・クッキリと示しています。a nice camera, a cute girl など**名詞に感動の焦点があるときはwhat**, fast, wonderful などの**形容詞・副詞の場合は how** であることに注意しておきましょう。

　あ。あと最後のびっくりマーク（！＝感嘆符）も落とさないように。感嘆してるんだからさ。

ⓒ What **a cute girl** that is!　（あれはなんてかわいい女の子なんだろう！）
　　　　[名詞]

ⓓ How **cute** that girl is!　　　（あの女の子はなんてかわいいんだろう！）
　　　[形容詞]

🅱 その他の配置転換

> ⓐ **In class** she is as quiet as a mouse, but **at karaoke** she is wild!
> 　（授業中は彼女はネズミみたいに静かだけど，カラオケじゃすごいよ！）
>
> ⓑ **Last night**, I had a big fight with my boyfriend.
> 　（昨日の晩，ボーイフレンドと大げんかしちゃったのよ）

　配置の転換。配置のことば英語は，要素の配置に大変敏感です。**配置転換には必ず感情・意図があります。**

　ⓐは「対比」の例。次の at karaoke と対比するために, in class を目立つ文頭に置いています。ⓑは，本来文末にあるべき last night が文頭に置かれていますね。「昨日のことなんだよ」に焦点を当てるための前置きです。

　配置転換の意図には非常にさまざまなものがありますが，ここから先は「習うより慣れろ」。みなさんにはすでに鉄壁の配置ルールを解説してあります。そこからずれた英文を読む，そしてその意図を探る。そしてそのテクニックを学ぶ。その繰り返しで，みなさんの配置転換はネイティブにどんどんと近づいていくことでしょう。

PART 5

時表現
TEMPORAL EXPRESSIONS

CHAPTER 16：時表現

■時表現とは

「時表現（とき）」とは，現在形・過去形など，文のあらわす状況を時間上に位置づけるさまざまな表現のことです。

英語の時表現，基本は6つしかありません。「現在」，「過去」と，**生き生きとした躍動感**をあらわす「進行」，話し手に**向かってくる**動きをあらわす「完了」とのコンビネーションによって作られています。この6つの上に，さらに未来をあらわすいくつかのパターンを重ねましょう。これで，時表現の学習は完成します。

さ，ダッシュだ。もうすぐだよ。

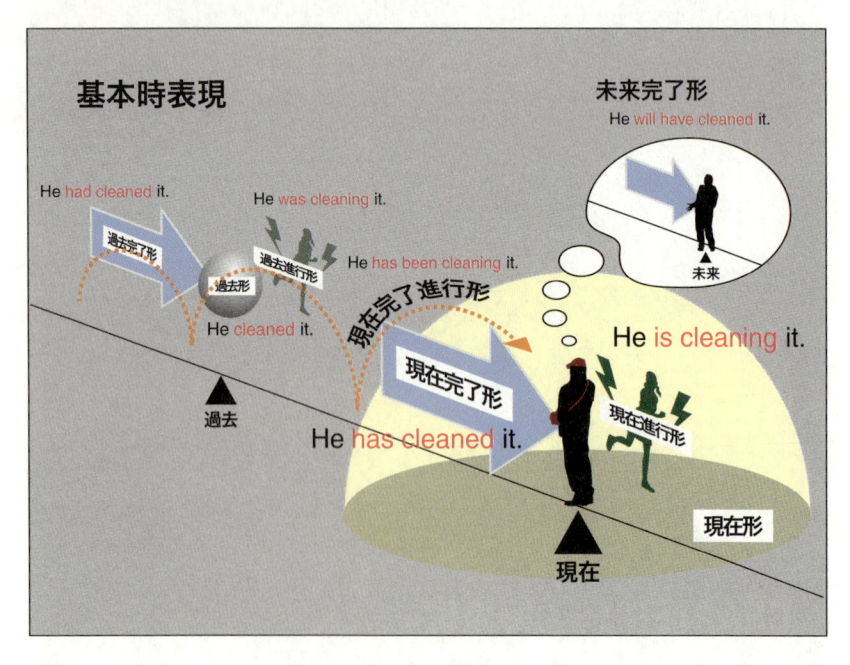

	現在	過去
	（単純）現在形	（単純）過去形
進行	現在進行形	過去進行形
完了	現在完了形	過去完了形

基本時表現

- He had cleaned it. 過去完了形
- He was cleaning it. 過去進行形
- He cleaned it. 過去形
- He has been cleaning it. 現在完了進行形
- He has cleaned it. 現在完了形
- He is cleaning it. 現在進行形
- 現在形

未来完了形
He will have cleaned it. 未来

SECTION 1 時のない文

▶時表現は，文内容を時間上に位置づけます。実はね，英語には「時がない」文もあるんですよ。そう「時間上に位置づけられない文」。手始めにここからネイティブのもつ時の感覚を身につけていきましょう。

A 命令文

ⓐ **Kiss me!** （キスして！）
ⓑ **Be quiet!** （静かに！）

命令文（☞P.103）を思い出しましょうか。なぜ命令文では動詞原形（変化しない形）が使われるのでしょうか。

英語では時を——現在・過去などを——動詞の変化形であらわします。

ⓒ He **loves** me. （彼は私を愛している）
ⓓ He **loved** me. （彼は私を愛していた）

love me をそれぞれ現在——過去に位置づける，現在・過去の事実だと示す，それが現在形・過去形という動詞の変化形です。

　命令文が動詞原形を使う理由は，命令文の内容が現在や過去の事実ではないから。まだ起こっていないから Kiss me! と命令するわけですよね。起こっていないことをあらわすのに，現在形・過去形などを使うことはできない——だから命令文は動詞原形。あたりまえのことなんですよ。

B 願望・要求・提案などをあらわす節　ADVANCED

ⓐ I always **insist** that my staff **be** well dressed.
　（私はいつでも職員が適正な服装をするよう指導している）
ⓑ They are **demanding** that she **pay** in cash.
　（彼女に現金で払うように彼らは要求している）

ⓒ **I propose** that the money **be** spent on library books.
(そのお金は図書館の本購入に使われるよう提案します)

ⓓ It is **important** that you **give** 100% to your job.
(仕事に100%を尽くすことが重要だよ)

動詞原形が使われる，典型的なケースがこれ。that節の中を見てみましょう。動詞はすべて原形（ⓑは現在形ではありません。三単の主語ですが動詞に -s は付いていないでしょう？）。さてこれらの節では，なぜ原形が使われているのかわかりますか？

命令文と同じですよ。「事実ではないから」です。that節に先行する動詞や important は，いずれも願望や要求，提案など。実現してはいないことを述べる表現ですよね。だから動詞は原形になるというわけですよ。

should の使用

上の例文ⓒでは should を使うこともできます。

I propose that the money **should** be spent on library books.

日本語訳は変わりませんが，もちろん「〜すべき」という意味合いが強まります。should だからね。

時表現は，位置づける表現。そのときに起こった事実だと述べる表現です。さあ，さまざまな位置づけ方を身につけていきましょう。1つ学ぶごとに表現力が増すはず。明日使うつもりでマスターするんだよ。

SECTION 2 現在形

▶現在形は，大変豊かな表現力をもった形です。いつもの文法書にある「現在のできごと・状態をあらわす」だけでは，とても使いこなすことはできません。その感触を身につけてください。

現在形

A. 現在を含め広く成り立つ
B. 現在の習慣
C. 思考・感情
D. 宣言
E. 実演

　現在形の意識は「**一体感**」。できごとや状態が自分に寄りそっている，包み込んでいる，そうした意識で使われる形。一体感の意識を例文と共にとり入れてくださいね。

Ⓐ 現在を含め広く成り立つ状況

ⓐ I**'m** a student. （私は学生です）
ⓑ I **know** 3 languages. （私は3つの言語を知っています）
ⓒ Humans **are** social animals. （人間は社会的動物です）
ⓓ Did you know that a hen **lays** about 228 eggs a year?
　——Who cares?!
　（鶏は1年に約228個の卵を産むって知ってた？ ——それが？！）

現在形があらわす最も典型的な状況。**広く安定した状況に包まれる一体感**

と共に使われます。どの文もコロコロと変わることのない広く安定した状況をあらわしていますね。学術論文では，現在形は非常に多用されます。それはあたりまえのこと。学問は，常に成り立つ真理を追究するからね。現在形のもつ，この安定感をまず手に入れてください。基本中の基本です。同じ広く成り立つ感覚が次の「習慣」も生み出します。

B 現在の習慣

ⓐ My Dad **catches** the commuter train into the city.
（僕の父は街に行くのに通勤電車を使っているよ）

ⓑ I **practice** karate really hard.
（僕は空手をすごく一生懸命やってる）

「今通勤電車を使っています」と現在進行中の状況をあらわしているわけではありません。**現在を含め長い期間成り立っている「習慣」について述べ**ているのです。「（普段・いつも）通勤電車で街に行きます」ということ。もうみなさんは，次の典型的な自己紹介文の感触が手にとるようにわかるはず。

ⓒ I'm a soccer player. I **practice** 6 hours a day, and I **play** 2 matches a week. （僕はサッカー選手。1日6時間練習して，試合は週に2日さ）

普段のいつもの自分，ですね。

● 現在形と現在進行形のニュアンス①

(1) What **are** you **doing**?
(2) What **do** you **do**?

同じ「現在起こっていること」でも，この2つの形はまるでニュアンスが違います。(1)は「今何やっているの？」と今現在の行為について尋ねているのに対し，(2)は「（普段）何をやっているのか」。職業を聞いています。現在形が進行形よりもはるかに広い時間幅を意識した表現だということがわかりますね。

ⓒ 思考・感情

ⓐ **I think** it's a waste of time. （時間のムダだと思うけど）
ⓑ **I love** chocolate crepes. （僕，チョコレートクレープが大好きなんだ）
ⓒ His fans **adore** him. （彼のファンは彼に憧れてるよ）

今抱いている思考・感情は「**現在形**」であらわされます。現在進行形ではありません。

× **I'm loving** chocolate crepes.

内側からわき上がる思考や感情との一体感が感じられるから現在形なのですよ（☞P.547）。

Ⓓ 宣言

ⓐ **I promise** I won't be late again.
（二度と遅刻しないよ，約束する）
ⓑ **I suggest** you add more salt.
（もっと塩を入れたらいいんじゃないかな）
ⓒ **I apologize** for behaving like a jerk last night.
（昨晩はつまらないことをしてしまって謝ります）

「約束するよ」「謝ります」，こうした「宣言」も現在形ならでは。「約束するよ」ということばと同時に「約束」という行為が行われていることに注意しましょう。**ことばと同時並行で行為が行われる「一体感」**が現在形を選ばせているのです。「約束するよ」「謝ります」，行為を行っている意識で何度か読んでみましょう。それが現在形の意識です。

PART 5 - CHAPTER 16：時表現　SECTION 2：現在形

🇪 実演（今まさに展開していく状況）

ⓐ **I chop** the carrot into small cubes like this.
（ニンジンを小さく賽の目に切りまーす，こんなふうに）

ⓑ Watch carefully. First, I **shuffle** the cards like this. Then, ...
（よく見ていてくださいね。まず，カードをこんなふうに切っていきます。それから，…）

ⓒ Here **comes** the bus. Hurry!
（バスがきた。急げ！）

　目の前で現在刻々と展開している状況，特に何かを実演・説明している際に使われるのは現在形。ⓐは，料理番組でニンジンを切りながら「ニンジン切りまーす」。ⓑは，目の前の観客に向かって「カードを切りまーす」。**ことばとできごとが同時進行している一体感**が意識されている。だから現在形が選ばれているのです。
　ⓒの Here comes ... はポピュラーな決まり文句。今目の前にバスが近づいてくるのが見えますか？

● 道案内は現在形

The Savoy Theater? That's easy. You **go** straight down this street to the first traffic signal. Then **turn** right, and you'll see the theater on your left.

【道案内】（サヴォイシアター？　それならカンタン。この道をまっすぐ，最初の信号のところまで行きます。で，右に曲がると，シアターが左側に見えますよ）

　道案内で使われるのは現在形。なぜだかもうわかりますね。道案内は，自分がその道を実際に進んでいる様を思い描きながらするでしょう？　そう，**できごとと同時進行の一体感**があるのです。だから現在形。あたりまえのことなんですよ。

F 現在形，その他のポイント

時表現は，必ずしも現実の物理的な時間に対応して使い分けられているわけではありません。「今が12:00だから，11:00のできごとは過去形。13:00のできごとは未来形」と機械的に決まっているわけではないのです。**時は心の中**。どう感じるか——これが時表現選択の基準です。今起こっていると感じれば，未来や過去のできごとであっても，現在形を使うことができるのです。そうした例を2つとりあげましょう。感じたままに時表現を使う——それが本当の英語力なんですよ。

> ⓐ When you **arrive** at the hotel, please give me a call.
> 　（ホテルに着いたら，私に電話をいただけますか）
>
> ⓑ If you **exercise** every day, you'll soon lose weight.
> 　（毎日運動したら，体重はすぐに減るよ）

さてⓐの文。「ホテルに着く」は未来のできごとのはずなのに，現在形が使われていますね。このように，**時や条件をあらわす修飾節では，未来のことであっても現在形**を用いるのがふつうです。

「時は心の中」を理解していれば，全く不思議なことではありません。「ホテルに着いたとき電話してね」と述べるとき，私たちはホテルに着いたことを前提として話をしていますね。つまり，意識の中では「今起こっている」ものとしてとらえているのです。今起こっている——だから**現在形**が選ばれるのですよ。そこには「〜だろう・〜するよ（will）」や「〜するつもり（be going to）」などといったキモチは介在していない——だからこれらの語句は使われないのです。if 節も同じです。「毎日運動する」，これを前提としているから現在形となります。次の現在形を味わいながら何度も読んでみましょう。すぐにできるようになる。

> ⓒ Give me a call before you **arrive** at the hotel.
> 　（ホテルに着く前に私に電話をください）

ⓓ I'll get back to you as soon as I **know** the exact dates.
（正確な日取りがわかったらすぐに連絡するよ）

ⓔ We can go for lunch after I **finish** my class.
（授業が終わったらランチに行けるよ）

■ 現在完了形が用いられる場合

この形で使われるのは現在形だけではありません。そのときまでにできごとが「完了」していることに焦点があるときには，現在完了形を用います。

(1) The garage will give us a call when they**'ve finished** the repairs.
（修理が終わったら修理屋さんが電話をくれるよ）

車の修理が終わっている——それが前提。だから現在完了が使われています。

■ will や be going to が加えられる場合

もちろん, will, be going to の意味を**特別に加えたいとき**には，使うこともできますよ。

(1) If you **are going to** ditch me, just say so.
（もし私を捨てるつもりなら，せめてそう言ってよ）

(2) If you **will** keep pulling its tail, of course it will bite you.
（あなたがしつこくしっぽを引っぱり続けたら，当然噛まれるわよ）

「もし私を捨てるなら」ではなく「私を捨てるつもりでいるなら」，「もし引っぱり続けたら」ではなく「引っぱり続けることに執着する（意志）なら」と, be going to, will の意味が加わっていますね。

——教室でジャネットとミユキが話しています。

Janet: I was reading a book in bed last night when suddenly the room starts to shake and the lights go out. I freaked out!
（ジャネット：ベッドで昨日の夜，本を読んでたのよ。そしたら突然部屋が揺れ始めて電気が消えたの。ぞーっとしたわ！）

Miyuki: Oh, that was just an earthquake!
（ミユキ：あ，それはただの地震よ！）

時表現は常に心の中。「意識」が大事なのです。ジャネットは，昨日のできごととしてこの文を始めています（was reading）。

だけど途中からあたかも自分がその場所にいるような一体感をもつにい

たって，現在形にスイッチしているのです。「話し手がその場にいる」，それが伝わるから，大変臨場感あふれる表現になっています。

　過去のできごとでも，今起こっていると意識されたら使われるのは現在形。特に会話では多用されるテクニック——ってゆーか，無意識に出るあたりまえの表現なんです。

●未来のことに過去形を使うことだってある

You're going to see Johnny Depp's latest movie tonight? Tell me what it **was** like tomorrow, OK? （今晩ジョニー・デップの最新映画を見るつもりなの？　どんなふうだったか明日教えてね，いい？）

　時表現は「意識」が大切。物理的な時間の前後ではなくそのできごとを「どう感じるか」によって，時表現は選ばれます。「映画を見る」のは未来（今晩）のできごと。ですが，it **was** ... と過去形が使われています。それはもちろん話し手が，明日の時点に自分がいる意識で話しているからですよ。明日の自分からすれば，tonight は過去にあたりますよね。

　日本語でも「次会ったら，そのとき何話したか教えてね」，ほら気軽に過去形が出てくるでしょう？　英語だからといって「これは過去だから過去形」なんて厳密に考える必要はありません。「感じたまま」に使う——それが時表現征服のコツなのです。

※現在形のあらわす「確定した未来」については☞P.586を参照してください。

SECTION 3 過去形

▶現在形ができごと・状況との一体感だとすれば，過去形は「距離感」。遠く離れたこの距離感が，単純に過去をあらわす以外の使い方を生み出しています。

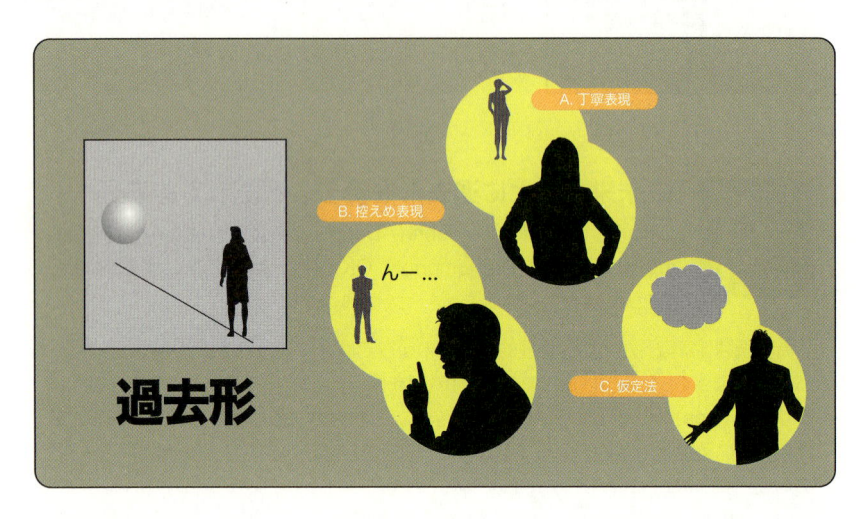

過去形は「過去のできごと・状態」をあらわす形。この形にはいつも**「距離感」が意識されている**ことを意識してください。例えば，過去形と現在完了形（☞P.565）を比べてみましょう。

ⓐ It **started** raining. （雨が降り始めた）
ⓑ Look! It **has started** raining. （見て！ 雨が降り始めた）

どちらも同じ訳ですが，状況は全く異なります。ⓑの現在完了形は「間近で起こった」意識。窓の外を見て「見ろよ，降り始めたぜ」。それに対し，ⓐの過去形には「あのとき降り始めたね」と距離が感じられているのです。**できごとを「遠いもの」「今と切り離されたもの」としてとらえるところに過去形の特徴がある**のです。

この距離感が，過去形のもつ重要な３つの表現効果── **A. 丁寧表現**，**B. 控えめな過去の助動詞**，**C. 仮定法**につながっているんですよ。

Ⓐ 丁寧表現

ⓐ **I hoped** you could lend me some money.
（お金をいくらか貸していただけるといいのですが）

→ **I hope** you can lend me some money.
（お金をいくらか貸してくれるといいんだけど）

ⓑ How many nights **did** you wish to stay, sir?
（何泊ほどご宿泊の予定でしょうか？）

　ⓐの文の過去形 hoped は「望んでいた」という意味ではなく，I hope の**丁寧表現**として機能しています。過去形が丁寧表現となる理由は，その距離感にあります。I hope（望んでいるのです）と言われたら，聞き手には相当の重圧がかかります。その厚かましさから**距離をとる意識が過去形の使用につながっている**のです。

　I hoped は決まり文句というわけではありません。過去形は丁寧表現を作り出す大変ポピュラーな手段なんですよ。ⓑも同じ。揉み手をするような丁寧さが感じられます。

　丁寧な「依頼をあらわす文」については ☞ P.105 を参照してください。

B 控えめな過去の助動詞

ⓐ This **would** be my 8th trip to Japan, I think.
（これで8回目の日本行きじゃないかなぁ，と思うんだけど）
→ This **will** be my 8th trip to Japan. （これで8回目の日本行きだよ）

ⓑ Geoff **can / could** fix it.
（ジェフがそれ直せるよ／直せるかもなぁ）

ⓒ I **may / might** have a quick drink with Terry on my way home.
（うちに帰る途中テリーと一杯やるかもしれないよ／ひょっとすると一杯やるかもしれないなぁ）

would は will の過去形。ですが過去をあらわしているわけではありません。will の控えめバージョンとして機能しています（助動詞 ☞P.330）。こうした過去の助動詞は，特に大人の会話・ビジネスの場では大変よく使われます。

助動詞を過去にすると控えめになる。その理由はやはり距離感。過去のもつ距離感が，助動詞が本来もつ意味合いから「退いた」弱い表現へとつながっているのです。will のもつ，確信に満ちた予測（だろう）から「そうなんじゃないかなぁ」と自信のないニュアンスへ。**退く意識をつかんでください。**控えめ表現は will だけではなく，can・may（could・might）でも頻繁に行われる，会話必須のテクニックです。ⓒの may はだいたい50%（するかもしれないし，しないかもしれない）をあらわしますが，might は「ひょっとすると」。ザックリ言って30%以下の感触。

もちろん will, can, may の，上にあげた以外の用法でも自由に控えめにできますよ。

ⓓ This area of town **can**/**could** be dangerous at night. 【潜在的な性質】
(街のこのエリアは夜になると危ないこともある／あるかもなぁ)

ⓔ Bungee jumping is a real buzz. I **won't**/**wouldn't** do it though. 【意志】
(バンジージャンプはホントに面白い。だけど僕は絶対やらない／やらないだろうな])

ⓕ **May**/**Might** I suggest a quieter place? 【許可】
(もう少し静かな場所にしましょうか？)

退くだけで助動詞が倍に使える大変便利なこのテクニック，しっかりマスターするんだよ。いいね？

ⓒ 仮定法

> ⓐ I wish I **had** a girlfriend.
> (彼女がいたらなぁ)

　仮定法とは，話し手が「可能性が低い・事実と反している」と思っていることを示す形。「(今) 彼女がいたら」と現在のことを言っているのに，had (過去形) が使われている，そこからこのニュアンスが生まれます。SECTION 5で詳しく解説することにしましょう。もちろんポイントは**過去形のもつ距離感**。そこから「**現実からの乖離 (非現実感)**」が生まれる表現となっているのです。

SECTION 4 進行形（be＋-ing）

▶進行形は主語を -ing で説明する，be動詞文です。「～している」が定訳ですが，それだけではこの形を使いこなすことはできません。しっかりとその感触をつかんでください。

進行形は「be動詞 + 動詞の -ing形」。主語を躍動感あふれる -ing形で説明する形です（☞P.63）。ほかの be動詞文同様に，be動詞が変化することによって，現在・過去を示します。もちろん，疑問文・否定文もほかの be動詞文と同じです。

ⓐ I am **jogging**.　　（僕はジョギングしている）　　【現在】
ⓑ I was **jogging**.　　（僕はジョギングしていた）　　【過去】
ⓒ **Is** she jogging?　　（彼女はジョギングしていますか？）　【疑問文】
ⓓ She is**n't** jogging.　（彼女はジョギングしていません）　【否定文】

　　　　　　　　　　not ［否］
　［疑］ She is ＼／ jogging.

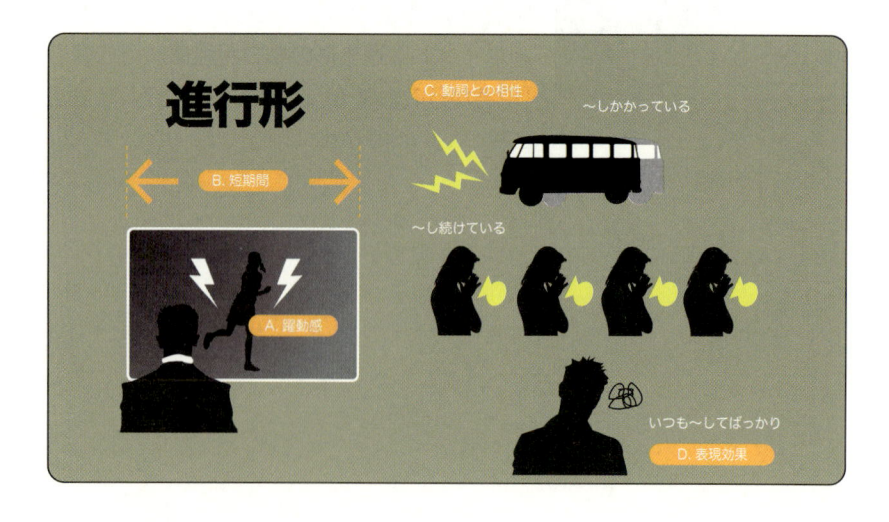

進行形
- A. 躍動感
- B. 短期間
- C. 動詞との相性 ～しかかっている
- ～し続けている
- いつも～してばっかり
- D. 表現効果

A 躍動的な状況の描写

ⓐ My parents **are holidaying** in Kenya.
（両親はケニアで休暇を過ごしています）

→【現在形】My parents often **holiday** in Kenya.
（両親はしばしばケニアで休暇を過ごします）

　進行形は「〜しているところ・〜しています」——躍動的なできごとの描写。できごとは動いています。現在形とまるで雰囲気は違うことに注意しましょう。
　下の現在形を使った文は、「（習慣的に）休暇旅行します」ということ。できごとは動いていませんよね。

B 短期間

ⓐ **I'm living** in NY at the moment.
（僕は今ニューヨークに住んでいるんだよ）

→【現在形】I **live** in NY.　（私はニューヨークに住んでいます）

ⓑ Which team **are** you **supporting**?
（どちらのチームを応援してる？）

→【現在形】Which team do you **support**?　（どちらのチームのファン？）

　進行形は今できごとが動いています。広く安定した状況をあらわす現在形に比べ、一時的なニュアンスが付け加わります。ⓐの進行形は出張で住んでいるなど、一時的な感じをあらわすのに対して、現在形は「ずっと住んでいる」感触がします。ⓑも進行形が「今どちらを応援してるところなの？」と今現在のことを尋ねているのに対し、現在形は「いつも・普段」。長い期間を問題にしているのです。

PART 5 - CHAPTER 16：時表現　SECTION 4：進行形（be + -ing）

●現在形と現在進行形のニュアンス② **ULTRA ADVANCED**

A: Look, **I apologize.** I should never have lied to you.
（ごめん，謝るよ。君に嘘をつくべきじゃなかった）

B: Is that it?　（それで全部？）

A: Hey, **I'm apologizing.** You want me to go down on my knees?
（おい，僕は謝っているんだぜ。ひざまずけとでも言うのかよ）

　現在形と現在進行形，意味が変わっていることに注意してください。現在形は行為との一体感。「謝ります」と謝罪を行っているのです。それに対して**進行形は，現在行っていることを客観的に外側から描写する**形。「ほら，僕謝っているでしょう？」――自分の行為を客観的に描写しているにすぎません。一体感と外側からの描写。それも現在形と現在進行形の差なのです。

●進行形にならない場合

進行形は動きを描写します。ということはもちろん，**躍動感がない状況は進行形にできない**ということです。

日本語訳で「もっている」と訳せても，×I'm having a pen. とは言えません（正しくは I have a pen.）。have は「手にもっている」という動きではなく，単に「所有権が及んでいる」という状態をあらわしているからです。ちなみに「手にもっている」は hold で，進行形はもちろん可能です（I'm holding a pen.）。

代表的な間違い例をあげておきましょう。

(1) × **I'm knowing** the answer. (○ **I know** the answer.)
　　（僕はその答えわかっているよ）

これはカンタン。know（知っている）は何も動いている感じはしませんよね。だから進行形は×。

(2) × **I'm seeing** the sea. (○ **I can see** the sea.)
　　（その海が見える）

(3) × **I'm hearing** the waves. (○ **I can hear** the waves.)
　　（波の音が聞こえる）

see は「目に入ってくる」。動きが感じられない動詞です。この意味では進行形になりません。同じ「見る」でも I'm **looking** at the sea. は OK。look は「目を向ける」という動きをあらわすからです。hear も「聞こえる」。listen to（耳を傾ける）とは違い，動きが感じられません。「見えている・聞こえている」は can see, can hear を使ってください。

(4) × **I'm thinking** it's delicious. (○ **I think** it's delicious.)
　　（これ，おいしいと思う）

(5) × **I'm loving** Johnny Depp. (○ **I love** Johnny Depp.)
　　（私，ジョニー・デップ大好き）

「思う」「愛している」などの**思考・感情**は，現在形（☞P.549）。進行形はできごとを「〜しているところです」と外から描写する形。この文の think（思う），love（愛している）は内側からわき上がる思考・感情。だから一体感の現在形が使われます。「僕は君を愛しているところですよ」なんて客観的な描写はおかしいでしょう？

(6) × **I'm being** happy. (○ **I'm** happy.)
　　（私は幸せです）

「私は幸せ」。何もできごとは動いていません。I'm happy. と言えばいいのです。

16 時表現

ADVANCED

ここで1つ注意しておきましょう。躍動感がある状況かどうか。それが進行形の可否を分けています。**動詞によって可否が決まっているわけではありません。**

(7) We **are having** a good time.
（楽しんでいるよ）

have も have a good time（楽しく過ごす）のように、動きをあらわしているなら進行形にすることができます。

(8) My wife **is seeing** someone.
（僕の妻は誰かと付き合っている）

(9) **I'm thinking** we should have a big party for Dad's 60th.
（父の還暦に大きなパーティーを催さなきゃと考えています）

(10) **I'm loving** it!
（これ好きなんだよ！）

(11) John **is being** selfish — as usual.
（ジョンは自己中心的に振る舞っている——いつものようにね）

(9)は「思う」じゃありません、「考えているところ」と躍動的な状況を描写しているんです。(10)は「（味を楽しみながら）食べてるところ」ということ。

(11)は John is selfish.（ジョンは利己的です）とは全く違います。「利己的な振る舞いをしている」と躍動的な状況を描写している表現。

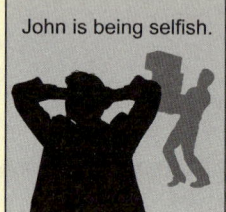

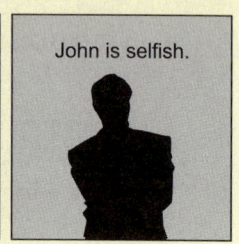

難しいことは何もありません。動き・躍動、それをあらわすときに進行形が使える、ただそれだけのことなのです。

ⓒ 動詞との相性

ⓐ The bus **was stopping**.
(バスは止まりかけているところでした)
→【過去形】The bus **stopped**. (バスは止まりました)

ⓑ I think my poor cat **is dying**.
(僕のかわいそうな猫，死にかけてるんじゃないかなって思う)

ⓒ The helicopter **is landing**.
(そのヘリ，着陸するところだよ)

stop（止まる）の意味を詳しく考えてみましょう。stop は「動」から「静」への移行をあらわしていますね。あたりまえだけど。そこに進行形が加わると「動→静」の途中。つまり「止まりかけていた」，まだじわじわ動いています。**状態の移行をあらわす動詞と進行形のコンビネーション，「～しかけている」**ニュアンスに注意しておきましょう。

ⓓ She **was coughing**. (彼女は咳をしていました)
→【過去形】She **coughed**. (彼女は咳をしました)

ⓔ My husband **was snoring** noisily all night.
(主人が一晩中やかましくいびきかいてたのよ)

進行形は「～している最中」。短いながらも時間幅が想定されています。そこに cough（咳をする），hiccup（しゃっくりする），nod（うなずく）など**瞬間的な動作を意味する単語が入ると「繰り返し」の意味が生じます**。

1回限りの咳では「している最中」にはなりませんからね。日本語でも「咳をした」は1回限り，「咳をしていた」は繰り返し，という意味になりますよね。

D 進行形・その他の表現効果：〜してばっかりいる

ⓐ He **is always picking** his nose.
（彼，いっつも鼻をほじっている）

ⓑ My mother **is constantly worrying** about something or other.
（うちのかあさん，いっつも何かを心配ばかりしてるんだよ）

進行形が always や constantly などの強調をあらわす単語とコンビネーションを作ると「いっつも〜してばっかりいる」という意味になります。うんざり感をあらわすのに大変便利な表現ですよ。

※未来の予定をあらわす進行形については☞P.585

SECTION 5 現在完了形（have＋過去分詞）

▶現在完了形は、「現在」に焦点がある形。状況が現在に「迫ってくる」感触をもっています。過去形との意識の違いに注意しながら読み進めてくださいね。

現在完了形は「**have＋過去分詞**」。この have は助動詞ですが、動詞の have と同様に、三人称単数（I, you 以外の単数）が主語の場合は has となります（下の例文ⓑ）。短縮形も頻繁に使われますよ。

have を使った短縮形
I have → I've
He has → He's
have not → haven't
has not → hasn't　など

ⓐ I **have finished** my homework.
（僕は、もう宿題終わったよ）
ⓑ Ken **has been** busy since last week.
（ケンは先週からずっと忙しい）

疑問文・否定文はカンタンです。**現在完了形の文は、ただの助動詞文だか**ら。助動詞の疑問文と同じように、have/has を前に出して疑問文、have/has の後ろに not を置いて否定文。

<u>疑</u>　He **has** <u>not</u>[否] finished his homework.

ⓒ **Have** you finished your homework?　（君、宿題終わった？）
ⓓ **Has** he finished his homework?　（彼、宿題終わった？）
ⓔ He has**n't** finished his homework.　（彼はまだ宿題終わってない）

16 ▼時表現

PART 5 - CHAPTER 16：時表現　SECTION 5：現在完了形（have + 過去分詞）

現在完了形

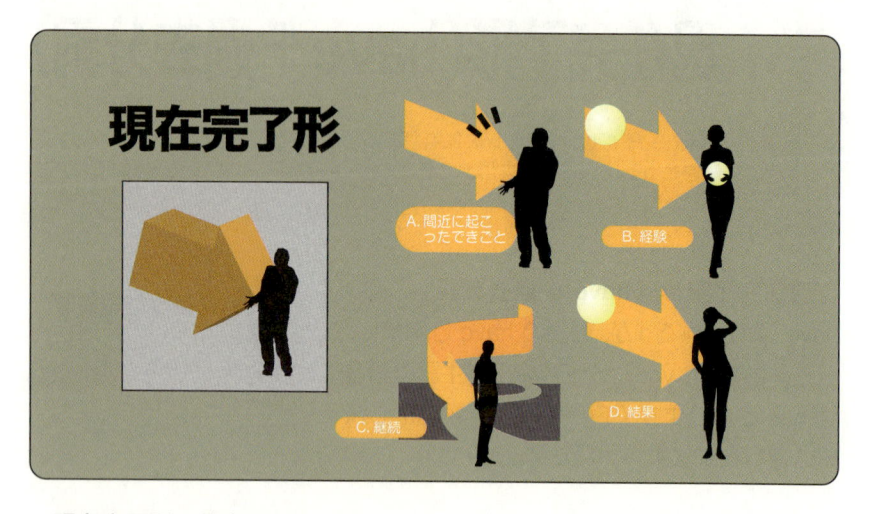

A. 間近に起こったできごと
B. 経験
C. 継続
D. 結果

　現在完了形の焦点は現在にあります。そこに「迫ってくる」。向こうから手元にやってくる，ダイナミックな動きをあらわす時表現です。「迫ってくる」意識が生み出す典型例に慣れておきましょう。

Ⓐ 間近に起こったできごとをあらわす

ⓐ Oh my gosh, he **has peed** his pants!
（げ，彼おもらししちゃったよ！）
→【過去形】He **peed** his pants.　（彼はおもらししました）
ⓑ Look. It**'s stopped** raining.　（見て。雨がやんだわよ）
ⓒ **Have** you **heard** from Geoff?　（ジェフから連絡あった？）

A. 間近に起こったできごと

　「迫ってくる」が生み出す用例。まずは「間近で起こった」です。過去形が「離れた」できごとをあらわすのに対し，現在完了は手元で感じられています。手元に「迫って」できごとが起こっている――それが現在完了の意識です。ⓐの文では「わっ，おもらし」というホヤホヤ感が感じられるでしょう？　ⓒの文も同じです。recently（最近）などという単語がなくて

も,「(最近)連絡あった?」というニュアンスなんですよ.

● 「間近に起こった」と相性のいい表現: just, already, yet

□ **just**(たった今):「手元感」の強調.「ピッタリ」の just.
(1) I've **just** met her.
(彼女に会ったばかりだよ)

□ **already**(すでに):できごとが「すでに」完結していることをあらわす.
(1) I've **already** done that.
(それ,もうやっちゃったよ)

□ **yet**(まだ・もう):文に「未完」の意味を添える.
(1) Have you finished your dinner **yet**? ── No, not **yet**.
(もう晩ご飯食べ終わった? ──ううん,まだ終わってない)

この **yet** は疑問文・否定文で使われますが,それもそのはず.
× I have finished my dinner **yet**.
「終わったよ」と言ってから「まだだよ」.意味をなしませんね.
それぞれの語句について詳しくは,just(☞P.275), already(☞P.273), yet(☞P.274)を参照してください.

B 経験(~したことがある)

ⓐ **I've eaten** fried ants.　　(私はフライしたアリを食べたことがある)

→ 【過去形】I **ate** fried ants.　　(私はフライしたアリを食べました)

ⓑ **I've enjoyed** many fascinating adventures.
(僕は数多くのすばらしい冒険を楽しんだことがある)

ⓒ **We've been to** Machu Picchu.
(僕らはマチュ・ピチュに行ったことがある)

16 時表現

PART 5 - CHAPTER 16：時表現　SECTION 5：現在完了形（have + 過去分詞）

現在完了形のもつ典型例，次は「経験（～したことがある）」。この文は「（今）アリを食べた経験をもっている」，過去形の単に「食べました」とはまるで違うニュアンスです。経験とは，過去のできごとを現在のモノとしてとり込んでいるということ。だからこそ，過去が現在に「迫ってくる」現在完了形が使われるのです。

●「経験」と相性のいい表現：ever, never

経験を示す現在完了と相性がいい単語が ever, never です。

(1) Have you **ever** loved someone?
（誰かを愛したことがありますか？）

(2) I have **never** played golf.
（ゴルフをやったことがありません）

ever は疑問文で現れます。「これまで，今までに」などと訳すことがありますが，正確な意味は **at any time**（いつのことでもいいんだけど）です。(1)は「（昨日とか1年前とか特定のときのことを聞いているんじゃないんだよ。いつのことでもいいのさ）誰かを愛したことある？」ということ。次のように平叙文では使うことができません。

× I have **ever** been abroad. （○ I have been abroad.）
（外国に行ったことがある）

「いつのことでもいいんだけど」は，相手に選択肢を開く表現。「いつでもいいけど，行ったことがある」ではおかしいですよね。

(2)の **never** は ever の否定。「～したことはない」。not ... at any time ということですよ。ever について詳しくは☞P.274を参照してください。

●「行ったことがある」の be動詞

(1) Colin**'s been to** over 70 countries.
（コリンは70以上の国に行ったことがある）

(2) My older sister **has been to** the Great Wall of China.
（僕の姉は中国の万里の長城に行ったことがある）

「行ったことがある」には，go ではなく be動詞が使われます。何度も音読して，完

全にこの使い方をマスターしてください。年に数百回は使う大変重要な形です。
　もちろん，現在完了形になると突然 be動詞に「行く」という強い意味が生まれる，というわけではありません。

(3) We need to **be at the theater** at 7 so please **be here** by 6.
　　（劇場に7時に行く必要があるから，6時までにここにきてくださいね）

「7時にそこにいる」から「そこに行く」が間接的に出てくるのです。
注意すべきは**「行ったことがある」の意味で go（gone）は使えない**ということ。have gone は「行ってしまった（今ここにはいない）」となってしまいます。

(4) He **has gone** to the bank.
　　（彼は銀行に行った〔今ここにはいないよ〕）

　go のイメージはその場所から「立ち去る」（☞P.111）。現在完了形は今に迫ってくる形ですから「行ってしまった→今はいない」となってしまうのです。

ⓒ 継続（ずっと〜している）

ⓐ **We've been** partners for 3 years.
　（私たちは3年間パートナーです）

→【過去形】We **were** partners for 3 years.
　　　　（私たちは3年間パートナーでした）

ⓑ **I've lived** in Nagoya since 2001.
　（2001年から名古屋に住んでいる）

ⓒ The M40 **has been** under construction for weeks.
　（M40〔イギリスの高速道路〕は何週間も工事中です）

ⓓ How **have** you **been**?
　（最近どんな調子ですか？）

ⓔ 14 years **have passed** since I came to Japan.
　（日本にきて14年になる）

　過去から現在にいたるまでの「継続（ずっと〜している）」も現在完了の重要な典型例。過去から現在に「迫ってくる」意識で使われています。
　ⓐは「3年のあいだ今にいたるまで」ということ。「もうすでにパートナー

PART 5 - CHAPTER 16：時表現　SECTION 5：現在完了形（have ＋ 過去分詞）

C. 継続

ではありません」が色濃く漂う過去形とは大きく異なるニュアンスです。

ⓓは How are you?（調子どう？）の現在完了形バージョン。しばらく会っていなかった人に使います。過去から今にいたるまでの道のりが意識されているんですよ。

ⓔも「私」が日本にきたその時点から現在にいたる14年の道のりが感じられています。14年前から今に迫ってくる視線の移動を感じとってください。

●「継続」と相性のいい表現：期間の for・起点の since

「継続」の現在完了形と頻繁にコンビを組むのが for と since。for は「期間（〜のあいだ）」, since は「起点（〜から）」をあらわします。

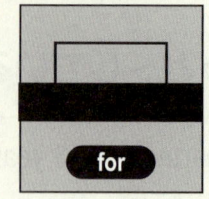

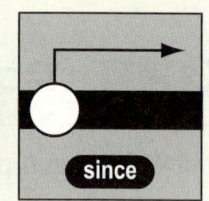

for　　since

(1) We've been best friends **for 10 years**. （僕たちは10年間親友です）

(2) We've been best friends **since 2000** [**our junior high school days** / **we started playing tennis together**]. （僕たちは2000年から［中学時代から／テニスを一緒に始めたときから］親友だよ）

もちろんどちらの単語にとっても、この使い方は現在完了形に限った特殊な用法というわけではありません。

(3) Keep driving along this road **for another 2 kilometers**. （あと2キロ、この道をまっすぐ行ってね）

(4) **Since my parents were not well off**, I had to pay my own way through college. （僕の両親は裕福じゃなかったから、大学の学費は自分で出さなくてはならなかった）

for は「期間」だけでなく「範囲」を一般にあらわします。(3)は「2キロの範囲で」ということです。また、since は「時の起点」以外にも「できごとの起点（原因）」もあらわします。詳しくは for（☞P.390）, since（☞P.638）を参照してください。

●since は ago と一緒に使えない

since で注意すべきは次のよく目にする間違いです。

× I've had a part-time job **since** 6 months ago.
（○ I've had a part-time job **for** 6 months.）
（6ヵ月前からバイトしてるよ）

since は **ago** と一緒には使えない。しっかり覚えておきましょう。ago が使えないのは，それが「現在から過去にさかのぼって勘定する」単語だから（☞P.273）。since は「起点」。過去の時点から現在に向かって時間を勘定。つまりね，勘定の仕方がぶつかってしまうというわけ。ご注意くださいね。ホント，多いんですよ。この間違い。

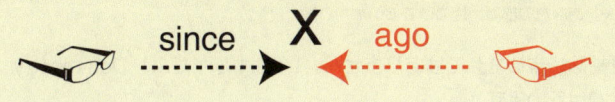

since → X ← ago

D 結果（「だから今…だ」という含み）

ⓐ **I've dislocated** my shoulder, so I can't play tennis.
（肩を脱臼したから，テニスはできないよ）
→【過去形】I **dislocated** my shoulder. （肩を脱臼しました）

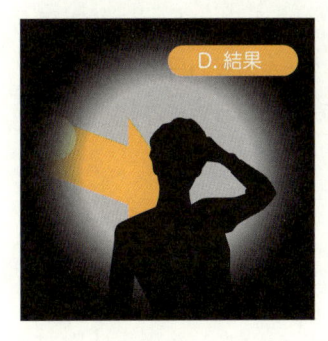

　現在完了形，最後の典型例は「結果」。**過去のできごとがもたらした現在の結果に意味の焦点がある**ケースです。

　例文では過去形は単に「脱臼しました」。それだけ。でも現在完了形は「脱臼してしまって（今は直っていない・不調だ・痛いなど）」と，現在に焦点が当たっています。だから so I can't play tennis（テニスはできないよ）がなめらかにつながっていくのです。

　過去のできごとを引きつけて現在を述べる「結果」の使い方，いくつか例を出しましょう。コツをつかんでくださいね。

◆状況 A：子どもが父親に向かって…

Where's Mom? ── She's gone to the hair salon.
（お母さんどこ？ ──美容室に行ったよ）

単に「美容室に行きました」ではありません。「だから今いないよ」に焦点があります。Where's Mom? への受け答えになっていますね。

◆状況 B：急に友達がくることになって，散らかった部屋が気になったあなた。お母さんに電話すると…

Don't worry. I've cleaned your room.
（大丈夫。あなたの部屋，片づけておいたから）

単に「掃除しました」ではありません。「今はキレイだよ」，Don't worry. になめらかにつながっています。

◆状況 C：仕事から帰ってぐったりしているあなたに奥さんが「どうしたの？」…

I've worked hard all day.
（1日一生懸命働いたんだよ）

「…だから今疲れているんだよ」という受け答え。

さて，もう慣れてくれましたね。過去のできごとを引きつけて現在を述べる意識，やはりこのパターンもほかのパターン同様「迫ってくる」が生み出しているのですよ。

● ネイティブの現在完了

みなさんは、ここまでに現在完了の典型的な使い方を学びました。間近に起こったできごと・経験・継続・結果。マスターしてくれましたね？　この4つは「現在完了の4用法」などと言われることがあります。でもね、一番大切なのはそこじゃない。4用法すべてに通底する意識の動き方なのです。

ネイティブの現在完了は必ずしも4用法に分類できるとは限りません。「今に迫ってくる」——この意識をつかむことが現在完了のすべてなのです。ここではコーヒーでも飲みながら、今後みなさんが獲得すべき語感に思いをはせてください。

みなさんが井の頭公園でデートしているとき、作業着を着た管理人が言いました。

(1) **I've** just **painted** the bench.　So be careful.
　　（ペンキ塗ったばかりだよ。気をつけてね）

さて、この文は何用法でしょうか。はは。もちろん分類なんてできません。ごちゃごちゃですよ。「ペンキを塗った。その結果今べとべと」と「結果」も感じられますし、「塗ったばかりだよ」と「間近」も混ざっています。ネイティブはね、用法別に現在完了の文を作っているわけではありません。現在に視点を置き、そこに迫ってくる動きを感じる、現在完了で大切なのはそれだけなんですよ。

(2) Where **did** I **park** my car?　（どこに車停めたかな？）
(3) Where **have** I **parked** my car?　（どこに車停めたかな？）

この2つのニュアンスの違い、わかったら特A級の実力です。そう、意識の置き方が違うのです。(2)は「あのときどこに停めたかな」。自分が西友のパーキングに入ってきたときのできごとを、「遠くに」回想しています。でも(3)の力点は違うんですよ。今に引きつけているのです——「(今)どこにあるのかな？」。

(4) 【サッカーボールで窓ガラスを割ってしまったクリスに母親が…】
　　I **told** you not to play soccer here!
　　（ここでサッカーやったらダメだって言ったでしょ！）

PART 5 - CHAPTER 16：時表現　SECTION 5：現在完了形（have + 過去分詞）

(5) **I've told** you not to play soccer here!
(ここでサッカーやったらダメだって言ったでしょ！)

ネイティブの使い分けはここまで繊細です。(4)は「あの時言ったわよね，覚えてる？」——過去に注意したことに焦点があるのです。一方，(5)は現在の窓が割れた状況に気持ちの力点が置かれています。「言ったわよね（なのにこの有様は何？）」。

初心者の段階では，典型的な4つの用法にこだわってもいいでしょう。それがスタート。ですが，最終的には「今に迫ってくる」——現在完了に通底するこの語感に到達してください。それがネイティブの現在完了なのですから。

さて，最後に蛇足を付け加えましょう。次の文はすべて不自然です。もうみなさんならわかるはずですが。

(6) × **Last year**, I've been on a homestay to Australia.
(去年，オーストラリアにホームステイに行ったよ)

(7) × I've had a terrible nightmare **last night**.
(昨晩ひどい悪夢を見た)

(8) × Don't worry, she's sent her application **yesterday**.
(大丈夫。彼女，昨日申込書送ったから)

多くの文法書には「過去を明確にあらわす語句は現在完了と共に使うことはできない」などと規則が書いてありますが，みなさんはもうそんな規則を覚えなくても，こんな文を書いたりしないでしょう？　現在完了は「今」に焦点がある形。「去年」と過去のできごとに焦点を置いて話をしていたのに，突然「今」に焦点がある現在完了が出てくる——これらの文は意味がわからないのですよ。

(9) × **What time** have you got home?（何時に家に着いたの？）

もちろん，焦点がわからなくなってしまうのは「過去を明確にあらわす語句」だけではありません。この文だって不自然。「何時に？」とできごとが起こった時間を尋ねているのに，今に焦点がある現在完了。やっぱりわけがわからなくなってしまうのです。

大切なのはね，今に焦点を置くこと。そしてそこに迫ってくる動きを感じること。それが現在完了という形なのです。

さて，現在完了形の典型例を解説しましたが，いかがだったでしょうか？
現在完了形は使いこなせるようになるまで時間がかかります。まずはこの4つの使い方の習熟から始めてください。そして現在完了形の文と出くわしたときに常に「どう今に迫ってきているのか」を考えるクセをつけてください。そうすれば，遠からず現在完了形はみなさんの表現力の強力な味方になってくれますよ。

SECTION 6 完了形バリエーション

▶現在完了形は,「現在」に焦点がある形。状況が現在に「迫ってくる」感触をもっています。過去との意識の違いに注意しながら読み進めてくださいね。

完了形 (have + 過去分詞) は**現在完了形** (have + 過去分詞) だけに使われるわけではありません。過去と結び付いて**過去完了形** (had + 過去分詞),助動詞とのコンビネーション「will have + 過去分詞」など,さらに進行形と結び付けば**完了進行形**など,バリエーション豊かに使われます。

A 過去完了形

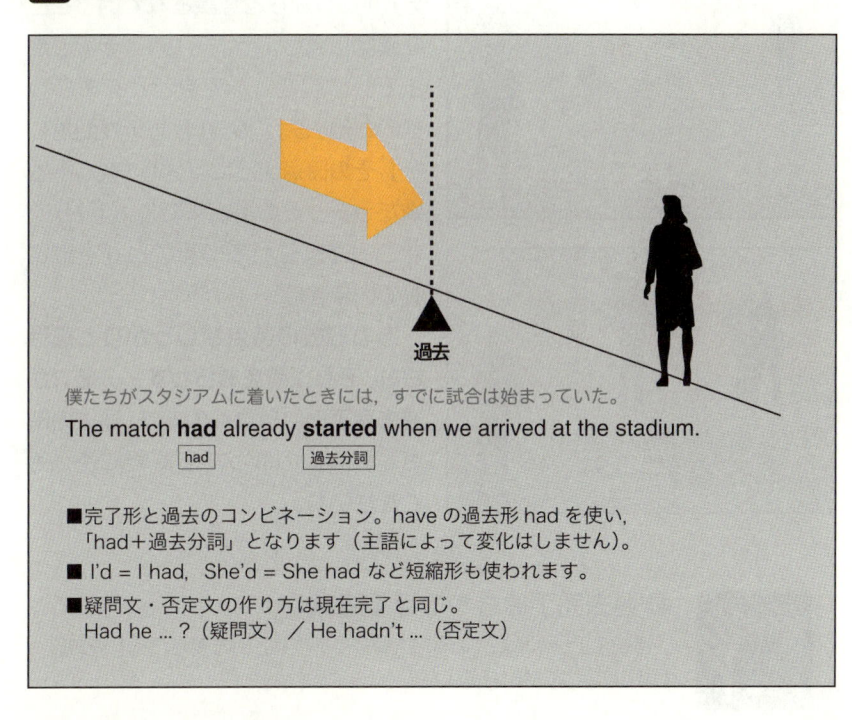

僕たちがスタジアムに着いたときには,すでに試合は始まっていた。
The match **had** already **started** when we arrived at the stadium.
　　　　　[had]　　　　[過去分詞]

■完了形と過去のコンビネーション。have の過去形 had を使い,「had+過去分詞」となります(主語によって変化はしません)。
■ I'd = I had, She'd = She had など短縮形も使われます。
■疑問文・否定文の作り方は現在完了と同じ。
　Had he ...?(疑問文)／ He hadn't ...(否定文)

過去完了形は,現在完了形「迫ってくる」が過去に移動した形です。この形では常に「過去のある時点」が意識されています。**「そのときまで」**にあるできごとが起こっているという意識で使われます。

16 ▼時表現

575

PART 5 - CHAPTER 16：時表現　SECTION 6：完了形バリエーション

ⓐ **The poor man had already died when the ambulance got there.**
（救急車が到着したときには，そのかわいそうな男性はすでに亡くなっていた）

ⓑ **He wasn't in a good mood because his boss had ordered him to work overtime.**
（彼，機嫌がよくなかったよ。上司に残業を命じられたから）

ⓒ **Ben was over the moon. He had just got promoted.**
（ベンはものすごく喜んでいたよ。昇進したばっかりだったんだよ）

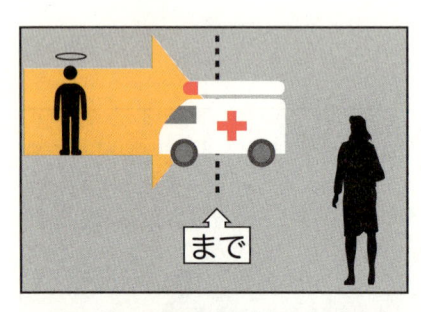

どの文も，ある過去の時点（赤字部分）がしっかりと意識されていることを確認しましょう。そして「そのときまで」に起こったできごとをあらわすのが過去完了形。「救急車が到着した」その時点までに（ⓐ），「彼が不機嫌だった」その時点までに（ⓑ），できごとが起こっていることが意識されています。

ある過去の時点がしっかりと意識され，それ以前をあらわす——それが過去完了という形なのです。過去の時点が意識にのぼったら気軽に使ってくださいね。

● 過去完了はさかのぼる意識

過去完了形は単に「ある過去時点の前に起こったできごと」をあらわす形ではありません。

(1) These two bullies **came up** to me, **pushed** me against a wall, **punched** me in the face, and **took** all my money.
（その２人のいじめっ子は僕に近づいてきて，壁に押しつけ，顔にパンチをして，金を全部奪った〈ひでーな〉）

お金を全部奪った時点が**過去**であるなら，その前の「近づいてきて」「壁に押しつけ」「顔にパンチをして」は，すべてそれ以前のこと。でも，だからといって**過去完了形**が使われるわけではありません。

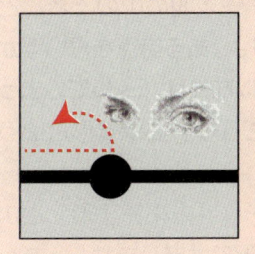

過去完了形には，ある過去の時点「**ま**·**で**·**に**·**起**·**こ**·**っ**·**た**·」という意識が必要です。**ある時点を起点にその前にさかのぼる意識**といってもいいでしょう。「近づいてきて→壁に押しつけ→…→お金を奪った」。できごとを順番に並べただけのこの形に，過去完了は使えないのです。

(2) The fire **had** already **spread** throughout the building when the fire engines **arrived**.
（消防車が到着したときには，火災はすでにビル全体に広がっていた）

話し手の意識は消防車が到着した時点にあります。そして「そのときまでには」とそれ以前のできごとにさかのぼる。だからこの文では過去完了がピッタリなのです。

B 助動詞＋完了形

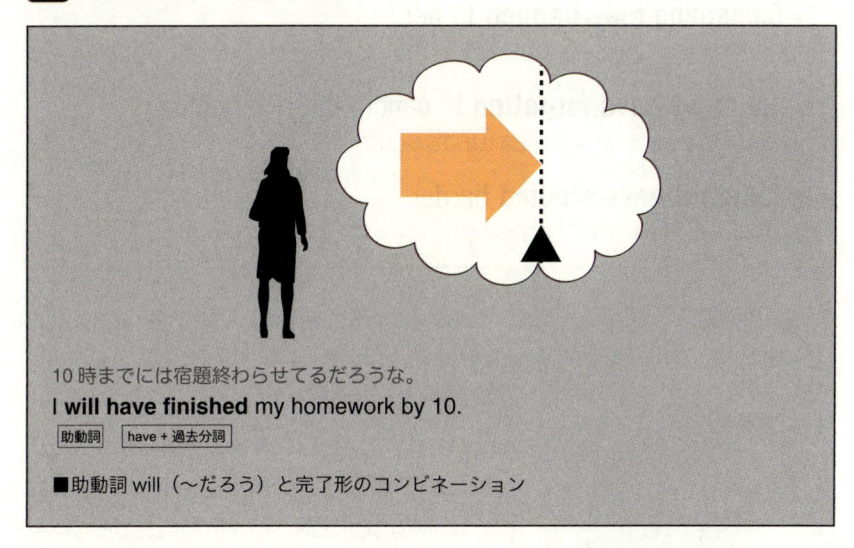

10時までには宿題終わらせてるだろうな。
I will have finished my homework by 10.
助動詞　have + 過去分詞

■助動詞 will（～だろう）と完了形のコンビネーション

ⓐ **I will have finished** my homework by 10.
（10時までには宿題終わらせてるだろうな）

ⓑ They **will have arrived** in Los Angeles by now.
（彼らは今頃はロサンゼルスに着いているだろうな）

16 時表現

PART 5 - CHAPTER 16：時表現　SECTION 6：完了形バリエーション

　これらの形では will（予測：〜だろう）が使われているのがポイント——予測の中のできごとなんですよ。**ある時点を思い浮かべ，それ以前には「〜してしまっているだろう」を示す形**というわけ。

　この形は「未来完了形」とよばれることがありますが，未来に限られた不自由な形ではありません。だって will は未来専門じゃないから。今起こっていることを思い浮かべる場合にだって使えます（ⓑ）。

ⓒ Something **may have happened** to her.　I'm very worried.
（何かが彼女に起こったのかもしれない。すごく心配だよ）

→ Something **may happen** to her.
（何かが彼女に起こるかもしれない）

ⓓ He **must have forgotten** to cancel the reservation.
（彼は予約をキャンセルするのを忘れたにちがいない）

ⓔ I **should have studied** harder.
（もっと一生懸命勉強するべきだったな）

　ⓒの対比から「**助動詞＋完了形**」の使い方がわかりますね？

　may は単に「かもしれない」。一方，may have は「したかもしれない」。**以前起こったことについて想像**しています。must have も同じ。以前のことについて「したにちがいない」と確信しているというわけ。should have は，「するべきだった」。後悔をあらわす典型的な表現となっています。会話でもかなり頻繁に使われる重要表現。必ず使えるようにしておくこと。繰り返し音読。いいね。

※「to ＋完了形（☞P.473）」「Having ＋過去分詞（☞P.452）」も要参照。やはり「それ以前に」を意味する形です。

ⓒ 現在完了進行形

■現在完了進行形

妻は一日中ずっと買い物。
My wife **has been shopping** all day.

have been -ing

■現在完了と進行形のコンビネーション。
　進行形（be＋-ing）を現在完了（have＋過去分詞）と組み合わせただけですよ。

ⓐ **I've been cleaning** the kitchen since this morning. I'm exhausted.
　（今朝からずっと台所掃除し続け。本当に疲れたよ）

ⓑ **I've been waiting** for you for ages!
　（長いことずーっと君を待ち続けていたんだよ！）

　進行形は「躍動感」の形。躍動感あふれる行為が展開します。この進行形が「現在に迫ってくる」現在完了形と結び付くと――「現在完了進行形」とよばれる形になり――ある行為が過去から現在に向けてずーっと続いていることを示します。**連続した動作の強調**。「疲れた」「もうたくさん」、そうした感情が乗りやすい表現です。複雑に思えるかもしれませんが、日常会話レベルでも頻出。音読で克服すること。いーね？

PART 5 - CHAPTER 16：時表現　SECTION 6：完了形バリエーション

●いくらでもコンビネーションは作れる

(1) By the time you arrive, **I'll have been working** for over 8 hours. No way am I cooking dinner for you!
（君が帰る時間までに，僕は 8 時間以上働きづめなんだぜ。晩ご飯準備するなんて無理だよ！）

　完了形コンビネーション，いかがでしたか？　すべてはこれまで学んだ形の組み合わせ。カンタンですよね。もちろんここで説明した以外にもいくらでも組み合わせることはできますよ。上の例は「**未来完了進行形**」。なんだそりゃ。はは。名前なんてどーでもいいんです。自由に組み合わせる，ただそれだけのこと。まぁここまで複雑な文を作る必要は滅多にないけどね。

SECTION 7 未来

▶英語には未来をあらわす決まった形がありません。will や be going to などさまざまな表現を使い，異なるニュアンスの未来をあらわします。それぞれの語句がどういう未来を描くのか，しっかりとつかまえておきましょう。

未来をあらわす形

- 原因（しそう）
- be -ing ― 予定
- 意志（するよ）
- 予測（だろう） ― will
- be going to ― 意図（つもり）
- 現在形 ― 動かない未来
- will be -ing ― 予定を思い描く
- be to ― 命令・運命など

Ⓐ will の描く未来

助動詞 will（☞P.343）の描く未来は「**予測（〜だろう）**」と「**意志（〜するよ）**」。will の意味を反映した未来です。未来をあらわす最もポピュラーな表現。

ⓐ It **will** rain tomorrow.　（明日は雨だよ）

ⓑ Hey, the movie starts in just 15 minutes.
　—Don't worry, we'**ll** make it in time.
　（おい，映画15分後に始まるんだぜ。—大丈夫，間に合うよ）

まずは「**予測（〜だろう）**」。話し手は，**未来のできごとを鮮明に見通す意識**で使っています。「明日は雨だよ」，そうじゃなかったらビックリだよといった，強い確信が感じられます。

ⓒ I'll give you a hand with the dishes.
　（皿洗い手伝ってあげるよ）

ⓓ OK, OK, I'll clean my room!
　（わかったわかった。部屋の掃除するよ！）

ⓔ I think I've been given the wrong grade.
　——OK, I'll check it out.
　（僕の成績間違ってると思うのですが。——いいでしょう，確認しますね）

「**意志（〜するよ）**」はその場で決めるのがポイント。「山ほどある洗い物を見つけて——手伝うよ！」とカチッ。「部屋片づけなさい——掃除するよ」，とカチッ。**頭にスイッチがカチッ！と入って「〜するよ」と決める**。そのタイミングで使われます。

❽ be going to（＋動詞原形）の描く未来

　be going to は go の進行形です。「to 以下の状況に向かっているところ」ということ。ここから「**目に見える原因（〜しそう）**」・「**意図（〜するつもり）**」というニュアンスで使われるフレーズです。

ⓐ It**'s going to** pour down any minute.
(今にもザーッとくるよ)

ⓑ Watch out! The boxes **are going to** fall.
(気をつけろ！ 箱が落ちるぞ)

ⓒ Look. He **is going to** do some magic.
(見て。彼，なんか手品やるよ)

ⓓ Hurry. We**'re going to** be late for class.
(急げ。授業に遅れちゃうよ)

まずは「目に見える**原因**」から。be going to では，ある状況に向かう「流れ」が意識されています。そのまま進むと to 以下の状況に向かう流れです。

　ⓐでは，そのままいけば「雨になる」という流れが感じられているのです。そのほかの文も同じ。フラフラの箱の山，授業は9時開始なのに8時57分にまだ校内にいない…。そこから「このままいけば…」。**できごとに向かった流れの中にいる（向かって進んでいる）**，それが感じられたときに be going to は使われるのです。

ⓔ **Are** you **going to** attend the party?
(そのパーティーに参加するつもり？)

ⓕ I**'m going to** check out the new bookshop.
(新しい本屋さん見に行くつもりだよ)

ⓖ Lucy**'s going to** prepare dinner tonight. Bring some stomach medicine!
(ルーシーは今晩の夕食の準備をするつもりだよ。胃薬をもってこなきゃ！)

PART 5 - CHAPTER 16：時表現　SECTION 7：未来

　be going to のもう１つの使い方は「**意図**（〜するつもり）」。これも「流れの中にいる」。ある行動に向けて進んでいる最中ということですからね。

●will と be going to

　will と be going to の違いに——特に初心者のうちは——それほど神経質になる必要はありません。ですが、その違いを頭の片隅に入れておくことはムダではないでしょう。

(1) It **will** rain tomorrow. (明日は雨です)【予測】
(2) It**'s going to** rain soon. (もうすぐ雨になります)【原因】

　(1)は単なる予測。現在晴れていてもかまいません。「明日は雨だよ」と見通している気分なら will。一方、(2)は空がもう雲におおわれているようなケースで使います。目に見えるような、あきらかな原因があるのです。

A: I'm pretty sure my boyfriend **is going to** dump me. But I love him so much!【意図】
　(私の彼氏は私を捨てるつもりなの。私にはわかるの。でも私、彼をとっても愛してるの！)
B: OK, calm down. **I'll** try to talk him out of it.【意志】
　(わかった、落ち着きなよ。彼を説得してみるわ)

　be going to では、心づもりが「すでに」できあがっています。すでに決心して今はそこに向かって邁進しているのです。一方 will はスイッチがポンと入って今決めています。ほらずいぶん違いますね。
　もう１つ例をあげておきましょう。

A: **I'll** help you with your English homework if you like.
　(君の英語の宿題、手伝ってあげるよ、そうしてほしいなら)
B: Thanks a lot, but not now. **I'm going to** play basketball.
　(ホントにありがと。でも今はいいよ。バスケするつもりなんだ)

　ほら will と be going to。微妙なニュアンスの違いがわかってきましたね！

ⓒ 進行形が描く未来

進行形は「**予定（〜する予定です）**」の意味でも使われます。

ⓐ **I'm playing** badminton at 3.
（3時にバドミントンをする予定です）

ⓑ **I'm having** lunch with Keiko on Thursday.
（木曜日に恵子と昼食の予定です）

ⓒ **She's flying** to Singapore this Friday.
（彼女は今週金曜日シンガポールに〔飛行機で〕行く予定）

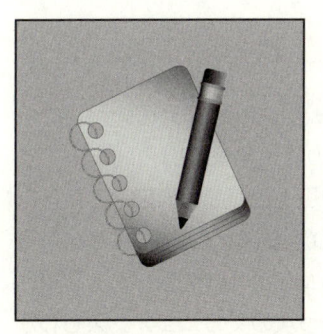

未来のある時点を意識しながら「そのときには〜しているよ」。ここから「**予定**」が生じています。機会があればネイティブの手帳をのぞいてみてください。進行形，たくさん出てきますよ。

● be going to と be-ing

「つもり」の be going to と「予定」の進行形。まぎらわしいですか？ それじゃキッチリ区別しておきましょう。

(1) **I'm going to** leave for London on Monday. 【意図】
(2) **I'm leaving** for London on Monday. 【予定】

「つもり」は単なる心づもり。それに対して「予定」はある程度しっかりしています。(1)は「月曜日にロンドンに出発するつもり」、あまり具体性は感じられません。一方(2)は「月曜日にロンドンに出発する予定」。すでにチケットも手配し，しっかりとした旅程ができあがっている感じがするのです。

Ⓓ 現在形のあらわす未来

現在形は現在の事実をあらわす形。現在形があらわす未来はその延長です。厳密に言えば未来のことではあるのですが，**現時点ですでに確定したゆるがない未来**をあらわしています。

> ⓐ **My birthday is next Tuesday.**
> 　（僕の誕生日は来週の火曜日です）
>
> ⓑ **What time does this train arrive at Tokyo Station?**
> 　（この電車は何時に東京駅に到着しますか？）
>
> ⓒ **His presentation begins at 1:30 p.m.**
> 　（彼のプレゼンテーションは午後1:30に始まります）

ⓐの文を見てみましょう。来週の火曜日のことを言っているので，未来といえば未来ですが，確定した動かしようがない未来。こうしたケースが現在形の活躍場所です。カレンダー・時刻表・プログラムなど「確定感」のある場合に使われます。もう次の文のニュアンスもわかるはず。

ⓓ **I leave for London on Thursday.**
　（木曜日にはロンドンに出発することになっているんだ）

会社の出張日程にでも組み込まれているのでしょう。進行形のあらわす「予定」よりも，よりゆるがない感触で使われています。

さてこれまで，未来をあらわす4つの主要表現をご紹介しました。外国人の英語としてはここまで理解すればもう十分です。ですがネイティブはもう1つ，未来をあらわす選択肢をもっています。やってみる？

E will＋進行形（will be -ing）を使った未来 ADVANCED

ⓐ This time next week, **I'll be sunbathing** on the beach.
（来週のこの時間，僕はビーチで日光浴しているところだよ）

ⓑ **I'll be playing** golf at 3.
（3時にはゴルフをやってるとこだろうな）

進行形に「～だろう」と見通す will が加わっているところがポイントのフレーズ。

ⓒ **I'm flying** to London next week.
（僕は来週ロンドンに行く予定です）

進行形が単に「そうした予定です」と述べているのに対し，will be -ing は**そのとき行われているできごとを想像し見通しているニュアンス**が加わっています。日本語の「～しているところだろう（だよ）」にとっても近い表現。

未来表現の中で一番複雑な形をもっていますが，「予測・意志の will」「原因・意図の be going to」「予定の進行形」などと比べ，未来のできごとのなりゆきを単に想像するこの will be -ing は，最も「特別な色のつかない」純粋な未来表現だったりもするのです。

ちなみにこの形には得意技があります。それは「丁寧な響き」。

ⓓ **Are** you **going** on a trip this summer?
（今年の夏旅行に出かける予定ですか？）

ⓔ **Are** you **going to** go on a trip this summer?
（今年の夏旅行に出かけるつもりですか？）

ⓕ **Will** you **be going** on a trip this summer?
（今年の夏旅行にお出かけになりますか？）

この3つのうち，「丁寧さ」を相手に印象づけたいなら，迷わずⓕを選んでください。ⓓ，ⓔはそれぞれ相手の予定や意図――相手の心情――に手を

突っ込んでいますよね。ですが①はそうした，直接的な物言いから距離をとり「そうしたことになりますでしょうか」と客観的な響きを用心深く加えているのです。まぁここまで使えるようになったら，それはネイティブそのものの英語と言って差し支えはないでしょう。練習してごらん！

●Will you be-ing? に隠された意図

ここで「will be-ing」ならではの，特殊なニュアンスを1つ説明しておきましょう。

(1) **Will you be passing** the post office? （郵便局通るかな？）

この文に対するネイティブの標準的な反応は Yes. Why?（うん，なんで？）。それはこの文が「切手買ってきてくれない？」「手紙出してくれない？」など，**お願いごとを隠している**から。「～ということになってます？」と，相手の行動を見通した質問ですからね。「何のために僕の行動を想像してるんだろ」と当然考えるんですよ。そこからすぐ「ああ頼みごとだ」となるわけ。

ここまでできたらまさしくネイティブ。僕より100万倍上手。ぱちぱち。

🅕 be to の描く未来

be to は「**進むべき道を指し示す**」。to 不定詞の「指し示す」が核となるフレーズです。

ⓐ **You're to** finish your homework before watching TV.
（テレビを見る前に宿題を終わらせるように）

ⓑ 2 students from my class **are to** be awarded study-abroad scholarships.
（僕のクラスの学生が2人，留学奨学金を与えられることになっている）

ⓒ At my best friend's wedding, I met the woman who **was to** become my wife.
（親友の結婚式で，僕は後に妻になる女性に出会った）

be to ほど，英語を感覚でとらえることの重要さを教えてくれるフレーズも滅多にありません。多くの文法書では，ⓐ **命令**，ⓑ **予定**，ⓒ **運命**，などさまざまな用法が紹介されています。でもね，英語はそんなふうに堅苦しくできちゃいないんだよ。

　to 不定詞の「**指し示す**」，そこからすべての意味は生まれています。相手に指し示せばそれは**命令**。自分の進む道を指せばそれは**予定**。できごとがどう転ぶのかを指し示せばそれは**運命**。英語はね，本当に自然に，カンタンにできているんだよ。

仮定法

SECTION 8

▶時表現,最大のハードルは仮定法。仮定法抜きでも英語は話せます。だけどね,避けちゃダメ。この特殊な形を知ることによって,みなさんの英語は一段とネイティブの深みに到達することができるのですから!

Ⓐ 時を述べる3モード

仮定法を解説する前に,英語の「時システム」についてお話ししましょう。英語文には,大きく分けて3つの時の述べ方(モード)があります。

時表現がない (動詞原形)	**非事実** 願望・提案・要求 の内容・命令
時表現がある (現在形・過去形など)	**事実** 現在や過去の事実
仮定法	反事実

　時表現を用いず動詞を変化させない述べ方は,まだ事実になっていないことをあらわす形です。命令文や,願望・要求・提案など,実現していない事柄をあらわす文で使われていましたね。時表現を使う,過去形・現在形など動詞を変化させた述べ方は,事実をあらわす形。過去や現在に実際に起こった(起こっている)ことをあらわす文に用いられます。

　さて,これからみなさんが学ぶのは,3つ目の特殊なモード,仮定法です。この形は反事実──「事実ではない・可能性が大変低い」ことをあらわす形です。「事実ではないこと」なんて述べる機会があるんだろうか? ──すぐに疑問がわいてきますね。はは。もちろんあるんですよ。そして,このモードを身につけると微妙な心理を伝えることができて,とっても便利なんです!

　さあそれでは,さっそく仮定法が使われた例を眺めてみることにしましょう。

ⓑ 仮定法の心理

　仮定法とは，「実際はそうではない（そうなりそうもない）んだけど」という意識を文に乗せる形。例えば次のような文で使われます。

> ⓐ I wish I **had** a girlfriend. 　　　（彼女がいたらなぁ）
> ⓑ **If** you kissed me, **I'd** scream. 　　（キスしたら，大声出すわよ）
> ⓒ If you kiss me, I'll scream. 　　（キスしたら，大声出すわよ）

　太字部分が仮定法です。ⓐの太字部分を見ると，ネイティブは「ああ，実際には彼女がいないんだな」とわかります。事実に反する——反事実。それが仮定法なのです。

　ⓒはふつうの if 文。話し手は相手がキスするともしないとも思っていません。とにかく「キスしたら，大声出すわよ」と言っています。訳は同じですが，ⓑの仮定法文は全くニュアンスが変わります。話し手は「どう考えてもキスしないだろうけど」と思っているんです。「(しないだろうけど) キスしたら，大声出すわよ」。ほら，反事実。これが仮定法。

　仮定法は「事実と異なる・可能性が大変低い」と反事実をあらわす形。この形を使いこなすことによって，ネイティブは「ありえないんだけどね」という心理を文に重ねることができるんですよ。ああなんて便利。

　さあ，便利な仮定法。さっそくその作り方をマスターすることにしましょう。

ⓒ 仮定法の作り方①：基礎

ⓐ My car is really slow. **I wish I had** a Nissan GTR.
（僕の車とっても遅いんだ。日産GTRもってたらなぁ）

ⓑ Can you speak a foreign language?
── **I wish I could.**
（外国語話せる？──できたらいいなって思うよ）

ⓒ **I wish I were / was** richer. （もっとお金持ちだったらなぁ）

　どの文も、wish の後は仮定法。「実際そうではないのだけれど」というニュアンスが込められています。ⓐの日本語訳に注意しましょう。「(今) もっていたらな」と、現在のことを述べているのにもかかわらず、対応する英語は I had ... と過去形になっていますね。

　鋭い人ならもう仮定法の作り方はわかったかな？　そう、仮定法は「時をずらす」ことによって作られる形なのです。本来現在形を使うべきところに過去形を使う、そこに反事実のニュアンスが宿るのです。さあ、「実際はそうじゃない」を意識して時をずらしながら何度も音読。すぐ慣れますよ。

■ 仮定法に使われる were

　上の例文ⓒを見てみましょう。主語が I なのに、be動詞が were となっていますね。仮定法で be動詞を使うときには、主語が何であっても (he, she, it など単数主語であっても) were を用いるのが最もフォーマル (正式) な述べ方です。これは、昔仮定法が特別な形をもっていた時代の名残り。現在は、通常の過去形 was の方が好まれます。ただし、if I were you, ... (もし僕が君だったら…) というコンビネーションの場合には、were がファーストチョイス。アドバイスを述べる際に頻繁に使われる形だけに、昔の言い回しが根強く生き残っているのですよ。ちなみにこのフレーズで仮定法が使われるのは「僕」は「君」であるはずはないからですよ。反事実ですね。

● wish の意味

　wish (〜だったらいいのに) は、want や hope よりも現実感のない動詞。手の届かないことをもわっと夢想する状況に適しています。この動詞の後ろにはいつも仮定法が伴います。

● 仮定法はなぜ「時をずらす」のか

仮定法は時をずらす。もうできるようになりましたね。それではその操作にネイティブの意識を注入しましょう。現在のことを述べるのに，わざわざ時をずらして過去形を使う理由。それは**距離の意識**です。

仮定法は，反事実。事実に反していたり，可能性が著しく低い状況を想定する，つまりは「現実離れ」の形です。「もし100億万円拾ったら」「私が鳥だったら」「僕が君だったとしたら」…こうした現実離れした事態は私たちにとって「遠く離れて」感じられます。嘘だと思ったら，ありえないことを考えながら鏡を見てごらん。自然に遠い目をしてるから。仮定法が現在のことを述べるのに過去形を使う理由はこれ。反事実は遠くを感じさせる，だから距離感を感じさせる過去形を使っているのです。

本来現在形で述べるはずの事柄から距離をとって，過去形を使えば仮定法。また同様に，本来過去形で述べるはずの事柄から距離をとって，過去完了形を使えば仮定法。距離をとる意識──それをつかめば仮定法は難しい形ではないのです。

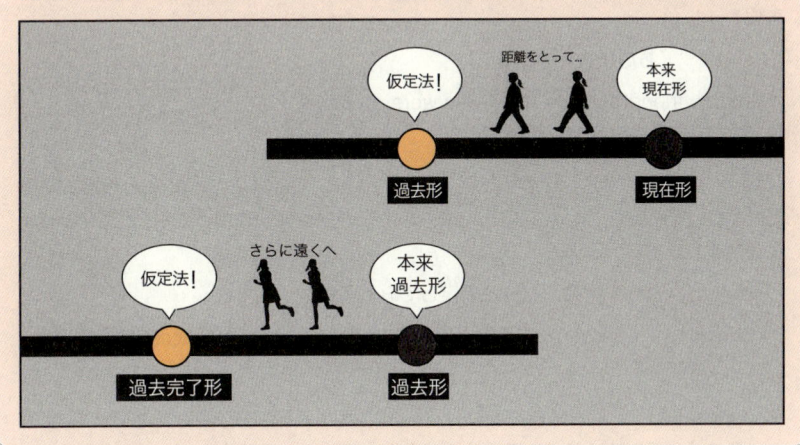

ⓓ **I wish I had been** more attentive. Now I have to retake the class.
（もうちょっとしっかり集中しておけばよかった。その授業取り直しだよ）

ⓔ I have a terrible bellyache. **I wish I hadn't eaten** so much chocolate!
（ひどくおなかが痛い。あんなにたくさんチョコ食べなければよかった！）

距離をとる意識。今度は過去のできごとに対して仮定法文を作ってみましょう。実際にはあまり授業に集中していなかった話し手が「しっかり集中しておけばなぁ」。本来は過去形を使う過去のできごとから距離をとる意識です。過去完了形を使いましょう。

●仮定法が伴うフレーズ

反事実の仮定法には, wish の後ろなど, よく使われる文脈があります。次の4表現は必ずマスターしておきましょう。使う機会が必ずありますよ。

□ **if only ～**（～でさえあったらなぁ）

(1) Oh, **if only** Bob was/were here.
（ああ, ボブがここにいたらなぁ）

(2) **If only** she would give me another chance.
（彼女がもう一度チャンスをくれさえしたらなぁ）

if only は「こうだったらよかったのに」と残念に思う気持ち。反事実とピッタリな表現ですね。

□ **as if ～**（あたかも～のように）

(1) My boyfriend acts **as if** he was/were my boss.
（私のカレ, 上司みたいに振る舞うのよ）

as if は「もし（if）～であったらそうするように（as）」ということ。仮定法が使われると「そーでもないくせにそーゆーふーに（振る舞いやがって）」と反事実の意味が生まれます。

□ **Suppose/Imagine ～**（～と仮定してみようか）

(1) **Suppose** I was/were to offer you a job here, would you accept?
（ここで君に仕事をオファーするとして, 受けてくれますか？）

suppose は「仮定する（☞P.626）」。「～と仮定してみなさい＝と考えてください」ということ。仮定法はあまり可能性のない仮の話として提案するのに使います。ちなみに be to は「これから～する」でしたね？

□ **It's (high) time ～**（そろそろ～する時間だ）

(1) **It's time** we said good-bye.（そろそろお別れの時間だよ）

仮定法が使われる決まり文句。反事実の意味, 感じてくれているかな？ ここには「（実際には）まだお別れを言っていない」が含まれてるんです。「お別れを言うべき時間（だけどまだお別れ言っていないよね）」。ここから「そろそろお別れの時間」。さあ, 口慣らしだ。がんばれ。

D 仮定法の作り方②：if を用いた仮定法文

さあ，仮定法。もう慣れてきましたね。それではもう 1 歩だけ進めましょう。if 節を使った仮定法文です。

> ⓐ **If** you **stopped** smoking, you **would feel** much healthier.
> → If you stop smoking, you will feel much healthier.
> 　（もしタバコをやめたら，もっと健康になれるよ）
>
> ⓑ **If I were** you, I **wouldn't walk** around that part of the city alone.
> 　（僕が君だったら，その町のあのあたりを 1 人で歩いたりしないだろうな）

まずは反事実のニュアンスを確認してください。ⓐの仮定法文は下の仮定法ではない文と訳は同じですが，話し手のキモチが全く違います。「どうせやめないだろうけど」これが仮定法。単に「やめたら健康だよ」これがふつうの文。

if を使った仮定法の文は 2 つの部分から成り立っています── if 節とその後ろの文（帰結節）。まーあたりまえなんだけど，そのそれぞれにテクニックが隠れています。

現実離れ　　控えめ

If you stopped smoking, you would feel much healthier.

まず if 節の中は，みなさんが学んだ「現実離れ」の形。反事実を表現するために時をずらしています。本来なら **if you stop** と現在形になるところに過去形 **stopped** を使っていますね。

さて，問題は結びの（帰結）節。「～だろう」と結んでいますが，ここで will を使うことはできません。だって if 節の中でありえないことを想定しているのですからね。「きっとそうなるよ！」と力強い予測の will で結ぶのはちょっと不自然。「（どうせやめないのだろうけど）やめたらこんなふうに

なるんじゃないかなぁ」と気弱に結ぶのがピッタリ。will の控えめバージョン would（だろうなぁ）を使いましょう。「現実離れ」と「控えめ」。これが if を使った仮定法の基本パターンなのです。さあ何度か口慣らししてこのパターンに慣れていきましょう。

■could, might

帰結節に使うことのできる助動詞は would だけではありません。can（できる）や may（かもしれない）の控えめバージョン（could, might）も使うことができます。

(1) If I had 'connections', I **could** get a much better job.
 （もし僕にコネがあれば，はるかにいい仕事に就けるんだろうけどなぁ）
(2) If you went out a bit more, you **might** make more friends.
 （もし君がもっと頻繁に外に出かけたら，もっと友達作れるかもしれないのになぁ）

●仮定法は気軽に使え

さあ，少しうんざりしてきたかな。でも仮定法という形は，日常会話でも出てくる大変気軽な形です。

A: I asked her for a date, but ...
 （彼女デートに誘ったんだけど…）
B: Hey, come on! I wouldn't give up if I were you.
 （おいおい！ 僕が君ならあきらめないぜ）

「現実離れ—控えめ」——このリズムさえ身につければ，すぐに使えるようになる。いいかい，何度も音読してそのリズムを体の一部にすることだよ。

ⓒ **If I had studied** harder, I **would have got** a higher TOEIC score.
 （もっと勉強してたら，TOEIC のスコアもっとよかっただろうに）

ⓓ **If he had been** less greedy, he **would not have lost** so much at the pachinko parlor!
 （もし欲をかかなければ，彼はそんな大金をパチンコ屋で失わなかっただろう！）

今度は過去のできごとについて仮定法を使ってみましょう。ⓒでは，実際には勉強していなかったのに「もっと勉強してたら」。起こらなかったこと

を述べています。そう，反事実。if 節の中は，反事実を表現するために時をずらしています。本来過去形になるところを時制をずらして過去完了。

問題は帰結節。would have なんて見慣れぬ形がありますね。これは「〜しただろうなぁ」と過去について控えめに推量する形です。if を使った仮定法は，過去のできごとに対する場合も同じ。「現実離れ」と「控えめ」のリズムでできあがっているのです。

現実離れ　　控えめ

If I had studied harder, I would have got a higher TOEIC score.

●would have という形

would have は「〜しただろうなぁ」と過去について控えめに推量する形，と説明しました。なぜ would have にこうした意味があるのか，理解できましたか？ もちろん当然のことなんですよ。

みなさんはすでに will have, may have など「助動詞＋完了形」をマスターしていますね（☞P.577）。そう，過去に「〜しただろう・〜したかもしれない」と推量する形です。would have はその控えめ表現なんですよ。will を控えめにすると would となるのと同じように，will have を控えめにして would have。

仮定法はありえないこと・可能性が低いことをあらわす反事実の形。「きっとそうしたよ！」と力強く will have で結ぶことが不自然なのです。そこで would have。「そうしただろうなぁ」と控えめ表現を使って，気弱に結んでいるのです。

■could have, might have

would have（〜だっただろうなぁ）と同じように could have（〜できたのになぁ），might have（かもしれなかったのになぁ）も使われます。

(1) If I had saved more money, I **could have** gone to Hawaii.
　　（もっとお金を貯めていれば，ハワイに行けただろうになぁ）
(2) If you had called me earlier, I **might have** been able to meet you.
　　（もしもっと早く電話くれれば，会えたかもしれなかったのに）

would have, could have, might have は頻繁に would've, could've, might've と短縮されます。ネイティブにとってこの形は何ら複雑なものではないってこと。さ，音読で自分のものにしてくださいね。

16 ▼時表現

PART 5 - CHAPTER 16：時表現　SECTION 8：仮定法

> ⓔ **If** you **had followed** the instructions, you **wouldn't be** in this mess now.
> （もし君が指示に従っていれば，今こんな困ったことにはなっていないだろうに）
>
> ⓕ **If I had planned** a bit better, everything **would be** fine.
> （もう少しましな計画をしていれば，〔今頃〕全部うまくいってるだろうに）

　ここまで気軽に作ることができたらネイティブ並。前後の形に注目しましょう。if の中は過去完了。つまりは過去のことに思いをはせているのです。「もしあのとき勉強していたら」。帰結節は would。つまり「今の状況」を「～だろうなぁ」と想像しているのです。過去に～だったら今頃は～だろうな，という形。このコンビネーションまでしっかり仕上げておくこと。これで仮定法の実力は完成です。

現実離れ　　　　　　　　控えめ

If you had followed the instructions, you wouldn't be in this mess now.

● if を述べない仮定法

　話の前後関係で反事実について述べていることがあきらかなとき，「もし～なら」を省いて「～だろうになぁ」「～だったろうになぁ」だけで済ませることもよくあります。if を述べないこのテクニック。ぜひマスターしてくださいね。

(1) A: You know, I'm up to my ears in debt, but I have no idea what to do.
（俺，借金で首がまわんないんだよ，でも何していいのかわかんないんだ）

　B: **I would start** by spending only on absolute necessities.
（僕ならどうしても必要なモノに限ってお金を使うことから始めるな）

(2) A: Jane has taken her cheating husband back.
（ジェーンは浮気した旦那さんとよりを戻したんだってさ）

　B: Really? **I would have kicked** him out for good!
（本当？　私なら永久におさらばしただろうに！）

598

もちろん If I were you と加えてもいいでしょう。でもそんなことは言わなくてもわかる、だから述べずに済ましているのです。if が使われない仮定法は次のようなケースもポピュラー。

(3) **Without** my parents' support, **I couldn't have started** my business.
（両親の援助がなかったら、商売始めることはできなかったろうな）

(4) Something strange is going on. **Otherwise**, he **would not act** like this.
（なんか妙なことが起こってる。そうじゃなきゃ彼がこんなふうに振る舞うわけないよ）

(5) **Fifty years ago**, nobody **could have imagined** such advances in technology.
（50年前なら、誰もこんな技術的進歩を想像できなかったろう）

(6) **In my place**, what **would** you **do**?
（僕の立場なら、君はどうする？）

(7) **In your shoes**, I **wouldn't accept** their offer.
（君の立場なら、やつらの申し出は断るよ）

(7)は「君の靴を履いているなら」、つまり「君だったら」ってことですよ。英語上級者を目指すならこの程度はすぐに会話で使えなくては困ります。さあ、ガンバだ。

●仮定法がよく使われる決まり文句

□ **But for ～**（〜がなかったら）

(1) **But for** your encouragement, I would have given up a long time ago.
（君の励ましがなかったら、ずいぶん前にあきらめていただろうな）

for の後ろは名詞。「〜がなかったら」ということ。if it were not for 〜 と共に会話でもよく使われるフレーズです。しっかり口慣らし。いいね！

□ **If it were not for ～**（〜がなかったら）

(1) **If it weren't for** sport, my life would be pretty dull.
（スポーツがなかったら、僕の生活はかなり退屈なものになってるだろうな）

これも「〜がなかったら」。もちろん過去の事柄について述べるときには、過去完了形が使われることもあります。

(2) **If it had not been for** the pilot's skill and cool head, the plane would certainly have crashed.
（パイロットの技術と冷静さがなかったら、その飛行機は確実に落ちていただろう）

※倒置を伴う仮定法文については倒置（☞ P.539）を参照。

SECTION 9 時制の一致

▶さあ，時表現最後の項目に進みましょう。それは「時制の一致」。主にレポート文（☞P.95）に見られる現象です。間違ったからといってコミュニケーションが損なわれるほど大きな問題ではありませんが，上級を目指すなら必須！

A 時制の一致：基礎

時制の一致は，主節（レポート動詞）の「時」に従属節（レポート内容）の時が「ひきずられる」英語特有のクセです。

ⓐ John **said** Ken **loved** Nancy.
（ジョンは，ケンがナンシーのことを好きだと言った）

ⓑ I **thought** Mary **was** really attractive.
（メアリーはホントに魅力的だと思った）

ⓒ He **promised** me that he **would** never leave me.
（もう別れないって彼は約束してくれたわ）

John
「Ken loves Nancy.」

「John said Ken loved Nancy.」

主節　従属節
John said　Ken loved Nancy.
過去　➡　過去

ⓐを見てみましょう。あるときジョンが Ken loves Nancy. と呟きました。そのできごとを後に回想して John said と過去形で始めれば，レポート内容も Ken loved Nancy と過去になる，これが時制の一致です。**「主節が過去なら，従属節も（ひきずられて）過去になる」**ということ。理屈はカンタン。だけどね，日本語とは大きく違うんですよ。

ⓐの日本語訳を見てみましょうか。「<u>ケンがナンシーのことを好きだと言った</u>」と発言内容に現在をあらわす形が使われています。ⓑも「<u>魅力的だと思った</u>」，この，日本語のクセから自由になることが大切です。英語は「過去なら過去」。said → loved，thought → was，promised → would の流れをつかんでください。

■無意識・瞬時・自動的

時制の一致はネイティブにとって「規則を適用する」などといった悠長な話ではありません。無意識に・瞬時に・自動的に起こるのです。

(1) I'm from Zanzibar. ── Excuse me. Where did you say you **were** from?
（僕はザンジバル出身です。──すみません。どこのご出身とおっしゃったのですか？）

from の後が聞き取れず，瞬時に聞き返している文ですが，時制の一致が起こっています（did you say → you were from）。時制の一致は意識せずに使えなければ勝負になりません。さあ，この文で徹底的に口慣らししましょう。

■時制の一致と現在完了

時制の一致は，「主節が過去」が条件。現在完了のときには原則一致させる必要はありません（まぁ時々一致させる人もいるんだけど）。現在完了の視点は現在に置かれているからです。

(1) **I've always thought** that it's (=it is) good to have school uniforms.
（制服があるっていいなといつも思ってるよ）

● **時制の一致の理由（箱が過去なら中身も過去）**

時制の一致は，理由なく「そーゆーことになっている」わけではありません。そこにはあたりまえの心理が隠れています。それは「箱が過去なら中身も過去」という心理。

みなさんは，冷蔵庫からとり出した牛乳パックに1ヵ月前の日付が書いてあったらどうします？ もちろん捨てますよね。箱が1ヵ月前なら中身の牛乳も当然1ヵ月前だからです。時制の一致はそれと同じですよ。

PART 5 - CHAPTER 16：時表現　SECTION 9：時制の一致

ⓐ John said Ken loved Nancy.

　　前述ⓐの文では，箱は John said。箱が過去なのです。当然その中身（ジョンの発言内容）も過去と考える——これが時制の一致ということなのです。

ⓓ **I heard** that Judy **had had** another baby. Terrific news!
（ジュディがもう 1 人子ども産んだって聞いたよ。すごいニュース！）

ⓔ **I found** out that she **had lied** to me. I was furious.
（彼女が嘘を言っていたことがわかった。むちゃくちゃ腹が立ったよ）

ⓕ The police **said** they **had searched** everywhere.
（警察はあらゆる場所を捜索したと言った）

I heard Judy had had ...
　　過去　　　　　➡　　　　過去完了

　さて，時制の一致，もう 1 つのケースを考えてみましょう。レポート内容が主節より，以前に起こっている場合です。

　Judy had another baby. という文を回想して I heard で始めると，ⓓのように過去完了形（had ＋ 過去分詞形：☞P.575）となります。**通常の過去完了の使い方**ですよ。ジュディが子どもを産んだという内容は，heard よりも前。「ある過去の時点までに起こった」を示す過去完了が使われるのはあたりまえですね。

602

● 時間関係を明確に意識したときに使え

「主節が示す過去の時点より前にすでに起こっている」ならレポート内容は過去完了形——このルールは，実はそれほど厳密に守られているわけではありません。過去完了形とは「ある過去の時点までに起こった」を明確に述べる形。時間関係を明確にしようという意識がなければ使わなくても大丈夫。

(1) Everybody tells me they know nothing about the meeting, but **Sayuri assured me she contacted everyone by email**. I don't get it.
(みんなはミーティングのことなんてなんにも知らないって言うんだけど，サユリは確かにメールで連絡したって言ったんだよ。わかんないなぁ)

(2) You're wrong, Dad, because **my teacher told us that man first landed on the moon in 1969, not 1967**.
(お父さん，違うよ。だって先生は人類が最初に月面に降り立ったのは1967年じゃなくて1969年だって教えてくれたもの)

(1)では，サユリが assure（確かに〜だと言う）した時点よりも連絡した時点の方が前だということはあきらかにわかりますよね。だからいちいち過去完了にしなくてもいいんですよ。(2)も同じです。「人類の月面着陸」は大昔のできごと。my teacher told（先生が言った）との前後関係を意識する必要はありません。

B 時制の一致と助動詞・仮定法

ⓐ She said she **would** go out with me, but she changed her mind.
(彼女，デートしてくれるって言ったんだけど，心変わりしちゃった)

ⓑ I told them we **might** be a bit late.
(僕たちは少し遅れると彼らに伝えておいたよ)

ⓒ What? But you promised you **could** finish the job by today.
(何？ だけど君は今日までに仕事終わらせるって約束したよね？)

ⓓ My Mom said I **must** be home by 11 p.m.
(僕のかあさん，11時までに帰らなくちゃいけないって言ってたよ)

ⓔ My doctor advised I **should** quit smoking.
(医者はタバコやめろってアドバイスしてくれたんだ)

PART 5 - CHAPTER 16：時表現　SECTION 9：時制の一致

> I will go out...
>
> She said she would go out...
>
> You must be home...
>
> My Mom said I must ...

そのまんま

　従属節に助動詞を使いたいときには、少しだけ注意が必要です。will, may, can は、そのまま過去形 would, might, could とすれば完成（ⓐ〜ⓒ）。

　でも、助動詞の中には過去形をもたないものもありましたよね。代表は **must と should。この場合助動詞はそのままで大丈夫**なんですよ。ないものはしょーがねーってことですよ。

■ used to / ought to

この2つにも過去形はありません。そのまま使ってくださいね。

(1) My Granddad boasted he **used to** walk 10 kilometers to school every day.
（祖父が、若い頃は学校まで毎日10キロ歩いていたと自慢してたよ）

(2) My boss said I **ought to** get up to speed on the latest software.
（最新のソフトについていかなくちゃいけないと、ボスに言われた）

■ 主節より以前に起こっている場合　ADVANCED

レポート内容が主節より以前に起こっているケースを考えてみましょう。

(1) Tom said his Dad **would** often enjoy an after-dinner stroll when he lived in the country.
（トムは、彼の父親はその国に暮らしているときしばしば夕食後の散歩を楽しんだものだと言っていたよ）

(2) She said her daughter **could** play the piano when she was only 5 years old.（彼女は，娘さんがわずか5歳のときピアノを弾けたと言っていたよ）

(1)は過去の習慣をあらわす would。主節が過去なら「それよりも過去」となるはずですが…この場合助動詞の形は変わりません。もとの文が would ならそのまま would となります。

would をさらに過去にもっていく方法がないからね。ほかの助動詞（could）でも同じです。ないものはしょーがねーってこと。

うーん，こんなのばっかりだな (^^;)

ⓕ Rebecca said that she **could** make a pumpkin pie for the Halloween party.
（レベッカはハロウィーンパーティー用にパンプキンパイを作ってもいいかなと言った）

ⓖ I said I **wouldn't** ask Gary because he's not reliable.
（僕は，ギャリーは信用できないから頼まないだろうなと言ったんだ）

would, could, might には，「控えめ表現」として使われるケースがありましたね（☞P.556）。この場合にもそのままの形でどうぞ。

ⓗ He said he **would** buy me a diamond if he **were** rich.
（彼，もしお金持ちだったら私にダイヤを買ってあげるのになって言ったの）

ⓘ She wished **she had a child**.
（彼女は子どもがいたらなぁと願っていた）

レポート内容が**仮定法の場合には，時制の一致は起こりません**。仮定法という形そのものが，通常の時系列に沿った形ではないからです。そのまんま。

ⓒ 時制の一致が起こらないケース

時制の一致は，ネイティブにとって大変自然なルール。無意識にレポート文を使うときネイティブは必ず，時制の一致を適用します。この時制の一致が破られるときがあるんですよ，実は。

> ⓐ Our geography teacher taught us that Greenland **is** the world's largest island.
> （僕たちの地理の先生はグリーンランドが世界で一番大きな島だと教えてくれた）
>
> ⓑ Eri said her Dad **plays** mahjong every Saturday.
> （エリは彼女の父親が毎週土曜日に麻雀をやるって言った）
>
> ⓒ Brian wrote that he **will** reach Kathmandu on April 1st.
> （ブライアンは4月1日にカトマンズに着くと書いてきた）

これらの例では，主節が過去なのにレポート内容はすべて現在形のままですね（もちろん時制を一致させ過去形にしてもすべて OK な文ですよ）。これは意図的・意識的な操作。単なる「地理の先生は～と教えた」というレポートではありません。

時制の一致を意図的にキャンセルするとき，話し手はレポート内容が「今でも成り立っている」ことを意識にのぼらせているのです。「グリーンランドは最大の島」──これは今でも成り立ってるよな。

> Greenland is ...
>
> Our teacher taught us that Greenland ~~was~~ ... いまでも **is**

「エリの父親は毎週土曜日に麻雀」――そういや今でもやってるよ，あの人は。そうした単なるレポート以上の意識が加わっているからこそ現在形が使われているのです。

ⓒの文からもうみなさんは，何日にこの文が言われたのかがわかるでしょう？　もちろんそれは「4月1日以前」です。その時点以前だからこそ「まだこれからのことだよな」と意識にのぼる。その意識が will をそのままにさせているのです。

さあ，それでは次の was/is のニュアンスの違いを考えてください。

ⓓ Your English teacher informed me that he **was** / **is** not at all happy with your performance.（英語の先生が君の成績には大変不満だと教えてくれたよ）

was は時制が一致した形。単に英語の先生の発言をレポートしているにすぎません。ですが is にはエクストラなニュアンスが感じられます。「彼は今不満だよ」――先生の不満を現在の問題として，目の前に置いているのです。「なんとかしなくてはならないよ」と言っているのです。was/is の差は，私たち日本人には些細なことだと思うかもしれません。ですがネイティブはその違いに必ず気がつきます。そしてみなさんがもしここまでこれたとしたら，教養あるネイティブに匹敵するみなさんの英語表現力に大きく心動かされることでしょう。

がんばって。

●牛乳パックが過去なら中身も過去

時制の一致は「牛乳パックが過去なら中身も過去」。大変自然なクセでしたね。もちろんこの現象は、レポート動詞とその内容のあいだだけで見られるわけではありません。

(1) She only got the job because she **was** beautiful.
（彼女はね，美人ってだけで就職できたのよ）

(2) I had a great time in Australia because everyone **spoke** English.
（みんな英語話すもんだからオーストラリアは楽しかったよ）

もうみなさん，この2文が不自然ではないはずです。だってやっぱり牛乳パックと中身の関係だからです。because she was beautiful が自然に過去形になるのは，それが「彼女が就職できた」という大きなストーリーの一部だから。ストーリーが過去なら，その一部（because 以下の理由）も自動的に過去。彼女が今も美人であろうが，過去で OK なのですよ。

次の悪ガキクリスの日記はどうでしょう。

(3) Last Saturday, I played soccer with a few friends. I took a wild kick at the ball, and it smashed my neighbor's window. We all ran as fast as we could along the path that **went through** the woods near my house. Then we climbed up the hill that **overlooked** my area and watched my neighbor screaming and shouting. It was great fun!

（先週の土曜日，友達数人とサッカーやったんだよ。ボールをでたらめに蹴ったら近所の家の窓ガラスを割っちゃったんだ。うちの近くの森を抜ける小道を思いっきり走って逃げたんだよ。で，そこらへんを見渡せる丘の上に登って，（窓を割られて）キーキー言ってる近所の人を見てたんだよなぁ。スッゴク楽しかったよ！）

みなさんなら，もうこんな書き方もできるはずですね。家の近くの小道は今でも森を通っている（goes through）でしょう。その丘は今でも近所を見渡せる（overlooks）でしょう。でもこの描写は，過去のできごとの一部。牛乳パックの中身。だから過去形にしているというわけです。

時制の一致は，難しい規則ではありません。どこにでも転がっている「牛乳パックが過去なら中身も過去」の関係なんですよ。

PART 6

文の流れ
COMBINING SENTENCES

17
18

CHAPTER 17：接続詞
CHAPTER 18：流れを整える

PART 6 文の流れ

■「文の流れ」とは

PART 5 まで読み終えられたみなさんは，すでに短文ならあらゆる種類の文を作ることができるでしょう。

この「文の流れ」では，複数の文を組み合わせた「流れ」を作る学習をします。文接続や代用，省略などのテクニックを学び，みなさんの英語力を仕上げていきます。

さあ，がんばっていこう。

CHAPTER 17

接続詞

CONJUNCTIONS

複数の文を組み合わせ流れを作る。会話能力を高めるためには必須の学習項目です。主な表現の意味だけではなく「つなげるキモチ」を身につけてください。

■ 接続とは？

　文の要素（文や句など）を結ぶ要素は「接続詞」とよばれ，わかりやすく明確な文の流れを作るために不可欠な要素です。この章では，文と文の接続を中心に解説していきますね。

■ 接続詞の2タイプ

　文接続には2つのリズムがあることを，まず知っておきましょう。まずは2つの文を，同等の強さでただポンポンと並べてつないでいく接続（等位接続）です。

ⓐ My brother played the guitar, **and** I sang.
　（兄がギターを弾いて，僕が歌った）

　接続詞 and を介して2つの文が等価な資格でつながれています。どちらが重要というわけではありません。and（そして），but（しかし），or（あるいは）がこのリズムをとる典型的な接続詞です。

　もう1つのリズムは，片方に力点が置かれ，もう1つの文は補助的に働く接続です（従位接続）。

ⓑ **If** you wait a few minutes, I'll give you a ride.
　(もし少しのあいだ待ってくれたら車に乗せていってあげるよ)

ⓒ **When** I was sending a text message, the teacher caught me.
　(僕がメールしてたら，先生につかまった)

　ⓑは「もし待ってくれたら**乗せてくよ**」と，I'll give you a ride に力点が置かれています。if you wait a few minutes は条件を述べているにすぎず，補助的な働きしかしていません。従位接続の代表的な接続詞は, though（〜だが），when（〜した・するとき），if（もし〜なら），because（〜なので）などです。このタイプの接続では，従属フレーズは前にも後ろにも置くことができます。

　　　　（前↓）　　　　　　　　　　　　　　　（後ろ↓）
If you wait a few minutes, I'll give you a ride **if** you wait a few minutes

　前置きにするときには，区切りを示すカンマ（ , ）を置きます。どっから主たる文が始まるのかがわかりやすくなりますから。

　さあ，前置きはこのくらいで十分でしょう。大切なのは個々の接続詞の使い方と，それがどれだけみなさんの英語を豊かにしてくれるのかということ。
　がんばっていきましょう。

SECTION 1 等位接続

▶ 2つの文を，同等の強さでただポンポンと並べてつないでいく接続です。大変重要な接続詞ばかり。がんばっていきましょう。

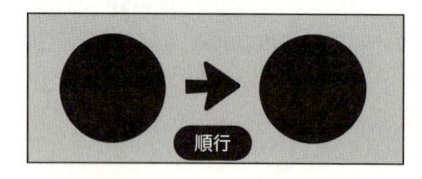

A 順行の接続

前の文をそのまま後の文につなぐ。順行の流れを作り出すのが and と so。日本語訳にとらわれず，しっかりイメージをつかんでいきましょう。

and（〜と，そして）

ⓐ I made a sandwich **and** ate it quickly.
（サンドイッチを作ってサッサと食べた）

ⓑ It started to pour down, **and** we got soaked to the skin.
（大雨が降り出して，私たちはずぶ濡れになった）

and は「A そして B」。ただの「A + B」ではなく，A から B に進む流れを感じてください。そうすれば，ⓐの文では**時間的な流れ**があることがわかるはず。ためしに前後を逆にしてみましょう。

ⓒ I ate a sandwich quickly **and** made it.
（サンドイッチをサッサと食べて，作った）

ほら，時間の流れを無視した奇妙な文ができあがります。

ⓑは**原因から結果への流れ**。「土砂降り→濡れた」。次のⓓとⓔは**「命令文 + and（〜しなさい，そうすれば）」**。よく使われる形です。

ⓓ Just pay a deposit, **and** you can take it home now.
(前金を払いさえすれば，今家にもって帰れますよ)

ⓔ Pick a fight with him, **and** you'll regret it.
(彼とケンカしてみろよ，後悔するぜ)

●and は常に「流れ」を意識する。

and はいつも「流れ」。みなさんが何気なく「〜と〜」と訳す and にも，やはり流れは感じられているのです。

(1) **Jane and Nancy** are best friends.
(ジェーンとナンシーはいい友達です)

「ジェーンそれからナンシー」と，視線が移動していきます。and は足し算ではないのですよ。

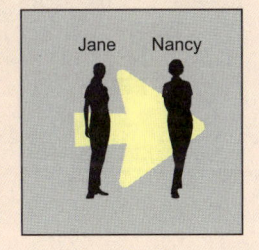

■ and の「繰り返し」

and で「繰り返し」をあらわし強調するのは，大変よく使われるテクニック。

(1) He rolled over **and** over.　(彼はゴロゴロ転がった)
(2) The list went on **and** on.　(リストはずーっと続いた)
(3) He ran **and** ran.　(彼は走りに走った)

so (だから)

ⓐ I didn't use suncream, **so** I got burned.
(日焼け止めを使わなかったから，やけちゃった)

so は「だから」。順行で文をつなぐ単語です。so は「矢印」。文と文をつなぐとき**「原因⇒結果」**をあらわします。so には「⇒」の感触が生み出す，多彩な使い方があります（☞P.269）。

●順行をあらわすほかの表現

話の流れをそのまま前に進める，順行にはいくつかのタイプがあります。

〈論理を追う〉

□ **hence**/**therefore**（それゆえに）

(1) Narumi spent 5 years in the States, **hence** her perfect English accent.
（成美はアメリカに5年住んでいた。それゆえ彼女の英語の発音は完璧だ）

(2) You didn't come to practice; **therefore**, you're out of the team.
（あなたは練習にこなかった。それゆえ，あなたをチームの一員からはずします）

かたい表現です。論理関係を緻密に追っているニュアンス。会話ではあまり出てきません。論文などで使ってください。

〈累加〉

□ **on top of that**/**in addition**/**moreover**/**furthermore**（さらに，その上に，加えて）

(1) They asked me to work extra hours and, **on top of that**, they docked my pay!
（彼らは残業頼んできたうえに，給料減らしやがったんだぜっ！）

前文に重ねていく意識で使われます。on top of that は会話でよく使われる表現。文字どおり「そのうえに」ということですが，「冗談じゃないよ」「もうガマンできない」など，色濃く感情が乗る表現です。

〈例示〉

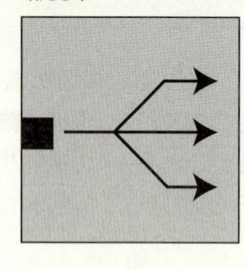

□ **for example**/**for instance**（例えば）

(1) I like most Japanese food; **for example**, sushi, tempura, and soba.
（僕は日本の食べ物のほとんどが好き。例えば寿司，天ぷらやそば）

□ **コロン（:）の使用**

(1) I learned a lot from my parents**:** honesty, loyalty, and curiosity.
（私はたくさんのことを両親から学んだ。例えば正直，誠実，そして好奇心である）

〈明確化〉

☐ **that is**（つまり）

(1) I'm reading a book about Bushido, **that is**, the traditional code of the Japanese samurai.
（僕は武士道，つまりね，日本の侍の伝統的規範についての本を読んでいるんだ）

明確化の表現は，ほかにもいろいろあります。まずは or。

NaCl stands for sodium chloride **or** ... common salt.（NaCl は塩化ナトリウム，もしくは…塩をあらわします）

相手の理解を得やすくするために，単語を「選択（or）」させているんですよ（☞P.620）。そのほかにも，in other words（ほかのことばで言うと），that is to say（つまり），to put it another way（ほかの言い方をすると），to be precise（正確に言うと）などいろいろ。

B 逆行の接続

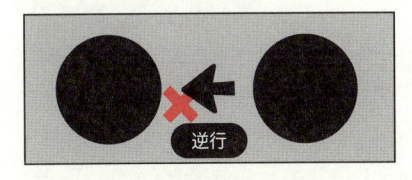

前の文と相反する内容を述べ，逆行の流れを作り出すのが but。打ち消す感触をつかんでおきましょう。

but（しかし・でも）

ⓐ I like my new boyfriend **but** hate his sense of dress.
（今度のボーイフレンド，好きだけど服のセンスが嫌い）

ⓑ She never studies **but** always passes the tests easily.
（彼女は全然勉強しないけど，いつもテストには簡単に合格するんだよ）

but は先行文と相反する内容を導く，逆行の接続詞。**流れを打ち消す**力強さを感じてください。

ⓐは「好き」という流れを but で打ち消し「嫌い」。She never studies なら「じゃテストは落第」が当然の流れ——それを but で打ち消し。流れを打ち消す。それが but が使われるタイミングです。

■Excuse me [Sorry], but ...

「すみませんが…」とお願いをする決まり文句です。

(1) **Excuse me** [**sorry**], **but** can you keep the noise down, please?
（すみませんが，静かにしてくれます？）

やはり流れを打ち消す but。謝罪の流れをストップしてリクエストを始める，こうした意識で使われているのです。

●打ち消す but

but の「流れを打ち消す」を理解すると，「しかし」と訳語を覚えるよりも，はるかに生き生きと会話で使えるようになります。

(1) A: How about a nice tie for your husband?
（〔店員〕すてきなネクタイ，旦那さんにいかがですか？）

B: **But** I'm not married!
（でも，私結婚してないの！）

はははは。相手の発言の流れを断ち切る but。よく使われますよ。

(2) A: Just go up to her and ask her out. It's simple.
（彼女のとこ行って誘えばいいだけだよ。簡単さ）

B: **Yes, but** what if she says no?
（うん，でもイヤと言ったら？）

これも会話頻出。直接 but で反論を始めるのではなく，Yes, とまず受け入れることによって，打ち消しのショックをやわらげるテクニック。お使いくださいね。

ⓒ He is **not** just my friend **but** my soul mate.
（彼はただの友達ではなく，心の友なんだ）

ⓓ This car is **not only** powerful **but (also)** eco-friendly.
（この車はパワフルであるだけでなく，環境にやさしい）

not と but を組み合わせた，**not A but B**（A ではなく B），**not only A but (also) B**（A だけではなく B も）は，ポピュラーな表現。詳しくは☞P.328 を参照してください。

●前置詞として使われる but

but には前置詞としての使い方があります。意味は「〜をのぞいて」。

(1) **All but two** of the climbers made it to the top.
（登山者のうち，2 人をのぞいて全員山頂にたどり着きました）

(2) Look, I'm sure this is **nothing but** a phase your kid is going through.
（いいかい，これはお子さんの成長の一時的な段階にすぎないんだよ）

ここにもやはり「打ち消し」が感じられています。「のぞいて」はそれを「打ち消して」ということですよね。

●逆行をあらわすほかの表現

☐ **however**（けれども・しかしながら）

(1) I know you don't want the flu injection. **However**, it's better to be safe than sorry. （インフルエンザの予防注射がイヤなことはわかるよ。でも，用心にこしたことはないよ）

(2) I don't have a part-time job. Most of my mates, **however**, do have one.
（僕はバイトをやっていませんが，友人のほとんどはやっています）

but よりもややかたい雰囲気の単語。but のように 2 文を直接つなげないことに注意（次の文を however で始めます）。文中に置くこともしばしば。単に「しかし」ではなく，そこに思考のプロセスが見え隠れする単語です。

☐ **yet**（けれども）

(1) Kelly was a criminal, **yet** many people admired him.
（ケリーは犯罪人ではあったが，彼を称賛する人は多かった）

17 ▼接続詞

619

「未完の yet」(☞P.274) の接続詞用法。「これで話は終わりじゃなく」ということ。意外性のある展開がなされます。

◉ 選択の接続

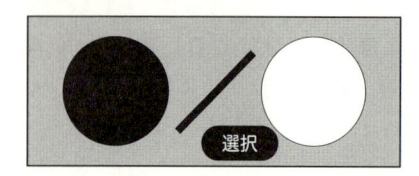

「A か B」の選択をあらわす接続です。or が代表。

or (か・あるいは)

ⓐ **You can pay in cash, or you can use a credit card.**
(キャッシュで払うこともできますし，あるいはクレジットカードもお使いになれます)

ⓑ **Which color do you want, red or blue ?**
(どっちの色がいいかな，赤それとも青？)

ⓒ **30 or 40 people attended the presentation.**
(30 か 40 の人がプレゼンに参加した)

ⓓ **Hurry up, or we'll miss the train.**
(急ごう，そうしなければ電車に遅れる)

ⓔ **We'd better do exactly as he told us, or else we'll be in deep water.**
(彼が言うとおりやった方がいい，さもないと困ったことになる)

or は「A か B」──選択の接続詞。「選択」からはさまざまな使い方が生まれます。

ⓒは**いい加減**。正確な数に興味がないときに使います。「30 か 40 人だよ」。

ⓓは**命令文＋or**（〜しなさい，そうしなければ…）。or に「そうしなければ」といった複雑な意味があるわけではありません。ネイティ

ブが意識しているのは「急ぐか乗り遅れるかだ」——単なる選択。ここから「そうしなければ」と訳されるだけのことです。命令文以外にも，You must do it, or ...（そうしなくちゃ，そうしなければ…）You had better do it, or ...（そうした方がいい，さもないと…）などといったコンビネーションも作ります。

ⓓに else（ほか）を加えたものがⓔ。ⓔの **or else** は「さもないと」。「ほかのチョイスをすると」ということですよ。

SECTION 2 従位接続

▶片方の文に力点が置かれ，もう一方が補助的に働く接続です。

Ⓐ 条件

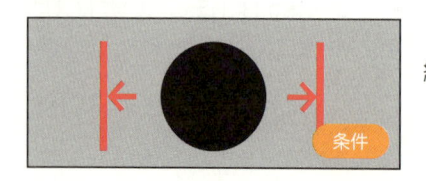

ある状況が成り立つ条件を述べる接続です。if がスタープレーヤー。

if （もし〜なら）

ⓐ **If** you wait a few minutes, I'll give you a ride.
（少し待ってくれれば，車で送ってあげるよ）

ⓑ I know I can win **if** I play my best.
（ベストを尽くせば勝てるってことはわかってる）

if は「もし〜なら」。条件を課す接続詞ですが，「2択」を連想させることを覚えておきましょう。「もし〜なら」という条件は，そうじゃなかった場合も想起させますから。2つの道のうち「もしこちらに進めば…」。それが if の感触。

さて，if を使った文はふつう次の形をしています。

  if 節   結び（帰結節）
If you **wait** a few minutes, **I will** give you a ride.
       現在形   助動詞

622

if 節の中は未来のことであっても、現在形を使うのが標準です。話し手はそのできごとが、**起こってる（現在形）**ことを前提として話しているからでしたね（時・条件をあらわす修飾節 ☞P.551）。

　また**結びには、will**（だろう・〜するよ）や **can** などの助動詞を使うのがふつう。それは、**断言できないから**。あくまで「〜なら」の話、意志や推測の域は出ませんからね。

●高圧的な if 文　ADVANCED

次の文を比べてみましょう。結びの文の形が違います——受ける感じが変わるのがわかりますか？

⑴ If you say that again, **I'll go home**.
⑵ If you say that again, **I go home**.
⑶ If you say that again, **I'm going home**.
　（もう一度それを言ったら、私はうちに帰るわよ）

　日本語訳は同じですが、⑴が最も標準的。⑵は「絶対帰るからね」——強い断言で、非常に高圧的に響きます。「言い訳は受け付けません」の強い口調。その理由は現在形だから。現在形は現在起こっている事実をあらわす形——推測ではなく必ず起こることとして提示しているからです。発音上の違いは l（エル）音だけのことですが、ネイティブは必ず気がつきます。しっかりと区別しておきましょう。
　ちなみに、⑶も同様に強い断定口調です。もう起こっている（-ing）という形をとることによって、その決意を示しているのです。

Ⓒ **I don't care if you have no money ── I just like you!**
　（あなたにお金が全然なくても気にしないわ——あなたのことが好きなの！）

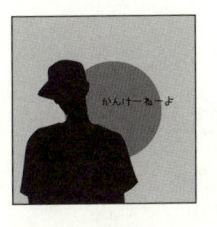

　if には譲歩の使い方があります。if は単に条件（もし〜）を提示しているだけの単語。ですから文脈によっては「もし〜でも、何も起こらないよ。かんけーねーよ」という意味でも使えるということ。**even if** は、この「かんけーねーよ」が強調された表現です。

ⓓ I don't care **even if** you have no money.
(たとえあなたにお金が全然なくても気にしないわ)

even は「〜さえ」。レベル表現です (even ☞P.276)。極端な条件を頭に置いて「たとえこんなことまで起こったって」ということ。

■ even if の心理

ULTRA ADVANCED

　even if とただの if。心理は微妙に違います。if you have no money には可能性が意識されています。「お金もってないかもしれないわね——それでも気にしないわ」。一方 even if you have no money は「こんなところまで気にしない」と,極端な範囲を設定しているにすぎません。無一文だとは思ってないんですよ。

ⓔ I don't know **if Michelle received the package**.
(ミシェルが小包を受けとったかどうかわからない)

ⓕ He asked me **if I have time for a drink**.
(彼は私に一杯飲みに行く時間があるか尋ねてきた)

　if には「2択」を示す使い方(そうなのか,そうでないのか)があります。条件を課す if からは2択が連想されるのでしたよね (whether との比較 ☞P.500)。

● If のもつコミュニケーション上の価値

　文法的には, if は単に「条件」。だけどね,実際のコミュニケーションでは非常に彩り豊かに使うことのできる単語です。日本語の「もし」と同様に自由に使いこなせばいいだけですよ。

(1) **If** you don't pay up, I go straight to the police. 【脅迫】
(金出さなきゃ,すぐに警察行くぜ)

(2) **If** you exercise more, you'll feel much healthier. 【アドバイス】
(もっと運動すれば,ずっと健康になれるよ)

(3) What **if** we went on a safari this summer? 【意見・提案】
(僕たち,今年の夏はサファリに行ったらどうだろう)

● if を使ったフレーズ

ifには次のよく使われるフレーズがあります。

☐ **(if and) only if ～**（～である場合に限り）

(1) I'll accept the job, **if and only if** I'm allowed to do things my way.
　（好きなようにやっていいという条件でなら，その仕事を受けることにします）

　only が if を限定。厳密に条件を設定します。学術論文などで iff と表記されるのはこのフレーズ。

☐ **if only ～**（もし～でさえあったなら）（☞P.594）

☐ **as if ～**（あたかも～のように）（☞P.594）

● 条件をあらわすその他の表現

条件をあらわすのは if だけではありません。次の表現もマークしておきましょう。

☐ **unless ～**（～しない限りは）

(1) **Unless** something unexpected happens, the plan will remain unchanged.
　（何か不測の事態が起こらない限り，計画は変更しません）

　unless は「～しない限りにおいて」──範囲を示す表現です。日常語彙ですよ。unless は文末に後付けすることも多くあります。

(2) I'd prefer not to go out tonight ── **unless** you really want to.
　（今夜は出かけたくないんだよ──まぁもし君がどうしても行きたいというわけじゃないならね）

　ちなみに「unless = if ... not ～（もし～でないなら）」と説明されることもありますが，それは誤解。

(3) I'll be surprised **if** Zach does**n't** get chosen as captain.
　（もしザクがキャプテンに選ばれなかったらビックリだよ）

　ここで unless を使うことはできません。「選ばれない限り驚きます」なんておかしいでしょう？　unless は常に範囲を示すのです。

☐ **provided/providing (that) ～**（もし～なら）

(1) **Provided** she can control her nerves, she has an excellent chance of winning.
　（落ち着くことさえできれば，彼女には勝つチャンスが十分ある）

17
接続詞

provide は「（必要なものを）与える」。**on condition that** 〜（〜という条件で）と同様に，「ある条件が満たされれば（与えられれば）」と，条件を注意深く設定します。

□ **given (that)** 〜（〜を考えると）

(1) **Given** the circumstances, a tie is a brilliant result.
（状況を考えると，引き分けはすばらしい結果だ）

provide に引き続き「与える」がまた出てきました。given 〜 は純粋な条件（もし〜ならば）ではありません。「〜を考慮に入れれば」という意味。

□ **as long as** 〜（〜する限り）

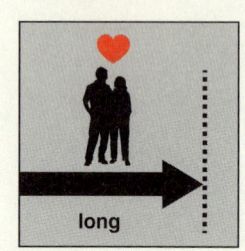

long（長く）を含むこのフレーズは，「あるできごとが続いているあいだ」と時間的な長さを問題にしています。

(1) I'll love you **as long as** I live.
（生きている限り君を愛するよ）

ここから「条件」につながります。

(2) **As long as** you don't do anything stupid, you'll be fine.（つまらないことをしなけりゃ大丈夫だ）

「つまらないことをしないあいだは」から「つまらないことをしなければ」となるというわけです。

□ **suppose/supposing** 〜（〜と仮定すると [〜と考えると]）

(1) **Suppose** she turns you down, what will you do?
（彼女が君をフッたとしようか。そしたらどうする？）

ある前提や状況を想起させるフレーズ。条件を課す効果があります。suppose は「前提に置く」。この使い方に実にピッタリでしょう？

☐ **in case ~**（〜するといけないから）

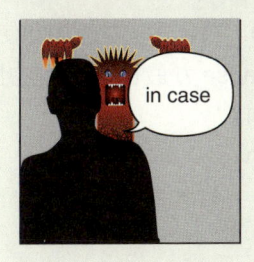

(1) Bring an umbrella with you **just in case** it rains.
(雨が降るといけないから傘をもっていくんだよ)

(2) **In case** you need help, here's my cell phone number.
(助けがいるといけないから，僕の携帯番号渡しておくね)

　case は「場合」。in case は「〜の場合に備えて」——つまり事前の用心をあらわします。if と同等に使う人もいますが，これがメインの使い方。

(3) I stuck very close to my big brother, **for fear that** I should get lost.
(迷子になるといけないからお兄ちゃんにくっついてた)

(4) Naoko tiptoed from her bedroom to the front door, **lest** her parents **(should)** hear her.（ナオコは両親に聞き咎められないようにつま先歩きで寝室から玄関に行った）

　同様のフレーズに，**for fear that ~**（〜することを恐れて→　〜しないように），**lest ~ (should)** があります。前者はあんまり会話で使われませんし，後者にいたっては死にかけフレーズ。
　僕がすぐに思いつく例は戦没者追悼式での **Lest** we **(should)** forget.（〔尊い犠牲を〕忘れないように）ぐらいかな。忙しかったら覚える必要なし。ネイティブだって知らない人たくさんいるし（なのになんで紹介してんのかって話はあるが… ^ ^;）。

☐ **otherwise**（そうでなければ）

(1) I'll answer them straight away, **otherwise** I'll forget.
(すぐに答えるよ，じゃなきゃ忘れちゃうから)

　otherwise はかなり頻度の高い表現です。語尾 -wise は way（道）を意味しています。clockwise（時計回りに）などの**方向や注目**をあらわします。会話では time-wise, tax-wise（時間的には，税金という点では）など，名詞に自由に付けて幅広く使います。さて，otherwise は，「別の方向に進むと」ということ。カンタンですね。

ⓑ 理由（原因）

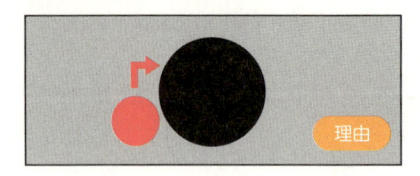

理由（原因）。さまざまな表現が使えますが，because が最も強く「理由」をあらわします。

because（〜なので）

> ⓐ **Because** I didn't practice, I made no progress.
> （練習しなかったので，全く進歩しなかった）

because は「理由（原因）」をあらわす接続詞の代表選手。この単語にはそれ以外の使い方がなく，最も強くガチンと「理由ー結果」の関係を示します。

理由をあらわすことのできる接続詞は，because 以外にもいくつかあります。

ⓑ **As** I didn't practice, I made no progress.
ⓒ **Since** I didn't practice, I made no progress.

この中で最も軽く，ほとんど付け足しのように添えられるのは，as。最もしっかりガッチリ結び付けるのが because というわけ。もちろん and や so でも理由をあらわすことができますよ。

ⓓ I didn't practice, **and** I made no progress.
ⓔ I didn't practice, **so** I made no progress.

■ **because を使った言い回し**

会話で多用される because の言い回し。次の２つは必ず覚えてください。

(1) Why did you lie? ── **Because** I was scared.
　　（なんで嘘ついたの？──怖かったからだよ）

(2) I'm getting fat. ── **That's because** you eat too much.
　　（太ってきたんだけど──食べすぎだよ）

　Why? ── Because の受け答え, That's because ... どちらもよく使われます。

● **because は２文を結び付ける。**

because はふつう２文を接続することを覚えておきましょう。

(1) I respect my parents **because** they work hard and take good care of us.
　　　　　文　　　　　　　　　　　　　　　　　文
（両親は一生懸命働いて僕たちの面倒をみてくれるから，僕は尊敬しているよ）

下のように独立した文として because を使うと──ひどい間違いとは言えませんが──ちょっと不自然。「英語初心者だなー」という印象を受けます。ご注意くださいね。

× I respect my parents. **Because** they work hard and take good care of us.
（僕は両親を尊敬しているよ。一生懸命働いて僕たちの面倒をみてくれるから）

■ **その他の「理由」をあらわす接続詞**

ⓕ I went to bed very early, **for** I had had an exhausting day.
　（私は早めに休むことにした，というのは疲れる１日だったから）

ⓖ Money is important **in that** we need it to survive.
　（お金は重要だよ，生きていくのに必要だという意味で）

ⓗ He was lucky **inasmuch as** they didn't fire him.
　（クビにならなかったんだから，彼は幸運だった）

　どの表現も，フォーマルな書き言葉です。読んで理解できればいいでしょう。for は because のフォーマルバージョン。古びた使い方と感じられてい

ます。in that, inasmuch as は, because の「理由（原因）」とは違います。「〜という点で」と，先行文の内容をつまびらかにする意識で付け加えられているのです。

● 理由をあらわすその他の表現

理由をあらわす表現を紹介しましょう。ここで紹介するのは，すべて「前置詞類」。文ではなく名詞を従える表現です。

□ **because of 〜**（〜が理由 [原因] で）

(1) The match was delayed **because of** the terrible storm.
（試合はひどい荒天で遅れた）

(2) I'm proud of him **because of** his outstanding academic achievements.
（とても成績がいいので，彼を誇りに思っています）

　理由（原因）をあらわす頻度の高いフレーズ。特殊なイメージは付随していません。because of の後ろは文ではなく，名詞であることに注意してくださいね。because としっかり区別。

(3) We didn't go out **because** it rained.（私たちは雨が降ったから外出しなかった）
　　　　　　　　　　　　　　　　文

(4) We didn't go out **because of** the rain.（私たちは雨で外出しなかった）
　　　　　　　　　　　　　　　　　名

□ **due to 〜**（〜が理由 [原因] で）

(1) **Due to** train delays, many students were late for classes this morning.
（今朝電車の遅延によって，多くの学生が授業に遅れました）

　due は「借りがある」。「借りがある」は，お金をほかの者に負っているということですね。ここから「原因」が生まれます。学生の遅刻は，電車の遅延にその原因を「負っている」ということだからですよ。公的な響きがあります。ほとんどの場合, 否定的な状況を説明する際に使います。

□ **owing to 〜**（〜が理由 [原因] で）

(1) I can't take part in the exchange program **owing to** the cost.
（費用のせいで交換留学生プログラムには参加できません）

　owe も「借りがある」ということ。「借り」と「理由」は，イメージのうえでは近い距離にあるってことですね。due to と owing to は日常区別なく使われます。次の(2), (3)のように「区別の仕方」を指南する本も，口うるさいおっさんも時々目にしますが，気にせず使ってくださいね。大丈夫だから。

(2) The team's success is **due to** the new manager.【be動詞＋due to】
(チームの成功は新しいマネージャーのおかげだ)

(3) The match was cancelled **owing to** snow.【動詞＋owing to】
(試合は雪でキャンセルされた)

□ **thanks to** ～（～が理由[原因]で）

(1) I passed the test **thanks to** all your help.
(君の助力のおかげでテストにパスしたよ)

「ありがと」が入っていますね。くだけた表現です。日本語の「おかげさまで」と同じように，皮肉な使われ方もしばしば。

(2) My parents grounded me **thanks to** my stupid brother and his big mouth!
(バカな弟がペラペラしゃべったおかげで，親に外出禁止にされちゃったよ！)

□ **on account of** ～（～が理由[原因]で）

(1) Schools were closed **on account of** the typhoon.
(学校は台風のせいで休校になった)

え？ 「なんで account が理由という意味で使われるのですか？」って？ うーむ。この説明は大変なんですが…。

account の中に count（数える）が見えますか？ account は「会計」「口座」。入金・出金，取引などの，詳細で正確な記録がイメージされるビジネス必須の単語。ここからこの名詞には「何がどんなふうに起こったのか」などできごとについての詳細な「説明」，あるいは「できごとがどういった経緯で起こったのか」という「原因・理由」の使い方が生まれているのです。

この on account of では，困難や問題，不具合などの原因が意識されています。また take ... into account（…を考慮する）は「詳細な吟味の中にとり込む→考慮する」，最近よく使われる accountability（説明責任）も，正確な経緯を常に述べることができること。すべてに account のイメージは生きているのです。

17 接続詞

PART 6 - CHAPTER 17：接続詞　SECTION 2：従位接続

ⓒ 目的

目的（～のために）には中心的な単語がありません。to 不定詞を使うのが一般的だから。

ⓐ She stayed at work late **so (that)** she could complete the report.
（彼女はレポートを終えるために遅くまで働いた）

ⓑ I have to be strict **in order that** the students realize who is the boss!
（僕は厳しくしなくちゃダメなんだよ，学生たちに誰がボスかわからせるために！）

ⓒ I've organized the files **such that** each document will be easy to find.
（書類が見つけやすいようにファイルを整理しておきました）

so は「→」。ここから so (that) ... は「目的」を示します。in order that は，フォーマルな言い方（フォーマルなだけに that は省略しません）。order（順序）が「目的」に使われるのは，目的に向かってステップ・バイ・ステップで進んでいく感触があるからです。さらにアカデミックな論文などでは **such that** も使われます。such that には「やり方」が色濃く感じられます。単に「～するため」ではなく「～となるような方法で」ということ。

● to 不定詞の使用

目的をあらわす最もポピュラーな方法は，to 不定詞です。

(1) He took the course **to** get a better job.

また，目的の意味をしっかりと伝えようとするときには，in order to や so as to

が選択されます。

(2) He took the course **in order to** get a better job.
(3) He took the course **so as to** get a better job.
（彼はもっといい仕事に就くためにそのコースをとった）

●目的をあらわす，その他の表現

目的をあらわす前置詞類を1つ紹介しましょう。

☐ **in such a way that** / **in such a way（as to）**～（～するように）

such that よりも自然なやわらかい言い方です。way は「やり方・方法」。

(1) They presented the project **in such a way that** only the positive aspects were seen.（彼らは，よい面だけが見えるように企画のプレゼンを行った）

☐ **for the sake of** ～（～のために）

sake は「現在の事態を改善する」感触を加えています。「目的」に特化した，表現です。

(1) I know I shouldn't smoke **for the sake of** my health, but ...
（健康のためにタバコを吸うべきじゃないことはわかっているんだけど…）

ちなみに for one's sake（for your sake：君のために）という形も OK。**for God's sake**（お願いだから）はよく耳にするかもしれません。

(2) **For God's sake**, stop arguing!（お願いだから，ケンカをやめて！）

しばしば怒り・いらだち――ガマンの限界――をあらわすことばとしてよく使われますが，あまりおすすめできない表現です。God（神）を（祈祷の中でなく）日常表現――しかも否定的なニュアンス――の中で使っているからです。信仰心の強い人にはイラッとくるんですよ。

D 譲歩

「～ということはあるのだが，…」。こうした表現が「譲歩」。まずは although（though）を手に入れましょう。

although / though

ⓐ **Although / Though** he was injured, he carried on playing.
（彼はケガをしていたがプレーを続けた）

譲歩の代表は although（though）。全体の流れが変わるわけではありません。「〜だけど〜した」——全体の流れに沿わないちょっとした逆流がありますよということ。

ⓑ Colin is an excellent coach. He can be a bit aggressive, **though**.
（コリンは有能なコーチだよ。過激なところもあるけどね）

though だけの付け足しの使い方（although は不可）。使ってくださいね。

■ even though

even though は although（though）の意味を強めた形です。

(1) **Even though** they know they could get caught, many athletes continue to use drugs. （つかまるかもしれないとわかっているにもかかわらず、多くの運動選手は薬物使用を続けている）

● 譲歩をあらわすその他の表現

□ **still**（にもかかわらず）

(1) I treat my girlfriend like a queen, and **still** she's not satisfied.
（僕はガールフレンドを女王様のように扱っているのに、彼女は満足しないんだ）

still は「変わらない・動かない」ということ。ここから「…ではあるんだけど、変わらずに」となります。くだけた言い回しですよ。

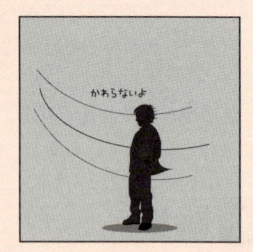

□ **all the same**（にもかかわらず）

(1) We didn't make as much money as expected. **All the same**, it was a pretty successful event.
（思ったようなお金は手に入らなかった。だけど、相当成功したイベントだったよ）

やはり「全く同じ」→「変わらずに」というイメージの流れ。

☐ **nevertheless / nonetheless**（そうであるにもかかわらず）

(1) **Nevertheless**, it's a good idea to double-check.
（それでもなお，ダブルチェックするのはいいことだよ）

ちょっとフォーマルな単語。「それによって少しも減じることなく→ それにもかかわらず」。(☞P.309)

☐ **despite [in spite of] the fact that**（にもかかわらず）

(1) **Despite the fact that** we lost, we are satisfied with our overall performance.
（僕たちは負けたけど，プレーには全体的に満足しているよ）

spite は「悪意」。誰かを傷つけようという意志のこと。ここから「逆境・逆向きの力」が感じられています。despite (in spite of) は前置詞。文を接続する場合は「the fact that 文」と続けます。「～という事実にもかかわらず」ということ。長い表現ですが，口語でもよく使われます。
　名詞を従える使い方にも慣れておきましょう。

(2) We played soccer **despite [in spite of]** the rain.
（雨にもかかわらずサッカーをやった）
(3) We lost **despite [in spite of]** our 100% effort.
（100% 全力を尽くしたけど負けちゃった）

譲歩には「～だが」「～にもかからわず」のほか，「たとえ～であっても」という形もありましたね。次の3つのフレーズも一緒に頭の引き出しに入れておくこと。

☐ **may ～ but ...**（～かもしれないが…）　(☞P.341)

(1) It **may** look easy, **but** it is really difficult to dance Samba.
（簡単に見えるかもしれないけど，サンバを踊るのは本当に難しい）

☐ **wh語 + ever** 　(☞P.505)

(1) **However** hard I tried, I couldn't break the code.
（どんなに一生懸命がんばっても，その暗号を解くことはできなかった）

☐ **no matter + wh語** 　(☞P.506)

(1) **No matter what** I do, my parents never seem to be satisfied.
（僕が何やったって，両親は決して満足しないように思えるよ）

17 ▼ 接続詞

E コントラスト

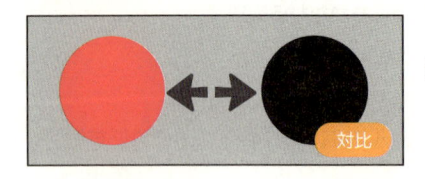

2つの状況のコントラストを述べる表現。

> ⓐ I support the Giants, **while** my girlfriend is a Hanshin Tigers' fan.
> （僕はジャイアンツのファンだけど，彼女は阪神タイガースのファンだ）
>
> ⓑ The old system was fairly complicated, **whereas** the new system is very simple.
> （旧システムはかなり複雑でしたが，新システムは大変簡素にできています）

while は時表現でも使われる接続詞ですが，そのイメージから対比にもしばしば使われます（☞P.638）。whereas は「〜であるのに対して」。かたくフォーマルな表現です。

●対比をあらわすその他の表現

対比をあらわす表現にはほかに，次のものがあります。

☐ **in/by contrast**（対照的に）

(1) Dogs can easily be trained to do tricks. **By contrast**, it is very difficult to train cats. （犬はカンタンに芸を仕込むことができる。それに対して，ネコは大変難しい）

contrast という単語を使っていますね。前の文と対照します。

☐ **on the contrary**（反対に）

(1) I hear the city is a bit dead. ——**On the contrary**, it's very vibrant with tons of things to do.
（その街はちょっとさびしいって聞いたよ。——全く逆だよ，やることものすごくたくさんあって活気に満ちてるさ）

前の文と，正反対の内容を付け加えます。

□ **on the other hand**（他方では）

(1) **On the one hand** she says I'm never there for her, and **on the other hand** she says she needs more space. Go figure!
（彼女，一方ではかまってくれないって言うくせに，もう一方ではほっといてくれとも言うんだよ。理解できないよ！〈若いな。女性はそーしたもんなんだよ〉）

hand は「手」。「もう一方の手に乗っているのは」ということ。

F 時間への位置づけ

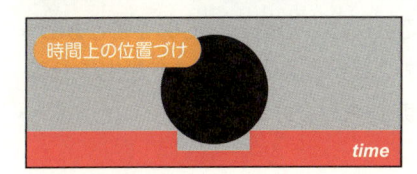

時間の上にあるできごとを位置づける。そうした接続詞はたくさんあります。前置詞と共用になっているものも数多くありますよ。

when（〜するとき）

ⓐ **When** I opened the overhead locker, a big bag fell on my head.
（頭上の荷物入れを開けたとき，大きなバッグが頭に落ちてきた）

ⓑ I get nervous **when** I'm about to board a plane.
（飛行機に搭乗するときには緊張します）

　できごとを時の上に位置づける，それが when のイメージです。ⓐでは「荷物が落ちてきた」というできごとを「開けたとき」と時の上に位置づけていますね。
　when は「場合」にも使えます。ⓑは，飛行機に乗る「場合には」ということ。現在形が使われていることに注意しましょう。「こうしたケースには一般にこうだ」といつでも成り立つ法則を述べた文。知っていて損はない使い方です。

while (〜するあいだに)

> ⓒ **While** I was driving to work, I felt a strange sense of déjà vu.
> (仕事に行くのに車を運転している途中,奇妙なデジャブの感覚を覚えた)

while では,2つのできごとがクッキリと意識されています。典型的な使い方は「同時」。2つのできごとが同時に起こっていることを示します。ただできごとを「位置づける」だけの when としっかり区別してください。

2つのできごとが意識されていることから,while にはコントラストの使い方が生まれているのです(☞P.636)。

ⓓ **While** he admitted he'd made some mistakes, he said he hadn't broken the law. (彼は間違いを犯したことは認めたが,法律は破っていないと言った)

since (〜から)

> ⓔ I've felt much better **since** we had that chat. Thank you!
> (君と話してからずいぶん気分が良くなったよ。ありがと!)

「ある時点から」。起点をあらわすのが since。since には→が意識されています。だからこそ,「理由(原因)」の使い方が生まれているのです(☞P.570)。

ⓕ **Since** it rained hard, I got wet.
(激しい雨が降ったから,濡れちゃった)

●時の上に位置づける,その他の表現

☐ **before**(〜の前), **after**(〜の後), **till**/**until**(〜まで)

前置詞としても使われるこれらの表現は,後ろに文をとって接続詞として使うことができます。

(1) I'll just go to the bathroom **before** we leave.
（出発する前にトイレに行っとくよ）

(2) I couldn't move **after** I had spent 8 hours planting rice.
（8時間田植えをやった後動けなかった）

(3) No problem. I'll look after the kids **until** you get back.
（大丈夫。君が戻ってくるまでお子さんの面倒は僕がみるよ）

一方,「期限」をあらわす by は文をとることができません。by the time を使います。

(4) **By the time** she's finished getting ready, the concert will be over!
（彼女が準備できる頃には,コンサート終わっちゃうよ！〈そんなに時間をかけて化粧することはないだろ〉）

☐ **as soon as** 〜（〜するとすぐ）

(1) I felt queasy **as soon as** I got into the boat.
（ボートに乗ったらすぐムカムカしてきた）

「〜するのと同じくらいすぐに」。すぐにわかりますね。

☐ **no sooner A than B**（A するやいなや B）

(1) **No sooner** had I turned out the light **than** the baby started crying.
　　　　　　　　　　Ａ　　　　　　　　　　　　　　　Ｂ
（私が明かりを消したとたん,赤ちゃんが泣き出したのよ）

「A の直後 B」をあらわす,大きな感情的抑揚を含んだ文。小説などがメインの活躍場所。倒置形が使われていることにも注意しましょう。

I had **hardly**/**scarcely** sat down **when** the phone rang.（電話が鳴ったときほとんど座っていなかった→座るやいなや電話がかかった）も,物語で使われる「すぐ」。

☐ **once** 〜（いったん〜すると）

(1) **Once** she makes a few friends, she'll be fine.
（何人か友達ができれば,彼女は大丈夫）

ひとたび何かが起こればそれからは。

□ **now that**（今は〜なので）

(1) **Now that** we understand the causes of this problem, let us consider some solutions.
（この問題の原因が理解できたところで、解決法を考えようじゃないか）

「今」と「理由」の両方が混じり合った表現です。

□ **as**（同時）

(1) **As** I bent down to tie my laces, my back went out!
（靴ひもを結ぼうとかがんだら、腰がイッちまった！）

as は２つのできごとが同時に起こっていることをあらわします。as はさまざまな意味をもつ特殊な接続詞です。次の項目で詳しく説明しましょう。

ⓖ 多様な接続詞 as

as は「〜なので（理由）」「〜したとき（同時）」「〜につれて（変化）」「〜のように」「〜として」など、文脈に応じてさまざまに使うことができる、万能接続詞です。as のイメージは「＝」。この汎用性のあるイメージと極端に短く軽い単語であることが、as の頻度と万能を生み出しています。さあ、ゆっくり説明していきましょう。

■① 同時（理由）

ⓐ I lost balance **as** I was trying to stand on my head. 【同時】
（頭をつけて逆立ちしようとしてバランスを失った）

ⓑ **As** the cost of air tickets has gone up so much, many people can no longer afford to travel. 【理由】
（航空運賃がすごく値上がりして、多くの人々はもはや旅行することができなくなっている）

as のイコールがまず生み出すのは「同時性」。時間的なイコールということです。ⓐは「バランスを失った」と「頭をつけて逆立ちしようとしていた」

が同時に起こったというわけ。

　「理由」も as の得意領域の1つですが，これは同時性の延長にあります。「値上がりした——あまり旅行しなくなった」，2つのできごとの「同時」を示すことによって間接的に「理由」が生まれているのです。as が because のように強く「理由」をあらわさない（☞P.628）のもこのため。同時性から感じられる程度の非常に弱い「理由」だからです。

ⓒ **As** the hurricane hit the town, everyone ran for their lives.
（ハリケーンが町を襲って，みな命からがら逃げ出した）

　さて，この as は「同時」なのでしょうか，それとも「理由」なのでしょうか。こだわることはありません。as の「理由」は同時性から生じています。場面に応じて適切に理解すればいいだけですよ。

●as の同時性　　　　　　　　　　　　　　ULTRA ADVANCED

　　as は，when や while よりも強い同時性を感じさせます。できごとが同時進行する「接触感」があると言ってもいいでしょう。例えば次のような文で as は使うことができません。

(1) I had a great time **when** [×**as**] I was working in New York.
（ニューヨークで働いていた頃は楽しかったよ）

　when 以下は I had a great time がいつ起こったのかを指定しているにすぎません。as は全く別物。

(2) The phone rang **as** I was going out the front door.
（玄関を出ようとしていたら電話が鳴った）

(3) **As** the match was about to start, there was a power cut.
（試合が始まろうとしていたら，停電になった）

(4) I found a ¥1000-note **as** I was cleaning the sofa.
（ソファを掃除してたら1000円札見つけた）

　外出しようとしたそのときに，同時に電話が鳴り始める。試合が始まろうとしたちょうどそのときに停電が起こる。as は2つのできごとが**ピッタリ寄りそって**起こる，そうした同時性を感じさせるのです。

> ⓓ **As** time passed, his condition got better and better.
> （時間が経つにつれて，彼の状態はますますよくなってきた）
>
> ⓔ **As** the unemployment level rises, the crime rate also increases.
> （失業率が上がると，犯罪率も増加する）

2つのできごとが寄りそって起こる―― as の同時性はもう1つの使い方，「つれて」（比例関係）を生み出します。「時間が過ぎる」と「状態がよくなる」が同時進行。ここから「時間が過ぎるにつれて」となりますね。

■② 修飾する as：「〜として」

> ⓐ **As your doctor**, I have to advise you to quit smoking.
> （君の医者として，禁煙をアドバイスせざるをえないな）
>
> ⓑ I regard my new job **as a great challenge**.
> （新しい仕事は大きなチャレンジだと見ているよ）
>
> ⓒ Do **as I say**, not **as I do**.
> （僕が言ったとおりしろ。僕がやるようにじゃなく）
>
> ⓓ I paid my debts, **as agreed**.
> （私は同意されたとおりに借金を払った）
>
> ⓔ **As you know**, it's Tom's birthday next week.
> （知ってのとおり，トムの誕生日は来週だよ）

as は文を接続するだけでなく，文中の語句を修飾することができます。もちろん「〜として」「とおりに」など，「＝」の意味で修飾するのです。ⓐでは I を「＝ your doctor だよ」と修飾しています。ターゲットに「＝」を気軽に貼り付ける，この感覚で生み出すんだよ。

● 「〜のような」の like

ここで, as と似た使い方をする単語, 類似をあらわす前置詞 like（〜のような）を紹介しておきましょう。

(1) I can't believe I got into this university. It's **like** a dream!
（自分がこの大学に入ったなんて信じられないよう。夢のようだよ！）

(2) We're looking for someone exactly **like** you.
（我々はまさに君のような人間を探しているんだよ）

(3) Fold the paper diagonally **like** this.
（紙をこんなふうに対角線で折るんだよ）

like は類似。イコールの as と区別してくださいね。

(4) **Like** your parents, we teachers have a duty to be there for you.
（君の両親のように，我々教師には君を助ける義務がある）

(5) **As** your parents, we have a duty to be there for you.
（君の両親として，私たちには君を助ける義務があるんだよ）

さあ，これで接続詞も終わり。いろいろな接続詞とその使い方が出てきて困っているかもしれませんね。接続詞のキモチになって主な例文を何度も音読してください。やってごらん。すぐに身につくから。

よくわかん
ねーよ。

CHAPTER 18

流れを整える
—— 代用・省略・注釈・レポート文テクニック

GOOD FLOW —— SUBSTITUTION・ELLIPSIS・
ANNOTATION・REPORTING

さあ，いよいよ最終章。この章では，スムーズな文の流れを作るためのいくつかのテクニックを学びましょう。

■「文の流れを整える」とは

　この章では，文の流れを整えるための基本テクニックを学んでいきましょう。

　文の流れを整え，誤解なく，読みやすい文を作るためには，さまざまなテクニックがあります。とはいっても，この種のテクニックの多くは「一生もの」。一生をかけて少しずつ伸ばしていくべき，ネイティブ領域のテクニックだということです。僕自身，まだまだ日本語の文章を上手に書けているようには思えませんし，英語ならなおさらのこと。

　ここでは，「英語文ではこんなこともできますよ」──文法書らしく，いくつかの基本テクニックの解説に留めておきましょう。そこから先のお話は，みなさんの研鑽にお任せします。

SECTION 1 重なりを省く・注釈を加える

▶文の流れをスムーズにする「代用」「省略」「注釈」のテクニックをマスターしましょう。

A 代用

繰り返しを避けるためにほかの表現で受ける。それが「代用」のテクニック。次の文章を眺めてください。

> I think the students you have to be wary of are the really clever Ⓐ**ones**. Sometimes they are overconfident and question the teacher's decisions, believing they have every right to Ⓑ**do so**. One of the kids in my class Ⓑ**did that**, but I jumped on him immediately and told him in no uncertain terms I would not tolerate such behavior. That was the last time he Ⓑ**did it**!
>
> （警戒すべきは特に賢いタイプの学生です。ときとしてそういった学生は自信過剰であり教師の判断に異議を唱えることがあるのです。そう，そうした権利が自分にあると信じているのですよ。私の学生の1人もそうしたことがあったのですが，私はすぐに聞き咎め，はっきりとそういった態度を許しはしないことを伝えました。彼のそうした言動はそれが最後となりましたよ！）

Ⓐ one/ones

可算名詞の繰り返しを避ける one。ここでは複数形の students を受けているので ones となります（one ☞P.218）。

Ⓑ do so, do it , do that, あるいはタダの do

動詞句内容を受ける do so（そうする）も頻繁に使われる代用テクニック。did so, does so など適宜変化させてくださいね。ここでは「異議を唱える（question the teacher's decisions）」を受けています。前の内容をしっかり受けて「そういうことをする」ということ。同様に do it, do that も使われますが，ややくだけた感じで淡白な受け方です。最も無味乾燥に前の内容を置きかえるのは，ただの do。

PART 6 - CHAPTER 18：流れを整える　SECTION 1：重なりを省く・注釈を加える

ⓐ I don't care about fashion, but my girlfriend **does**.
（僕はファッションなんて気にしないけど，カノ女は気にするんだよな）

ⓑ My older son hardly ever watches TV, but my younger son **does**.
（僕の長男はほとんどテレビ見ないけど，次男の方は見るんだよ）

ⓒ I didn't cheat on the test, honest! ── Nobody is saying that you **did**.
（僕はカンニングなんてしなかった，ホントだよ！　──誰もそんなこと言ってないよ）

　「そういうことをする」という意識はありません。機械的に care about fashion, watch TV, cheat on the test を置きかえています。
　so（そう）は大変便利に使える代用表現です。do so だけでなく単独でさまざまな表現を代用することができます。

ⓓ The lottery winner was ecstatic, and she had every reason to be **so**.
（宝くじ当選者はものすごく喜んでたよ，そりゃもっともだよね）

ⓔ I think Spanish people speak very quickly and Italians even more **so**.
（スペイン人は話すのがすごく早いけど，イタリア人はさらに輪をかけてると思うよ）

ⓕ Look, I might be able to finish work early today. If **so**, how about we catch dinner and a movie?　（ねぇ，今日は早めに仕事終わるかもしれないんだよ。もしそうなったら晩ご飯食べて映画見に行こうよ）

　形容詞（ecstatic），副詞（quickly），そして文全体を受けていますね。文全体を受ける so は，think so（そう思う），say so（そう言う）など，思考・伝達系表現で特によく使われます。

ⓖ Do you mean we have to start again from scratch? ── I'm afraid **so**.
（また最初からやらなきゃならないって言ってるの？　──そのとおり）

ⓗ Will they give you a loan? ── I hope **so**.
（ローン組める？　──そうなるといいなと思ってるよ）

　否定的な文内容を受けるときには not を用います。注意しておきましょう（☞P.327）。

B 省略

前後関係から十分に意味がわかるものを省略するテクニック。省略されやすい典型的場所があります。

A: My Dad said he would drive us to the baseball stadium on Saturday, but (A)**he can't** drive us ... . So now I have no idea who will take us.

B: Maybe (A)**my Dad will** take us. Oh, no. He is playing golf this Saturday, and (B)**my older brother is** playing golf ... too. How about Jerry? He has a car.

A: Jerry? Last time you asked him, he left us in the lurch.

B: That wasn't my fault.

A: I'm not saying (B)**it was** your fault! I'm saying he's not reliable. (B)**He never has been** reliable. Mmm... I know, I'll ask Momomi, the girl I met (D)**while** I was working at Cocos. She's not contacted me for a while, but (C)**she** is still a good friend. (D)**Though** she's not the ideal choice, she may, (D)**if** she is asked nicely, help us out.

B: Well, you can try if (E)**you want to** try. I don't have a better idea. Fingers crossed!

A：父さんが土曜日野球場まで車に乗せていってくれるって言ってたんだけど，ダメになっちゃったんだ。誰が連れてってくれるんだろうなぁ。

B：もしかすると僕のお父さんが連れていってくれるよ。あ。ダメだ。今週土曜日はゴルフだったんだ。兄ちゃんもゴルフだし。ジェリーは？　あいつ車もってるよ。

A：ジェリー？　このあいだ君が頼んだとき，すっぽかされたろ？

B：それ，僕のせいじゃないよ。

A：君のせいだって言ってるわけじゃないよ！　あいつは信用できないってこと。今までずっとそうだったろ。んー…そうだ，桃美に頼むよ。ココスで働いているときに会った女の子。しばらく連絡くれてないけど，まだいい友達なんだ。まぁベストな選択じゃないけど，彼女だったら，うまく頼めば助けてくれるかも。

B：うん，そうしたいなら。それよりいいアイデアはないんだから。成功を祈る！

🅐 助動詞の後

助動詞の後は削除が行われる典型的な場所。前文の内容を繰り返すことなく，助動詞で終わることができます。だって何を省略したか容易にわかるから。完了形を作る have の後ろも同様に，しばしば省略が行われます。

ⓐ Who will take us to the airport? ──My older brother **will** (take us to the airport). (誰が僕たちを空港に連れていってくれるの？ ──僕の兄だよ)

ⓑ I've decided to study abroad next year, and my best friend **has** (decided to study abroad next year) too.
(僕は来年留学することに決めたんだ。僕の親友もだよ)

🅑 be動詞の後

これも大変ポピュラー。すぐに文意は通じますね。

ⓐ Kerry is late again. ── He always **is** (late)!
(ケリーはまた遅刻だよ。──彼はいつもだよ！)

🅒 主語

前の内容と重なるあきらかな主語は，省略してもわかりますよね。

ⓐ She's been on a diet for 3 months but (she) **is still overweight**.
(彼女は3ヵ月ダイエットしてるのに，まだ体重超過だ)

🅓 接続詞の後の主語 ＋ be

接続詞の後の「主語＋be動詞」も頻繁に省略が行われます。

ⓐ I took some great photos **while** (I was) **holidaying in Australia**.
(オーストラリアで休暇を楽しんでいるあいだすごい写真を撮ったよ)

ⓑ Children, **when** (they are) **accompanied by an adult**, are allowed in the museum.
(子どもは，大人の付き添いがあるときには美術館への入場を許されている)

ⓒ **If** (it's) **possible**, I'd like to change my appointment time.
(もし可能でしたら，約束していた時間を変更したいのですが)

モッサリ同じ主語を繰り返すよりもはるかに文のシャープさが増しますよね。

❺ to 不定詞の後ろ

to 不定詞の後ろも，内容がすでにあきらかな場合，省略可能です。

ⓐ I'll give you a hand, **if you want me to** (give you a hand).
（手を貸すよ，もし必要なら）

■ if 節の省略

if を使った省略形は非常に頻繁に使われます。そのため，ほぼセットフレーズのように感じられています。if not（そうでなければ），if necessary（必要なら），if any（少しでもあるとしたら）などなど。

(1) I should be there by 7, but **if not**, I'll call you.
（7時には行けるはずだけど，そうじゃなければ電話するよ）

(2) I bet only a handful, **if any**, of the students will volunteer.
（いたとしてもごくわずかな学生しか志願しないと思うよ）

❻ 注釈を加える（同格・挿入）

文の流れを中断して，追加の情報を加えるテクニックです。

> We heard a rumor that one of our teachers was being fired. Ms Williams**, our English teacher,** was every student's favorite. The rumor**, fortunately,** was false. She was leaving, **it turned out**, to get married!
>
> （先生の1人がクビになるって噂を聞いたんだ。ウイリアムズ先生，英語の先生なんだけど，学生みんなの人気者。その噂は，幸いなことに，嘘だったんだよ。彼女はね，結局，結婚で辞めるってことだったんだ！）

■ ① 同格

名詞を説明する語句を挿入します。文の Ms Williams の説明語である our English teacher を，文の中に割り込ませた，典型的な「後ろから説明（説明ルール）」の形。書くときには，割り込んだことを明示するためにカンマで挟み込みます。

ⓐ Mr. Bates, the owner of the shop that was burgled, looked devastated.
（泥棒に入られた店のオーナー，ベイツ氏は打ちひしがれているように見えた）

名詞の説明は，文を後ろに置くこともできましたね。

ⓑ We heard a rumor (that) one of our teachers was fired .
(我々の先生の1人が解雇されたという噂を聞いた)

rumor（噂）の内容を詳しく説明したい──後ろに文を配置。説明ルールに慣れたみなさんなら気軽に作れる形ですよね。belief（信念），feeling（感じ），hunch（予感），conclusion（結論）などなど，内容説明をしたくなる名詞に自由に使える便利な形です。

ⓒ I came to the conclusion that it was pointless discussing anything with her .
(彼女と何を話してもムダだという結論に達した)

■② 挿入

文の主骨格に注釈を割り込ませる形です。やはりカンマで括り割り込みを明示します。ここでは本来文頭にくるはずの, fortunately（幸運にも），it turned out（あきらかになった）が文中に割り込んでいますね。

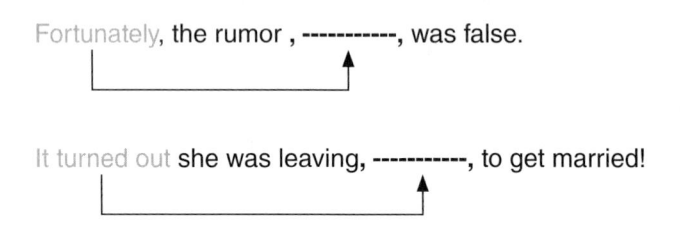

Fortunately, the rumor , -----------, was false.

It turned out she was leaving, -----------, to get married!

挿入は気軽なテクニック。さまざまな表現が挿入されますよ。

ⓐ Everyone advised me to sell my car. I decided, **however**, that it would be better to keep it.
(みんな僕に車を売るように勧めたよ。だけど僕はもっていることに決めたんだ)

ⓑ Your performance today was, **to be honest**, pretty terrible.
(君の今日のパフォーマンスは，まぁ正直に言って，かなりひどいものだったよ)

ⓒ Flamenco, **for example**, is extremely popular in Japan.
（フラメンコは，例えばの話，日本でものすごく人気があるんだよな）

ⓓ Barça is, **I think**, the best soccer team in the world.
（バルサ〔＝ FC バルセロナ〕はね，僕が思うに，世界で最高のサッカーチームだよ）

●挿入句は付け足しの意識

もちろん，もとの位置と挿入句は意識が違います。

(1) **It turned out** that she was leaving to get married.
(2) She was leaving, **it turned out**, to get married!
（彼女が結婚退職することがあきらかになった！）

(1)では文の大きな力点は「あきらかになった」に置かれます。ところが(2)の挿入句では，「結婚退職なんだ」が主たるメッセージ。it turned out は単なる付け足し。このあたりの呼吸は日本語と同じですよ。

SECTION 2 レポートする

▶「太郎君は和美ちゃんが好きだって言ってたよ」——ほかの人の発言をレポートする文。特に注意すべきは間接話法。再構成のテクニックを使って，文の流れを整えてください。

Ⓐ 2とおりのレポート（直接話法と間接話法）

ほかの人の発言をレポートする——日本語でも頻繁にやっていますよね。レポートの方法には2とおりあります。

ⓐ **Lucy said, "I love you."** （「あなたが大好きよ」とルーシーは言った）
ⓑ **Lucy said she loved me.** （ルーシーは僕が大好きだって言ってたよ）

ⓐの方法は「直接話法」とよばれ，カンマ（,）と引用符（" "/' '）で直接発言を引用します。次のように，主語とレポート動詞（say）の位置を後ろ置きにすることもできます。また主語と動詞を倒置する形もポピュラーです。

ⓒ "Let's have a party," **Tom said** [**said Tom**（×said he）].
　　　　　　　　　　　　　　　　　　倒置

代名詞が倒置されるのは，文学作品などかなりまれな場合に限られることにも注意しましょう。

さてⓐの直接話法に対し，ⓑのレポートは「間接話法」とよばれます。間接話法は基本的にレポート文（レポート動詞＋レポート内容）の形をとります。

Lucy said she loved me.
　　　レポート　レポート
　　　動詞　　　内容

ⓑのレポート内容が，Lucy の発言そのままではないことに注意しましょう。

ルーシー本人は「私は（I）」と言っていますが，発言者は自分の立場から「ルーシー（Lucy）は…彼女が（she）」と言いかえ。ルーシーは現在形で I love you. と言っていますが，発言者は現在自分がいる時点から「言った（said）」ととらえ直しています。**間接話法は，話し手が「自分の立場から発言内容を再構成する」**形なのです。

　ちょっと理屈っぽかったかな？　もちろんこんなことは僕たちは日本語で日々行っていること。日本語と同じように気軽にやればいいんですよ。

● 再構成はお気軽に（１）

　間接話法は「再構成」。内容を自分のことばで伝えることに要諦があります。必ずしもルーシーの言ったことばそのものを使わなければならないなんてことはありません。僕なら——そうですね——「愛してる」の代わりに「ルーシーは僕にラブラブだって言ってたよ」と言うかもしれませんし，「ルーシー」の代わりに，「このあいだ話したかわいこちゃんがさ，」と言うかもしれません。「言った」の代わりに「打ち明けた」と使ってもよいでしょう。

　日本語と全く同じ。気分次第，さじ加減次第です。自由に気軽に再構成していいってことですよ。まぁあんまり話を「作り」すぎるのは考えものだけどね。

● 再構成の注意点

　間接話法の再構成はご自由に。だけど注意すべき点がいくつかあります。

◆①時制の一致を使う

(1) Nancy said, "I **will** pick up the kids at 10."
　　（ナンシーは「10時に子どもを（車で）拾うわ」って言った）

(2) Nancy said that she **would** pick up the kids at 10.
　　（ナンシーは10時に子どもを（車で）拾うと言った）

　話し手から見て過去の状況ですから，Nancy said と文を始めます。時制の一致（☞P.600）は**「主節が過去なら，従属節も過去になる」**。will は would と過去形になります。

◆ ②登場人物に注意する

(1) **My Dad** said to **me**, "**I**'ll lend **you** the money."
　（お父さんは「お金は貸してやる」って僕に言ったんだ）

(2) **My Dad** said **he** would lend **me** the money.
　（お父さんは僕にお金を貸すと言った）

　(2)の間接話法は「話し手の立場」から。父親は話し手に話しかけているのですから，話し手の立場になれば「父は私にお金を貸す」ということになります。**登場人物は必要に応じて変える必要があります。**

◆ ③場所・時間には要注意

(1) My brother called from Paris and said, "I'm leaving **here tomorrow**."
　（兄はパリから電話をかけてきて「ここを明日出発するよ」って言ってた）

(2) My brother called from Paris and said he was leaving **there the next day**.
　（兄はパリから電話をかけてきて，そこを次の日出発すると言った）

　here, tomorrow のような，発言の場所・時に依存する表現にも注意が必要です。お兄さんが「ここ・明日」と言ったとしても，レポートする発言者にとって「ここ・明日」とは限りませんよね。その場合 there, the next day, the following day（翌日に）などと言いかえます（もちろん発言者にとっても「ここ・明日」ならそのまま here, tomorrow を使ってくださいね！　臨機応変にやればいいってことですよ）。
　同じような言いかえは，

> ☐ here → there　　☐ now → then　　☐ ago → before／earlier
> ☐ today → that day　　☐ yesterday → the day before／the previous day
> ☐ next week → the next week／the following week

などなど。ちなみに ago（～前）は，話し手の現在からさかのぼる単語。「(今から)～前」ということです（☞P.273）。

(3) The secretary said, "The Headmaster **left** his office about an hour **ago** [×**before**]."
　（秘書は「校長先生は1時間ほど前にオフィスを出られました」と言ってたよ）

(4) The secretary said the Headmaster **had left** his office about an hour **before／earlier** [×**ago**].
　（秘書は校長が1時間ほど前にオフィスを出たと言ってたよ）

　秘書の発言(3)では，彼女にとっての現在から見て「1時間前」ですから ago。ところがそれをレポートする発言者にとっては「今から1時間前」ではないため ago は使えないのです。

ᴮ 再構成のテクニック

　さあ，基本はできました。ここからはいろいろなタイプの発言を，間接話法でレポートしていきましょう。

> ⓐ **The boys promised** that they would stop teasing the girls.
> 　（男の子たちは女の子をいじめるのをやめると約束した）
>
> ⓑ **My doctor advised** that we should get the flu injection.
> 　（医者は私たちがインフルエンザの予防接種をするようにアドバイスした）
>
> ⓒ **The government warned** that people should avoid traveling to that country.
> 　（政府はその国に旅行することは避けるよう警告した）
>
> ⓓ **Many parents complained** that the school fees were too high.
> 　（多くの保護者は授業料が高すぎると不平を言った）

　まずは動詞を使い分けるテクニック。これまでは say を中心に解説してきましたが，英語力のあるみなさんなら，内容に応じて上のようにカラフルな動詞を使い分けてください。いつでも「～と言いました」じゃ，なんだか芸がないもんね。はは。

● 情報の受け手を示す　　**ADVANCED**

　「誰に対して言ったのか」は，レポート動詞の後ろに目的語，あるいは前置詞＋目的語を使ってあらわします。

(1) John **told me** he would be late.
　（ジョンは遅刻すると僕に言った）　※目的語を必要とする動詞

(2) John **promised (me)** that he would marry me.
　（ジョンは私と結婚すると約束した）　※目的語がなくてもいい動詞

(3) John **admitted to me** that he was lying.
　（ジョンは私に噓をついていると認めた）　※前置詞を使う動詞

　動詞によってそれぞれクセがあることに注意しましょう。(1)・(2)は動詞の後ろに直接目的語をとれるもの。このうち注意を要するのは，(1)の常に**目的語を必要とする**タ

イプです。このタイプの代表は tell（言う）。ほかにも inform（知らせる），notify（通知する），persuade（説得する），remind（思い出させる），assure（確信させる［確かに～だと言う］）などがあります。

(3)は前置詞を必要とするタイプ。say（言う），admit（認める），agree（同意する），complain（文句を言う），explain（説明する）など（このうち agree だけは to ではなく with を使います）。

　ある動詞がどのタイプに属するのかについては，英語を使いながら徐々に身につければいいことですが，区別のヒントはそれぞれの動詞のイメージにあります。

tell は「(情報を) 伝える」というイメージ。情報の受け手が強く意識される動詞です。だからこそ目的語がなければ不自然に感じられるのです。(1)タイプの動詞を眺めてみましょう。いずれも受け手に直接働きかける動詞ばかりですね。(2)タイプの動詞は受け手が関わりますが，それほど重要ってわけじゃない。なくても十分 OK。(3)タイプの動詞は受け手を本来必要としません。admit, explain に「誰に対して認めたのか」「誰に説明したのか」をいちいち意識しないでしょう？　だから必要なときには，前置詞を使って付け足していくのです。

　(1)～(3)のタイプは，受け手がどれだけ動詞にとって重要なのかによるんですよ。

ⓔ She asked, "Do you like the movie?"
（彼女は「その映画好き？」と尋ねた）

→ She **asked me if/whether I liked** the movie.
（彼女は僕がその映画が好きかどうか尋ねた）

ⓕ She asked, "Where do you live?"
（彼女は「あなたどこに住んでいるの？」と尋ねた）

→ She **asked me where I lived**.
（彼女は僕がどこに住んでいるかを尋ねた）

　次は疑問文のレポート。レポートしたいもとの文が疑問文なら，ask, inquire（尋ねる）に if や whether（～かどうか），あるいは wh節を使ってあらわすことができます（☞P.98）。

⑧ He said, "Let's try again."
（彼は「また挑戦しようぜ」と言った）
→ He **suggested** we (should) try again.
（彼は私たちにまた挑戦したらと言った）

「～しよう（Let's）」の文をレポートするケース。この場合，suggest（～したらと言う），propose（提案する），recommend（勧める），advise（助言する）などが使えます。

●再構成はお気軽に（2） ADVANCED

間接話法は，伝達する内容をもとの文にこだわらず再構成する形。そこに定型はありません。内容に則しているならレポート文の体裁でなくても全くかまいません。

(1) She said to me, "I love you."　→ She confessed her love to me.
（彼女は「好きよ」と言った）（彼女が僕に愛を告白した）
(2) She asked, "Where is he?"　→ She asked his whereabouts.
（彼女は「彼どこ？」と尋ねた）（彼女は彼の居所を尋ねた）
(3) He said, "Let's try again."　→ He suggested trying again.
（彼は「また挑戦しよう」と言った）（彼は私たちにまた挑戦したらと言った）

文の形にこだわらなくていい。同じ内容を伝える文の形はいくらでもあるってことですよ。さて，次の文内容，みなさんならどう伝えますか？

(4) My Mom said, "Be back by midnight."
（「12時までに帰りなさいよ」と母は言った）
(5) The librarian said, "Don't eat in the library."
（図書館員は「図書館でモノを食べるな」と言った）
(6) My teammates said to me, "Do your best."
（僕のチームメイトは「最善を尽くせ」と僕に言った）
(7) The teacher said to the class, "Study hard for the test."
（先生はクラスに「テストに向けがんばって勉強しなさい」と言った）

いろいろな形が考えられますよね。私ならすぐ思いつくのは「働きかける」形（☞P.488）。「目的語＋to 不定詞」の形です。

(4)' My Mom **told me to be** back by midnight.
（母は私に12時までに帰るように言った）

18 ▼流れを整える

(5)' The librarian **told us not to eat** in the library.
（図書館員は図書館でモノを食べないように言った）

「目的語＋to 不定詞」（☞P.93）は命令文を間接話法で写し取る大変便利な形。同じ形を(6)と(7)にも使えますが，内容を考えたなら単に「指示を出す」tell よりも，もっと適した動詞がありそうです。

(6)' My teammates **encouraged** me to do my best.
（僕のチームメイトは「最善を尽くせ」と励ましてくれた）

(7)' The teacher **advised** us to study hard for the test.
（先生はクラスに，テストに向けがんばって勉強するようアドバイスした）

間接話法は自由。形も語句も自由。それだけに，みなさんのこれまで培った形の知識・語句の知識をフルに使いこなすチャンスなのです。

本気で本書を復習したい人へ
── iOS アプリのご紹介 ──

●『一億人の英文法』アプリ

東進ブックスの「**確認テスト／音声学習**」用アプリ「東進ブックス Store」にて，『一億人の英文法』も絶賛発売中。自由な音声再生や確認テスト，索引機能など，通常の CD（ダウンロード音源）にはない機能が充実。本書の復習・定着トレーニングに最適です。

【購入方法】
① アプリ「東進ブックスStore」をAppStoreから無料ダウンロード。
② アプリ「東進ブックスStore」内のStoreで『一億人の英文法』を購入・ダウンロード。

【通常価格】**650円**

※価格は予告なく変更になる場合があります。予めご了承ください。

※現在 Android 版は販売していません。

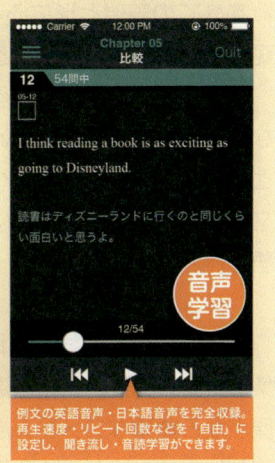

確認テスト: 英文パネルの並べ替え問題。ゲーム感覚で『一億人の英文法』の重要例文 940 文の語順・文法を総チェックできます。

音声学習: 例文の英語音声・日本語音声を完全収録。再生速度・リピート回数などを「自由」に設定し、聞き流し・音読学習ができます。

■ 通常の CD の機能と比較

	機能	CD	アプリ	備考
1	英文音声を再生	◎	◎	米国の一流ナレーターが感情を込めて例文を読み上げています。
2	日本語訳の音声を再生	△	◎	アプリでは日本語訳音声の ON/OFF を自由に設定できます。
3	音読学習	△	◎	アプリでは、英文音声の直後に、同じ音声が「小さい音」で再生されます（合わせて音読）。
6	再生する範囲を設定	×	◎	アプリでは、未修得の文や自分で✓を付けた文だけを再生できます。
7	再生する内容を設定	×	◎	「英文のみ／日文→英文／英文→日文」の3パターンから選べます。
8	音声の速度を設定	×	◎	英語と日本語それぞれ「遅い／普通／速い」から選んで再生できます。
9	リピート回数を設定	×	◎	各音声の再生回数を「1回／2回／3回」から選べます。
5	確認テスト	×	◎	ゲーム感覚の整序問題で、本書の総チェックが可能（解説付き）です。
4	「索引」機能	×	◎	アプリでは、検索した語句が載っている書籍のページ数を表示できます。

18 ▼ 流れを整える

あとがき
POSTSCRIPT

　「話すための英文法」を実現するために，私が本書で一貫して行ってきたこと。それは「心を与える」ということでした。ことばは常に心を映します。英語文を作る意識に言及しなければ話すための文法はできません。

　すべての表現と形に心を与える——私が本書執筆について自分に課した軛（くびき）は，極端に長い時間私とクリスを机に縛り付けました。

　ですが，私たちはその過程で自由にもなったのです——心を離れた形式はないのだということ。心の動かし方を学べばことばは自由になるということ。読んでいただいたすべての方が英語を想うとき，そこに「自由」という文字が浮かんでいればいいなと願っています。その「自由」がみなさんの英語を伸ばすのですから。

　最後になりましたが，本書執筆にあたりご尽力いただいた東進ブックス編集部大野幸助氏，八重樫清隆氏，東進中学NET講師井上洋平氏，言語学の観点から貴重なコメントをいただいた麗澤大学教授 Kerry Hull 氏に深く感謝致します。また，私の恩師であり現代英語学の碩学中右実先生に，この場を借りて厚く御礼申し上げます。先生に蒙を啓（ひら）いていただかなければ，今私はここに立ってはいないからです。

◆**本書で提示した説明・イメージ等について**

　本書の内容の無断転載を禁じます。本を書く度にそのアイデアが，ネットや受験参考書などにおいて不完全な形で模倣されることに，心を痛めています。不完全な模倣はアイデアを曲がった形で流布し，信憑性を歪めるからです。　　　　——著者

巻末付録

SUPPLEMENT

付録1
不規則動詞変化表

付録2
数の表現

付録3
文内で用いられる記号

付録4
参考文献

付録5
索引

付録 1 不規則動詞変化表

不規則変化する動詞の中で頻度の高いものを集めました。形が変わらない A-A-A 型（cost など），A-B-A 型（come など），A-B-B 型（find など）などいくつかのパターンがあることがすぐにわかる

No.	日本語	原形	過去形	過去分詞形
1	生じる	arise	arose	arisen
2	いる，(〜で)ある	be (am/are/is)	was were	been
3	(〜に)なる	become	became	become
4	始める	begin	began	begun
5	縛る	bind	bound	bound
6	吹く	blow	blew	blown
7	壊す	break	broke	broken
8	運ぶ	bring	brought	brought
9	建てる	build	built	built
10	燃える	burn	burned burnt	burned burnt
11	買う	buy	bought	bought
12	つかまえる	catch	caught	caught
13	選ぶ	choose	chose	chosen
14	来る	come	came	come
15	費用がかかる	cost	cost	cost
16	切る	cut	cut	cut
17	扱う	deal	dealt [délt]	dealt [délt]
18	する	do	did	done
19	描く	draw	drew	drawn
20	飲む	drink	drank	drunk
21	運転する	drive	drove	driven
22	食べる	eat	ate	eaten
23	落ちる	fall	fell	fallen
24	感じる	feel	felt	felt
25	戦う	fight	fought	fought
26	見つける	find	found	found
27	飛ぶ	fly	flew	flown
28	禁じる	forbid	forbade	forbidden
29	忘れる	forget	forgot	forgotten
30	許す	forgive	forgave	forgiven
31	手に入れる	get	got	got gotten
32	与える	give	gave	given
33	行く	go	went	gone
34	育つ	grow	grew	grown
35	掛ける	hang	hung	hung
36	もっている	have	had	had
37	聞く	hear	heard	heard
38	隠れる	hide	hid	hidden
39	たたく	hit	hit	hit
40	保持する	hold	held	held
41	傷つける	hurt	hurt	hurt
42	保つ	keep	kept	kept
43	知っている	know	knew	known
44	横たえる	lay [léi]	laid [léid]	laid [léid]
45	導く	lead	led	led
46	傾く	lean	leant [lént]	leant [lént]
47	学ぶ	learn	learnt learned	learnt learned
48	去る	leave	left	left
49	貸す	lend	lent	lent
50	させる	let	let	let

でしょう。ただ、そんなことは変化を覚える際に何の助けにもなりません。どの形も反射的に出さなければ意味はないからです。

歯を食いしばって、すべての形が口を突いて出てくるまで音読を続けること、それが大切です。「過去形なんだっけ」なんて考えながら会話はできませんからね。

「英語を話したいけど過去形は作れません」——そんな人、一生英語なんて無理だよ。本気になれば1時間だよ、こんなの。がんばって。

No.	日本語	原形	過去形	過去分詞形
51	横たわる	lie [lái]	lay [léi]	lain [léin]
52	失う	lose	lost	lost
53	作る	make	made	made
54	意味する	mean	meant [mént]	meant [mént]
55	会う	meet	met	met
56	失敗する	mistake	mistook	mistaken
57	払う	pay	paid	paid
58	証明する	prove	proved	proven / proved
59	置く	put	put	put
60	やめる	quit	quit	quit
61	読む	read	read [réd]	read [réd]
62	乗る	ride	rode	ridden
63	鳴る	ring	rang	rung
64	上がる	rise	rose	risen
65	走る	run	ran	run
66	言う	say	said	said
67	見る	see	saw	seen
68	求める	seek	sought	sought
69	売る	sell	sold	sold
70	送る	send	sent	sent
71	セットする	set	set	set
72	振る	shake	shook	shaken
73	撃つ	shoot	shot	shot
74	見せる	show	showed	shown
75	縮む	shrink	shrank	shrunk
76	閉める	shut	shut	shut
77	歌う	sing	sang	sung
78	座る	sit	sat	sat
79	眠る	sleep	slept	slept
80	話す	speak	spoke	spoken
81	つづる	spell	spelt / spelled	spelt / spelled
82	費やす	spend	spent	spent
83	広がる	spread	spread	spread
84	立つ	stand	stood	stood
85	盗む	steal	stole	stolen
86	付ける	stick	stuck	stuck
87	打つ	strike	struck	struck
88	誓う	swear	swore	sworn
89	泳ぐ	swim	swam	swum
90	取る	take	took	taken
91	教える	teach	taught	taught
92	引き裂く	tear	tore	torn
93	告げる	tell	told	told
94	思う	think	thought	thought
95	投げる	throw	threw	thrown
96	理解する	understand	understood	understood
97	目が覚める	wake	woke	woken
98	着る	wear	wore	worn
99	勝つ	win	won	won
100	書く	write	wrote	written

付録

付録2 数の表現

数の表現は生活に密接に結び付いています。みなさんが英語で生活をするとき決して避けることができない重要な表現。ここではその基本をご紹介しておきましょう。

■ 基数・序数・回数表現

基数		序数（〜番目）		基数		序数	
1	one	1st	first	21	twenty-one	21st	twenty-first
2	two	2nd	second		※21は20と1の組み合わせ		※1の位を序数にします
3	three	3rd	third	22	twenty-two	22nd	twenty-second
4	four	4th	fourth	23	twenty-three	23rd	twenty-third
5	five	5th	fifth	24	twenty-four	24th	twenty-fourth
6	six	6th	sixth	30	thirty	30th	thirtieth
7	seven	7th	seventh	40	forty	40th	fortieth
8	eight	8th	eighth	50	fifty	50th	fiftieth
9	nine	9th	ninth	60	sixty	60th	sixtieth
10	ten	10th	tenth	70	seventy	70th	seventieth
11	eleven	11th	eleventh	80	eighty	80th	eightieth
12	twelve	12th	twelfth	90	ninety	90th	ninetieth
13	thirteen	13th	thirteenth	100	a/one hundred	100th	a/one hundredth
14	fourteen	14th	fourteenth	1,000	a/one thousand	1,000th	a/one thousandth
15	fifteen	15th	fifteenth	10,000	ten thousand	10,000th	ten thousandth
16	sixteen	16th	sixteenth	100,000	a/one hundred thousand	100,000th	a/one hundred thousandth
17	seventeen	17th	seventeenth	1,000,000	a/one million	1,000,000th	a/one millionth
18	eighteen	18th	eighteenth				
19	nineteen	19th	nineteenth				
20	twenty	20th	twentieth			※赤字部分は特につづりに要注意	

□ 0

0には，zero, oh [óu], nil [níl] といったいくつかの読み方があります。oh はアルファベットの o から。形がゼロと同じですよね。数字を読むときには基本的に zero と oh のどちらを使ってもかまいません。nil はサッカーなどの競技での点数や，評価点数をあらわすときに使います。The score was: Australia three, England nil.（スコアはオーストラリア3，イギリス0でした）などの場合，oh は数字を1つずつ読むときに特によく使われます。

　　My PIN number is 4-0-0-5-7.
　　（僕の暗証番号は40057です）

ちなみに英国では zero の代わりに naught [nɔ́ːt] を使うこともありますが，覚えなくて大丈夫。急速に退場しかかっているから。

□ billion, trillion

billion は10億（1,000,000,000），trillion は1兆。billion は英国で1兆を意味することがありましたが，現在は10億に統一されています。

□ 数の単位に -s を付けない

数の単位には -s を付けません。ただし「何百・何千」などの言い回しには -s を付けます。tens of people は何十もの人。hundreds of people は何百もの人。thousands of people は何千もの人。tens of thousands of people は何万人もの人。

■回数（〜回）

回数をあらわすのはカンタンです（☞P.264）。
1回（once）、2回（twice）、3回以上は「数字＋times」となります。five times（＝5 times：5回）、a/one hundred times（100 times：100回）など。また「〜倍」をあらわすのもこの表現です。

ⓐ My Dad is twice as old as me.
（父の年齢は僕の2倍です）

■数の読み方

(1) 82　　　　eighty-two
(2) 139　　　 a/one hundred (and) thirty-nine
(3) 3,683　　 three thousand, six hundred (and) eighty-three
(4) 5,024　　 five thousand (and) twenty-four

難しくはありませんね。イギリス英語では下二桁の前に and を加えますが、省略しても OK。それではさらに大きな数にチャレンジしてみましょう。

(5) 110, 048　　a/one hundred ten thousand, (and) forty-eight
(6) 6,575,305　six million, five hundred (and) seventy-five thousand, three hundred (and) five

□大きな数字の読み方

　　million　　thousand
　　　↓　　　　↓
　　6,575,305
　　6×million　575×thousand

大きな数字を読むコツは3桁ごとに区切って考えること。左の数字では「6 × million ＋ 575 × thousand ＋ 305」という読み方となります。日本語の「万」は ten thousand、「10万」は a (one) hundred thousand と覚えておくと便利ですよ。なかなか慣れないんだけどね、これ。

■小数（decimals），分数（fractions）

□小数

　　　　　seven　five（× seventy five）
　　　　　　↓　　↓
　　　　　2.75
　　　　　　↑
　　　　　point

(1) 0.41　　zero/naught point four one
(2) 8.05　　eight point oh/zero five

小数点は point。小数点以下は1文字ずつ読みます。小数点以下では 0 を oh と読むことが多いですね。

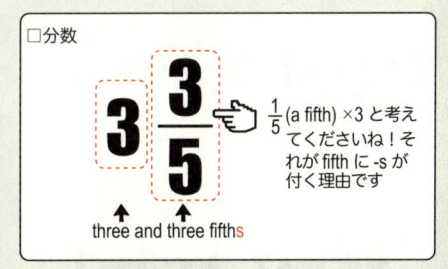

□分数

　　　3 3/5
　　　↑　↑
three and three fifths

$\frac{1}{5}$ (a fifth) ×3 と考えてくださいね！それが fifth に -s が付く理由です

(3) $\frac{1}{8}$ ＝ an eighth
(4) $\frac{2}{7}$ ＝ two sevenths
(5) $\frac{1}{100}$ ＝ a/one hundredth

作り方はカンタンです。分子は数字そのまま, 分母は序数を使います。分子が2以上なら序数は複数形となります。数字が大きな場合は over（上）を使ってあらわすのがふつうです。

(6) $\frac{456}{767}$ ＝ four hundred (and) fifty-six over seven hundred (and) sixty-seven

また、$\frac{1}{2}$, $\frac{1}{4}$ には特に a half, a quarter が用いられます。

(7) $\frac{1}{2}$ ＝ a/one half
(8) $\frac{1}{4}$ ＝ a quarter (＝ a/one fourth)
(9) $\frac{3}{4}$ ＝ three quarters

■ 計算式

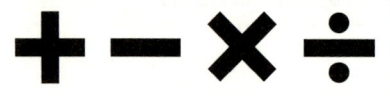

+	−	×	÷
plus	minus	multiplied by / times	divided by

計算式の読み方にはいくつかバリエーションがありますが、とりあえず最もカッチリしたものをひととおり覚えておきましょう。

(1) 3 + 3 = 6 　　3 plus 3 equals 6.
(2) 10 − 2 = 8 　　10 minus 2 equals 8.
(3) 11 × 11 = 121 　11 multiplied by [times] 11 equals 121.
(4) 20 ÷ 10 = 2 　　20 divided by 10 equals 2.

■ 面積・体積・温度・身長・体重・電話番号

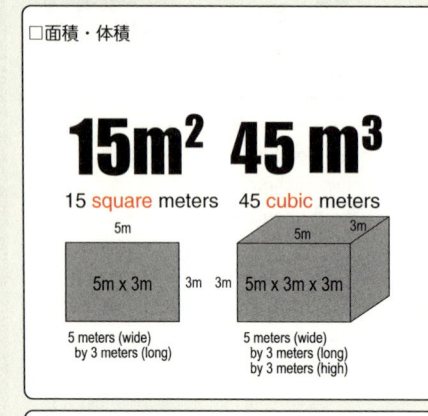

□ 面積・体積

15 m² 　15 square meters
5m × 3m
5 meters (wide) by 3 meters (long)

45 m³ 　45 cubic meters
5m × 3m × 3m
5 meters (wide) by 3 meters (long) by 3 meters (high)

□ 温度

86°F = 30°C
eighty-six degrees Fahrenheit
thirty degrees Celsius

英米では、華氏 (Fahrenheit) が主流です。摂氏 (Celsius, Centigrade) も使えますが、日常頻

□ 身長・体重

6 feet 5 inches
約30cm　　約2.5cm

185 pounds
約0.45 kg

□ 電話番号, その他

8387　5302
eight three eight seven, five three oh/zero two

繁に使う華氏にはぜひ慣れる必要があります。華氏から摂氏は「$\frac{9}{5}$ × 摂氏 + 32 (華氏86度は摂氏30度)」となりいちいち計算していては不便ですからね。この事情は身長 (foot [複数形は feet] と inch を使います) と体重 (pound を使います) と同様。アメリカの家電店でキログラムの体重計を探してもなかなかありませんから、やはり単位自体に慣れることが肝心です。またアメリカやイギリスで車に乗ると、距離積算計や速度計の単位はマイル (mile: 約1.6km) がふつうです。キロと間違えると速度違反になるので要注意。その他生活に関わる単位に yard (約90cm)、gallon (米ガロン＝約3.785ℓ、英ガロン＝約4.546ℓ) などがあります。電話番号・口座番号・暗証番号などは1つずつ数字を読みます (これは日本でも同じですね)。

■ お金

□ お金

$49.99
QUALITY GUARANTEE
forty-nine (dollars) (and) ninety-nine (cents)

米国のお金の単位は dollar(s) と cent(s)。100セントが1ドル。小数点の右側が cent の単位となります。

(1) $300 　　　three hundred dollars
(2) $75.20 　　75 dollars and 20 cents

　読み方には当然バリエーションがあり，こうした完全に正式な言い方以外にも慣れておきましょう。スーパーのレジでこんなふうに長々言っていたら日が暮れてしまいますからね。はは。

(3) $3.50 　　three dollars fifty / three fifty
　　　　　　　（dollars, and, cents の省略）
(4) $3.50 　　three bucks fifty（dollar の代わりに buck を使う。スラングです）
(5) $1.20 　　a dollar twenty（one dollar の代わりに a dollar）

　英国では pound(s) と pence（単数は penny）を用います。pence はしばしば p [píː] と発音されます。

(6) £2.70 　　two pounds and seventy pence
(7) 1p 　　　one penny
(8) 5p 　　　five p（pence の代わりに p）
(9) £2.70 　　two pounds seventy/ two seventy
　　　　　　　（pounds, and, pence の省略）
(10) £100 　　one hundred quid（pound(s) の代わりに quid を使う。スラングです）

■時刻・日付・年号

□時刻

nine (o'clock)　　nine five　　eleven fifty-five

half past nine　　ten to ten　　quarter past nine

　時刻の述べ方の基本は「時間：分」そのまま数字で。これで全く不自由はありません。私はもっぱらこの方式です（^^;）。ただネイティブは past（過ぎ）to（前）half（半）quarter（15分）なども自由に使います。混乱しないように覚えておいてくださいね。なお，正時（ピッタリの時刻）には o'clock

□日付

7/3/1994
7 March, 1994
March (the) seventh
March seven　　　nineteen ninety-four
the seventh of March

10/13/1999
October 13, 1999
October (the) thirteenth
October thirteen　　nineteen ninety-nine
the thirteenth of October

を付けることができます。

　日付はイギリス・アメリカで好まれる順番が異なります。右肩に付したように，すべて数字で記すこともできますが，解釈が変わるケースがあり，注意が必要です。7/3 はイギリス式では 7 March ですが，アメリカ式では July 3 と解釈されてしまいます。間違いが生じそうな場合にはキッチリ月名を使う方が無難ですが，実用上それほどの混乱はありません。自国内で使う場合には問題は起きませんし，旅行者などは当該国に行く場合「この順番であるはずだ」と気をつけるからです。

　年号は末尾から2桁ずつ分けて数字で読むのが基本。最初の2桁は～ hundred ということ。1207 など，下二桁に 0 が付くとき（1207 など）に注意します。

(1) 78年 　　　seventy-eight
(2) 827年 　　eight (hundred) twenty-seven
(3) 1919年 　　nineteen (hundred) nineteen
(4) 1200年 　　twelve hundred
(5) 1207年 　　twelve oh seven（×twelve seven）

　2000年以降は，two thousand …通常の数字読みにするのが一般的。

(6) 2006年 　　two thousand (and) six
(7) 2011年 　　two thousand (and) eleven

　ややこしい？　はは。ネイティブだって同じように感じています。2000年以降をそれ以前と同様に，2011（twenty eleven）とする人も最近はよく見かけるようになりました。

付録 3 文内で用いられる記号

日本語の句読点と同じように，英語にも文内で使われる重要な記号が数種類あります。代表的な使い方を学んでおきましょう。

PERIOD/FULL STOP（ピリオド）

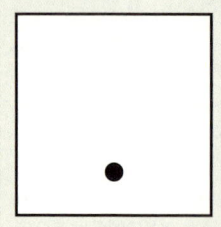

▶文の終了をあらわします。

COMMA（カンマ）

▶カンマは基本的に「、(読点)」に相当します。読む際に休止が伴うポイントに置かれます。代表的な休止点は，以下のとおり。

(1) I bought eggs, sugar, milk, and coffee.
【リスト表示】
（卵と砂糖とミルクとコーヒーを買った）
(2) I love soccer, but I'm not into baseball.
【文の区切れ】
（サッカーは好きだけど，野球はそれほどじゃない）
(3) Ms Smith, my English teacher, lost her cool in class today. 【同格】
（スミス先生はね，僕の英語の先生なんだけど，今日の授業中キレちゃったんだよ）

SEMI COLON（セミコロン）

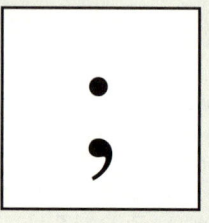

▶セミコロンはカンマよりも長い休止が必要な場合に置かれます。ほとんどピリオドに近い休止ですが，セミコロンによって分けられた2文に密接な意味関係があるときに使われます。

(1) Some of my friends are girls; others are boys.
（僕の友達の何人かは女の子だけど，ほかは男の子）
(2) That's wonderful news; I hope everything works out well for you. （それはすごいニュースだね，うまくいくといいなぁ）

COLON（コロン）

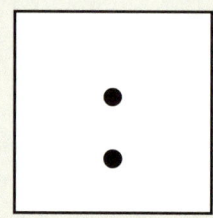

▶コロンはやはりカンマよりも長い休止の箇所に置かれます。最も典型的には付加的な情報や説明を付け加えるときに使われます。

(1) I didn't buy that computer: it was too expensive.
（僕はそのパソコン買わなかったよ。だって高すぎたから）

(2) I had a fight with my brother this morning: he really got on my nerves.
（今朝弟とケンカしたんだよ。カンに触ったから）

QUOTATION MARKS
（引用符）

▶引用符の使い方は英・米で使い方の細かな違いがありますが、まずは最もカンタンなこの方式をマスターしてください。

1 シングルかダブルかは気分次第

引用符にはシングル（左図）とダブル（右図）と2とおりありますが、気にしない。好みの問題です。どっちでもお好きな方を。ただし、日本語の『 』のように、引用の中に引用を用いる場合にはシングルを使います。

(1) "The teacher shouted, 'Be quiet!' because the students were really noisy."
（「先生はね『静粛に！』って大声出したんだよ。学生がすっごくうるさかったから」）

2 正確な引用・書名・外国語・特別なニュアンス

引用符は誰かの発言を正確に引用するときに使います。また、書名、外国語、さらに皮肉など、特別な意味で表現を使っていることを示すために用いられます。

(1) The Prime Minister said, "Tough times lie ahead, but we will get through them."
（首相は「今後厳しい状況に直面するが、我々は必ず乗り越える」と言った）

(2) Have you read 'Eat, Pray, Love'?
（「食べて、祈って、恋をして」は読んだ？）

(3) I don't know what "Entente Cordiale" means.
（「Entente Cordiale〔友好協定〕」ってどういう意味かわからないんだけど）

(4) Brian skipped class today. He's 'sick' again!
（ブライアン今日授業サボったんだよ。また「病気」だってさ！）

ちなみに(2)と(3)については斜体字を使ってあらわすことができます。Have you read *Eat, Pray, Love?*

3 ピリオドとカンマは引用符内。
（セミ）コロンは外。
！・？は引用発言の一部でなければ外。

ほかの文内記号と引用符の関係に注意してくださいね。

(1) Her boyfriend said, "That dress is too expensive."（彼女のボーイフレンドは「あのドレスは高すぎる」と言った）
※文を終わらせる．が"の内。

(2) She said, "The Headmaster is a great leader"; however, I disagree.
（彼女は「校長先生は立派なリーダーよ」と言ったが、僕には同意できないね）
※；が外。

(3) Do you agree with John when he said, "Mary is the best tennis player in the school"?
（ジョンが「メアリーが学校で一番のテニス選手だよ」って言うんだけど、そう思う？）
※文を終わらせる？が外。

(4) He asked, "Are you OK?"
（彼は「君大丈夫？」って尋ねた）
※？は引用した発言の一部なので内。

付録

付録 4 参考文献

本書を執筆するにあたり、洋の東西を問わず多くの文法書を読みましたが、本書の内容に影響を及ぼしたと思えるのは、以下のものです。

1 英文法解説　江川泰一郎　金子書房

江川先生のこの本を、私は高校時代愛用していました。学習用英文法の重要事項を過不足なくとり扱った良書だと思います。ただこの本は、ほかの著名な文法書と同様、文法辞典が意図されており、必ずしもそれぞれの項目の重要度や、学習順序が示されているわけではありません。著者自身の「この本はどこから読み始めてもよい」とのことばからもその意図をうかがい知ることができると思います。

私が本書でやりたかったことの1つは、辞典ではない、厳密な順序と効率性をもつ文法書でした。この動機は江川先生にいただいた貴重なレッスンだったのかもしれません。

2 現代英文法講義　安藤貞雄　開拓社

英語学習書として、どの程度の精度で英語を描出したらよいのかを探るとき、この本を参考にさせていただきました。もちろん本書において、安藤先生と同じ角度から説明を行った例はありません。万が一不正確な記述が行われているとすれば、その非はすべて私にあります。

3 Advanced Grammar in Use
Martin Hewings,
Cambridge University Press

4 Grammar in Use Intermediate
Raymond Murphy,
Cambridge University Press

英文法のドリルブック。良質な練習問題があるので——僕とクリスがさらによいドリルブックを書くまでは——読者の方もトライしてみる価値があると思います。本書では 4 の、固有名詞を伴う the の豊富な用例を参考にさせていただきました。

5 Practical English Usage
Michael Swan,
Oxford University Press

6 An A-Z of English Grammar & Usage
Geoffrey N. Leech et al.,
Pearson Education Limited

英文法書のベストセラー。文法項目に対する観察・整理についてはほぼ正確です。ある程度英語に慣れた学習者なら、疑問を生じた項目について辞書的に使うことができます。

私は、本書で網羅した文法事項に大きなもれがないかを確認するために使いました。よく書けている本だとは思いますが、これらの本は——ほかの大多数の本と同様に——学習者の「なぜ」に答えてくれません。

文法項目を並べるだけでは英語の全体像を理解し、体系的に英語を学習することはできません。項目の羅列は教育の場では無力です。私とクリスが「なぜそうなるのか」を中心にすえて本を書き始めた大きな動機は、こうした本のおかげかもしれません。

7 自著

本書の内容は、私とクリスがこれまでに書いてきた多くの本と重なっています。特に 8 と 13 は英語ということばのシステムに言及した本であり、本書で詳細に論じたアイデアの中核をなしています。

本書はできる限り、初出の例文を使うことを心掛けましたが、ごく一部前著と例文が重なっている場合があります。説明の補助となる例文には巧拙があります。前著であげた例文よりも的確な例文が見あたらない場合には、躊躇なく再使用しました。ご了承ください。

本書で英文法をつかんだ読者のみなさんは、13 で文型・説明・限定ルールの感覚的裏付けと意識の動

かし方を学び，⑭～⑯で主要文の暗記を行えば日常会話に不自由はしないでしょう。また，イメージ・感覚などのテーマを深く理解したいなら⑰と⑱も面白く読めるかもしれません。

▼研究社出版
① ネイティブスピーカーの英文法
② ネイティブスピーカーの英会話
③ ネイティブスピーカーの前置詞
④ ネイティブスピーカーの英語感覚
⑤ ネイティブスピーカーの単語力1
　　基本動詞
⑥ ネイティブスピーカーの単語力2
　　動詞トップギア
⑦ ネイティブスピーカーの単語力3
　　形容詞の感覚
⑧ ネイティブスピーカーの英文法絶対基礎力

▼講談社
⑨ いつのまにか身につくイメージ英語革命

▼ NHK出版
⑩ 英文法をこわす
⑪ ハートで感じる英文法
⑫ ハートで感じる英文法　会話編
⑬ ハートで感じる英語塾　英語の5原則編
⑭ これで話せる！英語のバイエル［初級］
⑮ ハートで話そう！マジカル英語塾
　　英語のバイエル［初中級］

▼朝日新聞出版
⑯ 恋人たちの英語のバイエル

▼ DHC
⑰ 大西泰斗のイメージ英文法
⑱ 大西泰斗のイメージ英文法　応用編
⑲ 大西泰斗のイメージ英文法　問題集

▼青灯社
⑳ 英単語イメージハンドブック

付録 5 索引

A	詳細項目	ページ
a [an]	a [an]	**172-177**
	不可算の場合、複数形になったり a [an] が付いたりしない	137
	単数・複数の上手な選択	157-159
	全体をあらわす表現	176
able	be able to	363-365, 333
about	基本前置詞	**379-380**
above	基本前置詞	**380**
abroad	home, abroad は場所表現に使える	252
absolutely	さまざまな程度表現	259
according	according to	267, 409
account	on account of 〜	631
across	基本前置詞	380-381
addition	in addition	409-410
	in addition to 〜	616
admit	情報の受け手を示す	657-658
advice	可算・不可算の判断を間違えやすい名詞	137
advise	再構成のテクニック	657, 659-660
afraid	前から専門・後ろから専門	240
after	基本前置詞	381
	「〜後」と after	394
	時の上に位置づける、その他の表現	639
against	基本前置詞	382
ago	基本副詞	273
	since は ago と一緒に使えない	571
agree	基本文型と動詞	84-85
	情報の受け手を示す	658
all	all	183-184
	all と every	186
almost	almost no	194
alive	前から専門・後ろから専門	240
alone	前から専門・後ろから専門	240
along	基本前置詞	382-383
already	基本副詞	273-274
	「間近に起こった」と相性のいい表現：just, already, yet	567
although	譲歩	634-635
always	さまざまな頻度表現	262
among	基本前置詞	383
	between と among	386
and	順行の接続	614-615
another	other（ほか）の使い方	175
any	any	181-183
	not 〜 any	187

	単独で使える限定詞	199
	not any	301
	any と比較級のコンビネーション	301
	「not … any」は語順に注意！	321
apologize	基本文型と動詞	84-85
apart	apart from 〜	409
appear	判断をあらわす動詞	76
	説明型の to 不定詞	462
aproach	基本文型と動詞	84
around (round)	基本前置詞	383-384
arrive	基本文型と動詞	83
as	多様な接続詞 as	640-643
	as-as	283-294
	as … as 〜 can / as … as possible	292
	as … as can be / as good as it gets	292
	as … as any	292-293
	as … as ever	293
	not so much … as 〜	293
	not so much as …	293
	as good as …	293-294
	as for 〜	409
	as to 〜	409
	as of [from]	409
	as long as 〜	626
	in asmuch as	630
ask	基本動詞	126
	基本文型と動詞	83-84
	再構成のテクニック	658-659
asleep	前から専門・後ろから専門	240
assure	情報の受け手を示す	658
at	基本前置詞	384-385, 400
	前置詞とは	368
	前置詞の選択	376-377
	受動文の前置詞はイメージどおり	485
awake	前から専門・後ろから専門	240

B	詳細項目	ページ
baggage	可算・不可算の判断を間違えやすい名詞	136
barely	さまざまな程度表現	260
be	to be 効果	463
	be to の描く未来	588-589
	省略	650
be going to	will や be going to が加えられる場合	552

674

	be going to（＋動詞原形）の描く未来	582-584
	be going to と be -ing	585
be動詞	動詞の基礎知識（2種類の動詞）	56-61
	説明型（be動詞）	71-73
	be動詞は後ろの名詞と一致する	109
	be動詞以外の説明型で用いる過去分詞	492-493
	基本疑問文	514-515
	「行ったことがある」の be動詞	568-569
	省略	650
because	理由（原因）	628-629
	because of ~	630
before	基本前置詞	385-386
	時の上に位置づける、その他の表現	639
behalf	on behalf of ~	411
behind	基本前置詞	386
be＋-ing（進行形）	進行形（be＋-ing）	558-564
	「向こうからやってくる」感覚と進行形	123-124
	「be＋-ing」はいつも「～している」ではない	447
	to be 効果	463
	現在形と現在進行形のニュアンス①	548
	現在完了進行形（have been -ing）	579
	未来完了進行形	580
	進行形が描く未来	585
	will＋進行形（will be -ing）を使った未来	587-588
believe	基本動詞	127
below	under 類	405
beneath	under 類	405
besides	besides ~	409-410
between	基本前置詞	386
beyond	基本前置詞	387
bit	a (little) bit	260
both	限定詞	188
	意識の動かし方	190
	単独で使える限定詞	199
bottle	数え方は臨機応変に	141
bowl	a bowl of	140
break	break down	373
bring	基本動詞	113
but	逆行の接続	617-619
	基本前置詞	410
	but for ~	599
by	基本前置詞	387-389
	by way of ~	410
	by means of ~	410
	by が行為者をあらわす理由	481

	受動文の前置詞はイメージどおり	484-485
	by the time	639
C	詳細項目	ページ
can	主要助動詞の意味④ CAN	346-349, 333
	will/can you … ?	105-106
	cannot … too ~ , cannot help -ing, cannot but ~	328
	cannot … too ~	349
	cannot … enough	349
	cannot help -ing	349
	cannot but ~	349
	Shall I ~ ? · Shall we ~ ?	351
	be able to	363-365
	控えめな過去の助動詞	556-557
can（缶）	数え方は臨機応変に	141
case	case, situation など	430
	in case ~	627
carry	基本動詞	114
certain	前から専門・後ろから専門	240
	certain のもつ2つの意味	241
certainly	さまざまな確信の度合い	265
chief	前から専門・後ろから専門	240
circumstance	case, situation など	430
clothing	可算・不可算の判断を間違えやすい名詞	137
come	基本動詞	112-113
	go/come＋-ing	446
	com/get＋to 不定詞	460
compel	to 不定詞を説明語句に	94
complain	基本文型と動詞	84-85
	情報の受け手を示す	658
condition	on condition that ~	626
confess	再構成はお気軽に（2）	659
contrary	on the contrary	636
contrast	in/by contrast	636
could	would/could you (please) … ?	105-106
	主要助動詞の意味④ CAN	346
	… could you?	520
	控えめな過去の助動詞	556-557
	could, might	596
	could have, might have	597
couple	a couple of	194
cup	a cup [three cups] of	140
curiously	「話し手の評価」をあらわすその他の表現	267
D	詳細項目	ページ
dare	その他の助動詞（need と dare）	357-358
day	wh 語なしで修飾のできる表現	432
definitely	さまざまな確信の度合い	265
despite	despite [in spite of] the fact that	635

675

disappoint	感情をあらわす動詞	245
discuss	基本文型と動詞	83
do	通常の命令文より強いインパクト	106
	疑問文・否定文ではなぜ do を補うのか？	514
	代用	647
down	基本副詞	277-279
drive	基本動詞	114
due	due to ~	630-631
during	基本前置詞	389
E	**詳細項目**	**ページ**
each	限定詞	186
	単独で使える限定詞	199
either	限定詞	188-189
	意識の動かし方	190
encourage	再構成はお気軽に（2）	660
enough	enough と to 不定詞	469
enter	基本文型と動詞	83-84
evidence	可算・不可算の判断を間違えやすい名詞	137
even	基本副詞	276
	even if の心理	624
	even though	634
ever	基本副詞	274-275
	通常の命令文より強いインパクト	106-107
	hardly ever	263
	比較級と ever	304
	最上級と ever	313
	「経験」と相性のいい表現：ever, never	568
every	限定詞	184-186
everywhere	wh 語なしで修飾のできる表現	432
example	for example	616
except	基本前置詞	410
	except for ~	410
excuse	Excuse me [Sorry], but …	618
explain	情報の受け手を示す	658
F	**詳細項目**	**ページ**
fairly	さまざまな程度表現	260
fall	基本動詞	115
feel	知覚印象をあらわす動詞	75
	知覚をあらわす動詞と共に	88
	そのほかの知覚をあらわす動詞	124
few	数量表現	192-193
	a few	138
	quite a few	194
	very few	194
find	find out	373
first	「1つ」を意味に含む語句	164
food	可算・不可算の判断を間違えやすい名詞	136

for	基本前置詞	389-392
	授与をあらわす，もう1つの形	78-79
	it ＋ to 不定詞／節	213
	for と during	389
	意味上の主語	456
	受身文の前置詞はイメージどおり	485
	「継続」と相性のいい表現：期間の for・起点の since	570
	But for ~	599
	for fear that ~	627
	lest ~ (should)	627
	その他の「理由」をあらわす接続詞	629
force	to 不定詞を説明語句に	94
former	前から専門・後ろから専門	240
fortunately	「話し手の評価」をあらわすその他の表現	267
frankly	frankly speaking	267
frequently	さまざまな頻度表現	263
from	基本前置詞	392-393
front	in front of ~	385-386, 410
fruit	可算・不可算の判断を間違えやすい名詞	136
furniture	可算・不可算の判断を間違えやすい名詞	136
furthermore	順行をあらわすほかの表現	616
G	**詳細項目**	**ページ**
gallon	a gallon [liter] of	140
get	基本動詞	118-119
	変化をあらわす動詞	75
	もう1つの「させる」	92
	「～させる」の差	92-93
	com/get ＋ to 不定詞	460
	be動詞以外の説明型で用いる過去分詞	492-493
give	基本動詞	119
	given (that) ~	626
glass	a glass [two glasses] of	140
	その他の注意すべき名詞	143
go	基本動詞	111-112
	基本動詞のイメージ	65
	変化をあらわす動詞	75
	基本文型と動詞	82
	go にするか come にするか	112-113
	go/come ＋ -ing	446
H	**詳細項目**	**ページ**
hand	on the other hand	637
happen	説明型の to 不定詞	462
happily	「話し手の評価」をあらわすその他の表現	267
hardly	さまざまな程度表現	260
	hardly any	194

	hardly ever	263
	hardly/scarcely … when ～	639
have	基本動詞	120-121
	make, have, let と共に	90, 92-93
	I cut my hair. と I had my hair cut.	91
	had better	365, 333
	had best ＋動詞原形	365
	「Having ＋過去分詞 …」	452
have to	have to	360-362, 332
	must は過去形がない：今ここにある圧力	338
	have got to	362
	助動詞はなぜ重ねて使うことができないのか	365
he	代名詞の基本	202-203
hear	基本動詞	123-124
	知覚をあらわす動詞と共に	88
	コミュニケーション動詞のクセ	102
hence	順行をあらわすほかの表現	616
her	代名詞の基本	202-207
here	基本副詞	276
hers	代名詞の基本	202, 207-208
herself	代名詞の基本	202, 208
比較級	比較級表現：「より～」	299-309
	比較級 and 比較級	304-305
	the 比較級～, the 比較級～	305
	all the 比較級	305
	the 比較級	305-306
	比較級＋ any other ～	306
	none ＋ the 比較級	309
him	代名詞の基本	202, 207
himself	代名詞の基本	202, 208
his	代名詞の基本	202, 23-206, 207-208
home	home, abroad は場所表現に使える	252
how	how/why should … ?	354
	wh 疑問文	523
	感嘆文	541-542
however	逆行をあらわすほかの表現	619
I	**詳細項目**	**ページ**
I	代名詞の基本	202-203
	I am … の付加疑問文	519
if	仮定法の作り方②：if を用いた仮定法	595-599
	条件	622-625
	条件節での if	183
	二択の if は主語の位置に使えない	500
	if が使われない理由	540
	if 節	551
	if only ～	594
	as if ～	594
	If it were not for ～	599
	(if and) only if ～	625
	if 節の省略	651
	再構成のテクニック	658
	whether/if 節・wh 節での展開	98-100
imagine	Imagine ～	594
in	基本前置詞	393-394, 401
	最上級に伴う「中で」を示す前置詞	311-312
	前置詞の選択	376-378
	受動文の前置詞はイメージどおり	485
inform	情報の受け手を示す	658
information	可算・不可算の判断を間違えやすい名詞	137
-ing	動詞 -ing 形	443-452
	-ing 形	63-64
	目的語は名詞の位置・目的語のキモチ	67
	説明語句の自由	73
	目的語説明文（基礎）	87
	原形動詞による説明と -ing 形による説明	89
	動詞 -ing 形で修飾	242-243
	-ing 形 vs 過去分詞形（感情をあらわす）	244
	動詞 -ing 形・過去分詞形による修飾	253
	to 不定詞 / -ing，動詞との相性	457-459
inquire	再構成のテクニック	658
instance	for instance	616
instead	instead of ～	410
into	基本前置詞	395
it	it	209-216
	代名詞の基本	202-203, 207
	強調構文と「it ＋節」の見分け方	216
	one と it	219
	「it ＋ to 不定詞」のコンビネーション	471-472
	it is said that …	490
	無敵の付加疑問 innit?	521
its	代名詞の基本	202, 203-206
itself	代名詞の基本	202, 208
J	**詳細項目**	**ページ**
jewelry	可算・不可算の判断を間違えやすい名詞	137
just	基本副詞	275-276
	just between you and me (=ourselves)	267
	「間近に起こった」と相性のいい表現：just, already, yet	567

677

K	詳細項目	ページ
過去分詞(形)	過去分詞形	475-496
	過去分詞形	64
	説明語句の自由	73
	目的語説明文（基礎）	87
	過去分詞形で修飾	243-244
	-ing 形 vs 過去分詞形 (感情をあらわす)	244-245
	動詞 -ing 形・過去分詞形による修飾	253
	「Having ＋過去分詞 …」	452
	現在完了形（have ＋過去分詞）	565-574
	過去完了形 (had ＋過去分詞)	575-577
	助動詞＋完了形（have ＋過去分詞）	577-578
完了形	現在完了形（have ＋過去分詞）／完了形バリエーション	565-580
	to ＋完了形	473-474
	現在完了形が用いられる場合	552
	時制の一致と現在完了	601
keep	ある状態に留まることをあらわす動詞	75
know	基本動詞	126-127
	know better	309
knowledge	to the best of my knowledge	267

L	詳細項目	ページ
late	前から専門・後ろから専門	240
lay	基本文型と動詞	81
leave	基本動詞	114-115
less	比較級を用いたフレーズ	307
	no less … than ～	308
	no less than ～	308
let	基本動詞	121
	make, have, let と共に	91-93
let's	禁止の命令・勧誘	104-105
	Shall I ～? ・Shall we ～?	352
	Let's ～, shall we?	352
lie	基本文型と動詞	81
like	「～のような」の like	643
listen	基本動詞	123
	知覚をあらわす動詞と共に	88
little	数量表現	192-193
	a little	138
	a little/a (little) bit	260
look	基本動詞	121
	前置詞とのコンビネーション	70
	知覚印象をあらわす動詞	75
	基本文型と動詞	82
	look for	373
lot	a lot of	191
	a lot of と lots of	138
	quite a lot of	194

	詳細項目	ページ
luggage	可算・不可算の判断を間違えやすい名詞	136
luckily	「話し手の評価」をあらわすその他の表現	267
-ly	-ly 副詞	255
	配置のことば英語と -ly の省略	256

M	詳細項目	ページ
machinery	可算・不可算の判断を間違えやすい名詞	137
make	基本動詞	120
	make, have, let と共に	90, 92-93
	make のとる形	488
main	前から専門・後ろから専門	240
many	数量表現	191
	可算名詞・不可算名詞の特徴	138
	too many	194
	単数で使える限定詞	200
marry	基本文型と動詞	83-84
may	主要助動詞の意味② MAY	339-342, 333
	may ～ but …	341, 635
	may/might well ～	341-342
	may/might as well ～	342
	will の予測・may の推量	344
	may の許可・can の許可	347
	控えめな過去の助動詞	556-557
maybe	さまざまな確信の度合い	265
	助動詞・意味の連関	333
me	代名詞の基本	202, 207
mention	基本文型と動詞	83-84
mere	前から専門・後ろから専門	240
might	主要助動詞の意味② MAY	339
	控えめな過去の助動詞	556-557
	could, might	596
	could have, might have	597
mine	代名詞の基本	202, 207-208
money	可算・不可算の判断を間違えやすい名詞	137
more	なぜ more, most が比較級・最上級に使われるのか	298
	many more, much more	302
	more … than ～	306
	no more … than	307
	no more than ～	308
	more or less	309
	not ～ any more (=no more)	309
moreover	順行をあらわすほかの表現	616
most	単数で使える限定詞	200
	なぜ more, most が比較級・最上級に使われるのか	298
	最上級 most が「とても」の意味で使われる	311

	詳細項目	ページ
much	数量表現	191-192
	可算名詞・不可算名詞の特徴	138
	too much	194
	単独で使える限定詞	199
must	主要助動詞の意味① MUST	336-338, 332
	禁止の命令・勧誘	104
	may の禁止・must の禁止	340
	助動詞の自由	347
	must-should ライン	356-357
	have to	360-362
	must の禁止・not have to の「必要がない」	362
my	代名詞の基本	202, 203-206
myself	代名詞の基本	202, 208
N	詳細項目	ページ
naturally	「話し手の評価」をあらわすその他の表現	267
need	その他の助動詞（need と dare）	357-358
neither	限定詞	189
	意識の動かし方	190
	単数で使える限定詞	200
	So … （…もそうだよ）／Neither … （…もそうじゃない）	537
never	通常の命令文より強いインパクト	106-107
	さまざまな頻度表現	263
	never to	466
	「経験」と相性のいい表現：ever, never	568
nevertheless	譲歩をあらわすその他の表現	635
news	可算・不可算の判断を間違えやすい名詞	137
next	カレンダー関連の言い回し	250-251
no	no	187-188
nobody	no	187
none	単独で使える限定詞	199
nonetheless	譲歩をあらわすその他の表現	635
no one	no	187
not	否定	315-328
	not + as … as ~	285
	not + so-as	285
	not … without ~	328
	not … until ~	328
	not only A but (also) B	328
	not A but B	328
	cannot … too ~, cannot help -ing, cannot but ~	328
notify	情報の受け手を示す	658
now	基本副詞	272
	now that	640
nowhere	no	187
number	a number of	195

O	詳細項目	ページ
obviously	「話し手の評価」をあらわすその他の表現	267
occasionally	さまざまな頻度表現	263
oddly	oddly (enough)	267
of	基本前置詞	396-397
	「X of ~」	200
	所有格の意識	205
off	基本副詞	280
often	さまざまな頻度表現	263
old	前から専門・後ろから専門	240
on	基本前置詞	397-401
	英語表現の歩き方	40-41
	最上級に伴う「中で」を示す前置詞	311-312
	前置詞の選択	376-378
	ざっくばらんな about cats とカタい on cats	379
	on top of that	616
once	時の上に位置づける、その他の表現	639
one	前に出てきた単語の代わりをする one	218-219
	単数で使える限定詞	200
	人々一般をあらわす代名詞	217-218
	代用	647
only	「1つ」を意味に含む語句	164
	前から専門・後ろから専門	240
	only to	466
音節	音節	63
opposite	基本前置詞	411
or	選択の接続	620-621
order	to 不定詞を説明語句に	94
	in order to	465
	in order that	632
other	the other	175
	the others	175
	others	175
otherwise	条件をあらわすその他の表現	627
ought	助動詞・意味の連関	332
	ought to	354
	used to/ought to	604
our	代名詞の基本	202, 203-206
ours	代名詞の基本	202, 207-208
ourselves	代名詞の基本	202, 208
out	基本副詞	279-280
over	基本前置詞	401-402
owe	owing to ~	630-631
own	「所有格＋ own」	203–204
P	詳細項目	ページ
pass	基本動詞	116
people	集団をあらわすその他の注意すべき単語	155

	人々一般をあらわす代名詞		217
per	週に一度		264
perhaps	さまざまな確信の度合い		265
personally	「発言頻度」をあらわすそのほかの表現		267
persuade	情報の受け手を示す		658
pick	pick on		373
piece	a piece of		140-141
please	依頼をあらわす文		105
	感情をあらわす動詞		245
plenty	plenty of		191
police	集団をあらわすその他の注意すべき単語		155
possibly	さまざまな確信の度合い		265
pound	a pound of		140
present	前から専門・後ろから専門		240
pretty	さまざまな程度表現		260
probably	さまざまな確信の度合い		265
promise	情報の受け手を示す		657
propose	再構成のテクニック		659
prove	判断をあらわす動詞		76
	説明型の to 不定詞		462
provide	provided/providing (that) 〜		625-626
put	基本動詞		117-118
	put on		373-374
	put off		373
	put down		373
Q	詳細項目		ページ
quite	さまざまな程度表現		259-260
R	詳細項目		ページ
raise	基本文型と動詞		81
rarely	さまざまな頻度表現		263
rather	基本副詞		271-272
	さまざまな程度表現		260
	would rather		300
reach	基本文型と動詞		83
really	さまざまな程度表現		259
reason	「理由」の why		431
	wh 語なしで修飾のできる表現		432
recommend	再構成のテクニック		659
remain	ある状態に留まることをあらわす動詞		75
remind	情報の受け手を示す		658
resemble	基本文型と動詞		84
rise	基本動詞		115
	基本文型と動詞		81
room	その他の注意すべき名詞		143
run	基本動詞		113
	基本文型と動詞		81
	run into		373
S	詳細項目		ページ

最上級	最上級表現:「最も〜」		310-313
	最上級を譲歩で使う		313
	all (the) 最上級		313
sake	for the sake of 〜		633
	for God's sake		633
same	all the same		634-635
satisfy	感情をあらわす動詞		245
say	基本動詞		125
	コミュニケーション動詞のクセ		102
	2とおりのレポート（直接話法と間接話法）		654-656
see	基本動詞		122
	基本文型と動詞		82
	知覚をあらわす動詞と共に		88
seem	判断をあらわす動詞		76
	説明型の to 不定詞		462
	it seems that 〜の形		462
seldom	さまざまな頻度表現		263
-self	-self 形の使い方		208
sense	in a sense (way)		267
seriously	「発言態度」をあらわすそのほかの表現		267
set	基本動詞		118
節	節		497-506
	節と句		53
	レポート文基礎: that 節		95-98
	it + to 不定詞／節		212-214
	強調構文と「it +節」の見分け方		216
	願望・要求・提案などをあらわす節		545-546
several	some と several		179
shall	主要助動詞の意味⑤ SHALL		350-352, 332
	… shall we?		520
she	代名詞の基本		202-203
sheet	a sheet of		140
should	主要助動詞の意味⑥ SHOULD		353-359, 332
	Should ＋倒置		540
	should の使用		546
show	show up		373
since	時間への位置づけ		638
	「継続」と相性のいい表現: 期間の for・起点の since		570
	since は ago と一緒に使えない		571
sit	基本文型と動詞		82
situation	case, situation など		430
slice	a slice of		140
smell	そのほかの知覚をあらわす動詞		124
so	基本副詞		269-270
	さまざまな程度表現		259
	so で受ける		327
	so as to		465

	So … (…もそうだよ)／Neither … (…もそうじゃない)	537		thank	rather than ～	300
					thanks to ～	631
	順行の接続	615		that	指示の this, that	196-198
	so (that) …	632			that を使うケース	425-428
some	some	178-181			単独で使える限定詞	199
	単独で使える限定詞	198-199			it の意識	210
sometimes	さまざまな頻度表現	263			it ～ that …の強調構文	214-216
soon	no sooner … than ～	537			「wh 語を使わない」「that を使う」は不可	437
	as soon as ～	639				
	no sooner A than B	639			タダの節	499-500
sound	知覚印象をあらわす動詞	75			主語を尋ねる場合には that を使えない	531
speak	基本動詞	124				
spite	despite [in spite of] the fact that	635			that is	617
					in that	630
spoonful	a spoonful of	140		that 節	レポート文基礎：that 節	95-98
スポーツ	「スポーツをする」のいろいろ	68		the	the	162-172
staff	集団をあらわすその他の注意すべき単語	155			「the ＋形容詞（〜の人々）」は複数扱い	156
stand	基本文型と動詞	82			a reason, the reason, the reasons, reasons	174
	stand up	373				
stay	ある状態に留まることをあらわす動詞	75			全体をあらわす表現	177
					固有名詞の作り方：the のあるなし	221-226
still	譲歩をあらわすその他の表現	634			最上級には the	310-311
strangely	「話し手の評価」をあらわすその他の表現	267		their	代名詞の基本	202, 203-206
				theirs	代名詞の基本	202, 207-208
strictly	「発言頻度」をあらわすそのほかの表現	267		them	代名詞の基本	202, 207
				themselves	代名詞の基本	202, 208
stupidly	「話し手の評価」をあらわすその他の表現	267		then	基本副詞	272-273
				there	基本副詞	276
such	基本副詞	270-271		therefore	順行をあらわすほかの表現	616
	such that	632		these	指示の this, that	196-198
	in such a way that/in such a way (as to) ～	633		they	代名詞の基本	202-203
					人々一般をあらわす代名詞	217
suggest	再構成のテクニック	659		think	基本動詞	127
suppose	be supposed to（ということになっている）	490		this	指示の this, that	196-198
					単独で使える限定詞	199
	Suppose ～	594			カレンダー関連の言い回し	250-251
	suppose/supposing ～	626		those	指示の this, that	196-198
surely	さまざまな確信の度合い	265		though	譲歩	634
surprise	感情をあらわす動詞	245		through	基本前置詞	404
T	詳細項目	ページ		till	時の上に位置づける，その他の表現	639
take	基本動詞	116-117		time	その他の注意すべき名詞	143-144
talk	基本動詞	125			wh 語なしで修飾のできる表現	432
taste	そのほかの知覚をあらわす動詞	124			It's (high) time ～	594
tell	基本動詞	125-126		tire	感情をあらわす動詞	245
	基本文型と動詞	83-84		to（前置詞）	基本前置詞	402-403
	コミュニケーション動詞のクセ	102			授与をあらわす，もう1つの形	78-79
	情報の受け手を示す	657-658			to one's 感情（〜したことには）	268
	再構成はお気軽に（2）	659-660			for と to	390
than	taller than me	203			受動文の前置詞はイメージどおり	485
	other than ～	300				

to 不定詞 (to ＋動詞原形)	to 不定詞	453-474
	目的語は名詞の位置・目的語のキモチ	67
	説明語句の自由	73
	もう1つの「させる」	92
	to 不定詞を説明語句に	93-94
	whether to ～	99
	it ＋ to 不定詞／節	212-214
	to を使った表現	268
	「目的語＋ to」	434
	前置詞の目的語に to 不定詞は不可	446
	to 不定詞と受動文のコンビネーション	488-490
	be to の描く未来	588-589
	to 不定詞の使用	632-633
	省略	651
too	基本副詞	271
	「～も」の言い回し	189
	さまざまな程度表現	259
	too ～ to … (～すぎて…できない)	472-473
toward (s)	基本前置詞	403-404
turn	基本動詞	116
	変化をあらわす動詞	75
	turn out	76, 462

U	詳細項目	ページ
under	基本前置詞	405
underneath	under 類	405
unfortunately	fortunately [unfortunately]	267
unless	条件をあらわすその他の表現	625
until	「期限」の by と「継続」の until	388
	時の上に位置づける，その他の表現	639
up	基本副詞	277-279
us	代名詞の基本	202, 207
use	used to	332
	would と used to	366
	used to/ought to	604
usually	さまざまな頻度表現	262-263

V	詳細項目	ページ
very	さまざまな程度表現	259
view	from one's point of view	267
visit	基本文型と動詞	84

W	詳細項目	ページ
walk	基本文型と動詞	81
want	基本動詞	128
	この形で want は使えない	489
warn	再構成のテクニック	657
watch	基本動詞	122-123
	知覚をあらわす動詞と共に	88
way	the way (that) to ～	100

	wh 語なしで修飾のできる表現	432
we	代名詞の基本／主格の使い方	202-203
	人々一般をあらわす代名詞	217
well	基本副詞	277
were	仮定法に使われる were	592
what	what we call [what is called] ～	506
	what we (may/might) call ～	506
	what is worse	506
	what is more	506
	what with … and …	506
	wh 疑問文	523
	感嘆文	541-542
wh 語	wh 語	415-438
	wh 語 ＋ to	100
	wh 語 ＋ to 不定詞	469-470
	wh 語 ＋ ever	505-506, 635
	no matter ＋ wh 語	506, 635
	「大きな」wh 語	528-529
	wh 語を使った聞き返し	532
when	「時間」の when	430-431
	wh 疑問文	523
	時間への位置づけ	637
where	「場所」の where	429-430
	wh 疑問文	523
whereas	コントラスト	636
whether	二択の whether 節	500
	whether/if 節・wh 節での展開	98-100
	再構成のテクニック	658
which	モノ指定の which	421-423
	which を使って場所を示す	430
	wh 疑問文	523
	Which … , A or B?	526
while	時間への位置づけ	638, 636
who	人指定の who	416-420
	Who is it?	211
	wh 疑問文	523
whom	whom という wh 語	420
	whom の使用	527
whose	「whose ＋名詞」の形	418-419, 422
	wh 疑問文	523
wh 節	wh 節	500-501
	whether/if 節・wh 節での展開	98-100
	wh 節の２つの解釈	503-504
	再構成のテクニック	658
why	「理由」の why	431
	how / why should … ?	354
	wh 疑問文	523
will	主要助動詞の意味③ WILL	343-345, 332
	will/can you … ?	105-106
	will や be going to が加えられる場合	552

	控えめな過去の助動詞	556-557
	will の描く未来	581-582
	will と be going to	584
	will ＋進行形（will be -ing）を使った未来	587-588
wish	wish の意味	592
with	基本前置詞	406-408
	with regard to ～	411
	with respect to ～	411
	受動文の前置詞はイメージどおり	485
within	基本前置詞	408
without	基本前置詞	408
won't	主要助動詞の意味③ WILL	343
	won't you … ?	106, 520
work	その他の注意すべき名詞	143
worry	感情をあらわす動詞	245
would	would/could you (please) … ?	105-106
	would you mind ～ ing?	106
	want と would like to	128
	助動詞・意味の連関	332
	主要助動詞の意味③ WILL	343-344
	would と used to	366
	would you?	520
	控えめな過去の助動詞	556-557
	would have という形	597

Y	詳細項目	ページ
year	5-year-old daughter	236
	wh 語なしで修飾のできる表現	432
yes	yes/no が日本語と逆転	326
yet	基本副詞	274
	「間近に起こった」と相性のいい表現：just, already, yet	567
	逆行をあらわすほかの表現	619-620
you	代名詞の基本	202-203, 207
	通常の命令文より強いインパクト	106
	人々一般をあらわす代名詞	217
your	代名詞の基本	202, 203-206
yours	代名詞の基本	202, 207-208
yourself	代名詞の基本	202, 208
yourselves	代名詞の基本	202, 208

その他	詳細項目	ページ
コロン（：）	順行をあらわすほかの表現	616

すべての日本人に贈る——「話すため」の英文法
一億人の英文法

発行日：2011年 9月 9日　初版発行
　　　　2024年 1月31日　第43版発行

著者：大西泰斗／ポール・マクベイ
発行者：永瀬昭幸

編集担当：八重樫清隆
発行所：株式会社ナガセ
　〒180-0003 東京都武蔵野市吉祥寺南町1-29-2
　出版事業部（東進ブックス）
　TEL：0422-70-7456 ／ FAX：0422-70-7457
　URL：http://www.toshin.com/books（東進WEB書店）
　※本書を含む東進ブックスの最新情報は東進WEB書店をご覧ください。

本文イラスト：大西泰斗
校正・制作協力：向山美紗子　港就太　鈴木英理子　佐々木絵理
　　　　　　　　江口英佑　大下和輝　高田淳史
校閲：佐藤教育研究所
装丁：東進ブックス編集部
印刷・製本：大日本法令印刷株式会社

※落丁・乱丁本は着払いにて当社出版事業部宛にお送りください。
　新本にお取り替えいたします。
※本書を無断で複写・複製・転載することを禁じます。

© ONISHI Hiroto & Paul Chris McVay 2011
Printed in Japan
ISBN978-4-89085-527-8　C1082

東進ビジネススクール
『ビジネス英語講座』のご案内

ビジネスで、本当に役立つ英語力を。

相手の心を動かす交渉力とコミュニケーション。
そんな真の英語力を身につけるには──？

ビジネスパーソンに必要な英語力の基準。それは、相手の心を動かしリードできるかどうか。世界で通用する高いレベルのコミュニケーション、つまりは英語でビジネスができる交渉力を身につける講座が、東進ビジネススクールの『ビジネス英語講座』です。

日本人が苦手とするスピーキングは、講義＋マンツーマンレッスンでその力を伸ばします。サロン形式の英会話教室とも、受け身の学習スタイルとも異なる、"成果が見えるプログラム"です。また、ビジネス英語の土台を築く学習として、企業の昇格試験にも用いられるTOEIC®テストに対応した講座も設置しています。

受講に必要なPC環境・ご準備

＊インターネットに接続可能なパソコンが必要です。
　ADSL・CATV・光などの広帯域インターネット接続サービスの利用（実効速度3Mbps以上）
　※無線接続（ワイヤレスLAN・通信カード等を利用した接続）での動作保証はできません。
＊OSは、Windows 8.1/ Windows 10 以上を推奨。 ＊ Macintosh での受講はできません。
＊受講で使用する次の機器を受講生個人でのご準備をお願いしています。
　ウェブカメラ、マイク付きヘッドセット（オンラインレッスンで使用します）
上記推奨環境は更新される場合があります。最新の推奨環境はHPでご確認ください。

詳細やその他の講座・システムについて、ウェブサイトで公開中！ | 東進　ビジネス | 検索

社会人向け講座

『英語で提案・説得できる力』が身につきます。
東進だけの実践的なラインアップ。

講義＋発話レッスンで、ロジカルに話す力を鍛える

ビジネス英語 スピーキング講座（①,②）

ビジネスで求められる
英語による「応答力」「問題解決能力」「発信力」が身につく

受講期間	受講形態	対象
1年間	在宅でのウェブ学習 ※学習開始時は、学習アドバイザーがサポートをいたしますのでご安心ください。	TOEIC® LR スコア 650点以上の方 (*推奨の目安)

概要

本プログラムは、ビジネスパーソンの皆様がグローバルな仕事環境において、「英語によるコミュニケーション能力」を養成することを目的としたプログラムです。TOEIC®スピーキングテストのスコアを評価目標とし、その対策を通してスピーキング力を高める内容となっています。TOEIC®スピーキングテストのスコアと実際のスピーキング力の間には高い相関があると言われており、本プログラムで学習しスコアを伸ばすことが、実際のビジネスの場で本当に役立つ英語の修得につながります。

学習のプロセスでは、①慣用語句の反復音読や、②スピーチ原稿の音読・暗唱等の発話練習はもとより、③状況説明、④質問対応を瞬時に行う練習や、⑤理由や具体例を伴って自分の意見を述べる訓練を徹底して行っていきます。結果として、ビジネスで求められる英語による「応答力」「問題解決能力」「発信力」が身につきます。

講義 [ウェブ] → **基礎トレーニング [ウェブ]** → **実践トレーニング [マンツーマン・オンラインレッスン]**

ウェブ学習システムを通し、いつでもどこでも受講可能。

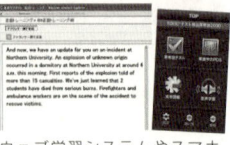

ウェブ学習システムやスマホアプリを使用して英単語などを集中的、効率的に修得。

ウェブ学習システムでのトレーニングや「TOEIC®新公式問題集」を用いたトレーニングを実行。

詳細やその他の講座・システムについて、ウェブサイトで公開中！ 東進 ビジネス 検索

講義＋英会話レッスンで、ネイティブスピーカーの感覚を理解しながら学べる

話すための英語 トレーニング講座

受講期間	受講形態	対象
1年間	在宅でのウェブ学習 ※学習開始時は、学習アドバイザーがサポートをいたしますのでご安心ください。	TOEIC® LR スコア 基礎編：500点以上の方 実践編：700点以上の方　（*推奨の目安）

概要

本講座は、NHKの語学講座「ラジオ英会話」でおなじみの大西泰斗教授、ポール・マクベイ教授が担当。東進ビジネススクールの特別講師である2人の共著『一億人の英文法』（東進ブックス刊）をベースとした講座です。まずは英文を作り出すために必要な文法概念を講義で修得し、続いて音読や口頭英作文のトレーニングを行います。ノンネイティブで海外経験がない日本人でも、英語のネイティブスピーカーの感覚を理解しながら、言葉の意味やニュアンス、英文の作り方を学べる今までにない新しい講座です。

講義［ウェブ］ → 基礎トレーニング［ウェブ］ → 実践トレーニング［マンツーマン・オンラインレッスン］

学習項目：●とき表現：現在形、未来のwill ●基本文型：授与型 ●名詞の位置：主語、目的語 ●応用文型：itを上手に、it…をを後ろから追いかける ●否定文：notを使う技術 ●修飾：修飾の2方向、-ing修飾・自由自在、to不定詞修飾・自由自在など

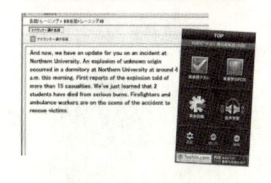

よりスムーズに発話をするためには、自主的なトレーニングが重要です。英単語の学習（PC＆アプリ活用）、ディクテーションの学習（PC活用）をすることで、瞬発力を高めます。

東進USAオンライン講師によるマンツーマンレッスンです。事前に専用サイトで予約をしておけば、アメリカ在住の講師が予約した時間にWEBシステムを利用して受講生にコンタクトします。
「話せる」ための知識（発音、表現のニュアンスなど）を習得し、その知識をベースに発話訓練を行うスピーキング力強化講座です。心の意図を伝えるために、文法だけではなく、語彙、イントネーションなども学びます。

グローバルビジネスのスタートラインに立つ

TOEIC®テスト 800点突破講座

受講期間	受講形態
1年間	在宅でのウェブ学習

対象
TOEIC® LR スコア
650点〜795点の方
（*推奨の目安）

英語の学び直し・土台固めに最適！

TOEIC®テスト 650点突破講座

受講期間	受講形態
1年間	在宅でのウェブ学習

対象
TOEIC® LR スコア
400点〜645点の方
（*推奨の目安）

詳細やその他の講座・システムについて、ウェブサイトで公開中！　[東進 ビジネス] [検索]

東進ビジネス英語講座のTOEICスコアアップ実績

1年で平均116.0点アップ!!

- 大学生IPテスト平均（2019年度）: 455.0点
- 入学時: 510.6点
- 1年後: 626.6点

40コマ以上受講した生徒のTOEIC® LRスコア（1講は30分もしくは45分）

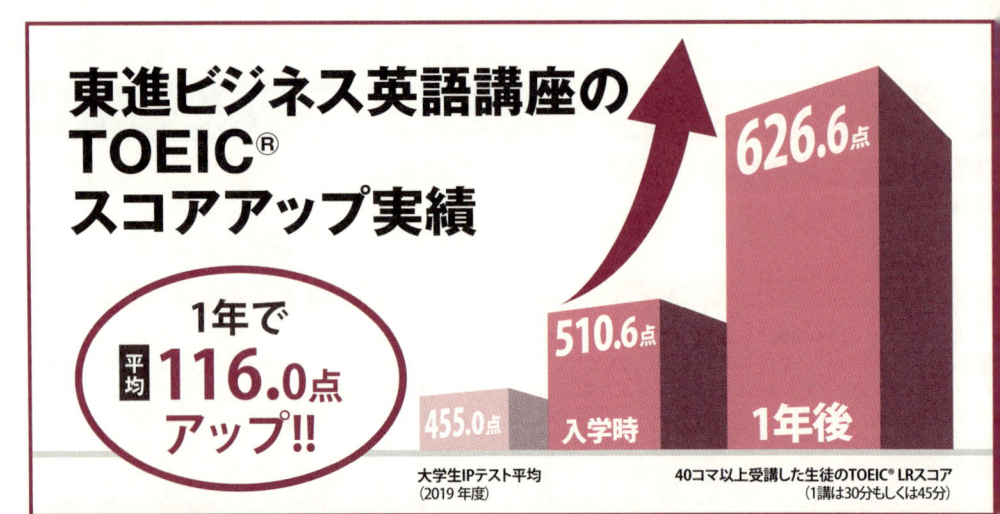

大学入学からスタートダッシュ！

藤生 竜季 くん

295点UP
555点（高校3年12月） → 850点（大学1年4月）

明治大学 理工学部

日々、大学の勉強（課題）の前に英語の勉強をする！

英語はこれからの時代に生きていくために絶対に必要です。私の専門の建築は、国内需要は減少の一途と聞きました。そこで海外で働きたいと考え、英語力を本気で伸ばすために大学に推薦合格した時点から東進ビジネス英語講座の受講を始めました。安河内先生の授業は「どうやったら楽しく英語を勉強できるか？」「大学生活を最大限に充実したものにするにはどうしたらいいか？」という事にも触れられており、英語学習や学生生活のモチベーションアップに効果的です。受講を進める中で、基礎が固まり、リスニングが得意になりました。英語を、日本語を介さずに理解できるようになり、英語のニュースを聞き、英語でその日の「やることリスト」を作成するなど、日常生活のほとんどを英語で行うことができるようになりました。

大幅スコアアップで夢に踏み出した！

真庭 里奈 さん

285点UP
640点（大学3年2月） → 925点（大学4年12月）

早稲田大学 基幹理工学部 卒業

東進の高速学習で競争率約100倍の採用試験を突破！

私はどうしてもパイロットになりたいという希望があり、採用試験までにTOEIC®の成績を上げる必要がありました。元々は東進卒業生ではありませんでしたが、幅広く教材・講座等を調べた結果、最も成果が出そうだと考え、東進ビジネススクールに入学しました。
成績が伸び悩む時期もありましたが、東進の高速学習を最大限に活用してスコアアップを実現しました。一緒に勉強する仲間の存在が、高いモチベーションの維持に繋がりました。この度、航空会社の競争率約100倍のパイロット候補生試験に合格し、夢への一歩目を踏み出すチャンスを得ることができました。

東進の英語コースでTOEIC®のスコアを着実に伸ばす！

資料請求・お問い合わせ：
右記のQRコードからお願いいたします

東進ビジネススクール

東進 ビジネス 検索
www.toshin.com/bs/

大学生の方　社会人の方

※講座内容は予告なく改訂される場合があります